ALÉXANDROS

VALERIO MASSIMO MANFREDI

ALÉXANDROS

EL CONFÍN DEL MUNDO

Traducción de José Ramón Monreal

grijalbo mondadori

Título original:
ALÉXANDROS. IL CONFINE DEL MONDO
Traducido de la edición original de
Arnoldo Mondadori Editore, SpA, Milán
Cubierta: Arnoldo Mondadori Editore, SpA, Milán
Adaptación de la cubierta: Luz de la Mora
© 1998, Arnoldo Mondadori SpA, Milán
© 1999 de la edición en castellano para España y América:
        GRIJALBO (Grijalbo Mondadori, S.A.)
        Aragó, 385, 08013 Barcelona
        www.grijalbo.com
© 1999, José Ramón Monreal Salvador, por la traducción
Primera edición: junio 1999
Primera reimpresión: octubre 1999
Segunda reimpresión: noviembre 1999
Tercera reimpresión: enero 2000
Cuarta reimpresión: marzo 2000
Reservados todos los derechos
ISBN: 84-253-3385-7
Depósito legal: B. 11.954-2000
Impreso en Cayfosa-Quebecor, Ctra. de Caldes, km. 3,
08130 Santa Perpètua de Mogoda (Barcelona)

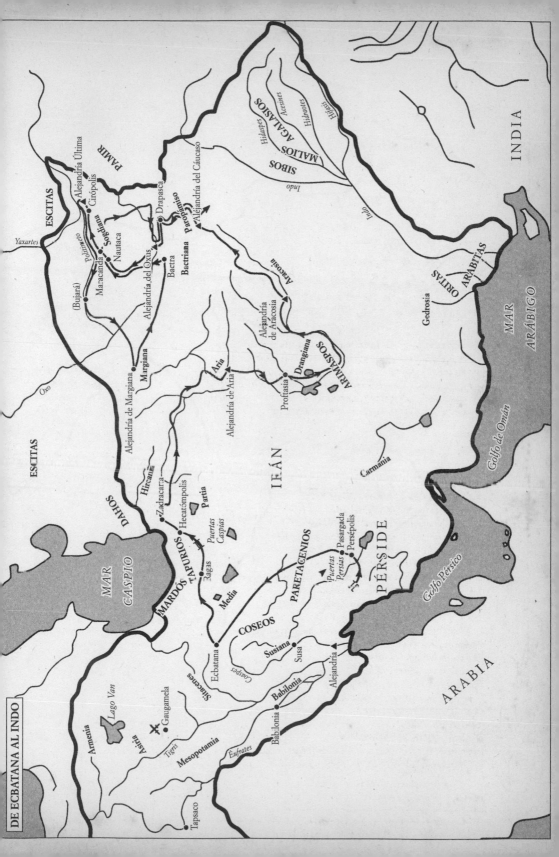

DE ECBATANA AL INDO

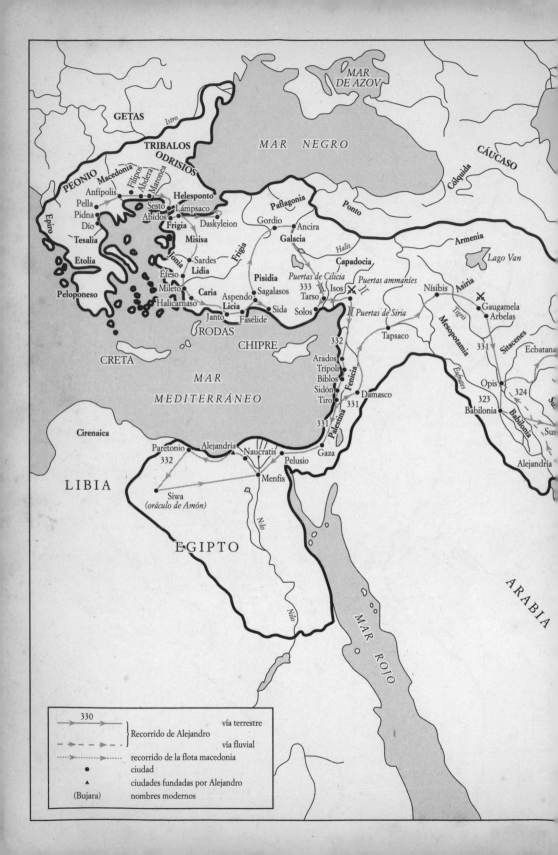

LA EXPEDICIÓN DE ALEJANDRO

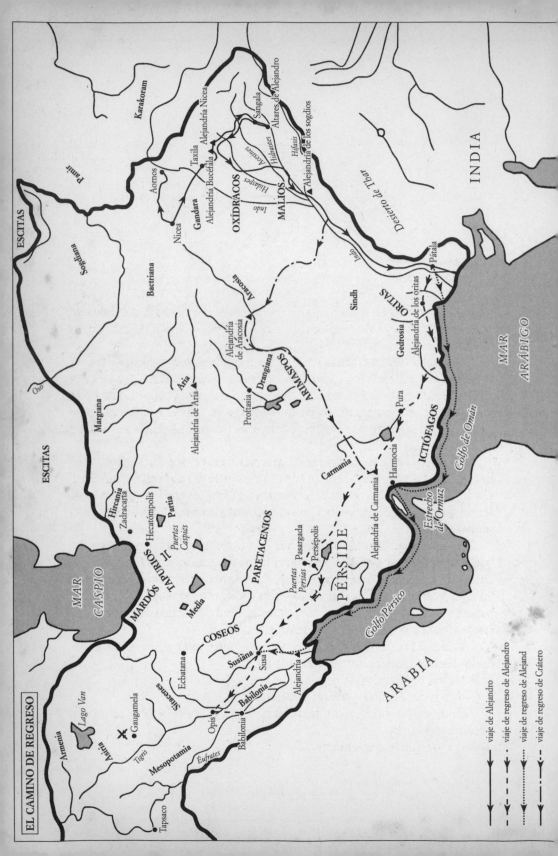

1

El rey se puso de nuevo en marcha a través del desierto a finales de primavera, por otra vía que desde el oasis de Amón llegaba directamente a las riberas del Nilo en las cercanías de Menfis.

Cabalgaba durante horas y horas a lomos de su bayo sármata, mientras *Bucéfalo* galopaba a su lado sin arreos ni riendas. Desde que Alejandro había caído en la cuenta de lo largo que era el camino que iba a tener que recorrer, trataba de ahorrarle a su caballo todo esfuerzo inútil, como si quisiera prolongarle lo más posible el vigor de la edad juvenil.

Se requirieron tres semanas de marcha bajo un sol abrasador y fue necesario afrontar aun durísimas privaciones antes de ver la fina línea verde que anunciaba las fértiles riberas del Nilo, pero el rey parecía no sentir ni cansancio, ni hambre, ni sed, absorto como estaba en sus pensamientos y recuerdos.

Los compañeros no le molestaban en su recogimiento porque se daban cuenta de que quería permanecer solo en aquellas interminables extensiones desérticas con su sensación de infinito, con su ansia de inmortalidad, con las pasiones de su espíritu. Sólo por la noche era posible hablar con él, y a veces alguno de los amigos entraba en su tienda y le hacía compañía mientras Leptina le daba un baño.

Un día Tolomeo le sorprendió con una pregunta que se había guardado dentro durante demasiado tiempo:

—¿Qué te dijo el dios Amón?

—Me llamó «hijo» —repuso Alejandro.

Tolomeo recogió la esponja que había caído al suelo de la mano de Leptina y se la dio.

—¿Y tú qué le respondiste?

—Le pregunté si todos los asesinos de mi padre estaban muertos o si había sobrevivido alguno.

Tolomeo no dijo nada. Esperó a que el rey saliera de la tina, le puso sobre los hombros un paño de lino limpio y luego comenzó a friccionarle. Cuando Alejandro se volvió hacia él, le escrutó hasta el fondo del alma y le preguntó:

—Así pues, ¿aún quieres a tu padre Filipo, ahora que te has convertido en un dios?

Alejandro dejó escapar un suspiro.

—Si no fueras tú quien me hace esta pregunta, diría que son palabras de Calístenes o de Clito *El Negro*... Dame tu espada.

Tolomeo le miró sorprendido, pero no se atrevió a replicar. Desenvainó el arma y se la alargó. Él la cogió y se hizo una incisión con la punta en la piel del brazo, haciendo brotar un hilillo bermejo.

—¿Qué es esto, no es acaso sangre?

—Lo es, en efecto.

—¿Es sangre, no es cierto? No es «*icor*, que dicen corre por las venas de los bienaventurados» —prosiguió citando un verso de Homero—. Así pues, amigo mío, trata de comprenderme y no herirme inútilmente, si de verdad sientes afecto por mí.

Tolomeo comprendió y se excusó por haberle dirigido la palabra de aquel modo, mientras Leptina lavaba el brazo del rey con vino y lo vendaba.

Alejandro le vio disgustado y le invitó a quedarse a cenar, aunque no es que hubièra mucho que comer: pan seco, dátiles y vino de palma de ácido sabor.

—¿Qué haremos ahora? —le preguntó Tolomeo.

—Volvercmos a Tiro.

—¿Y luego?

—No lo sé. Creo que una vez allí Antípatro me dirá lo que está sucediendo en Grecia y tendremos suficientes noticias por nuestros informadores de lo que Darío está planeando. En ese momento tomaremos una decisión.

—Sé que Eumenes te ha contado la suerte que ha tenido tu cuñado Alejandro de Epiro.

—Sí, por desgracia. Mi hermana Cleopatra estará destrozada, y también mi madre, que le quería muchísimo.

—Pero yo creo que eres tú quien ha debido de sentir el dolor más grande. ¿O me equivoco?

—Creo que tienes razón.

—¿Qué os unía tan íntimamente, aparte del doble parentesco?

—Un gran sueño. Ahora todo el peso de ese sueño recae sobre mis espaldas. Un día pasaremos a Italia, Tolomeo, y aniquilaremos a los bárbaros que le han dado muerte.

Escanció un poco de vino de palma al amigo, y luego dijo:

—¿Te gustaría escuchar unos versos? He invitado a Tésalo para que nos haga compañía.

—Con mucho gusto. ¿Qué versos has elegido?

—Versos que hablan del mar, de diversos poetas. Este paisaje de arenas infinitas me recuerda la extensión marina, y al propio tiempo el ardor abrasador de estos lugares me hace desearlo.

Apenas Leptina hubo retirado las dos pequeñas mesas, entró el actor. Vestía un traje de escena y llevaba el rostro cubierto de afeites: los ojos perfilados con bistre, la boca retocada con minio para hacerle un rictus amargo, como el de las máscaras trágicas. Tocó la cítara arrancando algunos acordes quedos y comenzó:

> Brisa marina, brisa marina
> que impulsas las naves veloces
> sobre el dorso de las olas,
> ¿adónde me llevarás, desdichado de mí?*

Alejandro le escuchaba encantado en medio del profundo silencio de la noche, escuchaba aquella voz capaz de cualquier entonación, capaz de vibrar por medio de todos los sentimientos y de todas las pasiones humanas, de imitar el suspiro del viento y el estampido del trueno.

Se quedaron hasta tarde escuchando la voz del gran actor, que cambiaba a cada matiz, que gemía con el llanto de las mujeres o se alzaba soberbia con el grito de los héroes. Cuando Tésalo hubo terminado su representación, Alejandro le abrazó.

—Gracias —le dijo con ojos relucientes—. Has evocado los sueños que visitarán mi noche. Ahora ve a dormir, pues mañana nos espera una larga marcha.

Tolomeo se quedó un rato más tomando vino con él.

—¿Todavía piensas en Pella? —le preguntó de golpe—. ¿Piensas alguna vez en tu madre y en tu padre, cuando éramos muchachos y corríamos a caballo por las colinas de Macedonia? ¿En las aguas de nuestros ríos y de nuestros lagos?

Alejandro pareció reflexionar durante unos instantes; luego respondió:

*Eurípides, *Mécuba*, versos 444-448.

—Sí, a menudo, pero me parecen imágenes lejanas, como de cosas sucedidas muchos años atrás. Nuestra vida es tan intensa que cada hora vale por un año.

—Esto significa que envejeceremos antes de hora, ¿no es así?

—Tal vez... O tal vez no. El velón que brilla más espléndido en la sala es el destinado a apagarse primero, pero todos los comensales recordarán lo hermosa y grata que era su luz durante la fiesta.

Apartó el faldón de la tienda y acompañó afuera a Tolomeo. El firmamento brillaba sobre el desierto con un número infinito de estrellas y ambos jóvenes levantaron sus ojos para contemplar la resplandeciente bóveda.

—Y acaso éste es también el destino de las estrellas que brillan más fúlgidas en la bóveda celeste. Que tengas una noche tranquila, amigo mío.

—Y también tú, *Aléxandre* —repuso Tolomeo, y se alejó hacia su tienda en las márgenes del campamento.

Cinco días después llegaron a las riberas del Nilo, en Menfis, donde le esperaban Parmenión y Nearco, y esa misma noche Alejandro volvió a ver a Barsine. Había sido alojada en un suntuoso palacio que perteneciera a un faraón; sus habitaciones habían sido preparadas en la parte alta, expuesta al viento etesio que traía de noche un agradable fresco y hacía volar las cortinas de biso azul, ligeras cual alas de mariposa.

Ella le esperaba, cubierta con una camisola ligera a la manera jonia, sentada en un sillón de brazos adornado de ribetes de oro y esmalte. Los cabellos negros de reflejos violáceos le caían sobre hombros y pecho, y llevaba un ligero afeite a la manera egipcia.

La luz de la luna y la de las lámparas disimuladas tras pantallas de alabastro mezclábanse en una atmósfera perfumada de nardo y de áloe, palpitante de reflejos ambarinos en las pilas de ónice llenas de agua, en las que flotaban flores de loto y pétalos de rosas. De detrás de un bastidor calado en forma de ramas de yedra y de pájaros en pleno vuelo, llegaba una música queda y suave de flautas y arpas. Las paredes estaban llenas de antiguos frescos egipcios con escenas de danza en las que unas doncellas desnudas evolucionaban al son de los laúdes y tamboriles delante de la pareja real sentada en el trono, y en un rincón había un gran lecho con un baldaquín azul sustentado por cuatro columnas de madera sobredorada con los capiteles en forma de flores de loto.

Alejandro entró y dirigió a Barsine una larga mirada ardiente. Tenía aún en los ojos la luz deslumbradora del desierto, en los oídos los sonidos secretos de los oráculos amónicos, todo su cuerpo irradiaba un aura de mágico encanto: desde los cabellos dorados que le acariciaban los hombros hasta el pecho musculoso marcado por cicatrices, pasando por el color cambiante de los ojos y las manos sutiles y nerviosas recorridas por turgentes venas azuladas. Llevaba sobre el cuerpo desnudo únicamente una clámide ligera prendida sobre el hombro izquierdo por medio de una fíbula de plata de antigua factura, herencia secular de su dinastía; una cinta dorada ceñía su frente.

Barsine se levantó y se sintió inmediatamente perdida en la luz de su mirada. Murmuró:

—*Aléxandre...* —mientras él la estrechaba entre sus brazos, besaba sus labios húmedos y carnosos cual dátiles maduros y la hacía sentarse en el lecho acariciándole las caderas y el pecho tibio y perfumado.

Pero en un abrir y cerrar de ojos el rey sintió la piel de ella helarse, ponerse rígidos sus miembros bajo las manos de él; advirtió una vibración amenazante en el aire, que despertó sus amodorrados sentidos de guerrero. Se volvió de golpe con un rápida torsión de riñones para hacer frente al inminente peligro y se vio embestido de lleno por un cuerpo lanzado a la carrera hacia él; vio una mano alzada que blandía un puñal, oyó un grito estridente y salvaje retumbar entre las paredes del tálamo al mismo tiempo que el que profirió Barsine, quebrado por el llanto y el dolor.

Alejandro redujo fácilmente al agresor y le clavó contra el suelo retorciéndole la muñeca y obligándole a soltar el arma. Le habría machacado al punto con el pesado candelabro que había aferrado rápidamente, de no haber reconocido a un muchacho de quince años: ¡Eteocles, el hijo mayor de Memnón y Barsine! El muchacho se debatía como un joven león caído en una trampa, gritaba toda clase de improperios, mordía y arañaba al no poder blandir el puñal.

Entraron los soldados de la guardia, atraídos por el alboroto, e inmovilizaron al intruso. El oficial que les mandaba, tras darse cuenta de lo sucedido, exclamó:

—¡Un atentado contra la vida del rey! Llevadle abajo para que sea torturado y ajusticiado.

Pero Barsine se arrojó a los pies de Alejandro entre sollozos:

—¡Sálvale, mi señor, salva la vida de mi hijo, te lo suplico!

Eteocles la miró con desprecio; luego, vuelto hacia Alejandro, dijo:

—Te conviene matarme, porque intentaré otras mil veces lo que acabo de hacer, hasta que consiga vengar la vida y el honor de mi padre.

Temblaba aún por la excitación del enfrentamiento y por el odio que le ardía en el corazón. El rey hizo un gesto a los soldados de la guardia de que se retiraran.

—Pero, señor... —protestó el oficial.

—¡Salid! —exigió Alejandro—. ¿No veis que no es más que un muchacho? —El hombre obedeció. Luego Alejandro se volvió nuevamente hacia Eteocles—: El honor de tu padre está a salvo y la vida no se la arrebató sino una enfermedad fatal.

—¡No es cierto! —gritó el muchacho—. Fuiste tú que le hiciste envenenar y ahora... ahora te llevas a su mujer. ¡Eres un hombre sin honor!

Alejandro se le acercó y repitió con voz firme:

—Admiraba a tu padre, a quien consideraba el único adversario digno de mí y no soñaba más que en poder batirme algún día con él. Nunca le habría hecho envenenar, pues yo me enfrento a mis enemigos a cara descubierta, con la espada y la lanza. Por lo que se refiere a tu madre, soy yo la víctima, yo que pienso en ella a cada momento, yo que he perdido el sueño y la serenidad. El amor es la fuerza de un dios, una fuerza ineluctable. El hombre no puede escapar a él ni evitarlo, como no puede evitar el sol y la lluvia, el nacer y el morir.

Barsine sollozaba en un rincón con el rostro oculto entre las manos.

—¿No le dices nada a tu madre? —le preguntó el rey.

—Desde el mismo momento en que tus manos la tocaron, no es ya mi madre, no es ya nada. Mátame, os conviene a los dos. De lo contrario seré yo quien lo haga. Dedicaré vuestra sangre a la sombra de mi padre, para que tenga paz en el Hades.

Alejandro se volvió hacia Barsine:

—¿Qué debo hacer?

Barsine se secó los ojos y recobró el control de sí misma.

—Déjale en libertad, te lo ruego. Dale un caballo y algunos víveres y déjale en libertad. ¿Harás esto por mí?

—Te lo advierto —repitió una vez más el muchacho—, si me dejas libre iré a ver al Gran Rey y le pediré una armadura y una espada para poder luchar en su ejército contra ti.

—Si así debe ser, sea —replicó Alejandro.

A continuación llamó a los soldados de la guardia y dio orden de que el muchacho fuera dejado en libertad y que le dieran un caballo y víveres.

Eteocles trataba de disimular las violentas emociones que agitaban su ánimo mientras se encaminaba en silencio hacia la puerta, pero su madre le llamó:

—Espera.

El muchacho se detuvo un momento; luego le volvió nuevamente la espalda cruzando la puerta de salida que daba al pasillo.

Barsine repitió de nuevo:

—Espera, te lo ruego.

Luego abrió un arcón, sacó un arma reluciente guardada en su vaina y se le entregó.

—Es la espada de tu padre.

El muchacho la tomó y la estrechó contra su pecho, mientras unas lágrimas de angustia brotaban de sus ojos y regaban sus mejillas.

—Adios, hijo mío —dijo Barsine con voz quebrada por el llanto—. Que Ahura Mazda te proteja y te protejan los dioses de tu padre.

Eteocles corrió a lo largo del corredor y escaleras abajo hasta que se encontró en el patio de palacio, donde los soldados de la guardia pusieron en sus manos la brida de un caballo. Pero cuando estaba a punto de saltar sobre su grupa, vio aparecer una sombra por una puertecilla lateral: era su hermano Phraates.

—Llévame contigo, te lo ruego. No quiero permanecer prisionero por más tiempo de este *yauna*. —Eteocles dudó unos segundos, mientras su hermano insistía—: ¡Llévame contigo, te lo ruego, te lo ruego! No peso, el caballo nos llevará a los dos hasta que consigamos otro.

—No puedo —repuso Eteocles—. Eres demasiado pequeño y además... alguien debe quedarse con mamá. Adiós, Phraates. Volveremos a vernos tan pronto como esta guerra haya terminado. Y seré yo mismo quien te libere.

Le estrechó en un largo abrazo, mientras su hermano lloraba a lágrima viva, luego saltó a caballo y desapareció.

Barsine había asistido a la escena desde la ventana de su habitación; se sentía morir viendo a un muchacho de quince años afrontar la noche al galope, correr en la oscuridad hacia lo desconocido. Lloraba desconsoladamente, pensando en lo amarga que era la suerte de los seres humanos. Poco tiempo antes se había sentido como una de esas divinidades del Olimpo que había visto pintadas en los cuadros y representadas en las esculturas de los grandes artistas *yauna*; ahora, a gusto habría trocado su condición por la de la más humilde de las esclavas.

2

Alejandro hizo construir dos puentes de barcas para hacer pasar al ejército a la orilla oriental del Nilo. Se volvió a reunir allí con los soldados y los oficiales que había dejado defendiendo el país y, tras comprobar que se habían comportado como es debido, les confirmó en sus cargos subdividiéndolos para que el poder sobre aquel riquísimo país no estuviera concentrado en manos de una única persona.

Pero estaba escrito que aquellos días en los que Egipto le acogía de vuelta del santuario de Amón, honrándole como a un dios y coronándole faraón, resultaran funestos por unos tristes acontecimientos. Tenía ante sus ojos casi a diario la desesperación de Barsine, pero una desgracia mayor aún les amenazaba. Parmenión tenía otros dos hijos aparte de Filotas: Nicanor, oficial en un escuadrón de *hetairoi*, y Héctor, un muchacho de diecinueve años muy querido por el general. Excitado al ver atravesar el río al ejército, Héctor decidió subir a una embarcación egipcia de papiro para disfrutar del espectáculo desde el centro de la corriente. También él, por una cierta vanidad juvenil, se había equipado con una pesada armadura y un llamativo manto de gala y se había erguido en popa, donde todos pudieran admirarle.

Pero de pronto la barca chocó contra algo, acaso contra el lomo de un hipopótamo que emergía en aquel momento a la superficie, y se desequilibró fuertemente. El muchacho cayó al agua y desapareció de inmediato, arrastrado bajo el peso de la armadura, de las ropas y del manto empapados.

Los remeros egipcios de la barca se zambulleron sin perder un instante y otro tanto hicieron no pocos jóvenes macedonios y su hermano Nicanor, que habían asistido al accidente, desafiando el peligro de los remolinos y las fauces de los cocodrilos, más bien numerosos por aquella parte, pero todo fue en vano. Parmenión asistió impotente a la tragedia desde la ribera oriental del río, en donde vigilaba el ordenado paso del ejército.

Alejandro le vio desaparecer poco después y dio al punto orden a los marinos fenicios y chipriotas de tratar de recuperar al menos el cadáver del joven, pero sus esfuerzos resultaron inútiles. Aquella misma tarde, al cabo de horas y horas de afanosa búsqueda en la que tomó parte personalmente, el rey fue a visitar al viejo general petrificado por el dolor.

—¿Cómo está? —preguntó a Filotas, que estaba de pie fuera de la tienda como un guardián de la soledad de su padre.

El amigo sacudió la cabeza con desconsuelo.

Parmenión estaba sentado en el suelo, a oscuras, en silencio, y tan sólo su cabeza blanca destacaba en la oscuridad. Alejandro notó que le temblaban las piernas; sintió una profunda compasión por aquel hombre valeroso y leal que tantas veces le había irritado con sus exhortaciones a la prudencia, con el recuerdo insistente de la grandeza de su padre. En aquel momento le pareció semejante a un roble centenario que ha desafiado durante años y años las tempestades y los huracanes y que un rayo quiebra de pronto.

—Es una visita muy triste la que te hago, general —comenzó diciendo con voz insegura y, mientras le miraba, no podía evitar que resonase en su mente la cantinela que estaba acostumbrado a cantar cuando le veía llegar, con los cabellos ya canos, al Consejo de guerra de su padre:

¡El viejo soldado que va a la guerra
cae por tierra, cae por tierra!

Parmenión se puso en pie casi automáticamente al oír la voz de su rey y consiguió articular, con voz quebrada:

—Te agradezco que hayas venido, señor.

—Hemos hecho lo imposible, general, para encontrar el cuerpo de tu hijo. Le habría rendido los más grandes honores, habría... habría dado cualquier cosa con tal de...

—Lo sé —repuso Parmenión—. Dice el proverbio que en tiempo de paz los hijos entierran a sus padres, mientras que en tiempo de guerra son los padres los que entierran a sus hijos, pero yo siempre había esperado que esta angustia me fuera ahorrada. Siempre esperé que me tocara a mí la primera flecha o el primer mandoble. Y en cambio...

—Ha sido una terrible fatalidad, general —dijo Alejandro. Mientras tanto sus ojos se habían habituado a la oscuridad de la tienda y pudo distinguir el semblante de Parmenión desfigurado a causa del dolor. Parecía haber envejecido diez años en un solo instante: los ojos enrojecidos, la piel reseca y arrugada, el cabello revuelto; ni siquiera después de las más duras batallas le había visto así.

—Si hubiese caído... —dijo—, si hubiese caído combatiendo con la espada en la mano me habría dicho al menos que somos soldados. Pero así... así... ¡Ahogado en ese río fangoso, despedazado y devorado por esos monstruos! ¡Oh dioses, dioses del cielo!, ¿por qué? ¿Por qué?

Se tapó la cara con las manos y estalló en un llanto largo y lúgubre que rompía el corazón.

Ante aquel sufrimiento, Alejandro no encontró ya palabras. Únicamente consiguió murmurar:

—Estoy desolado.. estoy desolado.

Y salió saludando a Filotas con una mirada llena de espanto. También el otro hermano, Nicanor, llegaba en aquel momento, desfigurado asimismo por el dolor y la fatiga, empapado y sucio aún de barro.

Al día siguiente, el rey hizo erigir un cenotafio en honor del joven y celebró en persona unas exequias solemnes. Los soldados, en prietas filas, vitorearon diez veces su nombre para que su memoria no se perdiera, pero no fue como cuando habían gritado los nombres de los compañeros caídos en los montes de Tracia e Iliria, entre las nevadas cimas, bajo el cielo de zafiro. En aquel clima pesado y turbio, en aquellas aguas cenagosas, el nombre de Héctor se lo tragó enseguida el silencio.

Aquella misma noche, el rey volvió a las habitaciones de Barsine. La encontró tumbada en el lecho llorando. Su nodriza le contó que desde hacía días no comía casi nada.

—No debes abandonarte así a la desesperación —le dijo Alejandro—. No le sucederá nada a tu chico. Le he hecho seguir por dos de mis hombres para que no le ocurra nada malo.

Barsine se levantó para sentarse en el borde de la cama.

—Te lo agradezco. Me has quitado un gran peso de encima... aunque la vergüenza subsista. Mis hijos me han juzgado y condenado.

—Te equivocas —replicó Alejandro—. ¿Sabes qué le ha dicho tu hijo a su hermano más pequeño? Me lo han contado los soldados de la guardia. Le ha dicho: «Tienes que quedarte con mamá». Esto significa que te quiere y que lo que hace lo hace porque cree que es justo. Tienes que estar orgullosa de él.

Barsine se secó los ojos.

—Lamento que haya sucedido todo esto. Hubiera querido ser para ti un motivo de alegría, hubiera querido... hubiera querido estar cerca de ti en el momento de tu triunfo, y en cambio sólo tengo ganas de llorar.

—Llanto que se añade al llanto —replicó Alejandro—. Parmenión ha perdido a su hijo más joven. Todo el ejército está de luto y yo no he podido evitar que ello sucediera. No me es de gran provecho el haberme convertido en un dios... Pero ahora siéntate, te lo ruego, y come conmigo. Tenemos que reconquistar juntos la felicidad que la envidia del destino trata de arrebatarnos.

El almirante Nearco recibió órdenes de poner vela hacia Fenicia, mientras el ejército volvía sobre sus pasos por tierra, a lo largo del camino que pasaba entre el mar y el desierto. Cuando llegaron cerca de Gaza, se presentó un mensajero de Sidón con una mala noticia.

—Rey —dijo saltando del caballo y sin siquiera recuperar el aliento—, los samaritanos han quemado vivo a tu gobernador de Siria, el comandante Andrómaco, tras haberle torturado prolongadamente.

Alejandro, contristado ya por los últimos acontecimientos, montó en cólera.

—¿Quiénes son —preguntó— esos samaritanos?

—Son bárbaros que habitan en las montañas que hay entre Judea y el monte Carmelo y tienen una ciudad que se llama Samaria —repuso el mensajero.

—¿Y no saben quién es Alejandro?

—Tal vez lo sepan —intervino Lisímaco—, pero no les preocupa. Creen poder desafiar impunemente tu cólera.

—Entonces no estará de más que me conozcan —replicó el rey—. Y dio orden de reanudar inmediatamente la marcha. Avanzaron sin descanso hasta Acre y desde allí se dirigieron hacia levante en dirección al interior, con la caballería ligera de los tribalos y de los agrianos y con *La Punta* en perfecto orden de batalla. El rey les mandaba personalmente, acompañado por sus amigos, mientras que la infantería pesada, los auxiliares y la caballería de los *hetairoi* se quedaron en la costa a las órdenes de Parmenión.

Llegaron al caer la tarde sin ser en absoluto esperados: los samaritanos eran, en efecto, un pueblo de pastores y los hombres estaban dispersos por los montes y las colinas llevando a pacer a sus rebaños. En tres días, todas las aldeas fueron pasto de las llamas; la capital, que era una aldea algo mayor que las demás rodeada de murallas, fue arrasada y su templo, un santuario bastante pobre que ni siquiera tenía una estatua o una imagen, fue reducida a cenizas.

Cuando la incursión hubo terminado, descendían ya las sombras de la tercera noche y el rey decidió acampar con sus hombres en las montañas y esperar al día siguiente antes de retomar el viaje hacia la orilla del mar. Fueron redobladas las guardias en todos los pasos de montaña para evitar ataques por sorpresa, se encendieron fuegos para iluminar los puestos de guardia y la noche transcurrió tranquila. Poco antes del amanecer, el rey fue despertado por el oficial al mando del último turno, un tesalio de Larisa de nombre Euríalo:

—Señor, ven a ver.

—¿Qué sucede? —preguntó Alejandro poniéndose en pie.

—Ha llegado un grupo de gente del sur. Se diría que una embajada.

—¿Una embajada? ¿De quién puede tratarse?

—No lo sé.

—Al sur no hay más que una ciudad —observó Eumenes, que estaba despierto desde hacía un rato y había hecho ya una primera ronda de inspección.

—Jerusalén.

—Es la capital de un pequeño reino sin rey. El reino de los judíos. Está resguardada por una montaña y rodeada de murallas que caen a pico.

Mientras Eumenes hablaba, el pequeño grupo había llegado ante el primer puesto de guardia y solicitaba pasar.

—Dejadles que vengan —ordenó Alejandro—. Les recibiré delante de mi tienda.

Se cubrió los hombros con el manto y se sentó en un escabel de campaña.

Entretanto, uno de los hombres de la embajada, que sin duda hablaba el griego, estaba intercambiando unas palabras con Euríalo y preguntaba si el joven sentado delante de la tienda con el manto rojo sobre los hombros era el rey Alejandro. Tras recibir una respuesta afirmativa, se acercó a él acompañado del resto de su séquito. Saltaba a la vista que era el personaje más importante de todos ellos: un anciano, de estatura media, de larga y bien cuidada barba, la cabeza cubierta por una mitra rígida y con un pectoral adornado con doce piedras de vario color. Fue el primero en tomar la palabra y su lengua, gutural y armoniosa al propio tiempo, sincopada y con fuertes aspiraciones, sonó al oído de Alejandro muy semejante a la de los fenicios.

—Que el Señor te proteja, gran rey —tradujo el intérprete.

—¿De qué señor hablas? —preguntó Alejandro lleno de curiosidad por aquellas palabras.

—Del Señor nuestro Dios, Dios de Israel.

—¿Y por qué vuestro dios debería protegerme?

—Ya lo ha hecho —repuso el anciano—, permitiéndote salir indemne de tantas batallas para llegar hasta aquí a fin de poner fin a la blasfemia de los samaritanos.

Alejandro sacudió la cabeza como si las palabras del intérprete carecieran por completo de sentido para él.

—¿Qué es eso de blasfemar? —preguntó.

Pero en aquel momento sintió una mano apoyarse en su hombro. Se volvió y vio a Aristandro envuelto en su manto blanco y con una extraña expresión en la mirada.

—Respeta a este hombre —le susurró al oído—. Su dios es ciertamente un dios poderoso.

—La blasfemia —prosiguió el intérprete— es un insulto a Dios. Y los samaritanos habían construido un templo en el monte Garicim. El que tú acabas de destruir, con la ayuda del Señor.

—¿Y ésa era la... blasfemia?

—Sí.

—¿Por qué?

—Porque no puede haber más que un solo templo.

—¿Un sólo templo? —preguntó el rey estupefacto—. En mi país hay cientos de ellos.

Aristandro pidió licencia para hablar con el anciano de la barba blanca.

—¿Cómo es ese templo? —le preguntó.

El anciano se puso a hablar con voz inspirada y el intérprete tradujo:

—El templo es la morada de nuestro Dios, el único que existe, el creador del cielo y de la tierra, de lo visible y de lo invisible. Él liberó a nuestro padres, esclavos en Egipto, y les concedió la Tierra Prometida. Durante muchos años Él habitó en una tienda en la ciudad de Silo hasta que el rey Salomón le construyó un templo resplandeciente de oro y de bronce sobre la roca de Sión, nuestra ciudad..

—¿Y cómo es de aspecto? —preguntó Aristandro—. ¿Tienes alguna imagen de él que puedas mostrarnos?

El anciano, apenas oyó la pregunta, hizo un mohín de desagrado y respondió secamente:

—Nuestro Señor no tiene ningún aspecto y nos está terminantemente prohibido hacer uso de imágenes. La imagen de nuestro Señor está por doquier, en las nubes del cielo y en las flores del campo, en el canto de los pájaros y en el susurro del viento entre el follaje de los árboles.

—Pero, entonces, ¿qué hay en vuestro templo?

—Nada que el ojo humano pueda ver.

—¿Y tú, así pues, quién eres?

—Soy el sumo sacerdote. Yo presento al Señor la plegaria de su pueblo y sólo a mí me está permitido pronunciar su nombre, una vez al año, en el más íntimo penetral del santuario. ¿Y tú quién eres, si me está permitido preguntarlo?

El rey miró a la cara primero a uno y luego al otro de sus dos interlocutores y dijo:

—Quiero ver el templo de tu dios.

El viejo sacerdote, apenas hubo entendido las palabras del rey, se postró de hinojos con la frente en tierra suplicándole que no lo hiciera:

—Te lo ruego, no profanes nuestro santuario. Ningún no circunciso, nadie que no forme parte del Pueblo Elegido por Dios puede entrar en el templo y yo tengo el deber de impedírtelo, aunque sea a costa de mi vida.

El rey estaba a punto de montar en cólera, como siempre que recibía una negativa, pero Aristandro le hizo una señal de que controlara su ira y le bisbiseó de nuevo al oído:

—Respeta a este hombre que está dispuesto a dar su vida por un dios sin rostro, que no está dispuesto a mentir o a adularte.

Alejandro reflexionó en silencio durante unos instantes, luego se dirigió de nuevo al viejo de la barba blanca:

—Respetaré tu deseo, pero a cambio quiero una respuesta.

—¿Cuál? —preguntó el anciano.

—Has dicho que el aspecto del único dios está en las nubes del cielo, en las flores del campo, en el canto de los pájaros, en el susurro del viento, pero ¿qué hay de tu dios en el ser humano?

El anciano respondió:

—Dios hizo al hombre a su imagen y semejanza, pero en algunos hombres la imagen de Dios está como obnubilada y confusa por su conducta. En otros resplandece como el sol a mediodía. Tú eres de estos hombres, gran rey.

Tras decir esto se dio media vuelta y se alejó.

3

El ejército prosiguió en su marcha atravesando el último extremo de Palestina y entró en Fenicia. En Tiro el rey quiso ofrecer un sacrificio a Hércules Melqart para disipar con una solemne ceremonia religiosa la pesada sensación de angustia que se había extendido entre sus soldados tras la muerte del joven Héctor, muerte que todos habían tomado como un triste presagio.

La ciudad mostraba aún los vestigios de las devastaciones que sufriera el año anterior, y sin embargo la vida volvía tenazmente a florecer. Los supervivientes trabajaban en la reconstrucción de las casas transportando en sus barcas los materiales de tierra firme. Otros se dedicaban a la pesca, y no faltaban tampoco quienes estaban restaurando los establecimientos en los que se producía la púrpura más preciada del mundo mediante la maceración de los múrices que vivían en los escollos. De Chipre y Sidón habían llegado nuevos colonos a repoblar la antigua metrópolis y lentamente la sensación de desolación que pesaba entre las ruinas íbase esfumando a medida que avanzaban los trabajos, que las familias se reconstituían, que el pequeño comercio de la vida diaria se intensificaba.

En Tiro Alejandro recibió la visita de numerosas embajadas de varias ciudades de Grecia y de las islas y algunos mensajes del general Antípatro que le informaba sobre la actividad de reclutamiento de nuevos contingentes de guerreros en las regiones del norte. Recibió, además, una carta de su madre que le causó una honda impresión.

Olimpia a Alejandro, hijo amadísimo, ¡salve!
He tenido conocimiento de tu visita al santuario de Zeus que se alza en las arenas del desierto y de la respuesta que te diera el dios, y una pro-

funda emoción me ha invadido el corazón. Me he acordado de cuando sentí que te movías por primera vez en mi seno el día que consulté el oráculo de Zeus en Dodona, en mi tierra de Epiro.

Ese día un viento impetuoso trajo hasta nosotros la arena del desierto y los sacerdotes me dijeron que tu destino de grandeza se haría realidad cuando llegaras al otro gran santuario del dios que se alza en las arenas de Libia. Me acordé de un sueño en el que me pareció que era poseída por un dios que había adoptado la forma de una serpiente. Yo no creo, hijo mío, que fueras engendrado por Filipo, sino que eres verdaderamente de estirpe divina. ¿Cómo explicar si no tus victorias arrolladoras, la retirada de las olas del mar ante tu avance, las lluvias milagrosas en las ardientes arenas del desierto?

Dirige tus pensamientos a tu padre celestial, hijo mío, y olvida a Filipo. No es su sangre la que corre por tus venas.

Alejandro se dio cuenta de que su madre estaba perfectamente informada de todo cuanto acontecía durante su expedición y que estaba persiguiendo un plan propio muy preciso. Un plan en el que el pasado tenía que ser borrado para dar paso a un futuro completamente distinto del que habían preparado para él Filipo y su maestro Aristóteles, un pasado en el que ni siquiera la memoria de Filipo tendría cabida. Dejó la carta en la mesa mientras Eumenes entraba en su alojamiento con otros papeles para leer y firmar.

—¿Malas noticias? —preguntó el secretario general leyendo en el rostro del rey una expresión de espanto.

—No, debería incluso estar contento, cuando hasta mi propia madre dice que soy hijo de un dios.

—Pero no me parece que tengas el aspecto de un hombre feliz, por lo que veo.

—¿Tú lo serías?

—Lo sabes perfectamente. No hay otro modo de gobernar Egipto y de ganarse el favor del clero de Menfis que convertirse en el hijo de Amón, y, por tanto, en el faraón. Y sin embargo es cierto que Amón es venerado como Zeus por todos los griegos que viven en Libia, por los de Naucratis y de Cirene y pronto también por los de Alejandría, apenas tu ciudad sea poblada. Pero esto era algo inevitable. Convirtiéndote en el hijo de Amón, has reconocido también que eres el hijo de Zeus.

Mientras seguía hablando, Alejandro le puso en la mano la carta de su madre y Eumenes la leyó deprisa.

—La reina madre está simplemente ayudándote a asumir tu nuevo papel —dijo apenas hubo terminado de leerla.

—Te equivocas, pues la mente de mi madre se mueve cada vez más entre el sueño y la realidad, tomando indistintamente el uno por la otra y viceversa, y te diré más. —Se interrumpió unos instantes, como si hubiera decidido ganar a Eumenes para su causa con un tan gran secreto—. Mi madre... mi madre tiene el poder de dar cuerpo a sus sueños e implicar en ellos también a otras personas.

—No comprendo —dijo Eumenes.

—¿Recuerdas el día en que huí de Pella, el día en que mi padre quería matarme?

—Cómo no voy a acordarme, si estaba allí.

—Pues huí junto con mi madre con la intención de alcanzar Epiro y nos detuvimos a hacer noche en un robledal a unos treinta estadios al este de Beronea. De pronto, a eso de medianoche, la vi levantarse y alejarse en la oscuridad. Caminaba como si no tocase el suelo y llegó a un lugar donde había una antigua imagen de Dioniso cubierta de hiedra. Yo la vi, como te estoy viendo ahora a ti, hacer salir de debajo de la tierra a una enorme serpiente, la vi convocando a una orgía a sátiros y a ménades tocando la flauta, enajenada...

Eumenes le miraba desconcertado, no dando crédito a lo que oía.

—Lo más probable es que lo soñaras.

—En absoluto. De repente sentí que una mano tocaba uno de mis hombros y era ella, ¿entiendes? Pero un instante antes la había visto tocar aquella flauta envuelta en los aros de una serpiente gigantesca. Y yo me encontraba allí, no estaba en mi yacija. Volvimos juntos recorriendo un cierto trecho de camino. ¿Cómo explicas tú esto?

—No lo sé. Hay gente que camina dormida y dicen también que hay personas que, mientras duermen, pueden salir de su propio cuerpo e ir lejos apareciéndoseles a otras personas. Esto es lo que llaman *ekstasis*. Olimpia no es una mujer como las demás.

—De esto no me cabe la menor duda. Antípatro anda siempre con problemas para tenerla bajo freno. Mi madre quiere gobernar, quiere ejercer el poder y no será fácil impedírselo. Me pregunto qué pensará Aristóteles de todo esto.

—Es fácil saberlo, basta con preguntárselo a Calístenes.

—Calístenes me irrita a veces.

—Salta a la vista. Y a él ello le disgusta.

—Pero no hace nada por evitarlo.

—No es exactamente así. Calístenes tiene sus principios y ha sido educado por su tío en no transigir a este respecto. Deberías tratar de comprenderle... —Eumenes cambió luego de asunto—: ¿Qué intenciones tienes para el futuro próximo?

—Quiero organizar certámenes teatrales y juegos gímnicos.

—¿Certámenes... teatrales?

—Así es.

—Pero ¿para qué?

—Los hombres tienen necesidad de distraerse.

—Los hombres tienen necesidad de echar de nuevo mano a la espada. Hace un año que no combaten, y si se nos echasen de repente encima los persas no sé yo si...

—Los persas no se presentarán ciertamente ahora. Darío está ocupado en reunir al ejército más grande que se haya visto jamás para aniquilarnos.

—¿Y tú le concedes tiempo para que lo haga? ¿Organizas representaciones teatrales y juegos gímnicos? —El secretario sacudió la cabeza como si aquello fuera una locura, pero Alejandro se levantó y le puso una mano sobre un hombro.

—Escucha, no podemos afrontar una campaña de desgaste expugnando una tras otra todas las ciudades y fortalezas del Imperio persa. Ya viste lo que nos ha costado tomar Mileto, Halicarnaso, Tiro...

—Sí, pero...

—Así pues, quiero dejar a Darío tiempo para reclutar hasta el último soldado y luego me enfrentaré a él y resolveré todo en un único y definitivo enfrentamiento.

—Pero... podemos perder.

Alejandro le miró a los ojos como si su amigo hubiera dicho una cosa absurda.

—¿Perder? No es posible.

Eumenes bajó la mirada. Se daba cuenta en aquel momento de que la carta de Olimpia no había hecho sino convencer a Alejandro de lo que ya inconscientemente creía, es decir, que era invencible e inmortal. Que esto implicase además una forma de divinidad suya tenía relativa importancia. Pero ¿tendrían el ejército y sus compañeros la misma convicción y determinación? ¿Qué sucedería cuando se encontrasen, en una inmensa llanura de Asia, ante el mayor ejército de todos los tiempos?

—¿En qué piensas? —le preguntó el rey.

—En nada, me viene a la mente un pasaje de la *Expedición de los diez mil*, aquel en el que...

—No digas más —le interrumpió Alejandro—. Ya sé a cuál te refieres.

Y comenzó a citar de memoria:

Ya mediaba el día y aún no se habían presentado los enemigos; pero al comenzar la tarde se vio una polvareda, como una nube blanca, y poco después una especie de mancha negra que cubría la llanura en una gran extensión. Según se acercaba se fue apercibiendo el resplandor del bronce, y pronto aparecieron claramente...

—La batalla de Cunaxa, el inmenso ejército del Gran Rey que aparece como un fantasma en medio del polvo del desierto... Y sin embargo también entonces los griegos vencieron y, si hubieran cargado inmediatamente por el centro en vez de atacar frontalmente el ala izquierda del enemigo, habrían dado muerte al soberano persa y conquistado su Imperio. Organiza los juegos gímnicos y los decorados teatrales, amigo mío.

Eumenes sacudió nuevamente la cabeza e hizo ademán de salir.

—Una cosa más —dijo el rey parándole en la misma puerta—. Elige unos dramas que realcen la voz y el porte de Tésalo. El *Edipo rey*, por ejemplo, y luego...

—Descuida —le tranquilizó el secretario—. Ya sabes que me las sé arreglar en estas cosas.

—¿Eumenes?

—Sí.

—¿Cómo está el general?

—¿Parmenión? Probablemente está destrozado, pero no lo deja traslucir.

—¿Crees que estará a la altura de las circunstancias llegado el momento?

—Creo que sí —repuso Eumenes—. No hay demasiados hombres como él. —Y salió.

Alejandro celebró con gran solemnidad el comienzo de los juegos gímnicos y de las representaciones teatrales e invitó a los amigos y a los oficiales superiores a un banquete. Todos se presentaron, a excepción de Parmenión, que mandó a un siervo con un billete excusándose:

Parmenión al rey Alejandro, ¡salve!
Espero sepas disculparme por no tomar parte en el banquete. No me siento muy bien y no podría hacer los honores a tu mesa.

Quedó inmediatamente claro que iba a tratarse de una comida para conversar puesto que no había ni bailarinas ni hetairas expertas en los juegos amatorios, y el propio Alejandro, en calidad de «maestro del festín», mezclaba el vino en las cráteras con cuatro partes de agua. Se comprendía también que de lo que deseaba discutir era de asuntos filosóficos y literarios más que de cuestiones relativas a la guerra, porque había hecho asignar los puestos más próximos a él a Barsine y a Tésalo. A continuación venían Calístenes y un par de filósofos sofistas llegados de visita con la delegación ateniense. Seguían Hefestión, Eumenes, Seleuco y Tolomeo con sus compañeras más o menos ocasionales, en tanto que los restantes amigos estaban colocados al otro lado de la sala.

Aunque era ya avanzado el verano, el tiempo se estaba estropeando y unas nubes negras henchidas de lluvia se aborregaban sobre la vieja ciudad. De pronto, mientras los cocineros comenzaban a servir las primeras tajadas de cordero asado con habas frescas, estalló un gran trueno que hizo temblar las paredes de la casa y encrespó el vino dentro de las copas.

Todos los comensales se miraron al rostro durante unos momentos en silencio, mientras el trueno rodaba lejos para desencadenarse sobre las laderas del monte Líbano. Los cocineros reanudaron el servicio de la carne, pero Calístenes, vuelto hacia Alejandro con una sonrisa entre irónica y burlona, preguntó:

—En vista de que eres hijo de Zeus, ¿te verías capaz de hacer otro tanto?

El rey bajó por un momento la cabeza y muchos en la sala pensaron que tendría una de sus explosiones de ira; el mismo Calístenes tenía todo el aspecto de haberse arrepentido de inmediato de aquella desacertada ocurrencia. Seleuco notó que estaba pálido y susurró al oído de Tolomeo:

—Esta vez se ha meado encima.

En cambio Alejandro volvió a levantar la cabeza, mostró un rostro sonriente, en absoluto turbado, y respondió:

—No, no lo haría nunca, porque no quisiera que mis comensales se murieran de espanto.

Todos se echaron a reír. Por esta vez, la cosa había pasado.

4

Eteocles cabalgó durante varios días durmiendo sólo unas pocas horas cerca de su caballo, espantado por los gritos de los animales nocturnos y el aullido de los chacales, preocupado por el temor a perder el camino o a verse asaltado y desvalijado, privado del caballo y de los víveres, o bien apresado por unos malhechores para ser vendido como esclavo en lugares lejanos donde nadie habría podido encontrarle jamás y rescatarle. En toda su corta existencia no había tenido que afrontar nunca, solo, tanta angustia y tantos peligros, pero el contacto con la espada de su padre, el estrechar aquella arma que había sido del gran Memnón de Rodas le infundía valor; también su estatura considerable, que le hacía parecer más adulto de lo que en realidad era.

No podía saber que su seguridad dependía, en cambio, de los hombres que le había puesto pisándole los talones el odiado enemigo, el hombre que había deshonrado a su padre y conquistado el alma y el cuerpo de su madre. Tal vez era verdaderamente la encarnación de Ahrimán, el genio de las tinieblas y del mal, como dijera en una ocasión su abuelo Artabazo.

Todo transcurrió sin ningún problema hasta que Eteocles atravesó las regiones habitadas de Palestina y de Siria, donde era bastante fácil para su escolta mimetizarse o confundirse con la gente de las caravanas que se movían de un pueblo a otro con sus mercancías, pero cuando se asomó a la inmensa extensión del desierto los dos *hetairoi* que le seguían tuvieron que consultarse y tomar una decisión. Eran dos jóvenes macedonios de la guardia real, dos de los más valientes e inteligentes, y conocían a la perfección el carácter de su rey. Si fracasaban y le sucedía algo al muchacho, sin duda no les perdonaría.

—Si le tenemos todo el tiempo a la vista —dijo uno de ellos—, reparará en nuestra presencia porque no tenemos dónde escondernos. Y si no le vemos, corremos el riesgo de perderle,

—No tenemos elección —replicó su compañero—. Uno de nosotros tiene que acercarse a él y ganarse su confianza. No hay otro modo de protegerle.

Concertaron un plan de acción y al día siguiente al amanecer, cuando el muchacho reanudó su marcha cansado y fatigado al cabo de una noche pasada en duermevela, vio en lontananza a un hombre solo a caballo que recorría su mismo sendero. Se paró a pensar si era mejor dejarle seguir adelante y partir más tarde o bien acercarse al solitario caminante y hacer un trecho con él.

Pensó que esperar no era prudente, porque tendría que viajar durante las horas de más calor de la jornada y se convenció de que un hombre solo y aparentemente desarmado no podía constituir un gran peligro y que en cualquier caso, en el futuro, tendría que acostumbrarse a afrontar situaciones mucho más difíciles. Cobró, así pues, valor, acicateó los ijares del caballo con los talones y avanzó a lo largo del desierto camino, alcanzando al cabo de poco rato al jinete que le precedía. El hombre se volvió hacia él al oír el ruido de los cascos de su caballo y Eteocles, venciendo su reserva, le dirigió la palabra en persa:

—Que Ahura Mazda te proteja, forastero. ¿Hacia dónde te diriges?

El hombre, sabiendo que podía ser entendido, respondió en griego.

—No hablo tu lengua, muchacho. Soy un platero de Creta y me dirijo a Babilonia para trabajar en el palacio del Gran Rey.

Eteocles dejó escapar un suspiro de alivio y dijo:

—También yo me dirijo a Babilonia. Espero que no te desagrade que hagamos el camino juntos.

—En absoluto. Mejor dicho, es un placer. Recorrer solo estas tierras desoladas infunde miedo.

—¿Cómo es que viajas solo? ¿No sería mejor para ti sumarte a alguna caravana?

—No te falta razón. Pero el hecho es que he oído desagradables historias acerca de los mercaderes de las caravanas. Que acostumbran a engrosar sus ganancias vendiendo esclavos que encuentran en el camino, si se presenta una ocasión favorable; por tanto me he dicho: «Mejor solo que mal acompañado». Al menos, así puedo dominar con la mirada el horizonte, la pista está perfectamente trazada y no es difícil orientarse, pues basta con caminar siempre hacia el lugar por donde nace el sol y así se llega a orillas del Éufrates. Después, el resto es fácil, una buena barca y adelante. Se puede llegar a Babilonia cómodamente tumbado y sin ningún esfuerzo. Tú más bien me pareces muy joven para viajar solo. ¿No tienes padres o hermanos?

Eteocles no respondió y durante unos momentos se oyó únicamente el pisar de los caballos en la desierta extensión, bajo el cielo despejado. El extranjero prosiguió:

—Perdona, no hubiera tenido que meterme en tu vida.

Eteocles miraba ahora fijamente el horizonte plano y parejo como el de la mar en calma.

—¿Crees que falta mucho para llegar a la orilla del Éufrates?

—No —respondió el forastero—. De seguir a este paso, mañana por la noche deberíamos estar allí.

Prosiguieron hasta el atardecer y luego acamparon en una pequeña hondonada del terreno. Eteocles trató de permanecer lo más despierto posible para vigilar los movimientos de su desconocido compañero de viaje, pero al final el cansancio le venció y cayó en un sueño profundo. Entonces el hombre se levantó y volvió atrás a pie durante un rato, hasta que vio en la oscuridad la forma de un caballo y, a su lado, la de un hombre acostado. Todo marchaba según lo previsto y así desandó lo andado y se acostó a su vez dormitando un breve rato, pero manteniendo el oído aguzado a los ruidos de la noche.

Cuando al alba se despertó el muchacho, le había dejado en su manto un puñado de dátiles con un poco de pan seco y un vaso de boj lleno de agua de su odre. El agua se había refrescado durante la noche y resultaba agradable de beber. Comieron en silencio y luego reanudaron el camino ya sin detenerse, bajo el sol abrasador, en el aire inmóvil y estancado. A eso de mediodía vieron que también los caballos estaban extenuados, así que desmontaron y continuaron a pie sujetándolos por la brida.

Alcanzaron el Éufrates al atardecer y el gran río se mostró ante ellos con el murmullo de sus aguas antes aún que con el cabrilleo de su majestuosa corriente bajo la luz de la luna. Había un punto en el cual el agua rebullía contra los guijarros del fondo produciendo una franja de espuma entre una y otra orilla: era un vado. El guerrero se acercó a él, se adentró un poco hacia el centro del río asegurándose de la firmeza del fondo y acto seguido volvió atrás.

—Por aquí se puede pasar —dijo vuelto hacia Eteocles—. Si quieres, puedes atravesar.

—¿Por qué lo dices? —le preguntó el muchacho—. ¿Acaso tú no vienes?

El guerrero sacudió la cabeza.

—No. Mi misión ha concluido y he de regresar.

—¿Misión? —preguntó el muchacho cada vez más estupefacto.

—Así es. Alejandro nos ordenó que te escoltáramos hasta la frontera para que no te sucediese nada. Otro compañero nos sigue a distancia.

Eteocles inclinó la cabeza, vejado por aquella odiosa solicitud; luego replicó:

—Vuelve con tu amo y hazle saber que esto no impedirá que le mate, si me lo encuentro en el campo de batalla.

Y empujó a su caballo dentro de la corriente.

El guerrero, erguido sobre su cabalgadura, se quedó observándole hasta que le vio correr de prisa por la orilla opuesta y adentrarse por la llanura en territorio persa. Entonces volvió grupas y regresó al encuentro de su compañero que probablemente le esperaba a escasa distancia. La luz de la luna era cada vez más intensa y permitía ver bastante bien, reflejada por el color yesoso del desierto, pero su compañero no aparecía. Y tampoco al día siguiente, a la luz del sol, fue posible encontrarle, y ni siquiera al otro. El desierto se lo había tragado.

5

—Tu hijo Eteocles ha cruzado la frontera persa sano y salvo —dijo Alejandro entrando en el aposento de Barsine—, pero uno de los hombres que mandé para que le siguieran y protegieran no ha regresado.

—Lo siento —respondió Barsine—. Sé lo mucho que te importan tus hombres.

—Son como hijos para mí. Pero hubiera pagado igualmente este precio para que estuvieras tranquila. ¿Y el más pequeño cómo está?

—Se siente muy unido a mí, me quiere, tal vez me comprende. Además los chicos están protegidos por la naturaleza. Olvidan pronto y más fácilmente.

—¿Y tú? ¿Tú cómo te sientes?

—Te estoy muy agradecida por lo que has hecho, pero mi vida no es ya la misma. Una mujer que tiene hijos tal vez no puede ser una verdadera amante, pues su corazón está siempre dominado por otros afectos.

—¿Quieres decir que no deseas ya verme?

Barsine bajó la cabeza confusa.

—No me hagas sufrir, sabes que deseo verte todos los días de mi vida, a cada instante, que tu lejanía y tu frialdad me duelen. Te ruego que me dejes un poco de tiempo para recuperarme, para que construya un pequeño refugio en el corazón para mis recuerdos y luego... luego sabré amarte tal como deseas.

Se puso en pie y se acercó a él envolviéndole con su belleza y su perfume: Alejandro tomó su rostro entre las manos y la besó.

—No pierdas la esperanza. Volverás a ver a tu hijo y tal vez un día no muy lejano podremos vivir todos en paz.

Le hizo una caricia y salió.

Se topó por las escaleras con Seleuco, que le estaba buscando.

—Ha llegado una nave del general Antípatro con un mensaje urgente. Aquí lo tienes.

Alejandro lo abrió y leyó:

Antípatro, regente del reino, a Alejandro, ¡salve!

Los espartanos han reunido un ejército y marchan contra nuestras guarniciones y contra nuestros aliados en el Peloponeso, pero por ahora están solos. Es muy importante que lo sigan estando. Haz lo que mejor creas para que la situación no cambie, y así tampoco yo tendré necesidad de ayuda. Tu madre y tu hermana están bien; tal vez deberías pensar en un nuevo matrimonio para Cleopatra.

Cuídate.

—Espero que el viejo te haya mandado buenas noticias —dijo Seleuco.

—No precisamente. Los espartanos se han movido y nos atacan. Hay que recordarles a los atenienses que tienen compromisos con nosotros. ¿Para cuándo es la audiencia con la delegación de su gobierno?

—Para esta noche. Le han entregado ya a Eumenes una nota en la que piden la restitución de los prisioneros atenienses capturados en la batalla del Gránico.

—No han perdido el tiempo. Pero mucho me temo que se quedarán desilusionados. ¿Algo más?

—Tu médico Filipo está siguiendo el embarazo de la mujer del rey Darío, pero está muy preocupado y quiere que lo sepas.

—Entendido. Diles a los atenienses que les recibiré una vez hayan terminado las representaciones y pídele a Barsine que vaya a ver a la reina a sus aposentos. Tal vez pueda serle de alguna ayuda.

Se fue a todo correr escaleras abajo. Alcanzó a Filipo cuando éste abandonaba su habitación, seguido por un par de ayudantes que iban cargados de fármacos.

—¿Cómo está la reina? —le preguntó.

—Sigue igual. Es decir, mal.

—Pero ¿qué le pasa?

—Por lo que he logrado comprender, el niño se le ha girado y no consigue darle a luz.

Entretanto, se había echado de nuevo a andar y se dirigía hacia la residencia en la que estaban albergadas las mujeres de Darío con su corte.

—¿Y no puedes hacer nada por ayudarla?

—Tal vez pudiera hacer algo, pero mucho me temo que no se dejaría visitar nunca por un hombre. Estoy tratando de instruir a su partera, pero tengo serias dudas sobre ella. Es un mujer de su tribu de origen, más experta en artes mágicas, si no he entendido mal, que en verdadera medicina.

—Espera, ahora vendrá Barsine y tal vez ella consiga convencerla.

—Eso espero —repuso Filipo, pero por su mirada saltaba a la vista que no estaba muy convencido.

Llegados al palacio que había sido destinado a gineceo real, vieron que Barsine había llegado ya y les aguardaba preocupada delante de la puerta. Fueron recibidos por un eunuco e introducidos en el vestíbulo. Del patio superior llegaban unos gemidos ahogados.

—No grita ni siquiera cuando le entran los dolores del parto —observó Filipo—. El pudor se lo impide.

El eunuco les hizo respetuosamente una señal de que le siguieran y les condujo al piso superior, donde se encontraron con la partera que salía en aquel preciso momento de la habitación.

—Me harás de intérprete —dijo el médico vuelto hacia Barsine—. He de conseguir convencerla, ¿entendido?

Barsine asintió y entró en el aposento de la reina. El eunuco entretanto condujo a Alejandro ante el umbral de otra puerta y llamó.

Vino a abrir una dama persa ricamente ataviada que les acompañó primero a una antecámara y a continuación a una sala donde se encontraba la reina madre Sisigambis. Ésta estaba sentada cerca de una ventana, tenía sobre las rodillas un rollo de papiro repleto de caracteres y musitaba fórmulas en voz baja. El eunuco le dio a entender a Alejandro que estaba rezando y el rey se quedó respetuosamente en silencio cerca de la puerta, pero la soberana reparó al punto en su presencia y fue a su encuentro saludándole calurosamente en persa. Podían leerse en su rostro preocupación y solicitud así como mucho dolor, pero no desconsuelo.

—Su majestad la reina madre te presenta sus respetos —tradujo el intérprete —y te ruega aceptes su hospitalidad.

—Exprésale mi gratitud, pero dile que no quisiera molestarla, pues he venido únicamente para prestar mi ayuda a la mujer de Darío, que se encuentra con probremas. Mi médico —continuó, mirándola a los ojos— dice que tal vez podría ayudarla si ella... si ella, venciendo su pudor, le permitiera visitarla.

Sisigambis reflexionó mirándole a su vez a los ojos con expresión emocionada, y ambos sintieron cuán intenso era el lenguaje de sus miradas y cuán distante de sus sentimientos el lenguaje formal del intérprete. En aquel momento de silencio, llegó amortiguado el lamento de la parturienta que luchaba contra el sufrimiento en orgullosa soledad.

La reina madre pareció herida por aquel gemido ahogado y los ojos se le empañaban de lágrimas.

—No creo —dijo— que tu médico pueda ayudarla, por más que yo le autorizara a ello.

—¿Por qué, Gran Madre? Mi médico es persona muy hábil y... —Se interrumpió porque comprendía por la mirada de ella que sus pensamientos iban en otra dirección.

—Yo creo —prosiguió Sisigamis— que mi nuera no quiere dar a luz.

—No comprendo, Gran Madre. Mi médico Filipo considera que el niño no está tal vez en la posición natural para encontrar su camino y...

Dos lágrimas descendieron lentamente por las mejillas de la reina marcadas por la edad y el dolor, y las palabras le salieron de la boca lentamente, como las de una sentencia:

—Mi nuera no quiere dar a luz un rey prisionero y ningún médico tiene el poder de cambiar su decisión. Es ella quien retiene al niño dentro de sí, para morir junto con él.

Alejandro calló confuso y bajó la cabeza.

—Tú no tienes la culpa, muchacho mío —continuó Sisigambis con la voz quebrada por la emoción—. Es el destino el que te ha creado para destruir el Imperio fundado por Ciro. Tú eres semejante al viento que sopla impetuoso sobre la tierra, y después que el viento ha pasado nada es ya como antes. Pero los hombres permanecen apegados a sus recuerdos como las hormigas que se agarran a los tallos de hierba mientras arrecia la tempestad.

Se oyó en aquel momento un grito más fuerte y luego un coro lúgubre de lamentos desde las estancias interiores del palacio.

—Ha sucedido —dijo entonces Sisigambis—. El último Rey de Reyes ha muerto, antes de nacer.

Dos doncellas entraron y le cubrieron el rostro y los hombros con un velo negro para que pudiera desahogar su dolor sin ser vista.

A Alejandro le hubiera gustado decirle algo, pero mientras la miraba la vio semejante a una estatua, a un simulacro de la diosa de la noche, y no osó proferir palabra. Inclinó la cabeza por un instante y acto seguido salió de la sala y tomó por el corredor pasando por entre las mujeres de Darío, que se deshacían en llanto y lamentos. Filipo salía de la antecámara de la reina muerta, pálido y mudo.

Al día siguiente Alejandro dio orden de celebrar unas solemnes exequias, de enterrar a la reina con gran fasto y con todos los honores debidos a su rango así como de erigir sobre su sepultura un túmulo gigantesco, como era costumbre en su tribu natal. No consiguió contener las lágrimas mientras la enterraban, pensando en lo bella y delicada que había sido, y en aquel niño que nunca vería la luz del sol.

El eunuco huyó aquella misma noche y cabalgó durante días y noches hasta alcanzar las primeras avanzadillas persas en las cercanías del río Tigris; allí pidió ser conducido al campamento del rey Darío, que se encontraba allende el río. Un grupo de jinetes medos le escoltó a lo largo de diez parasangas a través del desierto y, a la puesta del sol del día siguiente, le introdujeron a presencia del Gran Rey.

Darío estaba sentado celebrando consejo con sus generales, vestido como un soldado raso: con calzones de burdo lino y un jubón de antílope; como únicos signos de su realeza, la tiara rígida y la daga de oro macizo, la fúlgida *akinake* que le colgaba del costado.

El eunuco se arrojó al suelo con la frente en el polvo y contó entre sollozos lo que había sucedido en Tiro: el largo y doloroso esfuerzo de la reina, su muerte, el funeral. No silenció tampoco las lágrimas de Alejandro.

Darío se quedó profundamente impresionado por aquella noticia y ordenó al eunuco que le siguiera al interior de la tienda real.

—Perdóname, Gran Rey, por haberte traído noticias tan tristes, perdóname... —continuaba suplicándole el eunuco entre lágrimas.

—No llores —le consoló Darío—. Has hecho lo que debías y te estoy agradecido por ello. Mi esposa —preguntó— ¿ha sufrido mucho?

—Ha sufrido, majestad, pero con la dignidad y la fuerza de una reina persa.

Darío le miró sin proferir palabra. Podían intuirse los sentimientos encontrados que embargaban su corazón y su mente por las profundas arrugas que marcaban su frente, por la luz incierta y espantada de su mirada.

—¿Estás seguro de que Alejandro ha llorado? —preguntó al cabo de unos instantes de silencio.

—Sí, mi rey. Estaba lo bastante cerca de él para ver correr las lágrimas por sus mejillas.

Darío suspiró y se dejó caer en un escaño.

—Pues entonces... entonces había algo entre ellos; se llora cuando muere una persona querida.

—Majestad, yo no creo que...

—Tal vez el niño fuera suyo...

—¡No, no! —protestó el eunuco.

—¡Cállate! —gritó Darío—. ¿Osas acaso contradecirme?

El eunuco se arrodilló temblando y llorando de nuevo a lágrima viva.

—¡Majestad, te lo ruego, deja que hable! —imploraba.

—Ya has dicho demasiado. ¿Tienes algo más que añadir?

—Que Alejandro no tocó a tu esposa. Mejor dicho, la rodeó de todo tipo de atenciones y consideraciones; nunca la visitó sin pedirle permiso y siempre en presencia de sus damas de compañía. Y lo mismo, si no más, ha hecho con tu madre.

—¿No me estás mintiendo?

—No lo haría por nada del mundo, Gran Rey. Lo que te he dicho es la pura verdad. Te lo juro en nombre de Ahura Mazda.

—Ahura Mazda... —murmuró Darío.

Se puso en pie y apartó el paño drapeado que cerraba la entrada de su tienda levantando la mirada hacia lo alto. El cielo en el desierto hervía de estrellas y la Vía Láctea se extendía de un horizonte al otro con su diáfano fulgor. El campamento resplandecía de miles y miles de vivaques.

—Ahura Mazda, señor del fuego celestial, nuestro dios —rogó—, concédeme la victoria, concédeme salvar el Imperio de mis mayores. Te prometo que, si venzo, trataré a mi adversario con clemencia y respeto porque, si la suerte de la guerra no nos hubiera enfrentado, me habría gustado solicitar de corazón su amistad y afecto.

El eunuco se fue dejando al rey solo con sus pensamientos, pero mientras se alejaba de la tienda real oyó un cierto alboroto que llegaba de una de las puertas del campamento y se detuvo. Se acercaba un grupo de jinetes asirios: escoltaban a un muchacho de gran belleza que le miró, al pasar por delante de él, como si le hubiera reconocido. Fue detrás de él unos pocos pasos como si no creyera lo que sus ojos veían. El pequeño cortejo, entretanto, se había acercado a la tienda real y, cuando el rostro del muchacho fue iluminado de lleno por las antorchas que ardían delante del pabellón de Darío, ya no le cupo ninguna duda. ¡Era Eteocles, el hijo de Memnón de Rodas y de Barsine!

6

La exhibición de Tésalo en *Edipo rey* fue impecable y, cuando llegó la escena en que el héroe se pincha los ojos con la fíbula, los espectadores vieron dos hilillos de sangre correr por la máscara del actor y un largo «oooooh» maravillado se elevó de la gradería de la cavea mientras desde la escena resonaba el acompasado lamento de Edipo:

Oitoitoitoitoitói papái féu féu!

Alejandro, sentado en la tribuna de honor, le dedicó una entusiasta y larga ovación. Inmediatamente después fue representada, en cambio, *Alcestes*, y el asombro del público aumentó más aún si cabe cuando, al final, la Muerte, ataviada con la tétrica vestimenta de Tánatos, surgió repentinamente del subsuelo y revoloteó acto seguido con alas de murciélago por toda la escena, mientras Heracles trataba de abatirla con grandes golpes de su clava. Eumenes había hecho proyectar la tramoya para los efectos escénicos al arquitecto Diadés, el mismo que había construido las torres de asalto que hicieran trizas las murallas de Tiro.

—Te dije que quedarías satisfecho —musitó el secretario al oído de Alejandro—. Y mira al público, está como loco.

En aquel preciso instante la clava de Heracles caía sobre Tánatos con certero golpe, el gancho que sostenía en el aire al actor se soltaba del brazo móvil y giratorio que lo mantenía suspendido dejándolo caer sobre el palco con un gran ruido, e inmediatamente después Heracles se precipitaba sobre él aplastándole con una somanta de palos, mientras el público alcanzaba el delirio.

—Has hecho un trabajo admirable. Asegúrate de que todos reciban una recompensa, sobre todo el arquitecto que ha construido la tramoya. Nunca había visto nada por el estilo.

—Es mérito también de nuestros corifeos. El rey de Chipre ha financiado su preparación sin ahorrar en gastos... y otra cosa —añadió—. Hay novedades del frente persa. Te las referiré esta noche después de la audiencia.

Luego se alejó para organizar la ceremonia del reparto de premios.

Los jueces, entre los cuales habían sido nombrados por cortesía algunos de los huéspedes atenienses de la delegación de visita, se retiraron a la sala de deliberaciones y emitieron el veredicto: el premio a la mejor puesta en escena fue para *Alcestes* y el correspondiente al mejor actor protagonista a Atenodoro que había interpretado, bajo una máscara femenina y con voz de falsete, el papel de la reina de Argos.

El rey se quedó desilusionado, pero trató de disimular su contrariedad y aplaudió cortésmente al triunfador.

—No te lo tomes a mal, han premiado su vocecita de marica —dijo Eumenes.

—Esto no favorecerá las peticiones del gobierno ateniense en la audiencia de esta noche, si puedo preciarme de conocer a Alejandro —bisbiseó un poco más allá Tolomeo al oído de Seleuco.

—No, pero incluso sin este veredicto no tendríamos, en cualquier caso, muchas esperanzas. El rey Agis de Esparta está atacando a nuestras guarniciones y a los atenienses podrían entrarles tentaciones que es mejor desalentar por el momento.

Seleuco no se equivocaba. Cuando llegó el momento, el rey recibió a los embajadores de Atenas y escuchó con atención sus peticiones.

—La ciudad se ha comportado hasta ahora con lealtad —empezó diciendo el jefe de la delegación, un miembro de la asamblea cargado de años y de experiencia—, te apoyó en toda la fase de la conquista de Jonia y ha mantenido el mar libre de piratas, garantizándote las comunicaciones con Macedonia. Te pedimos, por ello, una gracia. Concede la libertad a los prisioneros atenienses que cayeron en tus manos en la batalla del Gránico. Sus familias están ansiosas de volver a abrazarles, la ciudad está preparada para recibirles. Es cierto que se equivocaron, pero lo hicieron de buena fe y ya han pagado duramente por su error.

El rey intercambió una larga mirada con Seleuco y Tolomeo, luego respondió:

—Era mi intención satisfacer vuestra solicitud, pero los tiempos no están aún totalmente maduros para dar por superado el pasado. Liberaré a quinientos hombres tomados al azar o bien elegidos por vosotros. Los restantes se quedarán conmigo durante un tiempo aún.

El jefe de la delegación ateniense ni siquiera trató de replicar, pues conocía el carácter de Alejandro y se retiró mascullando amargamente.

Sabía perfectamente que el rey no se echaba nunca atrás en sus decisiones, sobre todo en lo concerniente a la política y la estrategia.

Apenas hubieron salido los embajadores, todos los miembros del Consejo se pusieron en pie para irse a su vez. Se quedó únicamente Eumenes.

—¿Qué? —le preguntó Alejandro—. ¿Qué pasa con esas noticias?

—Dentro de poco lo sabrás. Hay una visita para ti.

Fue a abrir una portezuela secundaria e hizo entrar a un personaje de extraña estampa: barba teñida de negro cuidadosamente rizada, cabello ensortijado con el encrespador de igual modo, ropas de estilo sirio. A Alejandro le costó reconocerle.

—¡Eumolpo de Solos! Pero ¿cómo te has peinado?

—He cambiado mi identidad. Ahora me llamo Baaladgar y gozo de una notable reputación como mago y adivino en los ambientes sirios —respondió—. Pero ¿cómo debo dirigirme al joven dios que es el señor del Nilo y del Éufrates, ante cuyo nombre Atenas entera tiembla de miedo? —Y preguntó, acto seguido—: ¿Está el perro?

—No, no está —le contestó Eumenes—. ¿Estás ciego?

—Entonces, ¿qué noticias me traes? —le preguntó Alejandro.

Eumolpo quitó el polvo con el borde de su manto a un asiento y se acomodó después de haber recibido licencia para hacerlo.

—Esta vez creo haberte servido como nunca —comenzó diciendo—. Así es como están las cosas. El Gran Rey está reuniendo un gran ejército, más grande seguramente que aquel con el que te enfrentaste en Issos. Además alineará carros falcados de nuevo cuño, máquinas espantosas erizadas de afiladas cuchillas como navajas. Establecerá su base al norte de Babilonia esperando ver adónde te diriges. En ese momento elegirá el campo de batalla. Sin duda una zona llana donde pueda imponer su superioridad numérica y donde pueda lanzar las cargas de los carros de guerra. Darío no pide ya negociar contigo. Quiere confiar ahora toda su suerte al enfrentamiento definitivo. Y está completamente convencido de vencer.

—¿Qué le ha hecho cambiar de idea de modo tan repentino?

—Tu inercia. El hecho de que no te muevas de la costa le ha convencido de que cuenta con tiempo para reunir todas las fuerzas que le sirvan para derrotarte.

Alejandro se volvió hacia Eumenes.

—¿Lo ves? Tenía yo razón. Sólo de este modo podemos provocar un enfrentamiento definitivo. Venceré, y luego Asia entera será mía.

Eumenes se volvió de nuevo hacia Eumolpo:

—En tu opinión, ¿cuál el campo de batalla? ¿Al norte o al sur?

—Esto no estoy en condiciones de decirlo, pero una cosa sí sé: donde encontréis el camino despejado, allí os esperará el Gran Rey.

Alejandro meditó en silencio durante un rato mientras Eumolpo le miraba de reojo; luego dijo:

—Nos moveremos a comienzos del otoño y atravesaremos el Éufrates en Tápsaco. Preséntate cuando estemos por allí, si tienes noticias.

El informador se retiró saludando ceremoniosamente y Eumenes se quedó hablando un poco más con el rey.

—Si pasas a Tápsaco, ello significa que quieres descender el Éufrates. Como los Diez Mil, ¿no es así?

—Es posible, pero nadie ha dicho nada de eso. Tomaré una decisión cuando esté en la orilla izquierda. Por ahora, que continúen las competiciones atléticas. Quiero que los hombres se diviertan y se distraigan, pues después no habrá ya tiempo durante meses. Quizá durante años. ¿Quién compite en el pugilato?

—Leonato.

—Es verdad. ¿Y en la lucha?

—Leonato.

—Entendido. Y ahora búscame a Hefestión y dile que venga a verme.

Eumenes saludó y salió en busca del amigo. Le encontró ejercitándose en la lucha con Leonato y le vio desplomarse al suelo un par de veces antes de que le prestase atención. Esperó a que rodara una tercera vez entre sus pies, y luego le dijo:

—Alejandro quiere verte. Muévete.

—¿A mí también? —preguntó Leonato.

—No, a ti no. Tú sigue entrenándote. Si no vences a tu rival ateniense, no quisiera estar en tu pellejo.

Leonato rezongó algo haciendo un gesto a otro soldado para que se acercara; Hefestión se levantó al punto y se presentó en la estancia del rey con los cabellos llenos de arena.

—¿Me has mandado llamar?

—Sí. Tengo un encargo que hacerte. Elige dos unidades de caballería, incluso de *La Punta* si quieres, y dos pelotones de carpinteros navales fenicios, toma contigo a Nearco, acércate a Tápsaco, junto al Éufrates, y cúbrele las espaldas mientras él prepara los puentes de barcas. Pasaremos por allí.

—¿Cuánto tiempo me das?

—Un mes como máximo, tras el cual te alcanzaremos.

—Entonces nos movemos, por fin.

—Sí, nos movemos. Saluda a las olas del mar, Hefestión. No verás ya agua salada hasta que hayas llegado a las orillas del Océano.

7

Hicieron falta cuatro días para reunir la caballería, los carpinteros y los materiales de construcción. Bajo la supervisión de Nearco, las balsas fueron desmontadas, numeradas y cargadas sobre carros tirados por mulos, y el largo convoy se preparó para abandonar la costa. La noche anterior a su partida, Hefestión fue a saludar a Alejandro y, cuando volvió, vio dos sombras que salían de detrás de una tienda y se le acercaban furtivamente. Hizo ademán de coger la espada, pero una voz conocida susurró:

—Somos nosotros.

—¿Estás cansado de vivir? —preguntó Hefestión descubriendo a Eumenes.

—Guarda tu acero. Tenemos que hablar. —Hefestión miró de reojo al otro personaje y reconoció a Eumolpo de Solos—. ¿A quién ven mis ojos? —dijo sarcásticamente—. El hombre que salvó el culo del palo persa jodiendo a un ejército entero.

—Tú ten callada esa boca, gordinflón —le replicó al punto el informador—, y mejor harás escuchándome si quieres salvar tu culo, con todos los piojos que en él habitan.

Hefestión les hizo entrar en su tienda, bastante asombrado por aquel secretismo, y escanció vino en un par de copas. Eumenes se mandó al coleto un sorbo y luego comenzó:

—Eumolpo no le ha dicho a Alejandro toda la verdad.

—No sé por qué pero me lo suponía.

—Y bien que ha hecho, ¡por Zeus! Él quiere embestir como un toro sin calibrar ni sus fuerzas ni las del enemigo.

—Y es justo que así sea. Pues así vencimos en el Gránico y en Issos.

—En el Gránico eran más o menos tantos como nosotros y en Issos salimos bien parados con una cierta dosis de fortuna. Aquí estamos hablando de un millón de hombres. Cien miríadas. ¿Eres capaz de contar? Imagino que no. En cualquier caso, he hecho yo la cuenta. Formados en seis líneas, pueden superarnos a derecha e izquierda en más de tres estadios. ¿Y qué me dices de los carros falcados? ¿Cómo reaccionarán nuestros hombres delante de estas máquinas espantosas?

—¿Y yo qué sé?

—Yo te lo explico —intervino Eumolpo—. El Gran Rey mandará defender el vado de Tápsaco a Maceo, sátrapa de Babilonia y su brazo derecho, un viejo zorro que conoce cada palmo de terreno desde aquí hasta la desembocadura del Indo y tiene consigo a varios miles de mercenarios griegos de los duros, de los que pueden hacerte escupir sangre. ¿Y sabes otra cosa? Maceo se entiende muy bien con esos muchachos porque habla el griego mejor que tú.

—Sigo sin entender ni pizca.

—Maceo es víctima, desde hace algún tiempo, de un profundo desaliento. Está convencido de que el Imperio de Ciro el Grande y de Darío ha llegado a su fin.

—Mejor así, ¿y entonces?

—Pues entonces, dado que quien me transmitió esta información es un hombre muy próximo a Maceo, existe la posibilidad de que se pueda razonar con el viejo. ¿Me he explicado?

—Sí y no.

—Si tienes ocasión de verle, dínoslo —dijo Eumenes—. Nearco está en condiciones de reconocerle, pues le vio una vez en Chipre.

—También yo puedo hacerlo. ¿Y luego?

—Contra un millón de hombres podemos perder. Una ayuda no nos vendría nada mal.

—Queréis que le induzca a cometer traición.

—Algo por el estilo —confirmó Eumolpo.

—Hablaré de ello con Alejandro.

—¿Estás loco? —dijo Eumenes.

—De lo contrario no hay nada que hacer.

Eumolpo sacudió la cabeza.

—Muchachotes que no quieren hacer caso de quien tiene más gramática parda que ellos... Pues entonces haz como te parezca, estrújate los sesos.

Salió seguido del secretario, y poco faltó para que se tropezaran con Alejandro, que llevaba a pasear a *Peritas* por la orilla del mar. El perro comenzó enseguida a ladrar furiosamente en dirección a ellos y Eumenes miró primero a *Peritas* y luego al informador y le dijo:

—¿De qué está hecha tu peluca?

El ejército de Hefestión empleó siete días para llegar hasta la orilla del Éufrates en Tápsaco, una ciudad llena de mercaderes, de viajeros, de animales y de mercancías de todo género, atestada de gente que venía de medio mundo porque aquél era el único punto por el que se podía atravesar el río vadeándolo.

La ciudad, por más que estuviera en el interior, era de origen fenicio y su nombre significaba precisamente «vado», «paso». No contaba con nada digno de verse: no había en ella monumentos ni templos, ni tampoco plazas porticadas y con estatuas, pero no por ello era menos pintoresca por las costumbres de sus gentes, los usos de los mercaderes, el número increíble de prostitutas que ejercían su oficio con los arrieros y camelleros que trabajaban en las riberas del gran río. Se hablaba en ella una curiosa lengua común, compuesta de sirio, cilicio, fenicio y arameo, con alguna que otra palabra de griego.

Hefestión hizo un primer reconocimiento y enseguida se dio cuenta de que había posibilidad de vadear el río: en la montaña había comenzado ya a llover y el río había crecido. No había otro medio de cruzarlo que construir un puente, razón por la cual los carpinteros fenicios se pusieron manos a la obra a las órdenes de Nearco. Cada tabla era marcada a fuego con letras de su alfabeto para indicar los puntos de juntura para las espigas que fijaban las tablas unas sobre otras.

Cuando todas las balsas estuvieron listas, se procedió al montaje del puente: los marinos llevaban cada balsa a su posición, la anclaban al fondo, la sujetaban a la anterior y luego extendían encima el entarimado y montaban los parapetos. Pero se acababa de iniciar el trabajo cuando hicieron acto de presencia las tropas de Maceo: la caballería siria y árabe y la infantería pesada griega. Enseguida iniciaron las acciones de distracción: incursiones hacia el centro del río, lanzamiento de flechas incendiarias, brulotes cargados de petróleo, dejados a la deriva en la corriente, que descendían rapidísimos por las aguas, de noche, como globos de llamas, hasta chocar con lo realizado ya por Nearco, prendiéndole fuego.

Así pasaban los días, sin que se hiciera ningún progreso, y se acercaba el momento en que el ejército de Alejandro, con diez mil caballos y dos mil carros de víveres y acémilas cargadas con bagajes, se presentarían para atravesar el Éufrates. Hefestión se ponía enfermo sólo de pensar que podían sorprenderle sin tenerlo preparado y consultaba a menudo a Nearco para encontrar una solución. Una noche, mientras estaban sentados a orillas del río discutiendo acerca de qué hacer, Nearco le dio una palmada en un hombro.

—Mira.

—¿El qué?

—A ese hombre.

Hefestión miró en la dirección indicada y vio en la orilla opuesta a un hombre solo, a caballo, que sostenía una antorcha encendida.

—¿Quién puede ser?

—Se diría que alguien que quiere hablar con nosotros.

—¿Qué hacemos?

—Yo diría que tendrías que ir. Toma una barca, haz que te crucen hasta allí y escucha lo que quiere. Trataremos de cubrirte, si es necesario.

Hefestión asintió, se hizo llevar a la otra orilla y se encontró ante el misterioso jinete.

—Salve —le dijo éste en un excelente griego.

—Salve a ti —repuso Hefestión—. ¿Quién eres?

—Me llamo Nabunaid.

—¿Qué quieres de mí?

—Nada. Mañana destruiremos vuestro puente, pero antes de la última batalla quisiera darte este objeto para que se lo entregues a Baaladgar, si tienes ocasión de verle.

«Eumolpo de Solos», pensó Hefestión observando la estatuilla de terracota que el hombre sostenía en la mano, decorada en la base con caracteres en forma de cuña.

—¿Por qué?

—Un día me curó de un mal incurable y yo le prometí que le correspondería con un objeto que él apreciaba mucho. Éste.

«¿Quién lo hubiera dicho? —pensó Hefestión—. Y yo que creía que era el último de los charlatanes.»

—Está bien —repuso—. Se la daré. ¿Hay algo más que quieras decirme?

—No —replicó el extraño personaje.

Y agitó, teniéndola empuñada, la antorcha. Hefestión volvió con Nearco, que le esperaba en la última balsa aún amarrada en buen estado.

—¿Sabes quién era ese hombre? —le preguntó el almirante apenas le vio acercarse al amarre.

—No, ¿por qué?

—Si no me equivoco era Maceo, el sátrapa de Babilonia.

—¡Por Heracles! Pero qué...

—¿Qué te ha dicho?

—Que nos hará pedazos, pero que tiene una deuda con Baaladgar, o sea, con Eumolpo de Solos; me ha rogado que le entregue esto.

Y mostró la estatuilla.

—Esto significa que es un hombre que respeta los compromisos adquiridos. En cuanto a hacernos pedazos, he tenido una idea y dentro de un par de días le daré un bonita sorpresa.

—¿Qué idea?

—He hecho transportar río arriba todas las balsas no montadas aún.

—O sea, casi todas las que tenemos.

—En efecto. Haré que las reúnan en un bosque donde nadie pueda vernos, y una vez que hayamos cargado trescientos jinetes en ellas, los trasladaremos a la otra orilla y atacaremos de noche el campamento de Maceo desencadenando una gran confusión. Inmediatamente después de haber descargado la caballería en la otra orilla, las balsas descenderán hasta donde mis carpinteros, sin ser molestados, las engancharán unas a otras. En ese momento, tú atravesarás el puente y te presentarás para echar una mano con *La Punta*. La victoria será nuestra. La derrota suya. El vado de Tápsaco caerá en nuestro poder. Fin de la partida.

Hefestión le miró: aquel cretense de cabello crespo y piel oscura sabía arreglárselas con sus barcas.

—¿Cuándo comenzamos? —preguntó.

—Hemos comenzado ya —repuso Nearco—. Una vez que se me ocurrió la idea, me parecía inútil perder más tiempo. Algunos de mis hombres han partido en avanzadilla.

8

La maniobra de Nearco se puso en marcha dos días después, pasada la medianoche. Los jinetes fueron trasladados a la orilla izquierda del río y de inmediato empezaron a avanzar hacia el sur. Las balsas ahora vacías y manejadas por pocos tripulantes aguardaron un rato para permitir a la caballería atacar y luego se metieron en la corriente descendiendo rápidamente el Éufrates.

Al llegar a las cercanías del campamento de Hefestión, se oían ya los gritos de los persas que sufrían el ataque inesperado de los incursores macedonios. Nearco dio inmediatamente orden de comenzar a enganchar y juntar las balsas una detrás de otra con sólidos amarres. Mientras arreciaba aún la batalla en el campamento enemigo, consiguió fijar su estructura en la orilla izquierda y anclar firmemente en tierra la última balsa.

Comenzaban los jinetes incursores a verse en dificultades cuando Hefestión, a la cabeza de *La Punta*, se lanzó al galope por el puente y corrió en apoyo de sus exhaustos hombres. El enfrentamiento se reanudó más ferozmente si cabía y los mercenarios griegos, formados en el centro, presentaban una resistencia coriácea a todo asalto de la caballería, el cuadro formado y protegiéndose unos a otros con los pesados escudos.

Pero de golpe sucedió lo inesperado: los persas, como obedeciendo a una imprevista señal, se dieron a la fuga retirándose hacia el sur y los griegos, al quedarse solos y rodeados por todas partes, tuvieron que rendirse. Hefestión plantó el estandarte rojo con la estrella argéada en el centro del campamento adversario, en la orilla izquierda del Éufrates. Poco después Nearco se reunió con él.

—¿Todo bien? —preguntó.

—Todo bien, almirante. Pero me pregunto cómo te sientes jugando con estas cáscaras de nuez, tú que estás acostumbrado a mandar escuadras de quinquerremes.

—Uno se las arregla con lo que tiene, Hefestión —repuso Nearco—. Lo importante es vencer.

Los oficiales de cada una de las unidades dieron órdenes de montar el campamento y mandaron por los campos de alrededor a destacamentos de exploración.

Algunos de ellos, una vez alcanzada la cima de un altozano que permitía dirigir la mirada hacia el sur, vieron el horizonte enrojecido por reverberaciones de llamas.

—¡Es un incendio! —exclamó el comandante del destacamento—. ¡Rápido, vamos a ver!

—¡Otro allí! —gritó uno de los jinetes.

—¡Y allí, hacia la orilla del río, otro! —le hizo eco un compañero. Se alzaban llamas por todas partes.

—¿Qué puede ser? —preguntó un tercero.

El comandante dirigió también la mirada a la vasta reverberación de fuego que iluminaba el cielo ahora ya a lo largo de un amplio trecho del horizonte.

—Son los persas —repuso—. Los persas que lo queman todo. Quieren poner tierra quemada de por medio para que no podamos encontrar nada a lo largo de nuestro camino. Quieren hacernos morir de hambre y de penalidades. Vayamos a echar un vistazo —dijo finalmente, y acicateó al caballo en dirección de los incendios.

Se lanzaron adelante manteniendo a la derecha la orilla del río y pudieron muy pronto tener confirmación de lo que se habían imaginado: por todas partes, en la llanura y a lo largo de las márgenes del Éufrates, se descubrían aldeas en llamas. Algunas de ellas se alzaban sobre la cima de pequeñas colinas de fango seco y se veían arder claramente, alzando columnas de humo y pavesas contra el cielo. Por doquier corrían hombres a caballo, empuñando teas y tizones encendidos. Un espectáculo terrible e impresionante.

—Regresemos —ordenó el comandante—. Ya hemos visto incluso demasiado.

Tiró de las riendas de su caballo y lo espoleó en dirección al campamento. Poco después estaba en presencia de Nearco y Hefestión para referirles lo que había sucedido. Pero ahora ya la reverberación de los incendios en la llanura era tal que podía distinguirse incluso desde el campamento: el horizonte estaba enrojecido a lo largo de un amplio trecho, como por un absurdo ocaso meridional.

—Las cosechas acaban de ser recogidas en los graneros. No va a quedar un solo grano de trigo y de cebada de aquí a Babilonia. ¡Alejandro tiene que saberlo enseguida! —exclamó Hefestión.

Llamó a un correo y lo expidió inmediatamente camino de Tiro.

Alejandro, mientras tanto, había terminado la recogida de los víveres y pertrechos y reunido los carros de transporte, y se aprestaba a dejar la costa al día siguiente en dirección al vado de Tápsaco. Dado que había corrido rápidamente la voz de la inminente partida, se había reunido asimismo el vasto séquito espontáneo que ahora se desplazaba detrás del ejército o acampaba a escasa distancia durante las paradas. Eran comerciantes con toda clase de mercancías, prostitutos y prostitutas, pero también muchachas de familias pobres que habían abandonado sus casas y habían establecido relaciones fijas con soldados del ejército. No pocas de ellas estaban en estado y alguna había dado a luz guapos niños de piel oscura, ojos azules y pelo rubio.

Ese mismo día, a la caída de la tarde, una nave macedonia atracó en el muelle nuevo para descargar astas de fresno y de cornejo para las lanzas y cajas llenas de armaduras y de piezas para las máquinas de guerra. Uno de los hombres de la tripulación se dirigió inmediatamente hacia la ciudad antigua y preguntó dónde estaba la casa de Calístenes.

Llevaba consigo una alforja en bandolera y, al llegar delante de la puerta que le habían indicado, llamó con algunos golpes discretos.

—¿Quién es? —preguntó la voz de Calístenes desde el interior.

El hombre llamó de nuevo sin responder y el historiador fue a abrir. Se encontró frente a un individuo más bien robusto con una poblada barba y pelo negro y rizado que le saludó con una inclinación.

—Me llamo Hermócrates y soy un soldado de la guardia de Antípatro. Me manda Aristóteles.

—Entra —le invitó Calístenes con una expresión de inquietud en la mirada.

El hombre entró mirando a su alrededor: sus gestos eran los gestos inciertos de alguien que ha pasado mucho tiempo en alta mar y pide poderse sentar. Calístenes le hizo acomodarse y él cogió enseguida la alforja que llevaba en bandolera y la depositó con gran precaución sobre la mesa.

—Aristóteles me ha encargado que te entregue esto —dijo dándole una caja de hierro—. Y este mensaje.

El historiador tomó la carta sin dejar de observar el objeto con creciente inquietud.

—¿Cómo tan tarde? Esta caja me hubiera tenido que llegar mucho antes. Yo no sé si ahora...

Comenzó a leer deprisa la carta. Era seguramente de Aristóteles, pero estaba en código y sin encabezamiento. Decía:

Este fármaco causa la muerte al cabo de diez días con síntomas semejantes en todo a una grave enfermedad. Destrúyelo cuando hayas hecho uso de él. Y si no lo has hecho, destrúyelo igualmente. No lo toques por ningún motivo y no aspires su olor.

—Te esperaba hace un año —repitió Calístenes cogiendo la caja con precaución.

—Lamentablemente he tenido muchas peripecias. Mi nave, empujada por un fuerte viento de Bóreas, estuvo durante días y días a la deriva hasta que naufragó frente a una costa desierta e inhóspita de Libia. Mis compañeros de naufragio y yo anduvimos durante meses alimentándonos de peces y cangrejos hasta llegar a los confines de Egipto, donde tuve conocimiento de las noticias sobre la expedición del rey al santuario de Amón. Desde allí, alcancé siempre a pie un puerto del Delta, donde encontré una nave que a su vez había sido empujada fuera de su ruta por un viento del norte, y por fin pude desembarcar para venir a Tiro, donde me dijeron que encontraría al rey con su ejército y sus compañeros.

—Eres un hombre valeroso y fiel. Permíteme que te recompense —dijo Calístenes llevándose la mano a la bolsa.

—No quiero ninguna recompensa —replicó Hermócrates—, pero aceptaré un poco de dinero porque no me queda ya y no sabría cómo regresar a Macedonia.

—¿Tienes hambre y sed?

—Comería algo con mucho gusto. La comida en la nave que me acogió era pésima.

Calístenes guardó la caja que le había sido entregada en su arcón personal, bajo llave, y se lavó las manos en una jofaina, luego puso sobre la mesa pan, queso, un poco de pescado asado y añadió aceite de oliva y sal.

—¿Cómo está mi tío?

—Está bien —contestó el hombre hincando el diente al pan después de haberlo untado en aceite y sal.

—¿Qué estaba haciendo la última vez que le viste?

—Se disponía a partir de Mieza en dirección a Egas. Y con mal tiempo.

—Así pues, su indagación prosigue —comentó Calístenes casi para sí.

—¿Cómo has dicho? —preguntó Hermócrates.

—Nada, nada —dijo Calístenes sacudiendo la cabeza. Se quedó durante unos instantes observando a su huésped, que comía con excepcional apetito; luego le siguió preguntando—: ¿Se ha sabido algo sobre el asesinato del rey Filipo? Quiero decir: ¿qué rumores corren por Macedonia?

Hermócrates dejó de comer, deglutió lo que tenía en la boca y se quedó en silencio con la cabeza gacha.

—Puedes confiar en mí —le tranquilizó Calístenes—. Son cosas que quedarán entre nosotros.

—Se dice que fue Pausanias, por propia iniciativa.

Calístenes comprendió que el hombre no quería hablar, pero comprendió también que su pregunta no le había causado el menor placer.

—Te daré una carta para mi tío Aristóteles. ¿Cuándo partes de nuevo?

—En la primera nave que encuentre.

Tomó la pluma y comenzó a escribir.

Calístenes a Aristóteles, ¡salve!

Hoy, día veintisiete del mes de Boedromión del primer año de la centésimo décima Olimpíada, he recibido lo que te había pedido. El motivo por el que te lo había pedido no existe ya y por tanto lo destruiré, para no crear peligros inútiles. Hazme saber, tan pronto como te sea posible, si has descubierto algo respecto al asesinato del rey, porque ni siquiera Zeus Amón ha querido responder a esta pregunta. Ahora dejaremos el mar para marchar hacia el interior y no sé si lo volveré a ver más. Espero que goces de buena salud.

Al día siguiente, el ejército se puso en movimiento seguido por el convoy real con las mujeres del harén de Darío, la reina madre y las concubinas con sus hijos. Barsine viajaba en aquel convoy y asistía como podía a Sisigambis, de edad ya avanzada.

Antes incluso de que llegaran a las riberas del Éufrates, el correo de Hefestión les encontró, al este del valle del Orontes, y se hizo conducir de inmediato a presencia de Alejandro.

—Rey —anunció—, tenemos firmemente en nuestras manos la orilla oriental del Éufrates y hemos echado el puente de barcas, pero los persas están incendiando todas las aldeas con que se encuentran a lo largo del camino que conduce a Babilonia.

—¿Estás seguro?

—Lo he visto con mis propios ojos. Estaba todo convertido en un fuego hasta donde se perdía la vista y se extendía también a los rastrojos. La llanura entera parecía un mar en llamas.

—Vamos, entonces —dijo el rey—. Estoy ansioso por ver lo que está sucediendo.

Tomó con él dos escuadrones de caballería y partió al galope con sus compañeros hacia el paso de Tápsaco.

9

A la mañana siguiente, antes del mediodía, Alejandro atravesó el puente de barcas, seguido de sus compañeros y de su caballería. Hefestión salió a su encuentro.

—¿Has hablado con nuestro correo?

—Sí, lo he hecho. ¿Es de veras tan seria la situación?

—Juzga tú mismo —respondió Nearco, y señaló las columnas de humo negro que se alzaban por todas partes.

—¿Y al este?

—¿Quieres decir por ese lado? Por lo que nos consta, no sucede nada. Ningún peligro, ninguna destrucción.

—Así pues, Darío nos espera junto al Tigris. Estos incendios son más claros que un mensaje escrito. El itinerario hacia el sur es el mismo que recorrieron hace setenta años los Diez Mil de Jenofonte, no sin graves dificultades de avituallamiento. En la actualidad, con las aldeas y las cosechas destruidas, sería totalmente imposible. No nos queda más que la segunda vía, la que conduce al vado del Tigris y al camino real.

»Es allí donde Darío nos espera, allí donde tendrá lugar la batalla definitiva. Y para facilitárnoslo, nos ha allanado el camino permitiéndonos avituallarnos en las aldeas que se alzan a los pies de las montañas del Tauro.

—Y nosotros aceptaremos la invitación, ¿no es así, Alejandro? —preguntó Pérdicas adelantándose.

—Así es, amigo mío. Preparémonos para que mañana dé comienzo la marcha de aproximación. Dentro de seis días estaremos en el lugar de la cita con el mayor ejército de todos los tiempos.

Parmenión, que observaba alzarse las columnas de humo negro por el lado norte del horizonte, no dijo nada y se alejó poco después en silencio.

Tolomeo le siguió con la mirada.

—No muestra un gran entusiasmo el general, ¿no es cierto?

—Comienza a ser demasiado viejo —observó Crátero—. Sería hora ya de repatriarle.

Filotas estaba lo bastante cerca como para oírle y soltó:

—¡Mi padre será todo lo viejo que tu quieras, pero vale más la uña de uno de sus dedos que todos vosotros juntos!

—¡Eh, cálmate! —dijo Seleuco—. Crátero estaba bromeando.

—Entonces que bromee con cualquier otro, porque la próxima vez...

—¿Alguien ha visto a Eumolpo de Solos? —preguntó Hefestión para cambiar de tema.

—Me parece que está en el convoy de las mujeres —repuso Seleuco—. ¿Qué quieres de él?

—Nada. He de entregarle un regalo. Nos veremos dentro de un rato.

Saltó a caballo y se encaminó hacia el punto en que se divisaba el campamento. Encontró a Eumolpo sentado delante de su tienda, atendido por un par de eunucos: uno que le daba aire con un flabelo y otro que le servía la comida en una pequeña mesa bien provista.

—No acepto estúpidas alusiones a los tristes avatares de mi encarcelamiento... —comenzó diciendo el informador apenas vio a Hefestión desmontar del caballo.

—Tranquilo, pues vengo a traerte un regalo.

—¿Un regalo?

—Por supuesto, de parte de un enemigo. Estaba pensando en contárselo a Alejandro. En mi opinión, si te hiciera exprimir las pelotas bajo una muela de molino te sacaría historias interesantes.

—Calla, payaso, y enséñame de qué se trata.

Hefestión le alargó la estatuilla. Eumolpo la miró con suma atención.

—¿Has dicho un enemigo? ¿Y quién era ese enemigo?

—El sátrapa de Babilonia, Maceo. Un pez gordo si no me equivoco.

Eumolpo hizo caso omiso y siguió observando la estatuilla, y acto seguido con un gesto repentino la rompió contra el canto de la mesa haciéndola pedazos. Salió de ella un rollito de papiro, repleto de caracteres cuneiformes.

—Acuerdo con el enemigo —comentó Hefestión—. Mal lo veo.

Eumolpo de Solos volvió a enrollar el billete y se levantó, dirigiéndose hacia el campamento militar.

—Eh, ¿adónde vas?

—En busca de alguien con un poco de seso.

—¡Cuidado que no te muerdan las nalgas, pues *Peritas* anda rondando por ahí! —gritó tras él Hefestión.

El informador ni siquiera se volvió, pero se llevó instintivamente la mano derecha a las partes mencionadas para protegérselas.

Encontró a Eumenes en la tienda de la intendencia inventariando los pretrechos, las armas de escolta y las acémilas. Le hizo una señal de que necesitaba hablar con él y el secretario general dejó los registros a un ayudante y se le acercó.

—¿Alguna novedad?

—Un mensaje de Maceo.

—El sátrapa de Babilonia. ¡Por Zeus!

—Es el brazo derecho del Gran Rey.

—¿Qué es lo que dice?

—Está dispuesto... a ayudarnos, en el campo de batalla, si le garantizamos que continuará en su cargo de gobernador de Babilonia.

—¿Tienes modo de responderle?

—Sí.

—Respóndele que de acuerdo.

—Pero querrá una garantía, supongo.

—¿De qué tipo?

—No sé, un mensaje del rey.

—Eso tiene remedio. En el pasado escribí ya cartas con la caligrafía de Alejandro y con su sello. Pasa por mi tienda esta noche y te daré cuanto vas a precisar. Pero quítate esta peluca, por Zeus, si quieres salvar tus nalgas. *Peritas* anda rondando por ahí con Alejandro.

—Ya me lo han dicho —replicó Eumolpo quitándose de mala gana la prenda que adornaba su cráneo casi calvo y devolviéndolo a la alforja—. Ya me ha comido una gorra de piel que valía una fortuna. En el peor de los casos, le lanzaré también la bolsa.

Se alejó; su cráneo resultó visible largo rato, reluciente bajo el sol de justicia.

El ejército se puso en marcha al día siguiente en dirección a levante, manteniendo a la izquierda los montes de Armenia y a la derecha el desierto. Los oficiales de marcha habían reclutado algunos guías indígenas porque no existían ni mapas ni informes itinerarios sobre aquel trecho, pero habían preparado sus instrumentos y mesas portátiles de dibujo para trazar, a medida que avanzaban, mapas lo más exactos posible de aquel área.

Recorrieron seis etapas de cinco parasangas cada una, cruzando después de dos días de marcha el río Araxes de Siria y avanzando luego por un territorio baldío y semidesértico. Se veían de vez en cuando rebaños de asnos salvajes, de gacelas y de antílopes que pacían entre los ralos matojos espinosos; la tercera noche se oyó un par de veces el rugido del león, resonando como un trueno en el inmenso espacio vacío.

Los caballos relincharon y comenzaron a cocear tratando de liberarse de las zapatas, y *Peritas* se despertó sobresaltado, ladrando furiosamente y tratando de lanzarse hacia el punto del que provenía el fuerte y penetrante olor de la fiera.

Alejandro le calmó:

—Sé bueno, *Peritas*, sé bueno. Ahora no tenemos tiempo de ir de caza. Vamos, duerme, duerme ahora.

Le acarició y le rascó las orejas hasta que el moloso se volvió a acostar.

Al día siguiente vieron avestruces y encontraron también nidos con huevos, tanto de avestruz como de avutarda. El cocinero les observó a contraluz, comprendió que acababan de ponerlos y los guardó para cocinarlos para cenar. Alejandro le rogó que guardara un par de cáscaras lo más intactas posible para mandárselas a Aristóteles con destino a su colección. Hefestión no quería, sin embargo, renunciar a un poco de carne fresca. Organizó una batida junto con Leonato y Pérdicas, con una veintena de exploradores agrianos y tribalos armados con flechas y jabalinas, pero bien pronto se dieron cuenta de que la empresa no era fácil, pues estas torpes aves corrían a una velocidad increíble, manteniendo las alas abiertas hacia lo alto y usándolas a modo de velas para aprovechar también la fuerza del viento. Ningún caballo estaba en condiciones de alcanzarlas.

Cuando los cazadores volvieron, cansados, vejados y de vacío, Alejandro les recibió sacudiendo la cabeza.

—¿De qué tienes que reírte? —le preguntó Hefestión molesto.

—Si hubieras leído *La expedición de los Diez Mil* como he hecho yo, también tú sabrías cómo se caza el avestruz. Jenofonte era un gran cazador, no lo olvides.

—¿Y cómo es esa técnica?

—De estafeta. Un grupo persigue a los avestruces y los empuja hacia un determinado lugar donde están apostados, de modo escalonado, otros grupos de jinetes. Una vez agotada la energía de los caballos, el primer grupo se para y parte el segundo a toda velocidad, luego el tercero y así sucesivamente, hasta que los avestruces, extenuados por el cansancio, disminuyen la marcha y entonces basta con rodearlos y abatirlos.

—Probaremos mañana —replicó Hefestión.

—Y mientras tanto nos consolaremos con los huevos —dijo Alejandro—. Parece que son excelentes, tanto fritos como duros, con sal y aceite.

—Y luego están también las plumas —añadió Pérdicas—. En mi yelmo harán muy buen papel. ¡Mira qué maravilla! Las hay en gran cantidad esparcidas por el suelo en medio del desierto. Debe de ser la estación de la muda.

Al día siguiente y al otro no apareció a la vista ni un avestruz, como si alguien les hubiera avisado de que los cazadores habían puesto a punto una técnica más eficaz.

El ejército reanudó la marcha sin encontrar un alma viviente, aparte de un par de caravanas provenientes de Arabia con una carga de incienso y que acamparon a respetuosa distancia del ejército la noche del quinto día. Aristandro le pidió al rey que comprara sin reparar en gastos, pues, ante la inminencia de la batalla decisiva, los dioses debían ser adecuadamente honrados.

La noche del sexto día, Alejandro abrevó a *Bucéfalo* en la corriente turbulenta del gran Tigris.

10

La luz del ocaso era suficiente aún para poder darse cuenta de que no había nadie al otro lado del río. Hasta donde alcanzaba la vista, no se veía un alma viviente ni se descubrían fuegos u otros signos de presencia humana. No soplaba la menor brisa y algunas garzas planeaban indolentemente a lo largo de las orillas del río en busca de pececillos y ranas.

Alejandro dejó beber a *Peritas* y luego a *Bucéfalo*, pero de vez en cuando le tiraba de las riendas para que no se llenara demasiado el estómago. A continuación recogió con las manos un poco de agua y se la arrojó bajo el vientre y por las piernas para refrescarle. Poco después todos los batallones de caballería arriba y abajo del vado habían desmontado y cada soldado hacía beber a su animal en la corriente.

—No logro comprender —dijo Seleuco acercándose y mirando la otra orilla.

—Yo me esperaba verles formados en perfecto orden de batalla en esa orilla... —añadió Lisímaco quitándose el yelmo y comenzando a desatarse los espaldarones de la coraza.

También Tolomeo se había quitado el yelmo, lo había llenado de agua y se la echaba en la cabeza disfrutando de su frescura.

—¡Aaah! ¡Qué maravilla!

—¡Bueno, si tanto te gusta, pronto serás servido! —gritó Leonato, que llenó precisamente el yelmo de agua para arrojársela encima, pero de golpe se quedó inmóvil—. ¡Quietos, quietos! Está llegando el señor secretario general. Estad pendientes de una señal mía, ¿de acuerdo?

Eumenes se acercaba en aquel momento en uniforme de combate, tocado con un yelmo empenachado de plumas de avestruz.

—Alejandro —comenzó diciendo—, escúchame. Me han llegado noticias de que...

No pudo terminar la frase porque Leonato aulló:

—¡Una emboscada! ¡Una emboscada!

Y le arrojaron todos encima una cascada de agua con los yelmos, dejándole como una sopa de la cabeza a los pies.

—Lo siento, señor secretario general —dijo Alejandro conteniendo a duras penas la risa—, pero se ha tratado de una celada que nos ha cogido a todos por sorpresa y que ni siquiera yo he logrado prevenir.

Eumenes estaba calado hasta los huesos y daba pena ver las plumas de avestruz sobre el yelmo.

—Bonita broma —rezongó mirando desolado cuanto quedaba de su soberbio plumaje—. Panda de idiotas, jodidos bastardos...

—Debes perdonarles, señor secretario personal —intervino Alejandro para calmárle—. No son más que unos chavales. Pero ¿no tenías algo que decirme?

—No importa —refunfuñó Eumenes picado—. Ya te lo diré en otro momento.

—Vamos, no te lo tomes a mal. Te espero dentro de un rato en mi tienda. ¡Y os espero también a vosotros! —les gritó a todos los demás—. ¡Hefestión! Coge un escuadrón y ve a patrullar del otro lado. Antes de cenar, quiero saber dónde están los persas.

Se alejó seguido de *Peritas* hacia el lugar en el que sus ayudantes estaban levantando la tienda real, plantando las estacas a mazazos.

Eumenes llegó poco después con ropas secas y el rey le invitó a sentarse con él, mientras Leptina y las demás mujeres se afanaban preparando las mesas y los lechos para la cena.

—Entonces, ¿qué pasa con esas noticias?

—Eumolpo de Solos ha recibido un mensaje. El ejército del Gran Rey se encontraría a unas cinco parasangas de aquí en dirección sureste, más o menos por el camino que lleva a Babilonia, no lejos de un pueblo llamado Gaugamela.

—Extraño nombre...

—Quiere decir «la casa del camello». Y por causa de una vieja historia. Parece que Darío el Grande, huyendo de una emboscada a lomos de un camello, consiguió ponerse a salvo gracias a la extraordinaria velocidad de dicho animal. En agradecimiento, le hizo construir un establo que tenía grandes comodidades y le asignó como pensión vitalicia la renta de ese pueblo, que debido a ello tomó este extraño nombre.

—Una jornada de camino... Es extraño. Podría plantarse en la orilla del río y dejarnos bloqueados quién sabe por cuánto tiempo.

—Parece que lo haga a propósito. ¿Has observado cómo es el terreno tanto de esta parte como de la otra del Tigris?

—Ondulado, con socavones y algunas piedras.

—Precisamente. No adecuado para los carros falcados. El Gran Rey nos espera en un terreno perfectamente llano —dijo, y pasó la palma de su mano por la madera pulida de la mesa que tenía delante—. Ha hecho rellenar los socavones y allanar los resaltes del terreno, de modo que los carros puedan llegar a la máxima velocidad.

—Todo puede ser. El hecho es que nadie nos ha molestado en nuestra marcha de aproximación, que nos hemos podido abastecer tranquilamente en los pueblos y ahora podremos pasar el Tigris sin problemas.

—Aparte de la corriente del río.

—Aparte de la corriente del río —hubo de admitir Alejandro—. Debe de haber llovido en la montaña.

Llegaron en aquel momento los otros amigos; y Nearco estaba con ellos.

—Veo que el señor secretario ha vuelto a adquirir un aspecto presentable —observó Leonato haciendo su entrada—. ¡Qué metamorfosis! Hace apenas unos instantes parecía un pollito mojado.

—¡Déjate de historias! —cortó tajante Alejandro—. Y sentaos. Hay cosas importantes de las que hablar.

Todos se acomodaron y también *Peritas* fue a acurrucarse a los pies del rey, mordisqueándole las sandalias como estaba acostumbrado a hacer desde que era un cachorro.

—El Gran Rey, por lo que parece, nos espera en una planicie llana como una mesa a una jornada de camino de aquí.

—¡Bien! —exclamó Pérdicas—. Movámonos entonces, no quisiera que se aburriese.

—La noticia, que nos ha sido comunicada por Eumolpo de Solos, viene sin embargo del bando persa. No podemos excluir que se trate de una trampa.

—Por supuesto, no hay que olvidar Issos —murmuró Leonato—. ¡Ese hijo de perra estaba dispuesto a jodernos a todos sólo por salvar su ojete!

—¡Déjalo estar! —le hizo callar Pérdicas—. Ya me hubiera gustado verte a ti. ¿Qué motivos tiene para traicionarnos? Yo me fío de Eumolpo.

—También yo —aprobó Alejandro—. Pero esto no quiere decir nada. Es la noticia la que puede haber sido difundida expresamente para atraernos a una situación sin salida.

—¿Qué intenciones tienes, entonces? —preguntó Lisímaco escanciando un poco de vino en las copas de sus compañeros.

—Esta noche sabremos por Hefestión si efectivamente están tan lejos del río. Mañana cruzaremos el vado, avanzaremos en dirección al ejército enemigo y, después de dos o tres parasangas de marcha, mandaremos un grupo de exploradores para ver cómo están las cosas. En ese momento, celebraremos un consejo de guerra y atacaremos.

—¿ Y los carros falcados?

—Los inutilizaremos y luego nos arrojaremos sobre el centro con todos nuestros efectivos. Igual que en Issos.

—Vencemos nosotros, pierden ellos. Asia es nuestra —comentó lacónico Nearco.

—Es fácil de decir —intervino Seleuco—, pero tratad de imaginaros cuando lancen por el llano esas máquinas espantosas. El polvo que levantarán, el fragor de las llantas, las cuchillas que resplandecerán al sol girando vertiginosamente. En mi opinión, tratarán de desbaratar nuestras unidades centrales mientras su caballería nos rodea por los flancos.

—Seleuco no anda equivocado del todo —dijo Alejandro—, pero no se trata ahora de anticipar un plan de batalla; por lo que se refiere a los carros, haremos como los Diez Mil en Cunaxa. ¿Recordáis? La infantería pesada se abría, creando pasillos por los que los hacían pasar sin daño alguno, mientras los arqueros se daban la vuelta y disparaban por la espalda a los aurigas y guerreros esedarios. Lo que más bien me preocupa es el polvo. Si no sopla un poco de viento, apenas se inicie la batalla se levantará tal polvareda que no veremos a un palmo de nuestras narices. Tendremos que confiar en las trompas para mantener los enlaces entre las unidades. Pero ahora comamos y estemos alegres, pues no hay motivo para atormentarnos. Siempre hemos vencido, y también esta vez venceremos.

—¿De veras crees que son un millón de hombres los que nos aguardan en ese pedazo de desierto? —preguntó Leonato visiblemente preocupado—. ¡Por Heracles, no consigo siguiera imaginármelo! Pero ¿cuántos son un millón de hombres?

—Yo te lo diré —explicó Eumenes—. Significa que cada uno de nosotros debería dar muerte a veinte para vencer, y me quedó corto.

—Yo no lo creo —dijo Alejandro—. Dar de comer a un millón de hombres en constante movimiento es casi imposible, por no hablar del agua necesaria para los caballos y todo lo demás. Yo creo... creo que podrían ser quizá la mitad, un poco más numerosos que en Issos. De todos modos, ya os lo he dicho. Esperemos a ver cómo son verdaderamente las cosas una vez que hayamos establecido contacto directo con el enemigo.

Los siervos comenzaron a traer la comida a la mesa y Alejandro hizo entrar también a unas hetairas llegadas hacía poco de Grecia para esparcimiento de sus amigos. Destacaba entre ellas una muchacha ateniense de extraordinaria belleza, una morena de ojos ardientes y firmes carnes, con un cuerpo de diosa.

—¡Mirad qué maravilla! —exclamó Alejandro no bien hubo entrado—. ¿No es estupenda? ¿Sabíais que ha posado desnuda para el gran Protógenes para una estatua de Afrodita? Se llama Tais y en Atenas, este año, ha sido declarada la *calipigia*, la de bellas nalgas.

—Las mejores nalgas de toda la ciudad, ¿no es cierto? —dijo sarcásticamente Leonato—. Pero ¿pueden verse?

—Cada cosa a su debido tiempo, mi fogoso macho cabrío —respondió la muchacha con una sonrisita maliciosa.

Leonato se volvió perplejo hacia Eumenes:

—Ninguna mujer me ha llamado jamás «fogoso macho cabrío». No sabría decir si es un cumplido o una ofensa.

—No pienses tanto, que puedes enfermar —replicó Eumenes—. De todos modos, «fogoso macho cabrío» no me parece tan mal. En mi opinión, le has causado buena impresión.

Entraron otras hetairas, todas ellas muy graciosas, y fueron a recostarse cerca de los comensales mientras era servida la cena. Tolomeo, en calidad de maestro del festín, había establecido que el vino sería mezclado en proporción de uno a uno: una decisión que recibió una aprobación unánime.

Una vez que todos hubieron comido y comenzaban a estar bastante achispados, la muchacha se puso a danzar. Vestía tan sólo un corto quitón, sin nada debajo: a cada vuelta descubría generosamente aquello por lo cual había sido premiada en Atenas y reproducida como Afrodita por Protógenes. De repente, tras coger de una mesa una flauta, comenzó a acompañar su danza con el sonido del instrumento y aquella música pareció revestir su cuerpo, que seguía evolucionando cada vez más rápido para luego detenerse de repente en una cascada de agudas notas, casi estridentes. Tais se combó hacia el suelo, como una fiera inmediatamente antes de dar el salto, jadeante y reluciente de sudor, luego reanudó la música y la melodía llegó hasta los soldados que velaban inmóviles en los puestos de guardia. Una melodía dulcísima que era acompañada por los movimientos más suaves y flexibles y los gestos de la lujuria más ardiente.

Los hombres dejaron de reír y el mismo rey pareció mirar encantado aquellas evoluciones, que se reanudaron para seguir el ritmo cada vez más rápido de la música, cada vez más intenso y apremiante, hasta el paroxismo. El limitado espacio de la tienda parecía completamente invadido por la presencia de Tais, impregnado del olor de su piel y de sus cabellos de reflejos azulados. Se sentía que aquella danza liberaba una energía irresistible, una poderosa fascinación, y Alejandro recordó por un instante otro momento de su vida pasada: las notas de la flauta que su madre Olimpia tocaba en lo más recóndito de un bosque de Eordea, llamando en la noche a una danza orgiástica, el *komos* de la ebriedad dionisíaca.

Cuando Tais se dejó caer exhausta y jadeante, los ojos de todos ardían de un deseo ardiente, de una lujuria desenfrenada, pero ninguno osaba moverse, a la espera de lo que hiciera el rey. El relincho de un caballo y el ruido de un galope rompieron de repente la tensión espasmódica de aquel momento e inmediatamente después entró Hefestión, sudoroso y cubierto de polvo.

—El ejército de Darío está a media jornada de camino de aquí —dijo entre jadeos—. Son cientos de miles, sus fuegos resplandecen en la oscuridad como las estrellas del cielo, sus cuernos de guerra se lanzan llamadas en la noche de un extremo al otro de la llanura.

Alejandro se puso en pie y miró alrededor como si se hubiera despertado de sobresalto de un sueño, y a continuación dijo:

—Id a dormir. Mañana pasaremos el vado y por la noche, al atardecer, celebraremos un consejo de guerra a la vista del ejército persa.

11

La corriente del Tigris era más bien fuerte, incluso en el punto del vado, y los infantes que fueron los primeros en intentar su paso pronto encontraron dificultades porque, en el centro del río, el agua llegaba hasta la altura del pecho. El impedimento eran sobre todo los escudos. Si se mantenían bajos, ofrecían excesiva resistencia y los hombres se veían obligados a abandonarlos; si trataban de mantenerlos altos, los soldados perdían el equilibrio y eran arrastrados aguas abajo.

Parmenión dio orden de tender dos cuerdas entre una y otra orilla y formar dos dobles cordones de hombres sin escudos atados los unos a los otros, uno vado arriba para romper la fuerza del agua y otra vado abajo para recoger a aquellos que eran arrastrados por las impetuosas olas del río. Al amparo de aquella barrera humana, el general hizo pasar al resto de la infantería pesada. La última en atravesar fue la caballería y a continuación los carros con las vituallas, los pertrechos, las mujeres y los niños. La cabeza del ejército llegó a la vista de las posiciones enemigas a primeras horas de la tarde, pero la cola estaba aún en la orilla del Tigris y se requirió lo que quedaba de la jornada para que también los últimos se juntaran con el resto del ejército.

Tal como había prometido, el rey celebró un consejo de guerra después de la puesta del sol, con los dos ejércitos tan cerca que de un extremo al otro de la vasta llanura de Gaugamela los centinelas macedonios podían oír las llamadas de los escuchas persas.

A la caída de la noche, al montar el primer turno de guardia nocturna, se encendió un velón en la tienda de Alejandro y comenzaron a llegar, uno tras otro, los compañeros y los generales del alto mando, Koinos, Simias, Meleagro, Poliperconte, al mando de Parmenión y de Clito, llamado *El Negro*. Todos saludaron al rey y le besaron en la mejilla; luego se reunieron, de pie, alrededor de la mesa en la que los oficiales de marcha habían dibujado el esquema del plan de batalla. Las diferentes unidades de infantería y caballería estaban representadas por las piezas de distinto color del ajedrez del rey.

—Casi con toda seguridad Darío lanzará contra nosotros a los carros de guerra —comenzó diciendo Alejandro— para desbaratar nuestra formación y crear la confusión entre las filas de la falange. Pero nosotros avanzaremos en orden oblicuo respecto al frente enemigo, que seguramente nos superará por la aplastante superioridad numérica, y trataremos de rodear la zona que el Gran Rey ha hecho allanar para lanzar la carga de los carros. Tan pronto como los veáis moverse, deberéis dar la señal a los hombres de hacer el mayor ruido posible golpeando las espadas contra los escudos y gritando fuerte para espantar a los caballos. Luego, cuando estén a tiro, los arqueros y los honderos dispararán contra los aurigas, tratando de abatirles. Esto debería poner fuera de combate a muchos de ellos, pero los carros que continúen su carrera podrán causar aún mucho daño. En ese momento, los comandantes de compañía harán una señal a las trompas de abrir brechas en la formación para dejarles pasar y dispararles luego por la espalda.

»Una vez terminada la carga de los carros de guerra, la falange avanzará por el centro, precedida por la caballería pesada de los *hetairoi* y por los tracios y agrianos y yo mandaré *La Punta* a través de la formación de Darío. Deberemos penetrar a través de ella y aislar su ala izquierda, converger en el centro y empujar a Darío y a la guardia real de los Inmortales contra la falange. Los batallones de Crátero y de Pérdicas tendrán que aguantar el impacto y contraatacar. El general Parmenión se mantendrá de reserva detrás de nuestro flanco izquierdo con tres batallones de *pezetairoi* y la caballería tesalia para asestar el golpe definitivo. El ala derecha de nuestra formación será ocupada por los aliados griegos y los mercenarios coordinados por *El Negro*: su tarea consistirá en realizar eventuales maniobras envolventes del ala izquierda persa para dar tiempo a *La Punta* a fragmentar el centro enemigo. ¿Alguna pregunta?

—Una —dijo Seleuco—. ¿Por qué aceptamos el combate en un terreno elegido por el adversario?

Alejandro pareció inseguro de responder o no, luego se le acercó y le miró directamente a los ojos.

—¿Sabes cuántas fortalezas hay repartidas por el imperio de Darío de aquí a las montañas del Paropámiso? ¿Sabes cuántos pasos fortificados, cuántas plazas fuertes y ciudades amuralladas? Encaneceríamos en un esfuerzo inútil, mortal de necesidad, perderíamos nuestra patria privándola de toda su juventud y condenándola a un rápido declinar. Ha sido un plan de Darío hábilmente maquinado para atraerme a este lugar y aniquilarme. Yo he fingido haber mordido el anzuelo. Él no sabe que lo he decidido por mi propia voluntad y que en el último momento le derrotaré de todos modos.

—¿Y con qué? —siguió preguntando Seleuco sin bajar los ojos.

—Lo verás al amanecer —replicó Alejandro—. Esto es todo. Ahora, reuníos con vuestras tropas y tratad de descansar, porque mañana tendréis que exprimir hasta la última gota de sudor y hasta el último resto de energía. Que la fortuna y los dioses nos sean propicios.

Todos saludaron y se alejaron. Alejandro les acompañó hasta la puerta y, cuando hubieron salido, fue al corral de *Bucéfalo* para darle personalmente de comer y de beber. Mientras el caballo hundía el morro en la alforja llena de cebada, él le hablaba, acariciándole las crines:

—Hermoso, mi buen amigo... Mañana será tu última batalla, te lo prometo. Después aparecerás solamente en las paradas, me llevarás cuando entremos triunfalmente en las ciudades o cuando tú y yo nos vayamos a correr por las colinas de Media o por las riberas del Tigris y del Araxes. Pero antes tendrás que conducirme a la victoria, *Bucéfalo*, mañana deberás correr más rápido que el viento, más rápido que las flechas y los dardos persas. Nada deberá resistirse a tu ímpetu.

El animal levantó la cabeza orgullosísimo, bufando y sacudiendo las crines.

—¿Entendido, *Bucéfalo*? Aplastarás bajo tus cascos a los jinetes medos y ciseos, a los hircanios y corasmios, lanzarás fuego por los ollares como una quimera, arrastrarás en tu carga furibunda a todos tus compañeros, serás el trueno que sacuda las montañas y los quinientos caballos de *La Punta* harán temblar la tierra detrás de ti.

El semental raspó el terreno con el casco y se encabritó de repente con un largo relincho de desafío; luego pareció calmarse y acercó el morro al pecho de su amo en busca de una caricia. Le quería decir que estaba dispuesto y que nada en el mundo detendría su galope.

Alejandro le besó en la frente y se fue, dirigiendo sus pasos hacia la tienda de la reina madre Sisigambis, que se alzaba a la sombra de un grupo aislado de sicómoros en las márgenes del campamento. Se hizo anunciar y un eunuco le introdujo en el pabellón, donde la soberana le recibió sentada en su trono.

Alejandro esperó a que le diera licencia para acomodarse, tal como era la costumbre de la corte, y acto seguido se puso a hablar:

—Gran Madre, he venido a decirte que nos disponemos a enfrentarnos con Darío en un encuentro decisivo, casi sin duda el último. A la caída del sol, sólo uno de nosotros dos habrá sobrevivido y yo haré todo lo que pueda para vencer en esta jornada.

—Lo sé —repuso Sisigambis.

—Esto podría significar la muerte de tu hijo.

La reina asintió gravemente con la cabeza.

—O la mía —añadió poco después Alejandro.

Sisigambis levantó los ojos húmedos de lágrimas y suspiró:

—En cualquier caso, será para mí una jornada funesta. Vayan como vayan las cosas, cualquiera que sea el resultado del combate. Si vences tú, habré yo perdido a mi hijo y a mi patria. Si pierdes o caes muerto tú, habré perdido a una persona a la que he aprendido a querer. Me has tratado con el mismo afecto que un hijo y has respetado a todas las personas de mi familia como ningún otro vencedor habría hecho jamás. También tú, muchacho, te has ganado un lugar en mi corazón. Por eso no podré más que sufrir y ni siquiera me será concedido el consuelo de rezar con el corazón sereno a Ahura Mazda para que incline la victoria a favor de mis soldados. Ve, Alejandro, y ojalá puedas ver indemne la puesta de sol de mañana. Es ésta la única bendición que puedo darte.

El rey hizo una inclinación y salió, dirigiéndose nuevamente hacia su tienda. El campamento hervía de actividad a la hora que precedía el reposo nocturno: los soldados, reunidos en círculo y sentados en el suelo, estaban tomando su cena y se daban ánimos unos a otros ante la inminencia del choque mortal. Se contaban baladronadas, bebían, se jugaban a los dados el dinero que ahora recibían en abundancia de las arcas de Eumenes, se divertían viendo danzar a las hetairas que seguían a un ejército con medios de fortuna. Otros también pasaban aquella velada en el campamento de los mercaderes, donde muchos tenían ya una compañera fija y a veces hijos pequeños por los que sentían cada día más cariño.

En aquella hora crucial, la existencia de afectos profundos era para ellos un motivo de consuelo y, al mismo tiempo, de angustia por la incertidumbre del choque que se preparaba, por la inminencia de una batalla que podría depararles gloria y riqueza o bien la muerte o, peor aún, una esclavitud ultrajante para el resto de sus días.

Alejandro llegó a su alojamiento después de haber atravesado casi todo el campamento de un extremo al otro. Leptina salió a recibirle al umbral y le besó las manos.

—Mi señor, ha habido una extraña visita. Un hombre ha venido y te ha traído un plato de comida para la cena. Yo no le había visto nunca antes, no me fiaría, pues podría estar envenenada.

—¿La has tirado?

70

—No, pero...

—Déjame ver esa comida.

Leptina le acompaño a la dependencia destinada a los banquetes y le mostró un plato sobre la mesa real. Alejandro sonrió y sacudió la cabeza.

—Tordo a la parrilla. —Lo tocó—. Está aún caliente. ¿Dónde está él?

—Se ha ido, pero ha dejado esto.

Le mostró un minúsculo rollo de papiro. Alejandro le echó una rápida ojeada, luego salió deprisa y llamó a su escudero:

—Haz que me preparen el bayo sármata, rápido.

El escudero corrió hacia los corrales y poco después volvió con el caballo enjaezado. El rey montó y partió al galope sin que su guardia pudiera darse cuenta de lo que había sucedido. Cuando los soldados estuvieron listos para salir en pos de él, había ya desaparecido en el desierto.

12

Alejandro llegó a una aldehuela de pocas casas de adobe y bitumen situada a medio camino entre su campamento y el río que habían cruzado aquel mismo día. Se dirigió hacia el pozo que se encontraba cerca de una agrupación de palmeras, desmontó y esperó.

La luna asomó poco después detrás de un grupo de montículos que cerraban la llanura hacia levante y difundió su claridad sobre las amplias rastrojeras que rodeaban la aldea a modo de un anillo dorado y en el desierto que se extendía, en el exterior de aquel breve espacio cultivado, en todas direcciones. Dejó que su caballo paciese entre las ralas matas de hierba que crecían entre las palmeras y esperó hasta que vio una forma ondulante perfilarse en una pista, poco más que un sendero en dirección sur: Eumolpo de Solos se acercaba cabalgando un camello.

—Puedes descender tranquilamente —dijo Alejandro notando su aire prudente—. *Peritas* se ha quedado en el campamento.

—Salve, oh gran rey y señor del Asia —comenzó el informador.

Pero Alejandro tenía poco tiempo y le interrumpió:

—¿Has conseguido saber algo más respecto de aquel que me ha escrito el mensaje que me has hecho llegar?

—Debo decirte la verdad. Yo sabía ya que Maceo estaba muy abatido y convencido de que había llegado ya la última hora para el imperio que fue de Ciro el Grande, y yo le pedí a Hesfestión que le indujera a pasarse a nuestro bando cuando se encontrara en el vado del Éufrates en Tápsaco. Hefestión, sin embargo, se negó, pues consideraba que inducir al adversario a la deserción es algo deshonroso.

—Yo pienso como él.

—Digamos que él piensa como tú.

—Si así lo prefieres...

—Bien. Pero resulta que la diosa Fortuna se ha vuelto de nuestro lado. Evidentemente debe sentir una debilidad por ti, mi rey. No lo creerás, pero fue precisamente Hefestión el intermediario del contacto que Maceo ha establecido con nosotros. Le fue entregada una estatuilla como regalo que tenía que hacerme llegar, y yo la recibí mientras me encontraba entre Tiro y Damasco por ciertos asuntos que estaba despachando. Los caracteres bárbaros grabados en la base decían «rompe esta estatuilla», cosa que yo hice sin pérdida de tiempo. Encontré en el interior el mensaje de Maceo cuyo contenido te hice saber de viva voz por medio del envío de un correo mientras tú te acercabas con el ejército al vado del Tigris. Pero he querido venir yo luego en persona, para cerciorarme de que el mensaje había sido referido fielmente.

—Por supuesto. He visto el tordo a la parrilla.

—Notable, ¿verdad? Mis siervos, esta mañana, han capturado unos pocos con las redes y así se me ha ocurrido la idea de hacerte llegar mi santo y seña de un modo original.

—Pues lo has logrado.

—Entonces, ¿qué te refirió exactamente el correo?

—Maceo me ofrece su ayuda en el campo de batalla y pide a cambio ser reconfirmado como sátrapa de Babilonia. Dice que él estará alineado en el ala derecha del ejército de Darío y que por tanto yo podré aligerar sin peligro mi izquierda para concentrar todas las fuerzas del lado opuesto, donde corro el riesgo de verme rodeado. ¿He entendido bien?

—Perfectamente. ¿Y no te parece una propuesta honesta?

—¿Tú te fiarías de un traidor?

—Sí, si la propuesta es conveniente para ambos, y así me lo parece a mí. Maceo no cree que Darío pueda derrotarte; cree que serás tú él vencedor y por tanto te ofrece algo a cambio de otra cosa. Tú obtienes una ventaja fundamental y él también.

—Imagina que miente. Yo desguarnezco el flanco izquierdo para reforzar el ala derecha en previsión de una maniobra envolvente de la caballería persa por ese lado. Maceo ordena, en cambio, una penetración por mi ala izquierda y me sorprende por la espalda mientras me dispongo a dirigir el ataque de *La Punta*. Un desastre. Digamos que también el fin.

—Es cierto, pero si no te arriesgas aceptando la promesa de Maceo, puedes perder en cualquier caso, porque ellos son mucho más numerosos que vosotros. Por si fuera poco, has decidido aceptar el enfrentamiento en el terreno elegido por ellos. Un bonito dilema.

—Y sin embargo dentro de poco volveré a mi tienda y dormiré tranquilamente.

Eumolpo trató de escrutar la expresión de su interlocutor a la luz incierta de la luna, pero no consiguió descubrir en ella nada especial que revelase sus intenciones.

—¿Qué debo decirle a Maceo esta noche? —preguntó—. Como puedes ver, me he disfrazado de mercader sirio y dentro de no mucho estaré en presencia suya para darle una respuesta.

Alejandro aferró las riendas de su bayo y saltó a su grupa de un brinco.

—Dile que acepto —replicó, e hizo ademán de partir.

—¡Espera! —le detuvo Eumolpo—. Hay otra cosa que acaso te interese saber. En el campamento de Darío está el muchacho de Barsine y tiene intención de tomar parte en la batalla de mañana.

Alejandro se quedó inmóvil unos instantes sobre su caballo, como si aquella noticia le hubiera paralizado, luego se sacudió de repente y lo espoleó, desapareciendo pronto en medio de una nube de polvo. Eumolpo sacudió la cabeza y, después de haber meditado sobre aquella breve conversación, hizo doblar las rodillas a su reacio camello y trepó con alguna dificultad sobre la albarda. Luego le dio una voz y el camello alzó primero la grupa haciéndole casi caer por delante, luego las patas delanteras haciéndole casi caer por detrás. Finalmente se estabilizó y comenzó a trotar hacia el campamento persa, acicateado por las torpes patadas en los ijares de su conductor.

Alejandro vio venir a su encuentro al galope a un grupo de *hetairoi* de la guardia real al mando de Hefestión y se detuvo.

—¿Adónde vais? —preguntó.

—¿Que adónde vamos? —dijo Hefestión fuera de sí—. ¿Y necesitas preguntármelo? ¡Pues íbamos en tu busca! Abandonas el campamento sin decir nada a nadie, te vas a dar una vuelta de noche por un territorio infestado de patrullas enemigas, y esto la víspera de una batalla que va a decidir nuestro destino. Por suerte un centinela te ha visto y ha dado parte al comandante. Estamos medio muertos de miedo y...

Alejandro le paró con un gesto de la mano.

—Se trataba de algo que debía hacer por mi cuenta, pero está bien que estéis aquí. ¿Quién es el comandante de esta unidad?

Se adelantó un joven montañés de Lincéstide.

—Soy yo, rey, y me llamó Eufranores.

—Vamos a ver, Eufranores. Mientras nosotros volvemos al campamento, tu irás con tus hombres a la aldea que está a unos diez estadios por ese camino y dejarás allí de guarnición a la mitad de tu destacamento a las órdenes de alguien de tu confianza. Con la otra mitad alcanzarás las orillas del Tigris y esperarás hasta que oigas a alguien gritar desde la otra parte del río: «¿Dónde está el camino para Babilonia?». Tú responderás: «¡El camino pasa por aquí!», y luego, le escoltarás hasta el campamento y le pondrás a las órdenes de Crátero.

—¿Nada más, rey?

—Nada más, Eufranores. Cumple bien las órdenes que te he dado, pues está en juego la seguridad de todos nosotros.

—Duerme tranquilo, pues nadie de nosotros pegará ojo y nadie que no sea de los nuestros pasará entre el vado y la aldea sin pedirnos permiso. Así es como debe ser, ¿no es cierto?

—Exactamente así. Y ahora andad.

—¿A quién estamos esperando? —preguntó Hefestión volviendo grupas en dirección al campamento.

—Ya lo verás. Ahora volvamos, pues no nos queda mucho tiempo para dormir antes del amanecer.

Regresaron al campamento y se separaron. Hefestión alcanzó su unidad de *La Punta* y Alejandro se dirigió a la tienda de Barsine. Ella fue a su encuentro y le besó.

—He oído decir que te habías alejado solo y estaba preocupada.

Alejandro la estrechó contra sí sin decir nada.

—Mandarás el asalto de tu caballería mañana, ¿no es cierto?

—Así es.

—¿Por qué exponerte a un peligro mortal? Si te sucediera algo, tus hombres se quedarían sin guía.

—Un rey tiene privilegios, pero debe estar listo para morir el primero cada vez que su gente afronta un peligro. Escucha, Barsine. En ocho, nueve estadios en esa dirección está el campamento persa y allí se encuentran tu padre Artabazo y... tu hijo. —La mirada de Barsine se empañó de improviso de lágrimas—. Si quieres reunirte con ellos —continuó— haré que te escolten hasta el primer puesto de guardia persa junto con Phraates.

—¿Es eso lo que quieres? —preguntó Barsine.

—No. Yo te quiero para mí, pero comprendo que tu corazón esté dividido y que por esto no podrás ser nunca feliz.

Barsine le acarició el rostro y los cabellos; luego dijo:

—Soy tu mujer, y me quedaré.

—Si eres mi mujer, entonces hazme olvidar todo en esta noche que precede a la batalla, acaríciame como no has acariciado nunca a ningún hombre, dame todo el placer de que eres capaz. Mañana podría quedar de mí nada más que un puñado de cenizas.

Y sin esperar su respuesta, comenzó a besarle el cuello y el pecho, a acariciarle el vientre y los muslos, al tiempo que la estrechaba contra sí con una fuerza irresistible. Barsine sintió aumentar el calor que emanaba de su piel hasta volverse fiebre, sintió el perfume de sus cabellos y el intenso olor a almizcle que subía de su ingle y se abandonó a la oleada de deseo que corría por debajo de su piel con el flujo de la sangre y de la respiración.

Se desnudó mientras él seguía acariciándola y besándola por todas partes y le desnudó a él, ya sin ningún pudor. Besó ávidamente sus labios y su pecho y le hizo echarse desnudo junto a ella sobre la alfombra. Le acarició el vientre y los muslos, le besó cada vez más apasionadamente hasta desencadenar su más ardiente deseo. Él la dobló debajo de sí y la poseyó con todas sus fuerzas, como si fuese la última vez que gozaba de su cuerpo y de su amor, y vio los ojos de ella iluminarse, su rostro trasfigurarse en un placer cada vez más intenso y conmovedor, sintió sus manos y sus uñas hundirse en los hombros y en la espalda y la oyó finalmente gritar en el delirio del placer sin límites ni ataduras, aquel que sólo los dioses pueden conceder a los mortales.

Se dejó caer sobre la blanda alfombra mientras ella seguía besándole y acariciándole con una devoción total y apasionada, olvidada de todo. Alejandro respondió a sus besos y luego, con una última caricia, se separó de ella y se levantó.

—Duerme conmigo, te lo ruego —le dijo Barsine.

—No puedo. Mis hombres tienen que encontrarme mañana en la soledad que precede a la prueba suprema. Los centinelas que salgan del último turno de guardia tendrán que saber que han velado en la noche la soledad de su rey. Adiós, Barsine. Si muriera en la batalla, no me compadezcas. Es un privilegio caer en el campo de lucha, evitar la larga vejez y la decadencia física y mental, el lento e inexorable apagarse de la mirada. Vuelve con tu gente y tus hijos y vive tranquilamente tu vida, pensando que fuiste amada como ninguna otra mujer en el mundo.

Barsine le besó una última vez antes de verle desaparecer más allá del umbral y no tuvo el valor de decirle que esperaba un hijo suyo.

13

Fue el general Parmenión el que le despertó entrando personalmente en su tienda.

—Señor, es la hora.

Iba cubierto con la armadura de combate y Alejandro le contempló con invariable admiración: a una edad tan avanzada, el viejo guerrero seguía derecho y firme como un roble. El rey se levantó y se tragó, desnudo como estaba, el «bocado de Néstor» que Leptina le había ya preparado.

Mientras dos ayudantes le vestían y le ponían la armadura, otro le traía el escudo y el yelmo resplandeciente, en forma de cabeza de león y fauces abiertas de par en par.

—General —comenzó diciendo Alejandro—, esta jornada estará dominada por la incertidumbre, sobre todo por lo que se refiere a lo que vaya a suceder en el ala izquierda. Por esto he decidido confiarte el mando de esa parte extrema de nuestra formación. El Negro mandará el ala derecha.

»Avanzaremos con las alas casi replegadas sobre los flancos, como un halcón que se lanza sobre la presa. Avanzaremos hasta que ellos se decidan a pararnos y lancen hacia adelante su ala izquierda. Entonces yo ordenaré la carga y romperé en dos su frente de ataque, pero mientras yo dé la puntilla al enemigo en el centro, tú, por la izquierda, harás girar el flanco. Sé que resistirás, sé que no cederás por ningún motivo.

—No cederé, señor.

Alejandro sacudió la cabeza.

—Eres siempre muy formal, y sin embargo de niño me tuviste sobre tus rodillas.

Parmenión asintió.

—No cederé, mi querido muchacho, mientras me quede un resto de aliento. Que los dioses nos asistan.

Cuando el rey salió, vio que Aristandro, en el centro del campamento, había inmolado una víctima y la estaba quemando en holocausto. El humo se arrastraba a escasa distancia del suelo como una larga serpiente y sólo a duras penas encontraba el camino del cielo.

—¿Qué dicen tus auspicios, adivino?

Aristandro se volvió hacia él con ese movimiento característico que le recordaba tan terriblemente a su padre Filipo y dijo:

—Será la jornada más dura de tu vida, Alejandro, pero vencerás.

—Que el cielo te oiga —replicó el rey y tomó las riendas de *Bucéfalo* que le ofrecía un caballerizo.

El campamento hervía de actividad: por todas partes resonaban secas órdenes, los escuadrones de caballería tomaban posiciones, las unidades de infantería se alineaban en orden de marcha. Alejandro saltó a caballo, lo espoleó y alcanzó la cabeza de *La Punta* ya perfectamente alineada y a su lado vino a colocarse Hefestión. Detrás de él se situó Leonato cubierto de hierro, con la enorme hacha firmemente empuñada, y a su lado Tolomeo. A sus espaldas, Lisímaco, Seleuco y Filotas, que precedían al resto del escuadrón y las restantes unidades de la caballería de los *hetairoi*. Delante de todos y en el lado izquierdo iban a pie los tracios y los agrianos, luego seguían a la izquierda los batallones de la falange y una unidad de exploradores guiados por sus jefes: Koinos, Simias y Poliperconte. Crátero, por último, estaba al mando de los tesalios. A la derecha se encontraban ya en orden de marcha los ocho batallones de los aliados griegos, seguidos de una larga cola de infantes tracios y tribalos que se extendía hasta rodear la zona de las tiendas reales y de los carros de los pertrechos.

El rey alzó la mano y las trompas dieron la señal de partida. *La Punta* se puso al paso detrás de Alejandro, que la mandó hacia el exterior del campamento. Precedido por el sonido de los cuernos de guerra, apareció entonces el ejército del Gran Rey, inmenso, extendido en un frente enorme, precedido por cientos de enseñas y estandartes; el sol, que aparecía en aquel momento, hacía centellear en la nube de polvo que levantaba al marchar los destellos metálicos de las armas, cual los relámpagos dentro de una nube de temporal.

Leonato recorrió con la mirada la inmensa formación, de un extremo al otro de la llanura, y murmuró entre dientes:

—¡Gran Zeus!

Pero el rey no daba la menor señal de asombro ante aquel espectáculo grandioso y seguía avanzando al paso, sosteniendo en el pecho la empuñadura de las riendas de *Bucéfalo*, que enarcaba su poderoso y reluciente cuello, resoplaba y mordía el freno.

Detrás de él, el ejército entero comenzaba a extenderse, escuadrón tras escuadrón, batallón tras batallón, con el redoble de los tambores, en medio del fragor del paso cadencioso de los guerreros, del agitado pisar de los caballos. A su izquierda se abría el vasto espacio llano que les separaba del frente persa, que marchaba hacia delante inexorable. Alejandro comenzó a doblar hacia la derecha para llegar a una franja de terreno más ondulada e irregular.

Pero inmediatamente los enemigos se dieron cuenta de ello. Se oyó de nuevo, sombrío y prolongado, el sonido de los cuernos y toda el ala izquierda persa, formada enteramente de caballería escita y bactriana, se lanzó en una maniobra envolvente. Alejandro hizo una señal y los arqueros agrianos a caballo corrieron al encuentro de los jinetes adversarios disparando un nutrido enjambre de flechas; luego lanzó un escuadrón de *hetairoi* para frenar el impacto enemigo mientras él, a la cabeza de *La Punta*, continuaba avanzando al paso, increíblemente tranquilo. Sólo quien estaba cerca de él podía percibir a ratos su parpadeo irregular y el correr del sudor por sus sienes.

Los *hetairoi* lanzaron a sus cabalgaduras a la carga recorriendo en breve tiempo el espacio que les separaba de la oleada impetuosa de los jinetes asiáticos. El impacto fue espantoso: cientos de caballos rodaron por tierra, cientos de jinetes de ambos bandos cayeron en el choque tremendo y súbito, y aunque heridos o contusionados, se enzarzaron unos con otros en duelos a muerte entre las patas de los otros caballos, en medio del infierno de polvo, relinchos y gritos que les rodeaban por todas partes. Se alzó una densa polvareda que casi cubrió por completo el teatro de la batalla, de modo que no era posible distinguir qué estaba sucediendo y cuál era la suerte de aquel primer combate. Parte de los agrianos, mientras tanto, agotadas las flechas, habían echado mano a los puñales y se habían arrojado a la reyerta arrastrados por su furor bárbaro, entablando salvajes cuerpos a cuerpo con los jinetes enemigos que pasaban cual espectros por la densa polvareda.

Toques insistentes de trompa resonaron en aquel momento a la izquierda y Leonato tocó a Alejandro en un hombro.

—¡Dioses del cielo, mira! ¡Los carros, los carros falcados!

Pero el rey ni siquiera respondió.

Desde el centro de la formación persa las máquinas espantosas arrancaban lanzándose hacia el flanco izquierdo de los macedonios. Pérdicas, que había reparado en ellos inmediatamente, se puso a gritar:

—¡Atentos, soldados, atentos! ¡Estad preparados!

Pero justo en aquel momento un grupo de jinetes enemigos se lanzó transversalmente en loca carrera, arrastrando tras de sí haces de ramas que levantaron, a escasa distancia del flanco macedonio, una cortina impenetrable de polvo que ocultó la vista de los carros. Sólo breves instantes asomaba el sol para hacer relucir con destellos siniestros las cuchillas que giraban vertiginosamente en los cubos de las ruedas o que hendían el aire protegidas lateralmente por los cajones y por los extremos de los yugos de las cuadrigas.

Pérdicas y los demás comandantes hicieron dar a las trompas los toques de alarma a fin de que los infantes en marcha estuvieran listos para abrirse tan pronto como los carros hicieran aparición por entre el polvo, pero cuando ello sucedió estaban ya a menos de un estadio de distancia y no todos consiguieron reaccionar a tiempo a las señales izadas en altos pendones de los jefes de unidad. En algunos puntos la formación se abrió y los carros pasaron sin problemas, pero en otros cayeron en plena carrera en medio de las filas en marcha segando a los soldados como espigas, haciendo rodar por el suelo cabezas separadas de sus troncos limpiamente, con los ojos desorbitados y estupefactos aún. Muchos fueron cogidos por las piernas por las cuchillas giratorias que asomaban de los cubos y horrendamente mutilados, otros arrollados de lleno por los troncos de caballos en desenfrenada carrera, triturados bajo los cascos y despedazados por las puntas herradas bajo los cajones. Pero el ejército siguió avanzando detrás de Alejandro, manteniendo el orden oblicuo. Habían cubierto ya más de un tercio de la vasta área que Darío había allanado para hacer correr a velocidad desenfrenada a sus carros y caballos y continuaban marchando a paso cadencioso, al redoble martilleante de los tambores.

La segunda unidad de arqueros agrianos lanzó sus saetas en dirección a los aurigas diezmándolos; otros, a caballo, persiguieron a cuantos habían pasado a través de las filas para abatirlos por detrás a golpes de jabalina. Pero entretanto, en el punto más avanzado, la caballería pesada escita y bactriana mandada por Beso empujaba hacia atrás a los escuadrones de los *hetairoi*, demasiado inferiores en número, y comenzababa a extenderse con una amplia maniobra envolvente hacia el extremo derecho, donde avanzaban los aliados griegos que, apenas vieron a los jinetes bárbaros avanzar a rienda suelta hacia ellos, gritaron:

Alalalài!

y apretaron filas, cerrando los espacios entre hombre y hombre y presentando un muro de escudos y de lanzas. En aquella confusión de gritos y relinchos, Alejandro empujó a *Bucéfalo* al trote, casi caracoleando a través de la llanura. A su lado, un abanderado sostenía el estandarte argéada, color rojo fuego con la estrella de oro que centelleaba al sol ya alto.

Llegó el sonido de otros toques por la izquierda y una nueva avalancha de jinetes partos, hircanios y medos se lanzaron hacia delante a toda velocidad para introducirse entre los batallones de Pérdicas y Meleagro y los de cola de Simias y Parmenión. ¡Los mandaba Maceo! Irrumpieron a través de las filas de la infantería y se dirigieron como un río en crecida hacia el campamento. Parmenión gritó a Crátero:

—¡Párales! ¡Lanza a los tesalios!

Y Crátero obedeció. Hizo un gesto al trompetero y éste tocó carga para los dos escuadrones de caballería tesalia que avanzaban separados por el extremo izquierdo, como última reserva. Los tesalios se lanzaron en dirección a las tropas de Maceo y entablaron un furibundo combate; Parmenión mandó un destacamento de escuderos e incursores para hacerles frente.

—¡Tratan de liberar a la familia real! —gritó—. ¡Paradles como sea!

En aquel momento, la parte terminal del ala izquierda era un único revoltijo de infantes y caballos empeñados en una lucha espantosa y cruel, donde cada uno trataba de infligir al enemigo las heridas más devastadoras, luchando por cada palmo de terreno con salvaje furor.

Alejandro oyó el sonido desesperado de las trompas, pero no se echó atrás. Miró al abanderado y le hizo gesto de levantar el estandarte para que todos lo vieran. A continuación lanzó su grito de guerra, tan potente y agudo como para superar el fragor del combate que arreciaba alrededor de él por todas partes. *Bucéfalo* piafó, relinchó y, empujado por los gritos cada vez más fuertes del rey, se lanzó a una carga furibunda martilleando la tierra con sus cascos de bronce, resoplando como una fiera. *La Punta* voló tras él, lanzada en un galope arrollador. Cinco escuadrones de *hetairoi* se abrieron en cuña detrás de *La Punta*, recorriendo el llano hacia el punto en el que el centro persa había quedado separado de la propia ala derecha, ocupada en la vasta maniobra de envolvimiento.

—¡Adelante! —gritaba Alejandro—. ¡Adelante!

Y, tras desenvainar la espada, se arrojó sobre el flanco de la guardia de los Inmortales que defendía la cuadriga imperial. La caballería macedonia al completo se mantuvo detrás arrollando a quienquiera que intentase entremeterse. Era tal la velocidad de *Bucéfalo* y su masa que cualquiera que lo tocase, aunque no fuera más que lateralmente, era arrojado al suelo por el impacto y el peso del gigantesco semental recubierto de cuero y de bronce. Mandada por el rey, *La Punta* realizó una amplia conversión; luego se colocó en un frente más amplio, en cuatro líneas flanqueadas a derecha e izquierda por los escuadrones de los *hetairoi*, y se precipitó como una avalancha de hierro sobre el flanco y la retaguardia del centro persa.

Pero, entretanto, el campamento macedonio parecía casi perdido y los jinetes medos y ciseos de Maceo corrían por todas partes prendiendo fuego, destruyendo, devastándolo todo, mientras que otro grupo se dirigía hacia los alojamientos de las mujeres. Los tesalios combatían como leones, pero, numéricamente inferiores, comenzaron a ceder terreno empujados hacia atrás por las escuadras hircanias. Parmenión no conseguía comprender ya cuál sería el desenlace del choque y se batía él mismo con la espada y el escudo, como un joven en pleno vigor juvenil. De repente, viendo un mensajero que pasaba cerca de él, gritó:

—¡Corre! ¡Corre hasta donde está Alejandro y dile que no podemos conseguirlo, que necesitamos ayuda! ¡Rápido! ¡Vamos! ¡Corre!

Y el hombre se fue volando sobre su caballo. Saltó por encima de carros derribados y travesaños arrancados y quemados, pasó por en medio de los guerreros enzarzados en la feroz lid y llegó hasta la explanada central, libre aún, empujando el caballo hacia el punto en que, en lontananza, entreveía el estandarte argéada ondear en medio de una reyerta furibunda.

Embestida de lleno por detrás y por el flanco, la guardia de Darío, apoyada por un nutrido contingente de mercenarios griegos, reaccionó con valor, pero fue pronto desbaratada por el ataque arrollador de la cuadrilla de Alejandro. Al lado del rey, Hefestión empuñaba la maciza lanza hacia ellos, Leonato hacía voltear en el aire la pesada hacha chorreante de sangre y Tolomeo y Lisímaco asestaban furiosos mandobles con la espada y el sable tracio protegiéndole los flancos y rechazando el contraataque continuo y rabioso de los mercenarios griegos y de los Inmortales persas. El combate continuó encarnizadamente porque nadie quería ceder, pensando que aquella era la última ocasión para rechazar al enemigo y salvar la vida y la patria.

En el ala izquierda, la caballería de Beso se había estrellado contra la masa de la infantería pesada griega, pero seguía lanzando asalto tras asalto, a oleadas, como cachones que rompiesen contra las rocas. Las secciones extremas, tras rodear la formación griega, se enfrentaban a los tracios que defendían el lado derecho del campamento, ya en gran parte en manos del enemigo.

En efecto, en el ala izquierda, la situación era desesperada. Parmenión y los suyos estaban casi rodeados, pero Pérdicas, Meleagro y los demás no podían socorrerles porque habían recibido la señal de cargar contra el centro de Darío frontalmente, con las lanzas abatidas, mientras que la caballería del rey continuaba presionando por detrás y por el flanco.

Maceo alcanzó la tienda de la reina madre y se arrodilló jadeante:

—¡Gran Madre! —dijo—, ¡rápido, sígueme! Ahora o nunca podrás reconquistar la libertad y tu autoridad de soberana, uniéndote a tu augusto hijo!

Pero la reina no se movió. Permaneció sentada en su trono, inmóvil.

—No puedo seguirte. Soy demasiado vieja para montar a caballo. Déjame que espere el resultado de esta jornada, de acuerdo a la voluntad de Ahura Mazda. ¡Vamos, no pierdas tiempo! Llévate contigo a las concubinas reales y a sus hijos, si lo consigues.

Maceo le suplicó de nuevo:

—¡Te lo suplico, Gran Madre, te lo suplico!

Pero fue inútil. La reina no se movió.

A escasa distancia, un jovencísimo guerrero irrumpía en aquel momento en otra tienda, aquella en que Barsine esperaba el término de aquel espantoso enfrentamiento. Se quitó el yelmo liberando su cabellera reluciente y gritó:

—¡Madre! ¡Rápido! ¡He venido a liberarte! ¡Rápido, vámonos! ¡Coge un caballo y vámonos! ¿Dónde está mi hermano?

—¡Eteocles! —gritó Barsine trastornada de verle—. ¡Hijo!

Y se precipitó para abrazarle, pero en aquel mismo instante dos agrianos llegaron a la carrera empuñando unos largos cuchillos: habían recibido orden de que ninguno tocara a la mujer de Alejandro. Eteocles se plantó delante de ellos desenvainando la espada de su padre y trató de rechazarles, pero no era más que un muchacho y sus golpes no tenían fuerza. Uno de los agrianos le hirió en el brazo y le hizo caer el arma, mientras que el otro le asestaba el golpe mortal. Barsine se arrojó hacia delante gritando:

—¡No! ¡Es mi hijo! —Y recibió de lleno el golpe de la hoja, que penetró en su pecho y la derribó. Eteocles, aunque herido, se arrojó sobre los enemigos y blandió valerosamente el puñal, pero su adversario esquivó el golpe y respondió con precisión mortífera. El muchacho se abatió sobre el cuerpo exánime de la madre exhalando sobre ella el último aliento.

Ahora los valerosos tesalios habían sido empujados fuera del campamento y las tropas de Maceo se disponían a converger hacia el centro del campo de batalla para sorprender por la espalda a la infantería de los *hetairoi* y los tracios que aguantaban aún el embate de los jinetes de Beso. La batalla estaba ganada para ellos, pero de repente resonó un toque de trompa y luego el grito de miles de guerreros:

Alalalài!

Desde el camino en dirección al río llegaban en aquel momento tres escuadrones de caballería tesalia y macedonia enrolados recientemente, que habían cruzado el vado durante la noche. Crátero, ya herido en un brazo y extenuado por el combate, apenas los divisó empuñó un estandarte para que le vieran y gritó:

—¡Soldados, a mí!

Luego aferró las bridas de un caballo sin jinete que pasaba por delante de él, saltó sobre la silla y corrió a su encuentro. Se habían abierto en un amplio frente y avanzaban a paso de carga. Crátero se puso a su cabeza mandándoles contra los medos y los hircanios, contra los ciseos y los asirios de Maceo y entablando un nuevo duelo demoledor.

Las tornas de la batalla comenzaban a cambiar: Alejandro avanzaba cada vez más amenazante hacia el centro enemigo y Darío aparecía ya a la vista montado en su carro de guerra. El rey macedonio desató de la trabilla una jabalina y apuntó. Protegido por sus compañeros, lanzó con gran fuerza pero falló, golpeando sin embargo de lleno al auriga, que cayó al suelo muerto. Los caballos echaron a correr ya sin guía hacia el borde norte del campo y Darío, tras aferrar las riendas, los fustigaba empujándoles al galope fuera de la batalla. Los Inmortales, despreocupados de la huida del rey, siguieron batiéndose con increíble encarnizamiento aun a sabiendas de que no iban a tener escapatoria, y sólo mediada la tarde comenzaron a ceder, extenuados por el cansancio. Otras muchas unidades, habiéndose difundido la noticia de que el Gran Rey había muerto, habían huido. A Beso, en cambio, se le acercó un correo que le anunció que Darío había abandonado el campo de batalla e interrumpió de repente los ataques contra los griegos del ala izquierda. Temiendo que la tiara imperial acabara en manos de los macedonios, se lanzó con sus jinetes detrás del rey en fuga, quizá para protegerle, quizá para convertirse, dado el cariz que tomaban los acontecimientos, en el único árbitro de su destino. En aquel momento Maceo, que había estado a un paso de la victoria, atrapado entre los tesalios y los macedonios llegados de refuerzo y los batallones de Pérdicas y de Parmenión que habían reanudado el contraataque, rodeado por todas partes, se rindió.

14

Alejandro pasaba a caballo por en medio de las ruinas de su campamento, entre los incendios y toda la devastación, entre el humo acre que se estancaba en el aire denso e inmóvil. Buscaba la tienda de Barsine y en cambio oyó el llanto de un niño: Phraates velaba los cuerpos de su madre y de su hermano unidos aún en el último abrazo.

El rey descendió del caballo y se acercó incrédulo:

—¡Oh, dioses! —gritó con los ojos llenos de lágrimas—. ¿Por qué, por qué un destino tan amargo para unas criaturas sin culpa?

Se arrodilló al lado de ambos cuerpos ensangrentados, colocó a Eteocles boca arriba, tratando de arreglarlo lo mejor posible y cubriéndole con su manto, luego se acercó a Barsine, le liberó el rostro de los cabellos y le acarició suavemente la frente. Los ojos de ella conservaban aún el brillo de las últimas lágrimas y parecían mirar fijamente a un lugar lejano, un punto remoto del cielo adonde no pudieran llegar los alaridos de furor, los gritos de odio y de horror: parecían patéticamente perseguir un sueño largamente acariciado de golpe desvanecido.

En el silencio irreal que se había hecho en el campamento devastado y todo revuelto, el llanto desolado del muchacho parecía más desgarrador aún si cabe. Alejandro se volvió hacia él, que sollozaba cubriéndose el rostro con las manos.

—No llores —le dijo—. El hijo de Memnón de Rodas no llora. Valor, pequeño, debes tener valor.

Pero Phraates seguía repitiendo entre lágrimas:

—¿Por qué ha tenido que morir mi madre? ¿Y por qué mi hermano?

Y a aquellas preguntas ni siquiera podía responderle el rey más poderoso de la tierra. Se limitó a preguntar:

—Dime quién ha matado a tu madre, Phraates, y yo la vengaré. Dímelo, te lo ruego.

El muchacho trató de responder entre lagrimas y señalaba a un grupo de agrianos que estaban desvalijando el cadáver de un jinete persa. Alejandro comprendió. Se dio cuenta amargamente de que su misma orden de proteger a Barsine a toda costa había provocado su muerte y había causado el asesinato del muchacho.

Unos porteadores escoltados por un grupo de *pezetairoi* pasaban en aquel momento para recoger a los muertos y se acercaron para llevarse el cuerpo de Eteocles, pero cuando se acercaron a Barsine el rey les hizo apartarse. Él mismo la levantó en brazos y la llevó al interior de su tienda, que se había librado del fuego. La acomodó sobre el catre, le arregló los cabellos, la acarició las pálidas mejillas, depositó un beso en sus labios exangües. Luego le cerró los ojos: era aún hermosísima y parecía adormecida. Le susurró:

—Duerme ahora, amor mío.

Luego tomó a Phraates de la mano y salió.

Entretanto los soldados habían vuelto del campo de batalla y el campamento resonaba por todas partes del clamor de sus gritos de victoria. Los prisioneros eran hacinados dentro de un recinto, los griegos por una parte, los bárbaros por otra. Llegó Hefestión y le abrazó:

—Lo siento por ella y por su hijo. Una desgracia que habría podido evitarse. Es evidente que Maceo había recibido órdenes de aplastar a nuestra ala izquierda y liberar a la familia de Darío. Y poco ha faltado para que lo consiguiera. Parmenión está herido, Pérdicas y Crátero también, y hemos tenido un gran número de muertos.

En aquel momento las mujeres del harén del Gran Rey con sus hijos y la reina madre eran escoltados hacia un lugar más tranquilo, donde había sido levantado un nuevo pabellón. Entre el grupo, Hefestión descubrió también a Calístenes, que se hacía seguir por un par de siervos con las cestas de los papiros y el arcón con su bagaje personal.

Alejandro les hizo un gesto de saludo con la cabeza y luego, vuelto nuevamente hacia su amigo, preguntó:

—¿Cuántos?

—Muchos. Dos mil por lo menos, si no más, pero también los persas en su huida han sufrido grandes bajas. Hay miles y miles de cadáveres esparcidos en la llanura y otros morirán a manos de nuestra caballería, que se ha lanzado en su persecución.

—¿Y Darío?

—Ha huido junto con Beso, probablemente hacia Susa o Persépolis, no sé. Pero hemos apresado a Maceo, si no me equivoco.

—Llévame hasta él.

—Pero, Alejandro, los hombres te esperan para aclamarte, para recibir tu elogio... Han luchado como leones.

—Llévame hasta él, Hefestión, y da orden de que alguien se ocupe de ellos —dijo indicando el cuerpo de Barsine y el de Eteocles, que los porteadores depositaron en aquel momento junto a la madre. Luego se volvió hacia Phraates—: Ven, muchacho.

Los jefes persas, sátrapas, generales y parientes del Gran Rey, habían sido reunidos por Eumenes en un lugar lejano del campo de batalla y albergados bajo la gran tienda del consejo de guerra. El secretario había dado asimismo orden de que aquellos que lo precisasen recibieran los primeros auxilios de los médicos y cirujanos del ejército, que debían ocuparse también de los cientos de heridos que invocaban ayuda tendidos en tierra en el campo de batalla.

Entró Alejandro y todos inclinaron la cabeza, pero alguno avanzó hacia él, dobló la espalda hasta que tuvo la frente casi tocando el suelo y luego acercó su mano derecha a los labios para mandarle un beso.

—¿Qué es eso? —preguntó Alejandro a Eumenes.

—El beso protocolario persa reservado tan sólo a la persona del emperador. Nosotros los griegos lo llamamos *proskynesis*. Significa que estos hombres te reconocen como su legítimo soberano, el Gran Rey, el Rey de Reyes.

Alejandro, entre tanto, no había soltado un solo momento la mano del muchacho y buscaba entre los presentes un rostro en especial. Dijo en un determinado momento:

—Este muchacho se llama Phraates y es hijo de Memnón de Rodas y de Barsine. Ha perdido, a causa de los reveses de la guerra, a ambos padres y a su hermano Eteocles. —Mientras pronunciaba esas palabras, vio los ojos de un anciano dignatario que se encontraba hacia el fondo de la tienda llenarse de lágrimas y comprendió que era el hombre que estaba buscando—. Espero —prosiguió— que esté entre nosotros su abuelo, el sátrapa Artabazo, el último miembro que ha quedado de su familia, a fin de que pueda cuidarse de él.

El anciano se adelantó y dijo en persa:

—Soy el abuelo del muchacho. Puedes dármelo, si así lo crees conveniente.

Apenas hubo traducido el intérprete, Alejandro se inclinó delante de Phraates, que se estaba secando las lágrimas con la manga de la túnica.

—Mira, está aquí tu abuelo. Ve con él.

El muchacho le miró con los ojos aún relucientes y el rostro sucio de polvo y murmuró:

—Gracias.

Luego corrió hacia el anciano, que cayó de rodillas y le estrechó en un fuerte abrazo. Todos los presentes enmudecieron, se abrieron retrocediendo unos pasos hacia el fondo de la tienda y durante unos instantes sólo se oyeron los sollozos del muchacho y el llanto quedo del anciano sátrapa. También Alejandro se sentía dominado por una fuerte emoción y se volvió hacia Eumenes.

—Ahora deja que desahoguen su dolor; luego prepara los funerales de Barsine de acuerdo al deseo de su padre y dile que será reintegrado en su cargo de gobernador de Panfilia, que mantendrá todos sus privilegios y propiedades y que podrá educar al muchacho como mejor considere oportuno.

Otro personaje atrajo su atención: un guerrero entrado en años que llevaba puesta aún la armadura de combate y mostraba en su cuerpo y rostro las señales de la batalla.

—Es Maceo —le susurró al oído Eumenes.

Alejandro le susurró a su vez algo y salió.

Regresó al campamento acogido por las ovaciones de todo el ejército formado en seis filas y de los oficiales a pie y a caballo. Parmenión, pese a estar herido, mandó presentar armas y los *hetairoi* levantaron las lanzas de golpe, mientras los *pezetairoi* hicieron lo propio con las enormes *sarisas*, que golpearon con un seco ruido. Estaban también sus compañeros sacando pecho en el saludo; Crátero y Pérdicas ostentaban las heridas sufridas en el campo de batalla.

El rey dirigió a *Bucéfalo* hacia una pequeña altura y desde aquel podio natural se dirigió a ellos para expresarles su gratitud y saludarles.

—¡Soldados! —gritó, e inmediatamente se creó un profundo silencio, tan sólo roto por el crepitar de los últimos fuegos—. ¡Soldados, está por caer la noche y, como os había prometido, hemos vencido!

Un rugido estalló de un extremo al otro del campo y un grito acompasado y potente ascendió cada vez más fuerte y claro, entre el fragor de las armas golpeadas, hasta el cielo:

Aléxandre! Aléxandre! Aléxandre!

—Quiero dar las gracias a nuestros amigos tesalios y a los demás jinetes macedonios que han llegado justo a tiempo, desde el otro lado del mar, para tomar parte en el combate del día de hoy y hacer cambiar las tornas del mismo. ¡Os esperaba con ansiedad, soldados! —Los tesalios y macedonios de los nuevos escuadrones respondieron con una aclamación—. Y quiero dar las gracias a nuestros aliados griegos que han atacado por la derecha. ¡Sé que no ha sido fácil! —Los griegos comenzaron a golpear ruidosamente las espadas contra los escudos—. Ahora —prosiguió— Asia entera es nuestra, con todos sus tesoros y maravillas. No hay empresa que nos esté vedada, no hay prodigio que no podamos llevar a cabo, no existen límites que no podamos alcanzar. Yo os llevaré hasta el extremo del mundo. ¿Estáis dispuestos a seguirme, soldados?

—¡Estamos dispuestos, rey! —gritaron los infantes y los jinetes levantando y bajando frenéticamente las lanzas.

—¡Entonces, escuchadme! Ahora iremos a Babilonia para que veáis la ciudad más grande y hermosa del mundo y para que gocéis del merecido descanso después de tantas fatigas. Luego reanudaremos nuestra marcha y no nos detendremos hasta que no hayamos alcanzado las orillas del Océano extremo.

Sopló una racha de viento que pronto arreció, levantado un ligero polvillo y haciendo ondear las cimeras sobre los yelmos, un viento que parecía venir de muy lejos, trayendo voces debilitadas y casi olvidadas. El rey percibió la nostalgia que se apoderaba de sus hombres a la hora del atardecer, notó el espanto que les asaltaba al escuchar aquellas palabras suyas y siguió diciendo:

—Os comprendo, sé que habéis dejado a vuestras esposas e hijos y que deseáis verles, pero el Gran Rey no está derrotado aún del todo. Se ha retirado hacia las regiones más remotas de su Imperio pensando tal vez que no seremos capaces de perseguirle hasta allí. ¡Pero yerra! Si alguien quiere regresar, no le censuraré por ello, pero, si prefería proseguir, yo estaré orgulloso de mandar a unos hombres como vosotros. A partir de mañana, Eumenes repartirá tres mil dracmas de plata a cada uno y mucho más dinero cuando hayamos conquistado las otras capitales que guardan inmensos tesoros. Nos quedaremos en Babilonia treinta días y así tendréis tiempo de meditar. Luego Eumenes hará un llamamiento para que podamos saber quién piensa volver a casa y quién quiere seguirme en esta nueva empresa. Y ahora romped filas, soldados, y preparaos, porque mañana nos pondremos de nuevo en marcha.

El ejército estalló en una larga y frenética aclamación, mientras Alejandro espoleaba con los talones a *Bucéfalo* pasando de nuevo al galope entre las filas formadas. Hizo un gesto a sus compañeros y éstos se fueron con él hacia el campamento persa, mantenido bajo estrecha vigilancia por los hombres de *La Punta* y por una unidad de exploradores agrianos.

El pabellón real era, si ello es posible, más rico y suntuoso aún que el que viera en Issos, pero su servidumbre mucho más reducida. Fueron encontrados, de todos modos, doscientos talentos de oro y de plata en monedas, que habían de servir para pagar las soldadas de los mercenarios y de las tropas recién enroladas, y Eumenes procedió inmediatamente a su inventario.

El rey se acomodó en un asiento, invitó a sus amigos a sentarse y acto seguido ordenó a los servidores que les pusieran de comer y hasta él mismo comió algo.

Leonato dejó escapar una especie de gruñido:

—Muchachos, no me lo puedo creer. Hoy me las he visto realmente negras. Ha sido en el momento en que ellos han abierto brecha por el lado de Parmenión, mientras Beso envolvía a los griegos por la derecha, y nosotros en medio como idiotas.

—Así que ésta era la sorpresa que tenías preparada —intervino Seleuco—. El contingente de refuerzos de Macedonia y de Tesalia. Pero ¿cómo sabías que iban a llegar justo a tiempo? Una hora más tarde y...

—Estaríamos todos empalados, con los cuervos cagándonos en la cabeza en espera de comernos los ojos y las pelotas. Siempre comienzan por ahí, ¿lo sabíais? —continuó Leonato.

—¡Déjate de historias! —le interrumpió Alejandro—. No es momento para bromas. —Luego, dirigiéndose a Seleuco, agregó—: El general Antípatro había preparado todo con sumo cuidado y ya desde Tiro estaba informado sobre los desplazamientos diarios del contingente. Estaba seguro de que lo lograrían. Y en cualquier caso pronto sabremos más cosas, pues esperamos visitas.

—No hay nada seguro, mi joven y refulgente dios —dijo una voz desde la entrada de la tienda—. Hubiera bastado que cayera un poco más de lluvia en las montañas la noche pasada y tus tesalios y macedonios se habrían quedado rascándose la tripa al otro lado del Tigris, en espera de que la corriente disminuyera o que Darío os hiciera pedazos.

—Ven aquí, Eumolpo —le llamó Alejandro reconociendo la voz del informador—. ¿Acaso hubiera tenido que fiarme de la promesa de Maceo? La embestida más peligrosa ha sido la suya y poco ha faltado para que lograra cerrar el cerco a nuestras espaldas.

—¿Por qué no se lo preguntas a él? —inquirió Eumolpo, acompañando al interior al personaje que Alejandro había visto en la tienda de los prisioneros.

—Aquí está, tal como era tu deseo.

El sátrapa entró, se dirigió hacia el soberano, dobló la espalda completamente hasta tener la frente dirigida contra el suelo, se llevó las manos a los labios y le mandó un beso.

—Veo que me rindes homenaje como a tu rey —observó Alejandro—, pero, si me hubiera fiado de tu palabra a estas horas me estarían comiendo los perros y las aves.

El sátrapa se levantó y preguntó en perfecto griego:

—¿Puedo responder, majestad?

—Por supuesto. Es más, sentaos los dos porque debéis explicarme algunas cosas.

15

La discusión se prolongó hasta entrada la noche y al final resultó que Maceo había querido cumplir la promesa hecha al rey Darío de traerle a su familia y por ello había desencadenado un ataque tan potente contra el ala izquierda macedonia, pero que habría podido llevar más lejos su ataque y desbaratar la formación de la falange que marchaba hacia el centro enemigo envolviéndola por la espalda.

—¿Y por qué no lo has hecho? —le preguntó Alejandro.

—Porque no podía —interrumpió Parmenión—. Nosotros estábamos combatiendo aún y no habrían podido irse sin habernos aniquilado.

—Es posible, pero eso nos llevaría a una discusión sin fin. Responde, pues, a mi pregunta, Maceo.

—Yo soy babilonio, Gran Rey, y los babilonios son famosos en todo el mundo por su arte de leer los mensajes escritos en el cielo y en los movimientos de las constelaciones. Nuestros magos han visto tu estrella refulgir más esplendente que todas las demás en el cielo y oscurecer por completo a la de Darío. No podía oponerme a los signos que el cielo nos ha mandado y que nuestro sumo dios, Marduk, ha confirmado con su oráculo del templo del Esagil en Babilonia.

—No estoy seguro de comprender en todo su sentido tu razonamiento, Maceo —replicó Alejandro—, pero puedo decirte que por lo que sé y por lo que he visto te has batido con gran valor y con gran ímpetu en favor de tu rey y de su familia. Y por esto es por lo que tengo intención de recompensarte, no por los oscuros vaticinios que supuestamente habrían parado, en el último momento, la carga de tus jinetes.

»Serás, por tanto, reconfirmado como sátrapa de Babilonia y contarás con el apoyo de la guarnición macedonia que dejaré en ella para garantizar que tu autoridad sea respetada.

Era un modo muy hábil de tener a un buen administrador indígena bajo la vigilancia de una autoridad militar macedonia y mostrarse al mismo tiempo magnánimo. Eumenes expresó su aprobación con un movimiento de la cabeza.

Maceo se curvó en una inclinación más profunda aún.

—¿Significa esto que seré libre de regresar a Babilonia?

—Y a tu palacio de sátrapa. Ahora mismo, si quieres, y con tu escolta personal.

Maceo se levantó y, manteniendo la mirada baja, dijo:

—No habrá nada, de ahora en adelante, que pueda inducirme a renunciar a la fidelidad que te juro, delante de los dioses y por mi honor.

—Te lo agradezco, Maceo, y ahora vamos todos a descansar. La jornada ha sido muy dura y mañana tendremos que celebrar las exequias de nuestros compañeros caídos.

Todos se levantaron y se alejaron a caballo hacia el campamento. Alejandro, en cambio, tomó a *Bucéfalo* por la brida y se encaminó a pie. Eumolpo de Solos le siguió.

—¿Te importa si hago un trecho de camino contigo?

—Todo lo contrario. Después de una jornada tan agotadora, la paz de la noche es lo más hermoso para caminar.

—Me he enterado de lo de Barsine y de su hijo. Lo siento infinitamente. Te avisé de que estaba en el campamento de Darío porque me temía alguna cabezonada.

—Los muchachos son así —repuso Alejandro, y bajo la luz de la luna su rostro pálido enmarcado por los largos cabellos parecía más que nunca el de un muchacho—. Ha hecho lo que consideraba justo. Ha muerto como un héroe en plena juventud y no debemos compadecerle. Ningún ser humano puede complacerse de estar vivo porque no sabe lo que le espera al día siguiente. Lo que nos espera puede ser infinitamente peor que la muerte, como enfermedades deformantes, mutilaciones vergonzantes, esclavitud, torturas...

Eumolpo le iba detrás acompasando su paso al lento andar majestuoso de *Bucéfalo*, que seguía a su amo. Alejandro pasó una mano por las crines del animal.

—No ha habido tiempo siquiera de hacerle lavar y almohazar, pobre *Bucéfalo*.

—O tal vez no quieres separarte aún de un amigo que hoy te ha ayudado a conquistar el mundo.

—Es cierto —asintió Alejandro.

Y no dijo nada más.

En aquel momento, se oyeron lejanos y prolongados gemidos acompañados por el sonido lastimero de las flautas y vieron aparecer y desaparecer teas que se movían por la llanura como una especie de procesión. El rey comprendió y tomó por un atajo a través de la llanura desierta para alcanzar la cola del cortejo que trazaba un amplio círculo en dirección a un montículo rematado por un túmulo de piedras. Eumolpo se detuvo murmurando:

—Anda, muchacho, acompáñala tú a su última morada.

Y se alejó con su paso ondulante hacia el campamento macedonio. Del lado opuesto, más allá de la tienda de Darío, comenzaban a oírse los roncos chillidos de los buitres y de las demás aves de presa que descendían para hartarse en el inmenso campo de muerte.

El cortejo alcanzó la cima de la colina y los sepultureros depositaron las andas sobre el túmulo de piedras que había sido preparado: una «torre de silencio». Colocaron en los ángulos de la pequeña construcción cuatro pebeteros que exhalaban una ligera nube azulada de incienso y luego se retiraron. Alejandro, que se había quedado hasta aquel momento aparte, se acercó al cuerpo de Barsine. Embalsamado y perfumado, conservaba intactas sus facciones, y los ojos muellemente cerrados ofrecían la impresión de que estaba soñando. La habían revestido con un traje blanco y una estola azul y habían puesto alrededor de su cabeza una corona de florecillas amarillas del desierto. Alejandro, solo delante de ella, se vio asaltado por las imágenes de sus recuerdos. Volvía a ver su sonrisa y sus lágrimas, sentía cálidas aún en el cuerpo sus caricias y sus besos y le parecía imposible que todo hubiera terminado, que aquel cuerpo tan hermoso, ya sin el aliento de la vida, estuviera ahora destinado a la destrucción. Se quitó la diadema de oro de los cabellos y se la puso entre en las manos, luego la besó por última vez y la saludó:

—Adiós, amor mío. No te olvidaré.

En aquella extrema soledad, desvanecido a sus espaldas el fragor de la gigantesca batalla, el recuerdo de su frágil voz, de las formas tan amadas y ahora ya perdidas para siempre, experimentó un profundo espanto, un infantil pavor ante las tinieblas.

Por un momento se sintió desbordado por el dolor y la infinita melancolía y cayó de hinojos llorando, con la cabeza apoyada en las piedras del túmulo, invocando varias veces su nombre. Al final se levantó para contemplarla una última vez, y al verla aún tan hermosa se rebeló ante la idea de que aquel cuerpo fuera desgarrado por los perros vangabundos y las aves de presa. Volvió al campamento y ordenó a Eumenes que hiciera erigir un santuario fúnebre de piedra de sillar que custodiara sus restos mortales. Y sólo cuando lo vio acabado aceptó ponerse en marcha.

16

Reanudaron el camino después de haber dado sepultura a los soldados griegos y macedonios caídos en la batalla, porque no había leña bastante en aquel lugar para levantar las piras. El calor sofocante y el gran
número de cadáveres persas en descomposición diseminados por la llanura inficionaban el aire y algunos guerreros se habían enfermado de
misteriosas fiebres contra las cuales no servía ningún remedio.

Llegaron de nuevo al vado del Tigris, pasaron a la orilla de poniente
del río y empezaron a descender hacia Babilonia.

Durante la cuarta etapa, mientras atravesaban una región llamada
Adiabena, uno de los oficiales de la escolta de Maceo fue a ver a Alejandro para anunciarle que podría asistir en aquel lugar a un fenómeno extraordinario: ¡una fuente de *naphta*!

—¿*Naphta*? —preguntó el rey.

Y se acordó de un día en Mieza en que Aristóteles había quemado
naphta que le habían enviado de Asia en un frasco. No había olvidado su
humo denso y su olor repugnante. Se acordó también del brulote que
los habitantes de Tiro habían lanzado contra él de noche prendiendo
fuego a sus máquinas de asedio y de que el aire aún al día siguiente estaba impregnado de esa misma fetidez. Se encaminó, de todas formas, detrás del oficial, que le llevó al fondo de una depresión del terreno, donde
ardía permanentemente el fuego, liberando en el aire una densa columna de fuego. Alrededor había una amplia mancha negra y oleosa, como
un pantano de extraños reflejos iridiscentes del que emanaba aquel terrible olor. Calístenes estaba ya en el lugar, sacando un poco de líquido
con unas ampollas de vidrio.

—Quisiera mandar una cierta cantidad a mi tío Aristóteles para sus
experimentos.

—Pero ¿qué es? —preguntó Alejandro.

—Bueno, es difícil de explicar. El sabor es lo más vomitivo que imaginarse pueda, así como también el olor y el aspecto. Acaso es una especie de humor, como una exudación de esta tierra bajo los rayos demasiado ardientes del sol. De todas formas, tiene, como sabes, la capacidad de quemar generando un enorme calor. ¡Mira!

En aquel momento un grupo de soldados, por orden del oficial, habían cogido unos odres llenos de *naphta* y lo vertían en dos líneas paralelas a lo largo de los bordes del sendero que llevaba hasta el campamento. Luego el oficial le quitó de las manos a uno de sus hombres un velón encendido y prendió fuego a los extremos de las líneas: dos muros de llamas se alzaron inmediatamente de un lado y de otro y se extendieron a lo largo del sendero hasta la puerta del campamento a la velocidad del pensamiento, dejando a todo el mundo boquiabierto. La extraña sustancia siguió ardiendo largo rato, levantando dos cortinas de denso y maloliente humo y difundiendo un calor insoportable.

Alejandro quiso darse inmediatamente un baño para liberarse de aquel olor que le había impregnado hasta los cabellos y, mientras Leptina le lavaba, se puso a hablar con Hefestión, Tolomeo, Calístenes, su nuevo masajista, procedente de Atenas y que se llamaba Atenófanes, y su asistente, un muchacho de nombre Esteban.

—Por lo que he visto —decía el rey—, este *naphta* podría usarse como arma. ¡Imagínate el efecto, si fuera arrojado contra los enemigos!

—He oído decir que no es adecuado para semejante uso —intervino el masajista, que había asistido de muchacho a algunas lecciones de filosofía—. Pues produce, en efecto, un tipo de fuego absolutamente anómalo. El fuego, como todo el mundo sabe, es un elemento etéreo, celeste, que se transmite a través del aire difundiendo luz y calor. *La naphta*, por el contrario, emana de la tierra y se incendia sólo en contacto con un terreno completamente árido como la arena o con un terreno húmedo y feraz como el del sur de Babilonia. En una sustancia de humor intermedio, como podría ser un hombre, no se encendería nunca, no cabe duda.

—Me parece una hipótesis aventurada —objetó Calístenes—. Es difícil aplicar categorías del intelecto a manifestaciones físicas que se resienten de múltiples componentes casuales no cuantificables, y además...

—Estoy convencido de lo que digo —rebatió Atenófanes mientras Alejandro salía del baño y Leptina comenzaba a secarle con un paño de lino—, y mi ayudante Esteban ha escuchado igual que yo a mi maestro, el sofista Hermipo, defender esta tesis.

—Hasta el punto de que estoy dispuesto a demostrarlo yo mismo con un experimento, aquí, en presencia de todos vosotros —exclamó el jovenzuelo, acaso para atraer sobre sí la atención y la gratitud de Alejandro.

—No me parece que valga la pena intentarlo —dijo el rey—. Es mejor dejarlo pasar.

Pero el muchacho insistía, apoyado por Atenófanes, que seguía discurseando con sus teorías filosóficas. Dicho esto, se mandó a un sirviente para que trajera un poco de petróleo y el joven Esteban comenzó a echárselo por el cuerpo con gran cuidado, como si fuera aceite de oliva.

—Ahora —anunció Atenófanes cogiendo un velón— os demostraré que sobre un cuerpo humano de humores medios *la naphta* no puede prender.

Y acercó la llama a la piel del muchacho. En un abrir y cerrar de ojos su cuerpo quedó envuelto por un globo de fuego de espantosa potencia y calor y su asistente comenzó a gritar desesperadamente. Cogieron todos cubos y recipientes y le arrojaron encima el agua de la tina del baño que afortunadamente estaba disponible, pero aún así no fue fácil apagar las llamas.

Alejandro mandó llamar de inmediato a Filipo, que atendió al muchacho esparciéndole determinados ungüentos contra las quemaduras. Logró, a costa de grandes esfuerzos, salvarle la vida, pero el pobre joven quedó desfigurado para el resto de sus días y sufrió siempre de un estado de salud muy precario.

Calístenes aconsejó no ocuparse más de aquella sustancia maloliente antes de que su tío Aristóteles la hubiera estudiado a fondo y hubiera descubierto cuáles eran en realidad sus características. Al día siguiente se pusieron de nuevo en marcha.

A medida que avanzaban, la estepa daba paso a una tierra cada vez más feraz, regada por decenas y decenas de canales que unían las orillas del Tigris con las del Éufrates. La campiña estaba salpicada por un grandísimo número de aldeas donde los campesinos estaban ocupados en preparar el terreno para la próxima siembra.

Cuando se paraban en algún lugar, los jefes locales les ofrecían las especialidades de la región, en particular los palmitos, que eran de agradable sabor y de efecto refrescante. El vino de palma, por el contrario, producía pesadez de estómago y sobre todo dolor de cabeza, pero no había muchas opciones: el vino normal, aun el mejor, no se conservaba en aquel clima y el agua no era a menudo buena para beber. En cambio, los dátiles y las granadas eran excelentes, muy abundantes en aquellos territorios y de excepcional sabor.

Vieron asimismo que vastas extensiones de campos eran anegadas por los campesinos por medio de la apertura de las esclusas de los canales, una práctica que le pareció muy extraña a Alejandro. Calístenes se informó y le dijeron que de aquel modo se lavaba el terreno de la sal que se formaba en su superficie debido al enorme calor y que la tierra conservaba así su fertilidad.

—Reproducen artificialmente lo que en Egipto sucede de forma natural con las crecidas del Nilo —observó Tolomeo—. Debe de tratarse de un fenómeno ligado a los climas muy cálidos. Lo que asombra, sin embargo, es que no haya cocodrilos ni en el Tigris ni en el Éufrates. Tal vez se trate de animales que sólo pueden vivir en las aguas del Nilo.

Nearco se mostró en desacuerdo:

—En absoluto. Yo he oído hablar de uno de Marsella que navegó más allá de las columnas de Hércules, a lo largo de la costa de África, hasta la desembocadura de un río que los indígenas llamaban Chretes y que estaba atestado de cocodrilos.

—Más allá de las columnas de Hércules... —suspiró Alejandro—. ¡La vida de un hombre es demasiado breve para ver el mundo! —Y pensaba en Alejandro de Epiro y en su muerte no vengada en tierras de Hesperia.

En los últimos días de viaje, su marcha se transformó cada vez más en un desfile, porque los habitantes se aglomeraban a lo largo de las calles para ver y aclamar a su rey. Pero el espectáculo superó toda posible maravilla y expectativa cuando se perfilaron en el horizonte, resplandencientes al sol, las murallas, las torres, las pirámides y los jardines de la ciudad más celebrada del mundo: ¡Babilonia!

17

La ciudad se presentó ante el joven conquistador como una aparición de fábula. Durante diez estadios a lo largo del camino de acceso había concentrados miles de jóvenes y muchachas que arrojaban flores delante del caballo de Alejandro, y la majestuosa puerta de Ishtar, de cien pies de alto, revestida de azulejos esmaltados con figuras de dragones y toros alados, parecía amenazar con caer a cada paso, más imponente a medida que él avanzaba con sus compañeros y seguido por su ejército formado, por los soldados y los oficiales revestidos con las más hermosas armaduras.

En los glacis de las torres que flanqueaban la puerta y en los gigantescos murallones de un ancho que debía permitir el paso simultáneamente de dos cuadrigas, se agolpaba la población ansiosa de ver al nuevo rey que había derrotado por tres veces a los persas en menos de dos años y obligado a la rendición a docenas de ciudades poderosamente fortificadas.

Los sacerdotes y los dignatarios le recibieron y acompañaron a hacer un sacrificio al dios Marduk, que residía en lo alto del Esagil, el grandioso templo escalonado que destacaba con su mole en el centro de la amplia area sagrada. En presencia de una multitud inmensa reunida en el vasto patio, Alejandro, juntamente con sus compañeros y generales, subió la escalinata que llevaba de una terraza a la otra hasta el santuario de la cima que albergaba el lecho dorado del dios, su morada terrena.

Desde la alto de aquella construcción, el rey pudo contemplar el espectáculo impresionante de la majestuosa metrópoli. Babilonia se extendía a sus pies con todas sus maravillas, con el interminable recinto amurallado, con el triple baluarte que protegía el palacio real y el «palacio de verano» situado en la parte norte de la ciudad. Pudo ver el humo del incienso ascender de los miles de santuarios que constelaban el vasto espacio urbano, las anchas y rectas calles que se cruzaban en ángulo recto y todas las arterias principales, pavimentadas de terracota mezclada con asfalto. Cada una de ellas comenzaba y terminaba con una de las veinticinco puertas que se abrían en el recinto amurallado, con los colosales batientes revestidos de bronce, de oro y de plata.

La ciudad estaba dividida en dos por el río Éufrates, que resplandecía cual una cinta dorada extendida de un extremo al otro de las murallas, flanqueado por jardines y árboles exóticos de toda especie, poblados de bandadas de pájaros multicolores.

Pasado el río, unidos a la parte de poniente de la ciudad por unos macizos puentes de mampostería, los palacios reales se distinguían por el maravilloso revestimiento de azulejos de cerámica vidriada con esmaltes policromados que refulgían al sol con imágenes de criaturas maravillosas, paisajes fabulosos, escenas de la antigua mitología de la Tierra de los Dos Ríos.

A escasa distancia del palacio real se alzaba el complejo más fabuloso de toda la metrópoli, considerado una de las más impresionantes maravillas del mundo conocido: los jardines colgantes.

El concepto típicamente persa del *pairidaeza* había tomado cuerpo en un lugar completamente llano y de clima inadecuado para un vasto parque arbolado. Todo allí era artificial, todo había sido creado con esfuerzo por la ingeniosa mano del hombre. Se contaba, eran los sacerdotes quienes lo referían, que una joven reina elamita, convertida en esposa del rey Nabucodonosor, se consumía de nostalgia de las montañas boscosas de su tierra natal. Entonces el rey había dado orden de crear una montaña artificial recubierta de un bosque umbroso y de las más bellas flores. Los arquitectos habían construido una serie de plataformas superpuestas y de tamaño cada vez más reducido a medida que se subía. Cada una de las plataformas estaba sostenida por cientos de macizos pilares de mampostería cuidadosamente recubiertos de asfalto y unidos por techos abovedados, y así también estaban asfaltadas las enormes plataformas sobre las cuales se colocaba la tierra en cantidad suficiente para que permitiera la fijación y el arraigo de matas, arbustos y árboles de alto tronco, los cuales sirvieron de lugar de refugio a bandadas de pájaros diurnos y nocturnos que vinieron a anidar en ellos. Otros pájaros exóticos, como pavos reales y faisanes, fueron aclimatados allí, traídos del Cáucaso y de la lejana India. Se crearon surtidores y fuentes con el agua que ingeniosas máquinas elevaban de continuo de la corriente del Éufrates que pasaba borboteando al pie de aquella maravilla.

El aspecto externo era el de una colina recubierta por un bosque pujante, pero aquí y allá se entreveían las señales de la mano del hombre: terrazas y taludes disimulados por plantas trepadoras y colgantes, abundantes en flores y frutos.

Alejandro se emocionó al pensar que un milagro semejante había sido obra de un gran rey para aliviar la melancolía de su reina nacida en las altas y boscosas tierras del Elam, y pensó en Barsine, que dormía para siempre en su «torre de silencio» en el árido desierto de Gaugamela.

—¡Dioses del cielo! —murmuró volviendo en torno la mirada—. ¡Qué maravilla!

También sus amigos, Tolomeo y Pérdicas, Leonato y Filotas, Lisímaco y Eumenes, Seleuco y Crátero contemplaban llenos de asombro la ciudad que desde hacía milenios era considerada el corazón del mundo y la «puerta de dios», que tal era el significado de su nombre, Bab-El en lengua indígena. Entre un barrio y otro, entre las casas y los palacios, se abrían vastos espacios verdeantes, huertos y jardines con toda clase de frutos de la tierra, y en el río bogaban, raudas, docenas de embarcaciones. Algunas, hechas con mimbres atados, impulsadas por una gran vela cuadrada, provenían de las regiones de la desembocadura donde se alzaban las más antiguas ciudades del mito mesopotámico: Ur, Kish, Lagash. Otras, redondas cual canastos, revestidas de pieles curtidas, procedían del norte y transportaban los frutos de aquellas tierras lejanas, de la lujuriante Armenia, abundante en caza, pieles, madera y piedras preciosas.

El cielo, el agua y la tierra contribuían a crear un universo de armoniosa perfección en el interior del gran recinto amurallado, de la imponente corona de torres. Y sin embargo el ojo de Alejandro se volvía en torno en busca de otra maravilla, de la que había oído hablar desde niño a su maestro Leónidas: la «torre de Babel», una montaña de piedra y de asfalto de trescientos pies de alto y otros tantos de ancho en la base, en cuya construcción habían trabajado todos los pueblos de la tierra.

El sacerdote señaló una vasta zona invadida por los hierbajos, en absoluto abandono.

—Ése es el lugar en el que se alzaba la sagrada Etemenanki, la torre que tocaba el cielo, destruida por la furia de los persas cuando la ciudad se rebeló, en tiempos del rey Jerjes.

—El mismo que destruyó nuestro templos cuando invadió Grecia —dijo Alejandro—. Pero yo la reconstruiré, el día que vuelva a Babilonia.

Esa misma noche, el rey celebró una suntuosa fiesta con cientos y cientos de invitados; fueron servidos los platos más exquisitos, los vinos y las bebidas más embriagadoras, y danzaron las muchachas más hermosas de todo Oriente: medas, caucásicas, babilonias, árabes, hircanias, sirias, judías.

Durante treinta días los banquetes, las orgías, la vida disoluta fueron interminables: nada les fue negado a los soldados que habían vencido en el Gránico, en Issos y en Gaugamela, que habían tomado Mileto y Halicarnaso, Tiro y Gaza, y para quienes se perfilaba una nueva aventura, un itinerario arduo, erizado de todo tipo de dificultades, fatigas y tribulaciones.

Una noche que Alejandro se había retirado al «palacio de verano» a fin de disfrutar de un poco de fresco, Pérdicas solicitó ser recibido a su presencia.

Llevaba aún el tórax vendado a causa de la herida sufrida en la batalla campal de Gaugamela y en sus ojos brillaba una extraña expresión que hubiera podido ser tanto de ebriedad como de melancolía.

Por ello el rey le peguntó:

—¿Cómo te encuentras, Pérdicas?

—Estoy bien, Alejandro.

—Has solicitado hablar conmigo.

—Así es.

—¿Y qué es lo que tienes que decirme?

—Tu hermana, la reina Cleopatra, hace ya más de un año que está viuda.

—Por desgracia.

—Yo la amo. Siempre la he amado.

—Lo sé.

—¿Cómo es que lo sabes? —preguntó Pérdicas, un poco azarado.

—Lo sé y punto.

—He venido para pedirte su mano.

Alejandro se quedó en silencio.

—He sido muy osado, ¿no es así? —preguntó Pérdicas con una mirada líquida, casi perdida—. Pero no habría tenido nunca el valor de hablar sin antes embriagarme.

—¿La «copa de Hércules»?

—La «copa de Hércules» —asintió Pérdicas.

—El hecho es que...

—¿Qué? —preguntó Pérdicas patéticamente ansioso, esperando la respuesta con la boca abierta.

—Que me la ha pedido también Tolomeo.

—Ah.

—Y Seleuco.

—También... ¿Nadie más?

—Nadie más, aparte de Lisímaco, Hefestión y... tú mismo, obviamente.

—¿Por casualidad también Parmenión?

—Él no.

—Menos mal. Entonces no tengo ninguna esperanza.

—Si quieres que te diga la verdad, creo que eres el único que ha pedido la mano de Cleopatra para unirse a la mujer que ama, más que a la hermana de Alejandro, pero esto no basta. Ha pasado demasiado poco tiempo desde la muerte de Alejandro de Epiro, y de todos modos el hombre que se case con ella deberá demostrar que es el más digno, estar dispuesto a arrostrar cualquier riesgo y cualquier sacrificio, a soportar privaciones y dolores que ni siquiera puede imaginar.

Pérdicas había recobrado lucidez suficiente como para sentir ganas de llorar y respondió:

—Pero ¿no he afrontado ya todo esto por ti?

—No más que tus compañeros. Pero lo difícil está aún por llegar, amigo mío. Dentro de veinte días volveremos a ponernos en marcha para reanudar la conquista de este imperio, para perseguir a Darío hasta las provincias más lejanas, y después emprenderemos el regreso a esta ciudad. Y es estonces cuando sabré quién es el más digno. Ahora, anda, coge una hermosa muchacha, que hay muchas, y diviértete, porque la vida es breve.

Pérdicas se alejó y Alejandro se volvió hacia el gran balcón florido que se abría hacia la ciudad, hacia el río palpitante de mil luces y el cielo tachonado de estrellas.

18

Durante su estancia en Babilonia, Alejandro se dedicó a la organización de las nuevas provincias y de la nueva administración, así como a la redacción de un nuevo plan de acción para el año siguiente. Una noche convocó a sus compañeros y al entero consejo de guerra en el «palacio de verano», donde el insoportable calor de aquellas tierras bajas se veía algo atenuado por alguna ráfaga de viento, sobre todo hacia el atardecer.

—Deseo comunicaros mis planes —comenzó diciendo—. En el primer año de nuestra campaña decidí conquistar todos los puertos para expulsar a la flota persa de nuestro mar e impedir una contrainvasión de Macedonia. Ahora ocuparemos todas las capitales del Imperio porque está claro que el reinado de Darío ha llegado a su fin y porque todas sus posesiones están en nuestras manos. Babilonia es ya nuestra. Ahora tomaremos Susa, Ecbatana, Pasargada y Persépolis. Lo único que podrá hacer Darío será buscar refugio en las regiones extremas orientales, pero nosotros le perseguiremos hasta allí, hasta que le capturemos.

»Y existe otra razón para tomar las capitales: el dinero. Los tesoros de Darío están todos acumulados en sus capitales. Con esas inmensas riquezas podremos ayudar al general Antípatro, que ha de combatir en Grecia contra los espartanos, aparte de tener que vérselas a diario con mi madre, lo que es quizá aún más comprometido.

Todos los compañeros se echaron a reír y también *Peritas*, que estaba presente, ladró ruidosamente.

—Además podremos enrolar a otros mercenarios y equipar a las nuevas levas que están a punto de llegar. El general Parmenión irá hacia el norte con los aliados griegos, tres batallones de la falange, un escuadrón de *hetairoi*, los pertrechos y las máquinas de asedio. Alcanzará el camino real y de allí avanzará hacia Persépolis. Nosotros, con el resto de las fuerzas, subiremos por las montañas para ocupar los pasos y limpiar el territorio de las últimas guarniciones persas. Será duro, pues en las montañas está empezando a nevar.

»Divertíos, por tanto, mientras os sea posible, pero recuperad también las fuerzas porque no será una empresa baladí.

Después de que hubieron salido todos, entró Eumolpo de Solos y Alejandro cogió inmediatamente por el collar a *Peritas*, que se había puesto a gruñir.

—Me he apresurado a actuar de acuerdo a tus deseos, mi rey —comenzó diciendo Eumolpo—. He creído conveniente mandar a un hombre de mi confianza a Susa para vigilar que el tesoro real no desaparezca. Por lo que yo sé, se trata de treinta mil talentos de plata en monedas y lingotes, aparte de todos los objetos preciosos que adornan el palacio. El joven enviado se llama Aristoxenos y sabe lo que tiene que hacer. Si tuviera que ponerse en contacto contigo empleará el acostumbrado santo y seña.

—Tordo a la parrilla —repitió Alejandro sacudiendo la cabeza—. Escucha, me parece que ha llegado el momento de cambiarlo. No existen ahora peligros tan amenazantes como para hacer necesario un santo y seña tan bobo.

—Demasiado tarde, mi rey. Aristoxenos está ya de viaje desde hace unos días. Será la próxima vez.

Alejandro soltó un suspiro y retuvo a *Peritas* mientras Eumolpo desaparecía con su paso silencioso por los intrincados corredores de palacio.

Poco antes de la partida, Eumenes retiró dinero de las arcas reales, pero dejó la custodia del tesoro a Hárpalo, uno de sus colaboradores, natural de Macedonia, que no había podido luchar nunca porque era patituerto. Durante toda la campaña se había ganado su aprecio así como también fama de ser persona muy ducha en la gestión económica. Además Alejandro le conocía bien porque había frecuentado el palacio de Pella de muchacho, aunque no había podido tomar nunca parte en sus ejercicios a causa de su disminución física.

—Supongo que hará un buen trabajo —dijo—. Me parece que conoce su oficio.

—Lo mismo creo yo —repuso Eumenes—. Siempre ha sido un buen muchacho.

Se pusieron de nuevo en camino hacia finales del verano y remontaron el Pasitigris, un afluente del Tigris que descendía de los montes del Elam, tras haber reconfirmado a Maceo como sátrapa de Babilonia y haber dejado una guarnición macedonia para garantizar la defensa y seguridad de la provincia. El paisaje era de gran belleza, rico en terrenos verdeantes en los que pacían rebaños de ovejas y manadas de vacas y de caballos. Crecían en aquella región, además, árboles que producían toda clase de frutos, entre ellos los maravillosos «pérsigos» de piel aterciopelada y de pulpa increíblemente jugosa y sabrosa. Por desgracia no pudieron probar ni uno al no ser ya la estación, pero había gran disponibilidad de fruta secada al sol, como higos y ciruelas.

En seis días de marcha, el ejército llegó a la vista de Susa y Alejandro se acordó de la descripcción entusiasta que el huésped persa le había hecho al ir de visita a Pella muchos años antes, cuando apenas era él un niño. La ciudad surgía en aquella zona llana, pero tenía como fondo la cadena de los montes del Elam, con las altas cimas ya cubiertas de nieve y las laderas cubiertas de bosques de abetos y de cedros. Era inmensa, rodeada de murallas y de torres todas ellas decoradas de azulejos relucientes y con las almenas adornadas de tachones de bronce sobredorado y de plata.

Tan pronto como el ejército comenzó a acercarse, las puertas se abrieron y apareció una tropilla de jinetes espléndidamente ataviados que escoltaban a un dignatario tocado con la mitra floja y la *akinake* al costado.

—Es sin duda Abulites —dijo Eumenes a Alejandro—. Es el sátrapa de Susiana y tiene intención de rendirse. Me lo ha hecho saber esta noche Aristoxenos, el hombre de Eumolpo. Y parece que el tesoro está intacto aún... o casi.

El sátrapa se acercó, desmontó de su caballo y dobló el espinazo delante de Alejandro en el tradicional homenaje persa.

—La ciudad de Susa te recibe pacíficamente y abre sus puertas al hombre que Ahura Mazda ha elegido como sucesor de Ciro el Grande.

Alejandro hizo un gesto de cortesía con la cabeza y le indicó que volviera subir a su caballo y avanzara a su lado.

—Estos bárbaros no me gustan —dijo Leonato a Seleuco—. ¿Ves lo que hacen? Se rinden sin combatir, traicionando a su soberano, y Alejandro les deja a todos en el puesto que ocupaban antes. Han sido derrotados, pero ¿qué cambia para ellos? Nada, mientras que nosotros seguimos rompiéndonos el culo cabalgando día y noche. ¿Se acabará alguna vez este condenado país?

—Alejandro tiene razón —replicó Seleuco—. Deja en su puesto a los viejos gobernadores porque así la gente no tiene la impresión de ser gobernada por extranjeros, pero los recaudadores de tributos y los jefes militares son macedonios. Es algo muy distinto, créeme. Y además, ¿acaso no es mejor así? Las ciudades nos abren sus puertas y no hemos vuelto a montar las máquinas de asedio desde que dejamos la costa. ¿Acaso querrías volver a vomitar sangre como en Halicarnaso o en Tiro?

—Eso no, pero...

—Entonces, alégrate.

—Sí, pero... a mí no me gusta que estos bárbaros estén cerca de Alejandro, coman con él y todo lo demás. No me gusta, eso es todo.

—Tranquilo, que no pasa nada. Alejandro sabe lo que se hace.

La ciudad de Susa, inmensa, de casi tres mil años de antigüedad, tenía cuatro colinas en los cuatro ángulos y en una de ellas se alzaba el palacio real, herido de lleno, en aquellos precisos momentos, por los rayos del sol poniente. La entrada era un pronaos majestuoso, hecho de grandes columnas de piedra con los capiteles en forma de toros alados que sustentaban el techo. Seguía un atrio pavimentado con mármoles de diverso color y parcialmente cubierto de magníficas alfombras. El techo estaba sostenido por otras columnas, éstas de madera de cedro pintadas de rojo y amarillo. A través de un corredor y otro atrio, Alejandro fue introducido en la *apadana*, la gran sala de audiencias, mientras los dignatarios, los eunucos y los chambelanes, en los lados del inmenso salón, inclinaban la cabeza hasta el suelo.

El rey, seguido por sus compañeros y generales, llegó delante del trono de los emperadores aqueménidas y se sentó en él, pero no tardó en sentirse incómodo: debido a su no muy alta estatura sus pies no tocaban el suelo, mejor dicho, le bamboleaban de modo no muy regio. Leonato, que tenía una sensibilidad militar para este tipo de cosas, vio allí al lado un mueble de cedro de cuatro patas y lo empujó debajo de él de modo que Alejandro pudo apoyar los pies como sobre un escabel y se puso a hablar a los presentes.

—Amigos, lo que hace sólo poco tiempo parecía un sueño imposible se ha hecho ahora realidad. Dos de las más grandes capitales del mundo, Babilonia y Susa, están en nuestras manos y muy pronto nos apoderaremos también de las demás.

Pero apenas había comenzado su discurso cuando se interrumpió, al haber oído un llanto quedo no muy lejano. Volvió los ojos a su alrededor y, mientras en la gran sala se hacía un silencio absoluto, aquel llanto resonó más claro aún: era uno de los eunucos de palacio que sollozaba con la cabeza vuelta contra la pared. Todos se hicieron a un lado porque se daban cuenta de que el rey le quería ver y el pobre se vio aislado y lloriqueante ante la mirada del soberano que estaba sentado en el trono.

—¿Por qué lloras? —le preguntó Alejandro. El hombre hizo gesto de esconderse al tiempo que se secaba las lágrimas—. Puedes hablar libremente.

—Estos castrados —murmuró Leonato al oído de Seleuco— lloriquean por nada como mujeres, pero dicen que en la cama son mejores que las mujeres.

—Eso dependerá de los castrados —replicó Seleuco impasible—. Éste, por ejemplo, no me parece nada del otro mundo.

—Vamos, habla —insistió Alejandro.

El eunuco entonces se adelantó y se veía a las claras que miraba con gran intensidad el escabel que estaba debajo de los pies del rey.

—Soy un eunuco —comenzo diciendo— y por mi propia naturaleza le soy fiel a mi amo y señor, cualquiera que éste sea. Primero fui fiel a mi señor, el rey Darío, y ahora te soy fiel a ti que eres mi nuevo rey. Pero ello no obstante, no puedo dejar de llorar al pensar en lo rápido que puede mudar la humana fortuna. Eso que usas como escabel —y Alejandro comenzó a darse cuenta del motivo de aquel llanto—e ra la mesa de Darío, la mesa en que el Gran Rey tomaba su comida, y por tanto para nosotros era un objeto sagrado y digno de veneración. Ahora tú apoyas los pies sobre ella...

Alejandro se ruborizó e hizo ademán de levantarse al sentir que había cometido un acto de imperdonable grosería, pero Aristandro, que estaba presente, afirmó:

—No quites tus pies de este apoyo. ¿Crees que no hay un mensaje en este acontecimiento aparentemente casual? Los dioses han querido que ello sucediera para que todos sepamos que has puesto bajo tus pies el poderío del imperio de los persas.

La mesa de Darío quedó por tanto en su lugar, como escabel para los pies del nuevo rey.

Una vez terminada la audiencia en el salón del trono, se dispersaron en todas direcciones, al objeto de visitar el inmenso palacio. El chambelán, también eunuco, hizo entrar a Alejandro, solo, en el harén imperial, donde había decenas de muchachas encantadoras por su belleza y porte, todas ataviadas con sus trajes nacionales, que le acogieron con risitas de complacencia. Algunas eran de tez atezada, otras de piel clara y ojos azules; una era incluso etíope y le pareció al rey, en su soberbio encanto, una estatua de bronce de Lisipo.

—Si quieres jugar con ellas —dijo el eunuco—, estarán encantadas de recibirte incluso esta misma noche.

—Dales las gracias de mi parte y diles que vendré pronto a disfrutar de su compañía.

Pasó luego a otras estancias de la vasta residencia real y de pronto observó que el grupo de sus amigos se había agolpado para contemplar un monumento y tambien él se detuvo a mirarlo: era un grupo escultórico en bronce que representaba a dos jóvenes que alargaban sus puñales para golpear a alguien.

—Harmodio y Aristogitón —explicó Tolomeo—. Mira, el monumento a los asesinos del tirano Hiparco, hermano de Hipias, amigo de los persas y traidor de la causa griega. El rey Jerjes se apoderó de él en Atenas como botín de guerra antes de prender fuego a la ciudad. Lleva aquí ciento cincuenta años como testimonio de esa humillación.

—Yo he oído decir que éstos no dieron muerte a Hiparco para liberar la ciudad de un tirano, sino que se trató de una cuestión de celos por un hermoso jovencito del que tanto Harmodio como Hiparco estaban enamorados —intervino Leonato.

—Ello no cambia nada —observó Calístenes que contemplaba el monumento con gran admiración—. Fuera como fuese, estos dos hombres devolvieron la democracia a Atenas.

Se pudo percibir entre los presentes un cierto embarazo por aquellas palabras: todos se acordaron de los vehementes discursos de Demóstenes en favor de la libertad de Atenas contra el «tirano» Filipo y todos tenían la sensación de que Alejandro estaba olvidando, cada día que pasaba, la educación en la democracia que había recibido de Aristóteles y acaso también las cartas con sus recomendaciones que recibía de vez en cuando, y que su espíritu propendía cada vez más hacia el fasto imperial que le fascinaba.

—Arregláoslas para que el monumento sea inmediatamente devuelto a Atenas como regalo personal mío a la ciudad —dijo Alejandro, que había percibido en el aire lo que todos pensaban y que nadie se atrevía a decir—. Espero que comprendan que las espadas macedonias han obtenido un resultado que mil discursos de sus oradores no habrían podido siquiera describir.

La reina madre Sisigambis con las concubinas del rey y sus hijos fueron albergadas nuevamente en sus habitaciones, de las que habían estado ausentes desde hacía mucho tiempo, y a todas las dominó la emoción al reencontrar los objetos que durante tanto tiempo consideraron familiares. Bañaban de lágrimas los lechos en los que habían sido amadas y en los que habían dado a luz, las jambas de las puertas que limitaban el acceso a sus tálamos consagrados por la presencia del Gran Rey, pero nada era ya como antes: en los pasillos y salones de la residencia real habían quedado los mismos objetos, pero en el palacio resonaba un lenguaje hostil e incomprensible y el futuro se les aparecía como oscuro e inquietante. Sólo la reina madre parecía tranquila, sumida en la misteriosa serenidad de su prudencia: había pedido y obtenido ocuparse de la educación de Phraates, el hijo más pequeño de Barsine y el único superviviente de la familia, en el caso de que le sucediera algo a su abuelo, el sátrapa Artabazo.

Alejandro visitó con frecuencia el harén imperial, a veces solo y otras con Hefestión, y las muchachas que en él habitaban se habituaron a amar al rey y a su amigo del mismo modo, satisfaciéndoles en todos sus deseos y yaciendo con ellos en el mismo lecho en las noches perfumadas de aquel cálido verano, escuchando el canto y la música de su tierra y las voces de la inmensa metrópoli, otrora alegres y ahora acalladas por el temor a un incierto futuro.

Y visitó todos los días las habitaciones de la reina madre durante todo el tiempo que permaneció en la ciudad, quedándose a conversar con ella largo y tendido, con la ayuda de un intérprete. La víspera de su partida, le habló de nuevo como el día antes de la batalla de Gaugamela.

—Madre —le dijo—, mañana partiré para perseguir a tu hijo hasta los más remotos confines de su imperio. Yo creo en mi destino y creo que mi conquista se ha producido con la ayuda de los dioses; por ello no dejaré mi obra inacabada, pero te prometo que, en la medida en esté en mis manos, no haré ningún daño a Darío y trataré de salvarle la vida. He dispuesto asimismo que te enseñen mi lengua los mejores maestros, porque quisiera un día oírla resonar en tus labios y escucharte sin que haya nadie entre nosotros para interpretar nuestros pensamientos.

La reina madre le miró a los ojos murmurando algo que el intérprete no consiguió traducir, porque se había expresado en una lengua misteriosa y secreta, aquella que sólo su dios podía comprender.

19

Las trompas dieron la señal de partida una mañana de comienzos de otoño, mientras la ciudad estaba aún a oscuras y las cumbres de los montes del Elam eran acariciadas por los primeros rayos del sol nacien-te. El ejército fue dividido en dos: Parmenión mandaría el grueso de las fuerzas, los carros con la máquinas de guerra desmontadas y las acémi-las con los pertrechos por el camino real, mientras que Alejandro afron-taría con las fuerzas ligeras, las tropas de asalto y los agrianos el sende-ro de montaña que conducía directamente, a través de los montes del Elam, a Persépolis, la capital fundada por Darío el Grande.

Precedido por guías susianos, remontó el curso del río hasta que éste se volvió cada vez más angosto y luego trepó hacia el paso que condu-cía a la meseta donde habitaba un pueblo indómito de pastores salvajes y primitivos: los uxios. Sometidos en nombre del Gran Rey, eran de he-cho independientes, y cuando Alejandro, por medio del intérprete, les pidió que le dejaran pasar, respondieron ellos:

—Podrás pasar si pagas, como siempre hizo el Gran Rey cuando desde Susa quería dirigirse a Persépolis por el camino más corto.

Alejandro replicó:

—El Gran Rey no manda ya en su imperio y lo que él hacía no sirve para mí. Yo pasaré, pues, tanto si queréis como si no.

Los uxios eran gentes de horrible aspecto: igual que erizos, iban ataviados con pieles de cabra y de oveja, apestaban como sus bestias, pero saltaba a la vista que no se espantaban fácilmente y no estaban dis-puestos a dar nada por nada. Confiaban en su tierra pedregosa, en los angostos valles, en los pronunciados senderos donde únicamente unas pocas personas por vez podían trepar. No se imaginaban que aquel rey extranjero llevara consigo a unos guerreros más salvajes y primitivos aún, habituados como ellos a moverse con extraordinaria agilidad en los más agrestes e inaccesibles terrenos, a soportar el frío y el hambre, el dolor y las penalidades. Temerarios y feroces, voraces y sanguinarios, ciegamente obedientes a la mano que les proporcionaba el sustento: ¡los agrianos!

Alejandro reunió a los jefes y guías susianos para que les explicasen el trayecto de los dos principales senderos que conducían a la meseta de los uxios. Se decidió que Crátero, con los exploradores, seguirían el recorrido menos áspero que llevaba directamente a los pasos de montaña que daban a Pérside, mientras que Alejandro, con los agrianos y dos batallones de «portadores de escudo», afrontaría el terreno más escarpado que subía frontalmente hacia las alturas defendidas por los guerreros enemigos.

Crátero esperó a que el rey comenzara a subir la pendiente con sus tropas y que atrajera hacia él al grueso de las fuerzas uxianas, y seguidamente tomó, al amparo de la tupida vegetación, por el sendero que conducía hacia los pasos de montaña.

Los uxios que hacían frente a Alejandro comenzaron a disparar flechas, a lanzar piedras con las hondas, a arrojar con las manos un gran número de pedruscos que rodaban pendiente abajo, pero los agrianos, agilísimos, se escondían detrás de cualquier aspereza, luego avanzaban con increíble destreza por el terreno descubierto para ponerse de nuevo al abrigo detrás de los troncos y de las rocas. Cuando finalmente llegaron a establecer contacto con los primeros defensores, les asaltaron con tan salvaje ferocidad que aquéllos no tuvieron casi ninguna posibilidad de presentar resistencia. Muchos cayeron con el gaznate abierto por sus cuchilladas, otros doblaron las rodillas sosteniéndose con las manos las vísceras que se les salían por amplias heridas abdominales. Los agrianos no malgastaban energías: golpeaban únicamente para matar, para dejar completamente fuera de combate al adversario o para aterrorizarle con horrendas heridas.

Inmediatamente después, subieron a la planicie los «portadores de escudo», recompusieron las filas y se lanzaron a la carrera hacia las aldeas de piedra seca y de adobe, donde los hombres compartían el espacio con sus animales, en una primitiva forma de simbiosis. Alejandro dio orden de emplear las flechas incendiarias y muy pronto las techumbres de paja y heno de aquellas pobres cabañas se transformaron en hogueras y las bestias aterrorizadas se dispersaron en todas direcciones.

Sorprendidos por aquella invasión que nunca se hubieran esperado, los uxios huyeron hacia los pasos de montaña donde creían poder realizar una defensa más eficaz, pero los pasos habían sido ya tomados por las tropas de asalto de Crátero, que les recibieron con nubes de flechas y jabalinas, abatiéndoles en gran número.

Acorralados por las tropas de Alejandro y de Crátero, los uxios se rindieron, pero el rey les infligió un castigo durísimo: serían desarraigados completamente de su tierra y deportados a la llanura, de modo que el paso entre Susiana y Pérside no fuera en lo sucesivo obstaculizado por su presencia.

Tan pronto como ellos supieron por los intérpretes la suerte que les aguardaba, se arrojaron a los pies del rey implorando y llorando, lanzando gritos de desesperación a los que se unían los de las mujeres y de los niños, pero Alejandro se mostró inconmovible. Dijo que hubieran tenido que aceptar primero sus propuestas, que así aprenderían que él no amenazaba nunca en vano y que ninguna fuerza en el mundo podía detenerle.

Uno de los guías susianos, sin embargo, les sugirió que invocaran la intercesión de la reina madre Sisigambis, la única persona con algún ascendiente sobre el corazón del implacable conquistador, y los uxios siguieron el consejo, haciendo pasar a escondidas a dos de sus jefes a través de las líneas de los macedonios. Cuatro días después, cuando había subido ya también la caballería por el camino más practicable, regresaron a la meseta con una misiva en griego de la reina en la que suplicaba a Alejandro que les concediera a aquellos pobres desgraciados el poder continuar en su tierra:

Sisigambis a Alejandro, ¡salve!

Se han presentado ante mí unos representantes del pueblo de los uxios para pedirme que interceda por ellos ante tu persona. Sé que te han insultado y burlado, pero el castigo que quieres infligirles es el más terrible, superior a la misma muerte. No hay nada, en efecto, más doloroso que el ser arrancados de la tierra en la que vivimos de niños, de las fuentes que han calmado nuestra sed, de los campos que nos han alimentado, de la vista del sol que nace y se pone detrás del horizonte de nuestros montes.

Me has llamado muchas veces con el nombre de madre, el nombre más dulce, el destinado solamente a Olimpia, que te trajo al mundo en el palacio real de Pella. Ahora soy yo quien te pido, en virtud de este título que me honra, que me escuches como escucharías a tu propia madre: ahórrale a este pueblo la angustia de verse arrancado de su propia patria.

¡Acuérdate de la tuya y de los afectos que en ella dejaste! Estos pobres desventurados no han hecho más que defender su tierra y sus casas.

¡Ten piedad!

La carta emocionó a Alejandro y aplacó su ira: les fue concedido a los uxios el quedarse en su meseta pagando cada año un tributo de quinientos caballos, dos mil yeguas de carga y ganadería menor. Ellos aceptaron de buen grado, pensando que aquel joven colérico y sus salvajes guerreros no volverían nunca más para coger sus cabras y sus bueyes y que, por tanto, valía la pena no rechazar su oferta.

Una vez pacificada la meseta, Alejandro volvió a partir hacia el paso más alto: un desfiladero llamado las Puertas Persas a través del cual el sátrapa Ariobarzanes había hecho construir una muralla defensiva en una posición muy elevada y ya de por sí inexpugnable. El ejército se puso en marcha una gélida mañana, antes del amanecer, por la meseta azotada por el viento, mientras que del cielo gris comenzaba a caer la nieve.

20

El valle que conducía hacia las Puertas Persas se hizo cada vez más angosto, hasta convertirse en una quebrada rocosa de paredes escarpadas. Había que avanzar con gran esfuerzo en medio de la alta nieve o sobre placas de hielo en las que los caballos y los mulos resbalaban hiriéndose o rompiéndose las patas. Se requirió toda una jornada para que la vanguardia llegara a las primeras estribaciones de las rampas que llevaban hacia la muralla que defendía el paso.

Pero mientras Alejandro reunía a los jefes de los tracios y de los agrianos para estudiar el modo de escalar al amparo de la oscuridad la pronunciada cuesta y luego la muralla, un repentino fragor le hizo volver a la realidad: desde lo alto de las paredes, los soldados persas hacían rodar hacia abajo enormes pedruscos y provocaban una nutrida avalancha de piedra que se precipitaba hacia el fondo.

Gritaron todos:

—¡Vamos, vamos, atrás!

Las piedras, sin embargo, fueron más rápidas que el movimiento de los hombres y causaron una verdadera matanza. El propio Alejandro, golpeado por una masa de guijarros, fue herido en varias partes del cuerpo, aunque acabó, por fortuna, sin ningún hueso roto. Dio inmediatamente orden de detenerse, pero mientras tantos los soldados enemigos habían echado mano de los arcos y, a pesar de que cayera una nevisca cada vez más intensa y la visibilidad fuera escasa, disparaban al montón sin errar nunca el blanco.

—¡Los escudos! —gritó Lisímaco, que mandaba a los incursores—. ¡Poneos los escudos sobre la cabeza!

Los hombres obedecieron, pero los persas corrían a lo largo del borde de la quebrada hiriendo a aquellos que se echaban para atrás y que aún no habían comprendido qué estaba pasando. Únicamente la oscuridad detuvo la matanza y Alejandro consiguió, con enormes esfuerzos, llevar al ejército a un lugar más despejado, donde fue posible acampar. Todos estaban profundamente descorazonados, tanto por el gran número de compañeros caídos, como por los heridos que gritaban por el dolor de los miembros desgarrados y traspasados, de los huesos rotos.

Filipo y sus cirujanos se pusieron manos a la obra a la luz de los velones suturando las heridas, extrayendo puntas de flechas y jabalinas de las carnes vivas de los guerreros, componiendo las fracturas, inmovilizando los miembros con vendajes y tablillas, usando incluso astas de flechas o de lanzas cuando no tenían nada más.

Uno tras otro, en pequeños grupos, los compañeros llegaron a la tienda del rey para celebrar consejo. No había fuego ni brasas con los que calentarse, pero la lámpara que colgaba del palo central difundía un poco de luz y con ella casi la sensación de calor. A nadie le pasaba por alto el increíble y dramático cambio que había sufrido su vida en espacio de unos pocos días: de la molicie y de los lujos de los palacios de Babilonia y de Susa al hielo y a las penalidades de aquella empresa desesperada.

—¿Cuántos creéis que son? —preguntó Seleuco.

—Bueno —repuso Tolomeo—, en mi opinión, varios miles. Si Ariobarzanes ha decidido defender el paso, no puede haberlo hecho con unas pocas tropas mal armadas. Seguramente dispone de hombres escogidos en número más que suficiente.

En aquel momento entró Eumenes, lívido de frío y castañeteándole los dientes. Llevaba en bandolera el estuche con los rollos, la pluma y la tinta con las que redactaba cada noche su «diario».

—¿Tienes el número de las bajas? —le preguntó Alejandro.

—Cuantiosas —repuso el secretario echando una mirada a una hoja compilada deprisa y corriendo—. No menos de trescientos muertos y un centenar de heridos.

—¿Qué hacer? —inquirió Leonato.

—No podemos dejarlos allí para que sean pasto de los lobos —replicó Alejandro—. Hemos de retirarlos.

—Pero sufriremos mayores pérdidas aún —objetó Lisímaco—. Si vamos ahora, nos romperemos los huesos, en plena oscuridad en medio de aquellas rocas; si lo hacemos mañana a la luz del día, nos harán pedazos desde lo alto de esta maldita quebrada.

—Iré yo —cortó tajante el rey—. No pienso dejar a esos hombres insepultos. Si vosotros tenéis miedo, sois muy libres de no seguirme.

—Yo voy contigo —replicó Hefestión levantándose como si tuviera que partir al instante.

—Sabes perfectamente que no es una cuestión de miedo o no —rebatió Lisímaco herido en su puntillo.

—¿Ah, no? ¿Qué es, entonces?

—Es inútil discutir —intervino Tolomeo—. Así no resolvemos nada. Tratemos de razonar más bien.

—Yo... tal vez tenga una solución —dijo Eumenes.

Todos se volvieron hacia el secretario general y Leonato sacudió la cabeza pensando que aquel griego esmirriado era más vivo que nadie.

—¿Una solución? —preguntó Alejandro—. ¿Y cuál es si puede saberse?

—Un momento —repuso Eumenes—. Vuelvo enseguida.

Salió y volvió poco después con uno de los guías indígenas que les habían llevado hasta allí.

—Habla sin miedo —dijo el secretario—. El rey y sus amigos te escuchan.

El hombre se inclinó ante Alejandro y sus compañeros y comenzó a hablar en un griego bastante comprensible, con un acento que recordaba vagamente al chipriota.

—¿De dónde eres? —le preguntó Alejandro.

—Soy licio de la parte de Patara y fui cedido como esclavo de muchacho para sufragar la deuda que mi padre tenía contraída con su amo persa, un tal Arsaces, que al volver a Persia me llevó consigo y me confió sus rebaños para que pacieran en esta zona. Conozco, por tanto, estos montes como la palma de mi mano.

Todos los presentes contuvieron el aliento, dándose cuenta de que aquel pobretón podía tener en sus manos la suerte de todo un ejército.

—Si volvéis a aquella garganta —continuó—, los persas os harán pedazos antes que os haya dado tiempo de llegar al pie de la muralla. Únicamente pequeñas unidades pueden moverse por allí. Sin embargo, yo conozco un sendero que sube por el medio del bosque a una hora de marcha de aquí. Es un sendero de cabras, por donde pasa un hombre por vez y donde a los caballos hay que vendarles los ojos para que no vean los precipicios. Pero en cuatro o cinco horas puede llegarse a la quebrada y sorprender por la espalda a los persas.

—Me parece que no tenemos otra elección —dijo Seleuco— si queremos seguir adelante.

—También yo lo creo —admitió Alejandro—, pero hay un problema. Si el sendero es tan angosto, el número de los nuestros que llegará a lo alto de la quebrada en un tiempo razonablemente breve será demasiado exiguo para resistir un eventual ataque persa. Alguien tendrá que atacarles frontalmente por el lado de la muralla, en cualquier caso.

—Ya iré yo —se propuso Lisímaco.

—No, tú vendrás conmigo por el sendero. Irá Crátero con los agrianos, los tracios y un batallón de exploradores, tratando de limitar al mínimo las bajas. Atacaremos al mismo tiempo, nosotros desde lo alto y ellos desde abajo. Un asalto simultáneo debería sembrar el pánico entre los persas.

—Hará falta una señal —observó Crátero—. Pero ¿cuál? La quebrada es demasiado profunda para poder ver unas señales luminosas y la distancia entre nuestras unidades podría ser tal que no pueda oírse ningún sonido o grito.

—Existe un modo —dijo el pastor licio—. Hay un lugar próximo a la fortificación desde donde el eco repercute en las paredes de la quebrada. Un toque de trompa puede ser oído claramente a gran distancia. Es algo que experimenté muchas veces con mi cuerno para matar el tiempo mientras las ovejas pacían.

Alejandro le miró:

—¿Cómo te llamas, licio?

—Mi amo me llamaba Ochus, que en persa quiere decir «bastardo», pero mi verdadero nombre es Rhedas.

—Escúchame, Rhedas, si lo que dices es cierto y nos llevas a sorprender a los persas por la espalda, te cubriré de oro. Tendrás bastante para vivir en la abundancia el resto de tus días, podrás volver a tu país, comprar la casa más hermosa, siervos, mujeres, ganado, todo cuanto desees.

El hombre respondió sin bajar los ojos:

—Lo haría también por nada, rey. Los persas me tuvieron esclavo, me golpearon y castigaron mil veces sin motivo. Estoy dispuesto a partir en el momento que sea.

Leonato sacó fuera la cabeza.

—Está dejando de neviscar.

—Muy bien —dijo Alejandro—. Entonces, haced que sirvan la cena y dad una provisión de vino a todos los que tienen que ir con Crátero. Prometed una recompensa en dinero a aquellos que se presenten voluntarios, porque deben partir inmediatamente después de la cena. A los persas no se les pasará siquiera por la cabeza que seamos tan locos como para volver a intentarlo tan pronto. Nosotros seguiremos a Rhedas después del primer turno de guardia.

El rey tomó con los amigos, bajo la tienda, la misma ración que se servía a los soldados y luego cada uno fue a prepararse para la expedición nocturna.

Crátero fue el primero en partir con sus hombres; Alejandro, tal como había anunciado, después del primer turno de guardia, con el grueso del ejército.

Rhedas les guió hasta la entrada del sendero y luego hacia arriba, hacia el paso, en medio de un tupido boscaje. El sendero era estrecho y fatigoso, cortado en el flanco de la montaña no por obra del hombre sino del propio paso, a la largo de siglos, de los pastores y de los caminantes que buscaban un atajo en su viaje hacia Pérside. Unas veces pasaba junto a un precipicio y había que vendar los ojos a los caballos para que no fueran presa del terror, otras se veía interrumpido por un derrumbamiento o se volvía resbaladizo por el hielo y los hombres tenían que cogerse de la mano o bien atarse con cuerdas para no precipitarse y quedar destrozados contra las rocas.

El guía avanzaba con paso seguro a pesar de la oscuridad; se comprendía perfectamente que habría podido hacer aquel camino incluso con los ojos cerrados, mientras que algunos guerreros se precipitaron al vacío y no fue posible siquiera tratar de recuperar los cuerpos. Alejandro avanzaba a pie detrás de Rhedas, pero a menudo se paraba para ayudar a quien se encontraba en dificultades. Varias veces arriesgó él mismo la vida para salvar la de los soldados en peligro.

Antes del amanecer la temperatura descendió más aún y los hombres avanzaban cada vez con mayor dificultad, con los miembros ateridos y hechos ya a la larga y extenuante fatiga de la marcha nocturna, pero la leve claridad del sol que se traslucía en el horizonte entre una densa cortina de nubes infundió a todos un poco de valor: ahora por lo menos podía distinguirse mejor el paso, y el ralear de la vegetación dejaba intuir que faltaba ya poco para llegar a lo alto.

Cuando finalmente llegaron a la cima, el viento amainó y Alejandro dio orden de que los primeros no se movieran hasta que al menos una parte de aquellos que los seguían no les hubieran alcanzado. Luego se pusieron en marcha en silencio, tratando de mantenerse al amparo de la vegetación que en parte recubría también la meseta para no ser descubiertos por los persas antes de hora.

En un determinado momento, el guía indicó una elevación del terreno, una especie de peñasco que se inclinaba hacia la quebrada inferior, y dijo:

—Ése es el punto del eco. Avanzando, pasado ese montículo, se tiene a la vista la fortificación que controla el acceso a las Puertas Persas. Hemos llegado.

Tolomeo se adelantó.

—¿Crees que Crátero estará ya en su posición?

—Sin duda, si no ha pasado nada —respondió Alejandro—. Y aunque hubiera fracasado en su intento, no tendríamos otra elección. Forma a los hombres y manda dar la señal, pues atacaremos las posiciones persas.

Tolomeo ordenó a los soldados en tres líneas. Primero un escuadrón de caballería, luego la infantería ligera de los arqueros y de los lanzadores de jabalina, y, por último, los exploradores y los «portadores de escudo» a las órdenes de Lisímaco. En aquel momento hizo una indicación a un trompetero, que fue a situarse precisamente en lo alto de la roca que se asomaba a la quebrada. El sonido de la trompa se alzó agudo como el canto de un gallo, taladrando el aire detenido y denso de la hora del alba, y de inmediato respondió el eco de la pared frontera y repercutió repetidamente sobre las cimas cercanas para apagarse al fin en el vasto paisaje inmaculado.

Siguió un pesado silencio como el cielo plomizo que se cernía sobre el ejército formado y todos aguzaron el oído a la espera de la angustiosa respuesta. Y he aquí que, de repente, llegó el sonido de otra trompa y luego otra, multiplicados por el eco, y luego los gritos salvajes de los guerreros que se lanzaban al ataque.

—¡Crátero ha lanzado a los agrianos! —gritó Alejandro—. ¡Adelante, soldados, demostrémosles que no estamos muertos de frío!

Saltó a caballo y se puso en el centro de su escuadrón avanzando al paso hasta la cima que dominaba la defensa persa, mientras la infantería seguía a la carrera para no retrasarse. Luego, apenas las posiciones persas resultaron visibles, se puso al frente del asalto espoleando a su caballo y lanzando el grito de guerra.

Todas las trompas sonaron al unísono, y los infantes se abalanzaron empuñando las armas mientras los jinetes galopaban hacia el enemigo, que ahora ya tenía que hacer frente a dos ataques. La caballería de Alejandro superó de un tirón el terraplén que protegía la parte trasera de la defensa, y la infantería siguió inmediatamente después, atacando a los defensores en un duro cuerpo a cuerpo.

Los persas, al darse cuenta de la situación, dieron la voz de alarma, pero entretanto se vieron forzados a desguarnecer una parte de los glacis, que los agrianos escalaron encajando los puñales en las hendiduras de la muralla y escondiéndose pegados a la pared cada vez que los enemigos lanzaban piedras o disparaban con los arcos. Muy pronto, los primeros de ellos llegaron a lo alto y, mientras algunos atacaban a los defensores, los otros ayudaban a sus compañeros a subir arrojándoles cuerdas. Aunque inferiores en número, los macedonios consiguieron dar buena cuenta de los adversarios, en gran parte sorprendidos durmiendo o aún desarmados.

Ariobarzanes apenas si tuvo tiempo de salir de su alojamiento con la espada empuñada, cuando se vio enseguida rodeado por un grupo de jinetes macedonios que le amenazaron con las puntas de sus lanzas. Fue obligado a ordenar la rendición y a asistir impotente al desfilar del ejército enemigo a través del paso que hubiera tenido que defender Persépolis. La ciudad estaba ahora a merced del enemigo.

21

Alejandro esperó a que el resto de su ejército hubiera subido y luego dio orden de comenzar el descenso hacia la meseta de Pérside. Pero antes de ponerse en camino, llamó a su presencia al pastor licio que le había guiado para tomar el paso fortificado.

—Tu intervención ha sido fundamental —le dijo—. Has ayudado a Alejandro a conquistar un imperio, acaso a cambiar el curso de los acontecimientos. Nadie puede decir que esto sea para bien o para mal, pero yo, en cualquier caso, te estoy profundamente agradecido. —Iba a añadir: «Pídeme lo que quieras y te lo daré», pero le vino a la memoria un día lejano en el que había dicho aquella desafortunada frase a Diógenes, el viejo filósofo desnudo tendido a la luz del atardecer, y se limitó tan sólo a a decir—: Gracias, amigo mío.

El pastor le miró emocionado mientras montaba a caballo y se encaminaba cuesta abajo, pero volvió a la realidad al oír otra voz a sus espaldas, la de Eumenes:

—El rey me ha dicho que puedes disponer de lo que quieras, tal como te prometió. Sólo tienes que pedir por tu boca.

Repuso Rhedas:

—Si fuera más joven, quisiera ir con él y ver qué sucede después. Pero tengo que pensar en mi vejez. Me gustaría volver a comprar el campo de mi padre y la casa en que nací, en un golfo, cerca del mar. Hace tanto tiempo que no veo el mar...

—Lo volverás a ver, pastor, así como también tendrás tu casa y tu campo. Y podrás crear una familia, si eso es lo que deseas. Y si tienes hijos y nietos, les contarás que una noche guiaste al rey Alejandro al encuentro de su destino. Y si no te creen, muéstrales esto.

—¿Qué es?

Eumenes le puso en la mano un pequeño distintivo.

—Es la estrella de oro de los Argéadas. Sólo los amigos íntimos del rey la tienen.

Le dio asimismo un estuche de cuero.

—Esto es una carta del rey para el gobernador de Licia. En ella le ordena que te dé todo cuando desees. Vale más que cualquier suma de oro o de plata. No la pierdas. Adiós, pastor, buena suerte.

Llegaron al pie de las montañas la noche del día siguiente y se encontraron frente a la vasta meseta de Pérside, recorrida por ríos bordeados por largas hileras de álamos y salpicada de aldeas de adobe.

Cruzaron el camino real a orillas del Araxes y Alejandro acampó para esperar a Parmenión con el resto del ejército, pero acababan de servirle la cena cuando entró un *hetairoi* de la guardia anunciando una visita:

—Rey, ha llegado uno que desea hablar contigo. Ha cruzado el río con una barca y parece tener mucha prisa.

—Hazle entrar, entonces.

El soldado introdujo a un hombre vestido a la usanza persa, con los bombachos atados por encima de los tobillos y un paño de lino liado a la cabeza y anudado al cuello.

—¿Quién eres? —le preguntó Alejandro.

—Vengo de parte del sátrapa Abulites, que manda la plaza fuerte de Persépolis. Está dispuesto a entregarte la ciudad y manda decirte que te pongas inmediatamente en camino, si quieres encontrar aún intacto el tesoro del Gran Rey. Si tardas, podrían imponerse en la ciudad los que exigen la defensa a ultranza. Tampoco faltan los que quisieran poner a salvo el tesoro para ayudar a financiar el desquite del rey Darío. ¿Qué debo contestar a mi amo y señor?

Alejandro reflexionó en silencio unos instantes, y luego respondió:

—Dile que estaré a la vista de Persépolis dentro de dos días a la puesta del sol, con la caballería.

El hombre salió para hacerse acompañar hasta su barca y el rey convocó inmediatamente a Diadés de Larisa, su ingeniero jefe.

—Tienes que construirme un puente a través del Araxes para mañana por la noche —le dijo antes de que se hubiera sentado.

Diadés, ya acostumbrado a oír que le pidiera empresas imposibles en tiempos no menos imposibles, ni pestañeó.

—¿De qué ancho lo quieres? —preguntó.

—Lo más posible, pues tengo que hacer pasar toda la caballería en el menor tiempo posible.

—¿Cinco codos?

—Diez.

—Diez codos. Está bien.

—¿Crees que podrás lograrlo?

—¿He fracasado alguna vez, rey?

—No.

—Pero he de comenzar los trabajos en este preciso momento.

—Como quieras. Puedes dar órdenes a cualquiera, incluso a los generales, de mi parte.

Diadés salió, reunió a diez equipos con mulos y caballos, equipados con hachas, cuerdas y escaleras, y los mandó a cortar abetos a un bosque cercano. Los troncos fueron en parte pulidos, aguzados en un extremo y endurecidos al fuego, en parte reducidos a tablas. Trescientas personas trabajaron en ello toda la noche; al amanecer, el material estaba reunido en la orilla del río listo para su empleo.

Diadés cogió los palos aguzados y comenzó a hincarlos en el fondo con un martinete, a pares, a una distancia de diez codos. Acto seguido los unió transversalmente y a lo ancho con tablas clavadas, creando una nervadura lateral y una base horizontal de paso. Segmento tras segmento, el puente avanzó hacia el centro de la corriente donde los palos eran asimismo reforzados con el añadido de grandes pedruscos que rompían la corriente.

A la puesta del sol, Alejandro formó a la caballería en orden de batalla, esperó a que la última tabla hubiese sido clavada a los postes de sustentación y lanzó a *Bucéfalo* al galope, seguido por sus compañeros a la cabeza de cuatro escuadrones de *hetairoi*. A sus espaldas se puso en marcha también la infantería, al mando de Crátero.

Cabalgaron durante toda la noche y pararon para descansar hacia la hora del tercer turno de guardia, antes de la salida del sol. Alejandro, extenuado por los acontecimientos de las últimas jornadas y por las últimas y fatigosas velas nocturnas, cayó profundamente dormido. El aire fino de la meseta, la brisa ligera que soplaba de levante y el bosque de plátanos y de arces de montaña que les cubría con su sombra creaban una sensación de paz y de profunda quietud. Los caballos pastaban libres a lo largo de las orillas de un riachuelo de aguas cristalinas, flanqueado por matorrales de sauce y de cornejo, y también *Bucéfalo* trotaba en libertad, seguido por *Peritas*, que le mordisqueaba impunemente los tremendos jarretes. Nada hacía presagiar lo que iba a suceder.

Una de las patrullas de vigilancia se adelantó un poco hacia poniente en dirección al camino real para vigilar que no se presentaran sorpresas por aquel lado y los exploradores se quedaron sin respiración al ver avanzar una larga columna precedida por los rojos estandartes con la estrella argéada: ¡era el ejército de Parmenión!

Les alcanzaron al galope y se hicieron reconocer de inmediato:

—Soy Eutidemo, comandante de la octava compañía del tercer escuadrón de los *hetairoi* —dijo su comandante al oficial que mandaba la cabeza de la columna en marcha—. Llévame hasta el general Parmenión.

—El general Parmenión está al final, con la retaguardia, porque hemos sufrido acciones de distracción por parte de la caballería meda en la meseta. Llamaré al general Clito.

El Negro llegó a todo correr pocos instantes después: el sol de la meseta le había atezado la cara más aún si cabe, a tal punto que hubiérase dicho casi un etíope.

—¿Dónde estáis?

—Estamos a menos de veinte estadios de aquí, general, conseguimos forzar las Puertas Persas. El rey y sus hombres están descansando porque hace dos noches que no pegan ojo, pero tan pronto como el sol esté en el horizonte, estaremos listos para partir hacia Persépolis. Vosotros mantened vuestro paso; nosotros seguiremos adelante lo más deprisa posible. Creo que el rey os lo explicará todo cuando sea el momento.

—Está bien —repuso El Negro—. Saluda de mi parte al rey y dile que no hemos tenido ningún problema. Ya informaré yo al general Parmenión. ¿Está bien su hijo Filotas?

—Estupendamente y ha tomado parte en la batalla del paso sin sufrir ningún daño.

Volvió grupas y regresó con sus hombres. Encontró el contingente ya preparado para seguir a Alejandro, que montaba a *Bucéfalo* y estaba a punto de dar la señal de partida. El sol que se levantaba en aquellos momentos teñía de rosa las cimas de los montes del Elam que destacaban sobre el verde oscuro de los bosques de abajo y sobre el amarillo de los rastrojos de las tierras de cultivo, que se extendían hasta donde alcanzaba la vista en la meseta.

Por los caminos pasaban filas de camellos con su carga, campesinos a lomo de asnos que se dirigían al mercado tirando de carros llenos de toda clase de modestas mercancías, mujeres vestidas con trajes de vivos colores que iban al arroyo a por agua, mientras que otras volvían de él llevando sobre sus cabezas los cántaros llenos y goteantes, apoyados sobre unos rodetes. Parecía aquél un día como todos los demás y, en cambio, el más grande y poderoso imperio del mundo estaba a punto de ser herido de muerte.

Sonó la trompa y los escuadrones se pusieron al trote por el camino, levantado una espesa cortina de polvo. Pero a medida que avanzaban, el aspecto de los lugares cambiaba profundamente: no sólo en las características del territorio, cada vez más hermoso y verdeante, con amplios parques arbolados, huertos y jardines, sino en el comportamiento de la gente. Al paso del ejército a caballo, las puertas se cerraban, las calles se vaciaban, las plazas de los mercados se mostraban de repente desiertas: debía de haber corrido el rumor de que llegaba el conquistador *yauna*, sobre el que circulaban ya leyendas aterradoras.

De golpe, hacia mediodía, un espectáculo extraño e inquietante se ofreció a los ojos del rey que cabalgaba a la cabeza del ejército, flanqueado por Hefestión y Tolomeo: un grupo de personas venían a su encuentro por el camino, una extraña turba de miserables de andares renqueantes, cubiertos de harapos, que agitaban las manos o los muñones, aquellos que no tenían manos, como para hacerse notar.

—Pero ¿quiénes son? —preguntó el rey a Eumenes, que le seguía un poco más atrás. El secretario se le acercó y miró mejor.

—No tengo ni idea, pero pronto lo sabremos.

Se apeó del caballo y se dirigió a pie hacia el grupo de aquellos desventurados que, con la proximidad, parecía mucho más numeroso de lo que se hubiera podido creer. También Alejandro se apeó y se dirigió hacia ellos, pero, a medida que avanzaba, se sentía dominado por una extraña turbación, por una angustiosa inquietud. Cuando estuvo más cerca, oyó que estaban ya hablando con Eumenes: ¡en griego!

Se adelantó y vio que aquellos pobres hombres mostraban todos horrendas mutilaciones: algunos tenían ambas manos cercenadas, otros una pierna o las dos, otros tenían también, aparte de las mutilaciones, la piel arrugada por grandes cicatrices, típicas de quien ha recibido un chorro de líquido hirviente.

—Aceite —explicó un desventurado al sentir la mirada de Alejandro sobre su figura manca y torturada.

—¿Quién eres? —preguntó el rey.

—Eratóstenes de Metona, *heghemón*, tercera sisitia, octavo batallón, espartano.

—¿Espartano? Pero... ¿cuántos años tienes?

—Cincuenta y ocho, *heghemón*; fui hecho prisionero por los persas durante la segunda campaña del rey Agesilao, cuando tenía veintisiete años. Me cortaron un pie porque sabían que un guerrero espartano no acepta nunca la prisión. Antes se hace matar.

Eumenes sacudió la cabeza.

—Los tiempos han cambiado, amigo mío.

—Traté igualmente de suicidarme y mi amo me arrojó encima aceite hirviente. Entonces me resigné y acepté la amarga prisión, pero cuando he oído que estaba llegando Alejandro...

—Nos hemos pasado la voz unos a otros para salir a su encuentro —intervino otro mostrando ambos brazos mutilados justo por debajo de los codos.

—¿Por qué estas mutilaciones? —preguntó el rey con voz trémula de ira y de emoción.

—Yo servía en la marina ateniense durante la guerras de los sátrapas, y me había embarcado como remero en el *Krysea*, un trirreme hermosísimo, de nuevo cuño. Caímos en una emboscada y fui hecho prisionero. Dijeron que así no remaría más en una nave ateniense.

Alejandro vio a otro que tenía las cuencas de los ojos vacías y secas como las de una calavera.

—¿Y a ti que te hicieron? —le preguntó.

—Me cortaron los párpados, me esparcieron miel sobre los ojos y luego me ataron cerca de una hormiguero. También yo servía en la marina ateniense. Querían saber dónde estaba escondido el resto de la flota, pero yo me negué y...

Otros y otros se adelantaban, mostrando sus mutilaciones, sus miserias, los cabellos canos, los cráneos desnudos y las manos devoradas por la sarna.

—*Heghemón* —repitió el espartano—, dinos dónde está Alejandro para que podamos rendirle honores y agradecerle el habernos liberado. Nosotros que, en conjunto, somos el testimonio del precio pagado en los tiempos de los griegos en su lucha contra los bárbaros.

—Alejandro soy yo —repuso el rey, pálido de cólera— y he venido a vengaros.

22

Se volvió hacia atrás y llamó a grandes voces a sus compañeros.

—¡Tolomeo! ¡Hefestión! ¡Pérdicas!

—¡A tus órdenes, rey!

—Rodead el palacio real, el tesoro y el harén y que nadie ose poner los pies en él.

—Así se hará —respondieron ellos, y partieron al galope a la cabezas de sus tropas.

—¡Leonato, Lisímaco, Filotas, Seleuco!

—¡A tus órdenes, rey!

Alejandro señaló la ciudad soberbia que se extendía delante de ellos sobre una colina, resplandeciente de oro, de bronce y de esmaltes bajo el sol.

—Tomad el ejército y llevadle dentro. ¡Persépolis es vuestra, haced lo que se os antoje con ella!

Se volvió hacia los *hetairoi*, que esperaban inmóviles sobre los caballos:

—¿Habéis oído lo que he dicho? ¡Persépolis es vuestra! ¿A qué esperáis, tomadla!

Se alzó un grito y los escuadrones de caballería se lanzaron al galope hacia la capital que se disponía en aquel momento a abrir sus puertas. Atropellaron al grupo de delegados que Abulites había mandado para recibirles e irrumpieron en la ciudad más rica y grande del mundo con la furia de una manada de toros salvajes.

Eumenes no se movió y miró estupefacto a Alejandro.

—No puedes dar una orden de este tipo, númenes del cielo, no puedes. Llámales de nuevo, llámales mientras estés a tiempo.

Calístenes se acercó a su vez.

—Claro que puede, y lamentamente lo ha hecho ya.

El grupo de griegos que habían salido a su encuentro se echaron para atrás confusos, como si se dieran cuenta de que habían provocado involuntariamente un desastre de incalculables proporciones. El rey notó su extravío e hizo un gesto a Eumenes.

—Diles que recibirán tres mil dracmas de plata por cabeza y un salvoconducto para todo aquel que quiera volver a la patria a abrazar de nuevo a su familia. Si prefieren quedarse, recibirán una casa, siervos, campos y ganado en abundancia. Ocúpate de ello.

El secretario así se lo hizo saber, pero mientras hablaba le resultaba difícil concentrarse porque llegaban ya hasta sus oídos los ruidos del saqueo y los gritos desesperados de la población a merced de la soldadesca.

Entretanto iban llegando las tropas de infantería, que corrieron a su vez hacia las puertas de la ciudad, temiendo llegar demasiado tarde para el botín. Algunos correos alcanzaron también al ejército de Parmenión, ahora ya a pocos estadios de distancia, y anunciaron que el rey había dejado la capital a merced de los soldados. La disciplina se esfumó en cuestión de segundos: todos los hombres abandonaron las filas y se precipitaron en masa hacia Persépolis, de la que, en varios puntos, comenzaban a alzarse columnas de humo y lenguas de fuego.

Parmenión espoleó a su caballo a toda velocidad seguido por El Negro y por Nearco y alcanzó a Alejandro, que montado sobre *Bucéfalo* contemplaba aquella destrucción desde lo alto de una elevación, inmóvil como un monumento.

El viejo general saltó a tierra y se acercó con una expresión de angustia en el rostro.

—¿Por qué, señor? ¿Por qué? ¿Por qué destruyes lo que ya es tuyo?

Alejandro no se dignó siquiera mirarle, pero Parmenión vio tinieblas de muerte y de destrucción ensombrecerse en su ojo izquierdo. Calístenes le miró a su vez y murmuró, convencido de no ser oído:

—No preguntes más, general, estoy convencido de que en este momento su madre Olimpia está llevando a cabo ritos sanguinarios en algún lugar secreto y está en total posesión de su alma. ¡Ah, si estuviera aquí Aristóteles para acabar con esta pesadilla!

Parmenión sacudió la cabeza, miró fijamente a El Negro y a Nearco con una expresión de espanto, luego montó a caballo y se fue.

Sólo hacia el ocaso el rey se movió, como si despertara de un sueño, y empujó a *Bucéfalo* puertas adentro de la ciudad. Uno de los lugares más bellos y gratos de la tierra, la expresión más alta de armonía universal según la ideología aqueménida, estaba totalmente a merced de una horda de salvajes ebrios: los agrianos violaban muchachas y muchachos arrancándoselos de los mismos brazos a sus padres, los tracios daban vueltas ahítos de vino y sucios de sangre, mostrando como trofeos las cabezas cercenadas de los guerreros persas que habían tratado de oponerles resistencia. Y los macedonios, los tesalios y los mismos auxiliares griegos no se quedaban a la zaga: corrían como locos, cargados de botín, de copas adornadas de piedras preciosas, de maravillosos candelabros, de finísimas telas, de armaduras de oro y de plata. A veces se encontraban con compañeros que no habían logrado arramblar con nada y se enzarzaban unos con otros a muerte hasta el punto de degollarse por las calles, sin el menor freno, sin el menor signo de humanidad. Otras veces, si veían que algunos se habían adueñado de mujeres de especial belleza, trataban de hacerse con ellas por medio de las armas y, si lo conseguían, las violaban por turno en el mismo sitio encharcado aún con la sangre de sus familiares.

El rey avanzaba con paso grave y majestuoso en medio de todos aquellos gritos y de aquella sangre, de todos aquellos horrores, pero su cara no dejaba traslucir ninguna emoción, como si estuviera esculpida en el frío mármol de Lisipo. Sus oídos parecían no oír los gritos desgarradores de los niños, criaturas aún, arrebatados a sus madres, de las mujeres que invocaban el nombre de los hijos y de las hijas, que lloraban sobre los cuerpos de los maridos asesinados sin piedad delante de las puertas de sus casas. Parecía que oyese tan sólo el lento pisoteo de los cascos de *Bucéfalo* sobre las piedras del camino.

Mantenía la mirada fija delante de sí, miraba el inmenso palacio real, la divina *apadana* rodeada de jardines maravillosos, de desmochados cipreses, de álamos plateados, de plátanos de sombra enrojecidos por la luz languideciente del último sol. Miraba los atrios excelsos que iba encontrando con sus columnas gigantescas, con los toros alados, los grifos, las imágenes de los Grandes Reyes que habían construido y adornado aquella maravilla. Él, el pequeño *yauna*, señor de un pequeño reino de labriegos y pastores, en otro tiempo vasallo, había conseguido traspasar el corazón del gigante y lo tenía, agonizante, bajo sus pies.

Subió a caballo la amplia escalinata y vio representadas en la piedra, a un lado y a otro, los cortejos de los reyes y de los jefes vasallos que llevaban sus presentes en la fiesta de año nuevo. Medos y ciseos, jonios, indios y etíopes, asirios y babilonios, egipcios, libios, fenicios y bactrianos, gedrosios, cármatas, dahos: docenas y docenas de naciones que avanzaban con paso solemne, mesurado, hacia el baldaquín de oro que cubría el trono de Darío, el Rey, el Gran Rey, el Rey de Reyes, Luz de los Arios y Señor de los Cuatro Rincones de la Tierra.

Y ahí estaba el trono. Lo tenía enfrente. De cedro perfumado y de marfil, incrustado de piedras preciosas, sostenido por dos grifos con los ojos de rubí. Detrás, en la pared, el rey Darío I estaba representado, gigantesco, en el fulgor de su atavío de ceremonia, mientras luchaba contra un monstruo alado, contra la encarnación de Arhimán, genio del mal y de la tinieblas.

El inmenso salón estaba vacío y silencioso, pero en el exterior un océano de dolor rompía sus oleadas cruentas contra las paredes de aquel paraíso. Los bravos, leales soldados de Filipo se habían vuelto una horda de fieras que se disputaban por las calles parte de la rapiña, gritando todo tipo de obscenidades por sus hediondas bocas, prendiendo fuego a los jardines y a los palacios, devastando los santuarios de Ahura Mazda, dios de la alta Persépolis.

Alejandro desmontó, avanzó hacia el trono, subió los escalones y se sentó en él, apoyando las manos en los brazos de mármol pulimentado. Pero mientras se abandonaba contra el respaldo con un largo jadeo, vio unas formas oscuras perfilarse en el vano de la puerta y oyó un confuso ruido de pisadas.

—¿Quién hay ahí? —preguntó sin moverse.

—¡Somos nosotros, rey! —dijo una voz.

Era uno de los esclavos griegos que habían venido a su encuentro a lo largo del camino de Persépolis.

—¿Qué queréis?

El hombre no respondió, pero se hizo a un lado y dejó pasar a dos de sus compañeros que sostenían a un anciano macilento.

—Se llama Leocares —explicó el hombre que se había hecho a un lado—. Es uno de los Diez Mil de Jenofonte, el último superviviente, creo yo. Tiene casi noventa años y ha pasado setenta y dos en la cárcel y en esclavitud.

Alejandro disimuló a duras penas la emoción.

—¿Qué es lo que quieres, anciano? —preguntó—. ¿Qué puedo hacer por un héroe de los Diez Mil?

El anciano musitó algo que el rey no puso oír.

—No quiere nada. Dice que todos los griegos muertos antes de este día no han podido disfrutar de la alegría más grande, la de verte sentado en este trono. Dice que ahora puede morir contento.

El anciano no conseguía articular palabra por la emoción y por las lágrimas que le bañaban las descarnadas mejillas, pero la expresión de su rostro decía más que mil palabras.

Alejandro hizo un gesto con la cabeza y se quedó mirándole, casi incrédulo, mientras se alejaba arrastrando los pies, sostenido por sus compañeros. Entonces el rey bajó del trono y alcanzó a *Bucéfalo*, que le esperaba en el atrio, pero, al cogerle por la brida, vio, como salido de un sueño, a un guerrero persa espléndidamente vestido con el uniforme de gala de los Inmortales, montado sobre un alazán enjaezado con arreos dorados, que parecía mirarle.

Alejandro apretó la empuñadura de la espada, pero no se movió; en aquel momento, el cielo oscurecido ofuscó la tierra con un relámpago cegador y sacudió el palacio entero con el fragor del trueno.

De repente, un recuerdo se hizo presente en su conciencia: era el guerrero que un lejano día le había salvado de las garras del león y al que él había salvado de una muerte segura en el campo de batalla de Issos.

El Inmortal empujó el caballo adelante unos pocos pasos, escupió en el suelo delante de él, luego se volvió, espoleó al animal con los talones y se lanzó al galope por el vasto patio desierto.

23

—Fue fundada por el rey Darío I el Grande, en el corazón de Pérside, para ser la más refulgente capital de todos los tiempos. Trabajaron en ella cincuenta mil personas de treinta y cinco naciones distintas durante quince años. Se talaron bosques enteros en el monte Líbano a fin de obtener los troncos para los techos y las puertas, se tallaron piedras y mármoles en todas las partes del Imperio, se extrajo el más precioso lapislázuli de las minas de Bactriana, se trajo oro a lomos de camello de Nubia y de la India, piedras preciosas del Paropámiso y de los desiertos de Gedrosia, plata de Iberia y cobre de Chipre. Miles de escultores sirios, griegos, egipcios esculpieron las imágenes que puedes admirar en las paredes y puertas del palacio y los plateros añadieron las partes aplicadas, los ornamentos de oro, plata, piedras duras. Los más hábiles tejedores realizaron las alfombras, las cortinas y los tapices que has visto en los suelos y en las paredes. Pintores persas e indios dieron vida a los frescos que adornan los enlucidos. Los Grandes Reyes se propusieron que este lugar reuniera, en maravillosa armonía, todas las expresiones de civilización y cultura que componen este inmenso imperio.

Calístenes se detuvo y dejó pasear la mirada por la grandiosa capital agonizante, por los *pairidaeza* donde ardían cual antorchas plantas rarísimas traídas de remotas provincias, por los palacios y por los pórticos, por los atrios ennegrecidos por el humo de los incendios. Contemplaba las calles recorridas por soldados ebrios de muerte, de estupros, de vida disoluta, las fuentes llenas de cadáveres que seguían difundiendo su triste murmullo, derramando sus aguas manchadas de sangre; contemplaba las estatuas rotas, las columnas abatidas, los santuarios profanados. Se volvió hacia Eumenes y vio en sus ojos la misma expresión aterrada y confusa.

—Este palacio sublime —continuó en el mismo tono de voz— fue llamado la «residencia de año nuevo» porque el Gran Rey se dirigía a él para la celebración del primer día del año, la mañana del solsticio de verano, para recibir en la frente el primer rayo de prístina luz que asomaba por levante e iluminaba su mirada, casi como si el propio rey fuera un nuevo sol.

»Durante toda la noche, hasta por la mañana, las oraciones de los sacerdotes se elevaban altas, insistentes, hacia las estrellas, para invocar la luz sobre el Gran Rey, sobre aquel que era en la tierra el símbolo viviente de Ahura Mazda. Todo aquí es símbolo, la ciudad entera lo es, y lo son todas las imágenes y los bajorrelieves que ves en este palacio.

—Estamos quemando un... símbolo —balbuceó Eumenes.

—Eso y mucho más. La ciudad fue proyectada al día siguiente de un eclipse total de sol que tuvo lugar hace setenta años y seis meses: tenía que ser el monumento a la fe de este pueblo, la fe según la cual el mundo no deberá ser nunca dominio de las tinieblas. Y mira, por todas partes puedes ver al león que aferra con sus dientes al toro, o sea, la luz que derrota a las tinieblas, la luz de su dios supremo Ahura Mazda que ellos veían encarnado en su rey.

»En ese momento, mientras el palacio estaba aún en la sombra, cientos de delegaciones esperaban en religioso silencio hasta que la luz se difundía por las salas de púrpura y de oro, por los vastos patios. Entonces comenzaba el fastuoso cortejo del que hablan Ctesias y otros autores griegos y bárbaros que tuvieron la suerte de asistir a él, del que hablan los bajorrelieves que adornan glacis y escalinatas.

»Y mira ahora. Este pueblo asiste al súmmum de la abominación, al último y más atroz de los sacrilegios: el fuego, que para ellos es sagrado, quema la capital que fue creada en honor del fuego eterno y quema sus mismos cadáveres.

—Y sin embargo también ellos se mancharon las manos en otro tiempo con todo tipo de atrocidades —repuso Eumenes—. Has podido ver a esos pobres desdichados, oír las inhumanas torturas a que fueron sometidos... Quienes construyeron esta maravilla, los grandes reyes Darío y Jerjes, fueron los mismos que invadieron nuestra tierra sometiéndola a sangre y fuego, los que decapitaron y crucificaron el cuerpo torturado del rey Leónidas en las Termópilas, los que quemaron los templos de nuestros dioses después de haberlos profanado de todos los modos posibles...

—Es cierto, ¿y sabes por qué? Mira —le dijo indicando una inscripción a lo largo de una pared—. ¿Sabes que dice esa inscripción? Pues dice: «He quemado los templos de los *daiwa*», los templos de los demonios. Y la explicación es que nuestros dioses, para ellos, eran manifestación de los demonios que su dios del mal, Arhimán, soltó por el universo para que lo condujesen al desastre. Desde su punto de vista, llevaron a cabo una obra pía. Todos los pueblos de la tierra ven el mal en los demás, en los pueblos extranjeros y en sus dioses, y en esto, me temo, no hay remedio. Por ello destruyeron las obras más hermosas de nuestra civilización. Por ello nosotros destruimos ahora las más hermosas de la suya.

Callaron porque no tenían ya nada que decir y su silencio se llenó del llanto y de los lamentos de la moribunda ciudad.

La reina madre tuvo noticia de la devastación de Persépolis tres días después, por un jinete de la guardia de los Inmortales que atravesó los pasos de montaña cubiertos de nieve sin detenerse en ningún momento. Estalló en lágrimas tan pronto como oyó los detalles de la ruina, la aniquilación de una ciudad inerme, la destrucción de obras de maravillosa belleza.

El guerrero se postró entre sollozos ante la soberana.

—Gran Madre —le dijo—, ordena mi muerte porque me la merezco. Conozco al pequeño demonio *yauna* y soy culpable de todo. Fui yo, hace muchos años, quien le salvó la vida durante una cacería del león en Macedonia y, cuando en el campo de batalla de Issos me salvó a su vez y me dejó partir libre, no comprendí que éste es el modo con que los demonios enmascaran su naturaleza feroz. En vez de clavarle el puñal en la garganta, le di las gracias, le mostré mi gratitud. Y ahora ésta es la consecuencia. Ordena mi muerte, Gran Madre, y tal vez mi muerte aplaque la ira de los dioses, les induzca a ponerse de nuestro lado, a sacarnos de las tinieblas de la humillación y de la derrota.

La reina estaba sentada inmóvil en su trono con las mejillas bañadas de lágrimas. Le miró fijamente con una mirada llena de compasión y le dijo:

—Levántate, mi fiel amigo. Levántate y no te censures por tu generosidad y tu coraje. Lo que ha sucedido tenía que suceder fatalmente. Cuando Ciro tomó la ciudad de Sardes e hizo que fuera pasto de las llamas, ¿qué pensaban los lidios en su miseria? ¿Y qué pensaban los babilonios cuando desvió el Éufrates y se apoderó de la capital poniendo cadenas a su rey? También nosotros hemos incendiado y diezmado, hemos reprimido con sangre muchas rebeliones, hemos quemado templos y santuarios. El rey Cambises mató en Egipto al buey Apis cometiendo a los ojos de aquella nación el más atroz de los sacrilegios. El rey Jerjes prendió fuego a los templos de la acrópolis de Atenas y arrasó la ciudad. Una población entera abandonó entre lágrimas sus propias casas para refugiarse en una pequeña isla y desde allí vio los respladores del incendio ascender al cielo nocturno. Esto se lo oí contar a quienes custodiaban los libros de nuestra historia.

»Ahora el mismo destino nos toca a nosotros, a nuestras maravillosas ciudades, a nuestros santuarios, no porque Alejandro sea malvado. Yo le conozco, y conozco sus sentimientos, sé de qué ternura y miramiento es capaz, y si hubiera estado yo presente estoy convencida de que habría logrado obtener su clemencia, hacer triunfar en él la luz de Ahura Mazda sobre las tinieblas de Arhimán. ¿Les has mirado alguna vez a los ojos?

—Sí, mi señora, y he sentido miedo.

La reina madre calló durante unos instantes llorando en silencio; luego levantó la cabeza y preguntó:

—¿Adónde irás ahora?

—Al norte, a Ecbatana, con el rey Darío, para combatir y para morir con él si fuera preciso. Pero dame tu bendición, Gran Madre. Me dará calor en medio de la nieve y del frío, me ayudará a soportar el hambre, la sed, las privaciones, el dolor.

Se postró de rodillas y con la cabeza inclinada. La reina madre levantó la mano temblorosa y se la apoyó en la cabeza.

—Te bendigo, muchacho mío. Dile a mi desventurado hijo que rezaré por él.

—Se lo diré —repuso el Inmortal.

Solicitó licencia para despedirse y se fue.

24

Alejandro no visitó el palacio de Darío hasta el día siguiente. Se había levantado tarde y miraba a su alrededor con una extraña expresión, como si se hubiera despertado de una pesadilla. Sus compañeros estaban formados a los lados del trono, armados como si esperaran órdenes.

—¿Dónde está Parmenión? —preguntó.

—Fuera de la ciudad, en su campamento, con aquellos de sus hombres que no han tomado parte en el saqueo —repuso Seleuco.

—¿Y El Negro?

—Él también. Dice que no se siente bien y que le disculpes de no encontrarse aquí presente.

—Me dejan solo —murmuró el rey como si meditara para sí.

—¡Pero nosotros estamos contigo, Alejandro! —exclamó Hefestión—. Hagas lo que hagas y pase lo que pase. ¿No es así? —preguntó vuelto hacia sus compañeros.

—Así es —respondieron todos.

—Ahora basta —dijo Alejandro—. Coged unas patrullas de exploradores y recorred la ciudad con un bando. Todos los soldados, griegos, macedonios, tesalios, tracios y agrianos, todos sin excepcióm, deberán abandonar Persépolis y retirarse a los campamentos extramuros. Aquí se quedarán únicamente *La Punta* y mi guardia personal.

Los compañeros salieron para cumplir las órdenes que acababan de recibir.

Alejandro, Eumenes y Calístenes, acompañados por un intérprete y por un grupo de eunucos aún aterrorizados, iniciaron la visita al palacio. Pasaron de la *apadana* al salón del trono propiamente dicho. Era éste una sala inmensa, de más de doscientos pies de ancho y otros tantos de largo, sostenida por cien columnas de madera de cedro, con las paredes pintadas en oro y púrpura y los capiteles y los techos adornados con pinturas y entalladuras. El trono era de madera con incrustraciones de marfil y detrás, apoyados en la pared, estaban el parasol y los flabelos de plumas de avestruz que en los días de recepción manejaban sirvientes ataviados de gala.

De allí pasaron directamente a la sala del tesoro, que fue entreabierta por los cuatro eunucos que guardaban las llaves. Las macizas puertas de bronce giraron lentamente sobre los goznes y la vasta sala se abrió al nuevo amo. No había ventanas en las paredes, por ninguna parte, y Alejandro pudo ver tan sólo aquel trozo que estaba parcialmente iluminado por la luz que pasaba a través del vano de la puerta, pero lo que descubrió le dejó estupefacto: había millares de lingotes de oro y de plata con el sello impreso de la monarquía aqueménida, la efigie del rey Darío I disparando una flecha con su arco. Aquella misma efigie aparecía en las monedas, que por eso eran llamadas dáricos. Había docenas y docenas de cubos llenos hasta los topes y otros estaban alineados a lo largo de anaqueles clavados en las paredes.

Los eunucos trajeron unos faroles y el centelleo de mil y mil superficies lisas o labradas relampagueó en la semioscuridad del ambiente, de acuerdo con los movimientos de los faroles.

El rey, Eumenes y Calístenes se adentraron por el corredor que atravesaba la sala por el medio y su admiración crecía a cada paso. No había sólo metal acuñado o en lingotes: había un sector en que estaban hacinados los objetos preciosos acumulados en el curso de doscientos años de conquistas y de dominio en un territorio que abarcaba desde el Indo hasta el Istro. Había joyas en cantidad inverosímil, cestos llenos de piedras preciosas de toda forma y color, perlas blancas y negras; había bronces y objetos decorativos, candelabros, estatuas e imágenes votivas procedentes de antiguos santuarios, y había armas, magníficas y de toda forma, tanto de combate como de gala: corazas, lanzas y espadas, yelmos adornados con las más impresionantes cimeras, puñales embutidos con hilos de oro y plata de hojas rectas o curvas o de madera pintada adornada con aplicaciones en marfil y en plata, grebas y cintos, correajes para la espada de malla de oro, con la fíbula adornada de lapislázuli y corales, azulejos esmaltados, en oro y plata, máscaras de ébano y de marfil, collares y pectorales indios, asirios, egipcios, en oro y esmaltes. Y también coronas de diademas que habían ceñido la frente de faraones egipcios, de tiranos griegos, de jefes escitas, de rajás indios, cetros y bastones de mando en ébano, marfil, oro, bronce, plata y ámbar, todos ellos maravillosamente decorados.

Y telas: lino egipcio, biso sirio, lana jónica, púrpura fenicia, y también tejidos de un increíble esplendor, radiantes de los más diversos y raros colores. Se les explicó que procedían de un país lejanísimo, allende los desiertos centrales y allende el Paropámiso. Y había también piezas de otro tipo de tela que se producía en la India, fresca como el lino, igual de fácil de teñir, pero inmensamente más ligera.

—Con esta tela encima —dijo el eunuco— es como no llevar nada.

—Pero a medida que avanzaban, el eunuco que hacía la relación del inventario recitaba con voz monótona—: Doce cubos de un talento de dáricos de oro acuñados por Su Majestad el rey Darío I, veinte talentos de lingotes de plata con el distintivo de Su Majestad el rey Jerjes, coraza de tortuga taraceada en marfil y coral que perteneciera al rajá de Taxila, sable de gala del rey de los escitas Kurban II...

Alejandro se dio cuenta de que se hubiera requerido un mes entero para escuchar las descripciones de todas aquellas maravillas, pero no conseguía apartar la mirada de aquel centelleo continuo, de aquellos esplendores deslumbrantes, de aquellas formas y de aquellos maravillosos ornamentos.

—¿Cuánto hay, en total, entre monedas y lingotes? —preguntó de repente Eumenes.

El eunuco miró primero a Alejandro como esperando su autorización para dar aquella respuesta, y una vez hubo obtenido un gesto de asentimiento, dijo con voz despaciosa:

—Ciento veinte mil talentos.

Eumenes palideció.

—¿Has dicho ciento... ciento veinte mil?

—Es exactamente lo que he dicho —repuso el eunuco impasible.

Salieron estupefactos tras ver la mayor acumulación de objetos preciosos que existiera sobre la faz de la tierra, y Eumenes continuaba repitiendo:

—No puedo creerlo, númenes del Olimpo, no puedo creerlo. Si pienso que hace poco más de tres años no teníamos dinero ni para comprar el heno para los caballos y el trigo para los muchachos...

—Haz repartir diez minas a cada uno de ellos —ordenó Alejandro.

—¿Has dicho diez minas a cada miembro del ejército?

—Eso he dicho. Se las merecen. Darás además un talento a los oficiales, cinco a los comandantes de las grandes unidades de infantería y caballería, y diez a los generales. Y hazme saber a cuánto asciende todo ello.

—Será el ejército más rico de la tierra —rezongó el secretario—, pero no sé si seguirá siendo el más valiente. ¿Estás seguro de actuar debidamente?

—Segurísimo. Tanto más cuanto que no tendrán mucho tiempo para gastarse todo ese dinero.

—¿Por qué, volvemos a partir?

—Lo más pronto posible.

Y en cambio se quedaron, durante meses. En Persépolis estaban los archivos y la cancillería imperial y Eumenes le hizo comprender a Alejandro que, antes de seguir adelante, era necesario consolidar lo que se había conseguido, organizar el sistema de caminos y comunicaciones vital para el avituallamiento, impartir a los sátrapas y a las administraciones de todas las provincias ya sometidas las instrucciones para su gobierno, para las relaciones con Macedonia y con el regente Antípatro. Buscó también documentos que pudieran probar la responsabilidad de las cortes persas en el asesinato del rey Filipo o pruebas de eventuales contactos con el príncipe Amintas de Lincéstide, que, implicado en una acusación de connivencia con Darío cuando el ejército estaba aún en Anatolia, seguía estando bajo vigilancia por orden del rey. Pero todo el archivo estaba redactado en caracteres cuneiformes y la labor de los pocos traductores disponibles habría exigido años para un examen completo y exhaustivo.

Entretanto, tal como Eumenes había previsto, la inercia y la enorme disponibilidad de dinero estaban cambiando rádicalmente el comportamiento de los soldados y de sus propios compañeros, que ahora habitaban, al igual que el resto, en los palacios más hermosos de la ciudad, limpiados y restaurados, y vivían como verdaderos reyes. Alejandro seguía invitándoles a hacer paseos a caballo y a menudo organizaba partidas de pelota para mantenerles entrenados. Los amigos iban de mala gana, únicamente para complacerle, y sin embargo, una vez que comenzaban a jugar, reencontraban la diversión sencilla de cuando eran niños.

En aquellos días, los pórticos del palacio resonaban de gritos y carcajadas como en el pasado el patio de la residencia real de Pella.

—¡Pásame la pelota! ¡Pásala, por Heracles! —gritaba Alejandro.

—¡Pero si ya te la he pasado antes y la has perdido! —respondía Tolomeo gritando mas fuerte aún.

—Tira, en vez de hablar tanto. ¿Qué haces, estás dormido? —vociferaba Leonato.

El primero en reclamar un descanso era siempre Eumenes, que no había recibido ni formación ni adiestramiento guerrero.

—¡Muchachos, basta, estoy a punto de echar los hígados por la boca!

—¿Qué hígados? ¡Pero si tienes el libro de cuentas en el lugar del corazón!

Mas eran, de todos modos, paréntesis cada vez más breves. Una vez terminado el juego, descendía de nuevo sobre ellos la sombra del poder y de la riqueza.

Un día Eumenes pensó en hablar con Alejandro en privado y fue a verle a sus habitaciones en el palacio imperial.

—Cada día que pasa es peor —comenzó diciendo.

—¿Qué tratas de decir?

—Que no les reconozco ya. Tolomeo se hace traer muchachas hasta de Chipre y de Arabia, Leonato no puede ejercitarse en la lucha si no tiene arena líbica de la más fina y se la hace traer a lomo de camello de Egipto, Lisímaco se ha hecho construir un orinal de oro macizo incrustado de piedras preciosas. Un orinal, ¿comprendes? Seleuco tiene una esclava que le ata las sandalias, otra que le peina, una tercera que le perfuma, y otra que... dejémoslo estar mejor. En lo que toca a Pérdicas...

—¿También Pérdicas? —preguntó incrédulo Alejandro.

—Sí, también Pérdicas. Se ha hecho poner sábanas de púrpura en la cama. Y luego tenemos a Filotas. Éste siempre ha sido más bien arrogante y presuntuoso y ahora ha empeorado. Corren rumores sobre él de que...

Pero el rey le interrumpió.

—¡Basta! —gritó—. ¡Basta! ¡Llama a un heraldo, rápido!

—¿Qué quieres hacer?

—¿Me has oído? ¡Te he dicho que llames a un heraldo!

Eumenes salió y volvió al poco con un emisario.

—Deberás dirigirte inmediatamente —le ordenó el rey— a las casas de Tolomeo, Pérdicas, Crátero, Leonato, Lisímaco, Hefestión, Seleuco y Filotas y comunicarles a cada uno de ellos que vengan inmediatamente a verme.

El emisario salió corriendo, saltó a caballo y refirió el mensaje a los destinatarios. Cuando no les encontraba en casa, refería a los siervos, aparte de la orden de convocatoria, el humor del rey, por lo que corrían ansiosos en busca de sus amos.

—Será para algún partido —sugirió Leonato hablando con Pérdicas mientras subían las escaleras.

—Lo dudo. ¿Has visto alguna vez usar un emisario de caballería de asalto para invitar a la gente a dar dos patadas a la pelota?

—A mí me parece que volveremos a partir para la guerra —intervino Lisímaco, que llegaba en aquel instante.

—¿La guerra? ¿Qué guerra? —preguntó Seleuco alcanzándoles sin aliento.

Eumenes les recibió en la antecámara con cara de esfinge y se limitó a decir:

—Está allí.

—¿Tú no vienes? —preguntó Tolomeo.

—¿Yo? No, yo no tengo nada que ver.

Luego abrió la puerta, les hizo entrar, la volvió a cerrar a sus espaldas y se puso inmediatamente a escuchar. Alejandro comenzó a gritar tan fuerte que tuvo que alejar el oído de la cerradura.

—¡Así que sábanas de púrpura! —aullaba—. ¡Orinales de oro macizo! ¡Arena de Egipto para practicar la lucha! Por qué aquí no hay arena, ¿verdad? ¿O no es lo bastante fina para tu delicadísimo culo? —Rió sarcásticamente acercándose a Leonato—. ¡Flojos! ¡En esto es en lo que os habéis convertido! Pero ¿qué os creéis?, ¿que os he traído hasta aquí para veros reducidos a este estado?

Tolomeo trató de calmarle.

—Alejandro, escucha...

—¡Tú a callar, que te haces traer las putas de Chipre y de Arabia! Yo os he traído hasta aquí para cambiar el mundo, no para ablandaros en medio de la molicie y del lujo. ¿Acaso hemos hecho una guerra para adquirir los hábitos de vida de aquellos que hemos derrotado? ¿Es para esto para lo que hemos marchado, padecido el calor, el frío, el hambre y las heridas? ¿Para acabar como aquellos que hemos sometido? Pero ¿es que no comprendéis que es por esto por lo que los persas han perdido? ¿Porque vivían como vivís vosotros ahora?

—Pero entonces por qué... —comenzó Pérdicas y hubiera querido añadir: «¿Por qué dejas en sus puestos a todos los gobernadores persas?», pero el rey le interrumpió:

—¡Silencio! A partir de mañana todos al campamento, a la tienda como antes. Todo el mundo almohazará personalmente a su caballo y bruñirá su propia armadura. Y pasado mañana vendréis todos conmigo a cazar el león a la montaña, y si acabáis despedazados porque os pesa el culo no pienso mover un dedo para salvaros. ¿Entendido?

—¡Entendido, rey! —gritaron todos.

—¡Entonces fuera de mi vista, vamos!

Todos se largaron deprisa en dirección a la puerta y desaparecieron escaleras abajo. Al mismo tiempo llegó el heraldo diciendo que no había habido manera de encontrar a Filotas y que sin duda aparecería enseguida. Eumenes asintió y se dispuso a seguir a sus compañeros, pero Alejandro le llamó.

—Aquí estoy —repuso, y entró.

—No he visto a Filotas —observó de inmediato el rey.

—No ha sido posible encontrarle. ¿Quieres que le sigan buscando?

—No, déjalo. Creo que mi música llegará igualmente a sus oídos.

¿Y tú? —preguntó acto seguido—. ¿Tú qué haces con todo el oro que has recibido?

—Vivo bien, pero sin exagerar. El resto lo ahorro para cuando sea viejo.

—Muy bien —replicó Alejandro—. Nunca se sabe. Si el día de mañana, necesitara un préstamo, ya sé a quién dirigirme.

—¿Puedo irme?

—Sí, por supuesto. —Eumenes hizo ademán de salir—. Un momento.

—¿Qué pasa?

—La orden, naturalmente, también vale para ti.

—¿Qué orden?

—La de dormir en el campamento, en la tienda.

—Naturalmente —repuso Eumenes, y salió.

Algún tiempo después Alejandro le convocó para decirle que era su intención trasladar todo el tesoro de Persépolis a Ecbatana, cuando se hubieran puesto en marcha hacia el norte. Eumenes se maravilló no poco por esta decisión que le parecía totalmente inútil e insensata, aparte de terriblemente costosa. Trató de expresar su parecer, pero estaba claro que la decisión del rey era irrevocable.

Sólo para esta operación, que duró más de dos meses, hubo que preparar un convoy de cinco mil parejas de mulos y de diez mil camellos, porque el uso de los carros hubiera sido casi imposible a lo largo de los senderos de montaña de Media.

Eumenes no conseguía, en cualquier caso, comprender el motivo de aquella decisión que le parecía extraña y, por si fuera poco, arriesgada, pero cada vez que pedía una explicación a Alejandro obtenía respuestas vagas y evasivas y, en cualquier caso, poco convincentes. Por último renunció a hacer otras preguntas, pero le quedó en el fondo del corazón una especie de sombrío presentimiento, como la expectativa de un acontecimiento dramático.

25

Durante algún tiempo los compañeros obedecieron las órdenes de Alejandro, pero luego Hefestión solicitó poder volver a palacio porque quería estar a su lado y el rey no supo decirle que no. Tras lo cual no pudo negar la vuelta tampoco a los demás, que con una excusa u otra obtuvieron nuevamente autorización para recuperar la posesión de sus residencias en la ciudad, tras comprometerse solemnemente a vivir del modo más sencillo y frugal. Pasó así casi toda la primavera. La ciudad devastada comenzaba lentamente a cicatrizar las heridas más graves, pero se veía que no sería ya nunca la de antes. Entretanto llegaban noticias de las provincias septentrionales del Imperio, aún independientes, relativas a que Darío estaba reuniendo otro ejército y que se preparaba para resistir en los montes del Cáucaso, alrededor del mar Caspio, y Alejandro decidió que había que partir. Para concluir dignamente aquel período de descanso, hizo preparar una fiesta y un banquete que fueran memorables.

Todas las salas del inmenso palacio fueron iluminadas como a plena luz del día por cientos de lámparas, los cocineros de las cocinas reales se pusieron manos a la obra para preparar los manjares más exquisitos, fueron elegidos por los eunucos de palacio los efebos más hermosos y las doncellas más atractivas para servir las mesas semidesnudos, de acuerdo a la usanza griega, y en el centro de la sala del convite fueron colocados grandes vasos de oro macizo tomados del tesoro imperial para usar como cráteras para el vino y para las bebidas aromáticas y especiadas, según las recetas orientales.

De igual modo, en las mesas fueron puestas copas de oro y de plata de los servicios imperiales y por todas partes se colocaron búcaros llenos de rosas y de lirios cogidos de los jardines de palacio, los únicos supervivientes en toda la ciudad.

La fiesta comenzó inmediatamente después de la puesta del sol y Eumenes se dio cuenta de que Hefestión había sido nombrado «maestro del festín» y que, como tal, había decretado que el vino sería servido a la manera de los tracios. Puro.

—¿Tú no tomas parte en la fiesta? —le preguntó Calístenes apareciendo de repente a sus espaldas.

—No tengo hambre —respondió Eumenes—. Y he de vigilar que todo se desarrolle lo mejor posible.

—¿O prefieres permanecer sobrio para disfrutar del espectáculo?

—¿Qué espectáculo?

—Bueno, no sé, pero sin duda está a punto de suceder algo. Esta fiesta no tiene sentido. Es grotesca. He llegado por la puerta de poniente, y el palacio lleno de luces contrasta brutalmente con la ciudad devastada y a oscuras. Llevamos aquí meses y Alejandro no ha ordenado reconstruir una sola casa.

—Tampoco lo ha impedido.

—No, eso no. Pero no ha hecho nada para evitar que los nobles y los ricos mercaderes se fueran. Se han quedado únicamente los más pobres y esto significa que la ciudad está condenada a muerte. Y con ella...

Eumenes levantó la mano como para ahuyentar una visión de pesadilla.

—No quiero oírte.

—¿Dónde está Parmenión? —preguntó Calístenes, cambiando aparentemente de conversación.

—No está.

—E imagino que esto no te dice nada. ¿Y El Negro?

—No le he visto.

—Precisamente. Por otra parte, no me consta que estuviera en la lista de los invitados. Mira, en cambio, quién llega.

Eumenes se volvió y vio avanzar a lo largo del corredor a Tais, la bellísima ateniense, descalza y con un traje muy atrevido, semejante a aquel con el que había bailado la primera vez delante del rey.

—Creo que ha pasado la noche con Alejandro —añadió Calístenes—, y eso no me augura nada bueno.

—A decir verdad, no —replicó Eumenes—, pero nadie dice que la cosa tenga que ir a peor.

Calístenes no replicó y se fue en dirección a la puerta llamada de Jerjes, saliendo por el pórtico trasero. Desde aquel punto podía ver, en la ladera de la montaña que dominaba el palacio, la tumbas, excavadas en la roca e iluminadas por lámparas votivas, de los soberanos aqueménidas, entre ellas la aún inacabada de Darío III. En el interior, los gritos de los comensales se hacían cada vez más fuertes, el alboroto cada vez más terrible.

En un determinado momento se oyó una música dominar el confuso estrépito, una música acompasada por el sonido de tambores y de tímpanos, aguda, que parecía acompañar una danza orgiástica. Calístenes levantó al mirada al cielo y murmuró:

—¿Dónde estás, Aristóteles?

Entretanto Eumenes se había asomado al salón de la *apadana* y se había dado cuenta de que el convite estaba degenerando rápidamente. Tais, casi desnuda, danzaba vertiginosamente acompañando sus movimientos con el sonido de minúsculos crótalos metálicos que sostenía entre los dedos. A cada pirueta, el corto quitón se le levantaba descubriendo sus formas escultóricas, mostrando el pubis y los glúteos marmóreos, mientras que los presentes daban alaridos a cada nueva obscena provocación.

Después de un deslizamiento imprevisto, de repente la muchacha se detuvo, de puntillas, y luego se puso lentamente en cuclillas, con los movimientos sensuales de un felino, siempre acompañada de la música que parecía seguir el cambio de sus movimientos. Cuando se volvió a levantar, empuñó un tirso, como el de las ménades, envuelto en hiedra y con una piña en la punta, y levantándolo en alto gritó, exaltada:

—¡*Komos!*

Se movía en medio de la selva de columnas como una ménade entre los troncos de un bosque y llamaba a todos a la danza orgiástica. Alejandro fue el primero en responder:

—¡*Komos!*

Y todos se unieron a él. Tais aferró con la otra mano una antorcha que sobresalía de la pared y comenzó a conducir la danza paroxística a través de la sala de las audiencias, los corredores, los tálamos de los maravillosos aposentos reales, seguida por los comensales: los hombres con los falos erectos por la incontenible excitación, las mujeres semidesnudas, o completamente desnudas, que provocaban la lujuria de todos con los contoneos más sensuales.

—¡El dios Dioniso está en medio de nosotros! —gritó Tais, con la mirada iluminada por el reflejo de la antorcha que agitaba en la mano.

Todos respondieron:

—¡*Euoé!*

—¡El dios Dioniso quiere venganza sobre estos bárbaros!

—¡*Euoé!* —vociferaban nuevamente las mujeres y los hombres en su delirio de vino y de deseo.

—¡Venguemos a nuestros soldados muertos en la batalla, a nuestros templos destruidos, a nuestras ciudades quemadas! —siguió gritando la muchacha y ante los ojos de Alejandro estampó su antorcha contra una pesada cortina de púrpura que colgaba a uno de los lados de un portal.

—Sí, venguémosles —repitió Alejandro como fuera de sí y estampó otra antorcha debajo de un gran mueble de cedro.

Eumenes, que se arrastraba detrás de ellos pegado a las paredes, asistía impotente a aquella destrucción y buscaba con la mirada si había alguien que pudiera parar aquella locura, pero no había nadie, entre aquella turba de varones y hembras en celo, que tuviera en los ojos la luz de la razón.

Las llamas se levantaron crepitando y la sala fue iluminada como en pleno día por la cárdena luz del incendio. Como poseídos por un demonio, los comensales se dispersaron gritando por las salas inmensas, por los patios y pórticos, prendiendo fuego por todas partes.

En breve tiempo, el maravilloso palacio se vio envuelto en un torbellino de llamas. Los cientos de columnas de cedro del Líbano ardieron como antorchas, el fuego lamió los techos y se propagó a las vigas y a los casetones, que gimieron y se rompieron por la violencia de la hoguera.

El calor se hizo insoportable y todos corrieron fuera, hacia el gran patio de entrada, continuando allí su danza, sus cantos y sus acoplamientos. Eumenes salió trastornado y angustiado por una puerta lateral y, mientras se alejaba hacia la escalinata exterior, vio a Tais completamente desnuda, tumbada en una alfombra del atrio, que daba placer al mismo tiempo a Alejandro y a Hefestión, gimiendo y retorciéndose en el éxtasis.

Los habitantes que se habían quedado entre las ruinas de Persépolis salieron corriendo de sus tugurios para contemplar aquella destrucción; el palacio excelso del Gran Rey estallaba devorado por el fuego, se hundía en medio de un infierno de pavesas, en un torbellino de humo negro que oscurecía las estrellas y la luna. Miraban inmóviles, petrificados, llorando.

Al día siguiente, el que fuera el más hermoso palacio del mundo entero aparecía como un cúmulo de cenizas humeantes que llegaban a tener en ciertos puntos un espesor de cuatro o cinco codos, de entre las que sobresalían únicamente las columnas de piedra con los capiteles en forma de toros alados. Quedaban los portales, el podio, los basamentos y las escaleras con las imágenes de la gran procesión de año nuevo y con los Inmortales de la guardia imperial petrificados para los milenios venideros, mudos testigos del desastre.

Alejandro había alcanzado, hacia el amanecer, su pabellón del campamento y se había echado, agotado, en el catre, cayendo en un sueño pesado y agitado.

Parmenión se presentó poco después al alba y los *pezetairoi* de guardia trataron inútilmente de detenerle cruzando las lanzas delante de la entrada. El viejo general rugió como un león:

—¡Quitaos de en medio, por Zeus! ¡Haceos a un lado, tengo que ver al rey!

Leptina fue a su encuentro con las manos levantadas como para tratar asimismo de frenarle, pero él le dio un empellón con un rudo gesto y fulminó con una mirada a *Peritas*, que se había puesto a gruñir:

—¡Tú al cubil!

Alejandro saltó del catre aguantándose la cabeza que estaba a punto de estallarle y gritó:

—¿Quién se atreve...?

—¡Yo! —gritó no menos fuerte Parmenión.

Alejandro aplacó su cólera como si hubiera sido Filipo en persona quien entraba en la tienda y se acercó a la jofaina sumergiendo la cabeza en el agua fría. Luego se aproximó, desnudo como estaba, a su huésped inesperado.

—¿Qué sucede, general?

—¿Por qué lo has hecho? ¿Por qué has destruido esa maravilla? ¿Esto fue lo que te enseñó Aristóteles? ¿Ésta la moderación, éste el respeto por todo lo bello y noble? ¡Te has mostrado delante de todo el mundo como un salvaje tosco y primitivo, un hombre arrogante y presuntuoso que cree poder comportarse como un dios! Yo he consagrado mi vida a tu familia, he sacrificado un hijo a esta empresa, he mandado a tus ejércitos en todas las batallas. ¡Tengo derecho a que me respondas!

—Cualquier otro que se hubiera permitido hacer y decir lo que has dicho y hecho tú estaría ya muerto, general. Pero te responderé, te diré por qué lo he hecho. He permitido el sacrilegio de Persépolis para que los griegos sepan que sólo yo soy el verdadero vengador, sólo yo aquel en el que pueden reconocerse, el único que ha logrado concluir un duelo secular. Y he querido que fuera una muchacha ateniense la que prendiera fuego al palacio de Darío y de Jerjes. Y por otra parte, una vez destruida la ciudad, ¿que séntido tenía conservar el palacio? Lo he dejado en pie el tiempo necesario para trasladar el tesoro y los documentos de los archivos a Ecbatana y a Susa.

—Pero...

—Estamos a punto de partir, Parmenión, para perseguir a Darío en las provincias más lejanas de su imperio. Ese palacio, si lo hubiera dejado intacto con su tesoro, habría sido una tentación demasiado grande para cualquiera, incluso para mi gobernador macedonio: el clima que se respiraba en él, la grandiosidad de aquellas salas, las escenas esculpidas por todas partes con los recuerdos de la grandeza aquéménida, y aquel trono... ¡vacío! El oro amontonado en cantidades inverosímiles bajo aquellas bóvedas habría hecho de cualquiera el hombre más poderoso de la tierra. Docenas de nobles persas intentarían apoderarse de él a toda costa, buscarían a cualquier precio sentarse en ese trono, empuñar ese cetro, y eso desencadenaría nuevas guerras, sangrientas, extenuantes, interminables. ¿Es esto lo que hubiera tenido que permitir?

»No tenía elección, general, no tenía elección, ¿lo comprendes? Si no quieres que vuelva la cigüeña, tienes que destruir el nido.

»Es cierto, he destruido una maravilla, pero ¿quién me impide resconstruir, llegado el momento, un edificio más grande y admirable aún? Pero entretanto he destruido también el símbolo de Persia y de sus reyes y he demostrado a los griegos y a los bárbaros de todo el mundo quién es el nuevo amo y señor; he demostrado que el pasado está muerto, es ceniza, y que nace una nueva era. Era hermoso, general, demasiado hermoso, y por esto era demasiado peligroso dejarlo en pie.

Parmenión agachó la cabeza: la orgía, las danzas, los gritos al dios Dioniso, la exaltación sagrada de la que le habían hablado poco antes Eumenes y Calístenes... ¡todo estaba previsto, todo preparado: una representación teatral sin duda realista, pero que no dejaba de ser una representación! Alejandro era capaz también de esto, era un actor mejor y más consumado que Tésalo, su intérprete favorito. Y las razones que había esgrimido en defensa de su acción eran indiscutibles, desde el punto de vista político, militar, ideológico. ¡Aquel muchacho pensaba ya y actuaba como el señor del mundo!

El rey tomó un rollo de su biblioteca y se lo alargó.

—Lee, ha llegado esta noche. Antípatro me anuncia que la guerra contra los espartanos está ganada. El rey Agis ha caído combatiendo en Megalópolis y no hay nadie en Grecia que se oponga a mi posición de caudillo supremo de la liga panhelénica. Por lo que a mí respecta, he hecho lo que debía. He cumplido con mi promesa de derrotar al secular enemigo de los griegos, Y también esto significa la destrucción de este palacio. Ahora no tengo otra preocupación que seguir mi destino.

Parmenión leyó por encima la carta de Antípatro no sin cierta dificultad, porque había perdido mucha vista, y comprendió lo que quería decir su rey.

Alejandro le apoyó una mano en un hombro y le miró con una mezcla de ceñudo afecto y de severidad militar:

—Prepárate, general —ordenó—. Reúne el ejército, restaura la disciplina más férrea. Estamos a punto de partir.

26

El ejército se puso en movimiento a finales de primavera y se dirigió al norte, subiendo hacia el centro de la meseta y teniendo el desierto a la derecha y los montes del Elam, cubiertos de nieve, a la izquierda. Recorrieron cuatro etapas durante unas veinte parasangas en total y llegaron, al caer la noche, a Pasargada, la capital ancestral de Ciro el Grande, el fundador de la dinastía aqueménida. Era una ciudad pequeña, habitada principalmente por pastores y labriegos, y conservaba, en el centro, el primer *pairidaeza* que se hubiera realizado nunca, un parque maravilloso que rodeaba el viejo palacio de Ciro. Un complejo sistema de irrigación que tomaba el agua de un manantial al pie de las colinas mantenía fresco y verdeante el prado, los rosales, los cipreses y tamariscos, las retamas aromáticas, los tejos y los enebros. Al lado, hacia poniente, se alzaba, majestuosa y solitaria, la tumba del Fundador.

Tenía ésta la forma sencilla y austera de la tienda cuadrangular de pieles de doble vertiente de los nómadas de la estepa de la que procedían, cuatro siglos antes, los persas. Primero vasallos de los medos y de su rey Astiages, luego conquistadores de inmensos territorios. Pero aquella sencilla construcción estaba situada sobre un impresionante basamento de piedra hecho de siete escalones, a modo de una torre mesopotámica, y estaba rodeada por una columnata que encerraba un jardín con árboles de tejo perfectamenete cuidados y podados.

La tumba estaba aún custodiada por un grupo de magos y por un sacerdote que oficiaba diariamente las ceremonias en honor del gran soberano. Se quedaron espantados cuando vieron acercarse a Alejandro, habiendo oído decir lo que había hecho en Persépolis, pero el rey les tranquilizó.

—Lo hecho, hecho está —dijo— y no sucederá más. Enseñadme

este monumento, os lo ruego. Sólo quiero rendir homenaje a la memoria de Ciro.

El sacerdote abrió la puerta del oratorio y dejó pasar al joven rey, que miró en torno suyo en silencio. Un rayo de sol entraba por la puerta para iluminar el tosco sarcófago sobre el que no había nada más que una breve inscripición:

YO SOY CIRO, REY DE LOS PERSAS
NO DAÑÉIS MI TUMBA

Al fondo, en un colgador, estaba la armadura del gran conquistador: una coraza de piezas de hierro, un yelmo de forma cónica, un escudo redondo y una espada también de hierro con la empuñadura de marfil, único ornamento de valor en toda la panoplia.

Reinaba un profundo silencio en la meseta y se oía únicamente el leve silbido del viento que acariciaba la imponente tumba solitaria. Alejandro percibió aguda en ese momento la sensación de la mudanza de la humana fortuna, del efímero sucederse de los avatares. Los imperios crecían y se hundían para dejar paso a otros, que a su vez se volverían grandes y poderosos para caer posteriormente en el olvido. ¿Era la inmortalidad nada más que un sueño?

Advirtió en aquel momento la presencia de su madre, tan fuerte que le parecía casi poderla tocar, de haber extendido la mano hacia la pared oscura del santuario. Y le parecía oír su voz que decía: «Tú no morirás, *Aléxandre...*».

Se dio la vuelta, salió al rellano exterior en lo alto de la escalinata, aspiró el aire seco y perfumado de la gran meseta y se sintió inundado por aquella luz purísima. Al agachar la mirada para descender, vio a Aristandro, que parecía esperarle.

—¿Cómo tú por aquí, vidente? —le preguntó.

—He oído una voz.

—También yo, la de mi madre.

—Estáte en guardia, *Aléxandre*, recuerda la historia de Aquiles —le advirtió Aristandro.

Y se alejó, con el viento que hacía chascar su manto como una bandera.

Al día siguiente atravesaron el territorio de una tribu vasalla del Gran Rey y la sometieron, pero poco más adelante, mientras subían cada vez más alto hacia la meseta de Media, le llegó al rey un despacho de Eumolpo de Solos:

El rey Darío se encuentra en Ecbatana, donde está tratando de reunir un ejército de escitas y cadusios haciendo uso del tesoro del palacio real. Ha enviado el harén a levante a través de las Puertas Caspias. Es urgente que llegues a la ciudad lo más pronto posible o tendrás que librar una batalla mucho más dura y de resultado incierto, pues los escitas y los cadusios son jinetes incansables y harto temibles. No atacan frontalmente, sino que hacen incursiones y maniobras de distracción, desorientando al enemigo y extenuándolo con ataques y retiradas continuos. Recuerda que ya Ciro y Darío el Grande fueron derrotados por los escitas.

Alejandro, tras leer el mensaje, decidió partir inmediatamente con la caballería y la infantería en orden de batalla, confiando el convoy con los pertrechos y el tesoro a Parmenión, que podía disponer de tan sólo tres batallones de *pezetairoi* y de uno de infantería ligera de tracios y tribalos. No quedaba ya más que una capital por conquistar: la última.

Comenzaron así a trepar montes arriba a marchas forzadas, remontando cuando ello era posible los valles de los ríos que hacían más fácil el paso. El paisaje era cada vez más impresionante, por los fuertes colores de las estribaciones montañosas, negras como el basalto, y de las cumbres nevadas que resplandecían cual zafiros bajo el sol. Abajo se extendía el desierto con su color rubio dorado, en el que destacaban, semejantes a islas verdeantes, los oasis con las aldeas de labriegos y pastores. Otras aldeas se alzaban en las faldas de los valles cerca de manantiales o arroyos de aguas cristalinas y, cuando el ejército pasaba, salían todos de sus casas y de sus cabañas a mirar a los forasteros que cabalgaban sin pantalones o llevaban en la cabeza extraños sombreros de ala ancha.

De vez en cuando, se veían torres de piedra, precedidas por escaleras, erguidas sobre alturas aisladas: las torres del silencio, en las que los habitantes de aquellas tierras exponían a sus muertos para que se disolvieran en la naturaleza, sin contaminar ni la tierra ni el fuego. Alejandro pensaba entonces en Barsine, depositada en un tosco túmulo en el inhóspito desierto de Gaugamela, y pensaba en el joven Phraates, que había vuelto a Panfilia con su abuelo, único superviviente de su familia. ¿Qué pasaría en aquel momento por la cabeza del adolescente? ¿Sueños? ¿Ansias de venganza? ¿O simplemente la melancolía de un huérfano?

Se requirieron diez días de marcha por valles cada vez más angostos para llegar por fin a la vista del esplendor de Ecbatana, rodeada por una corona de montañas cubiertas de nieve y un valle verde. El borde superior de las murallas y de las almenas, decorado con azulejos y con láminas de oro, resplandecía cual una diadema en torno a la frente de una reina, refulgían los pináculos y las agujas de los palacios y de los santuarios, recubiertos de oro puro. Alejandro se acordó, como si hubiera sucedido el día antes, de su conversación en el palacio real de Pella con el huésped persa que le había descrito aquella maravilla. Entonces a él, poco más que un niño, se le había antojado una fábula: miraba los ojos negros y profundos de su interlocutor, su barba negra y rizada, la espada de ceremonia de oro macizo y le parecía un ser irreal, mensajero de un reino de fábula. Y ahora he aquí que tenía aquella ciudad legendaria ante sus ojos.

Estaban con él Oxatres, hijo de Maceo, el sátrapa de Babilonia, y primo del rey por parte de madre, un joven ambicioso que ardía de deseos de distinguirse a los ojos del nuevo señor. Espoleó su caballo y se acercó a las murallas intercambiando unas pocas palabras rápidas con los centinelas. Luego se dio la vuelta y volvió adonde estaba Alejandro para informar con sus pobres conocimientos de griego, aunque ya lo bastante comprensibles:

—El Gran Rey Darío ha partido. Él no combate, huye con el tesoro y el ejército.

—¿Hacia qué parte?

—Por ahí —respondió el jovenzuelo indicando el norte—. Sátrapa se rinde.

Alejandro hizo un gesto de que había comprendido y dio la señal al ejército de que le siguiera hacia las puertas de la ciudad, que se abrían en aquel momento. Todos se movieron en perfecto orden, puesto que había sido restablecida una férrea disciplina y la mínima infracción era castigada con el látigo o peor aún.

Parmenión, con sus tropas y la caravana, llegó dos días después a la caída de la tarde, pero hicieron falta cinco días y cinco noches para entrar, descargar y hacer salir por la otra parte las veinte mil bestias de carga que habían transportado los ciento veinte mil talentos del tesoro real, a una media de seis talentos cada una, un peso límite que había contribuido a aminorar notablemente la marcha de los animales.

Una vez concluida toda la operación y tras organizarse las tropas en el campamento extramuros, Alejandro invitó a cenar al viejo general. Una comida muy ligera, por no decir frugal, y sin vino en la mesa, nada más que agua. «Querrá hacer penitencia por los excesos de Persépolis», pensó Parmenión mordiendo un pedazo de pan persa cocido bajo la ceniza.

—¿Qué me dices de mi primo, el príncipe Amintas? —comenzó diciendo Alejandro—. Me pregunto si puedo seguir confiando en él o si conviene seguir teniéndole bajo vigilancia.

—¿No se ha encontrado nada en los archivos reales?

—Harán falta meses, si no años para examinar los archivos reales. Hasta ahora, que yo sepa, Eumenes no ha encontrado nada referente al asesinato de mi padre o a una posible connivencia de Amintas con Darío. De todos modos, creo que conviene ser prudentes y mantener la vigilancia.

Alejandro tomó un sorbo de agua, luego, al cabo de un poco, prosiguió, cambiando de asunto:

—Lamento que haya habido entre nosotros situaciones de enfrentamiento...

—Estoy acostumbrado a decirte lo que pienso, señor, como hacía con tu padre.

—Lo sé. Pero ahora escúchame. —El cocinero, entretanto, pasaba con unas legumbres, verduras y tazas de leche cuajada de ácido sabor—. Perseguiré a Darío hasta que haya dado con su paradero y le obligaré a un último enfrentamiento, tras lo cual este imperio será completamente nuestro.

»Para hacer esto necesito tener a alguien, aquí en Ecbatana, que me cubra las espaldas y que me garantice el contacto con Macedonia, los avituallamientos, el envío de refuerzos y todo lo demás, aparte de la custodia del tesoro real. Ese hombre eres tú, general, el único en quien puedo confiar. Por lo que se refiere a la administración, conferiré el cargo a Hárpalo. Es un buen muchacho y Eumenes le aprecia. ¿Qué me respondes?

—Entendido, soy demasiado viejo y no me quieres ya más en el campo de batalla; me retiras y...

—Claro que eres viejo, general —replicó Alejandro con una extraña sonrisa. Y luego, casi gritando—: ¡He visto que hoy cumples setenta años!

A estas palabras, un coro ruidoso de voces masculinas comenzó a cantar desde detrás de la tienda:

¡El viejo soldado que va a la guerra
cae por tierra, cae por tierra!

E inmediatamente hicieron irrupción todos los compañeros de Alejandro, y también Filotas, Eumenes y su ayudante Hárpalo, trayendo a hombros un cordero asado, una enorme crátera llena de vino, una parrilla de estarnas y dos perdices, pollos y ocas, y un buen número de manjares de todo tipo. Para la ocasión había sido invitado también el segundo hijo de Parmenión, Nicanor.

Leonato arrojó al suelo todas las legumbres y la leche cuajada vociferando:

—¡Menudo asco! ¡A comer, a comer!

Parmenión se emocionó al ver que le habían preparado una fiesta tan espléndida y se secaba los ojos a hurtadillas. Alejandro se le acercó con un rollo sellado:

—Éste es mi regalo de cumpleaños, general.

Y se lo ofreció con una sonrisa.

Parmenión lo abrió y leyó sin dificultad, porque había sido todo expresamente escrito en letras mayúsculas: el rey le regalaba un bellísimo palacio en Susa, otra en Babilonia y un tercero en Ecbatana, y le hacía concesión de vastas posesiones en Macedonia, Lincéstide y Eordea, así como de una pensión vitalicia de ciento cincuenta talentos. En la segunda página del rollo figuraba el nombramiento para su hijo Filotas de comandante de la caballería. Seguía el sello real con el refrendo: «Eumenes de Cardia, secretario general».

—Señor, yo... —comenzó Parmenión con la voz que le temblaba, pero el rey le contuvo.

—No digas una palabra más, general, esto es mucho menos de lo que mereces, y todos nosotros te deseamos que puedas disfrutarlo hasta los cien años y más. En cuanto a tu cargo, es el más importante y crucial que pueda ser conferido al este de los Estrechos y tú eres la única persona en la que puedo confiar plenamente.

Parmenión pasó la hoja con el nombramiento de comandante de la caballería a su hijo Filotas diciendo:

—¿Has visto, hijo, has visto? Vamos, enséñaselo también a tu hermano.

El rey le abrazó mientras los compañeros aplaudían y la fiesta continuó hasta entrada la noche. Regresaron a sus aposentos hacia el segundo turno de guardia, todos ebrios, incluido Parmenión.

27

Alejandro hubiera querido detenerse el mínimo indispensable y volver a partir enseguida en persecución de Darío, pero tuvo que quedarse a despachar una cantidad de compromisos y sobre todo a escribir: a su madre que continuaba lamentándose de cómo era tratada por Antípatro, a Antípatro que había ganado la guerra con Esparta pero que era cada vez más crítico con respecto a Olimpia; y, finalmente, a todos sus sátrapas y gobernadores.

—¿Cómo piensas resolver este asunto entre el regente y tu madre? —le preguntó Eumenes mientras sellaba la carta—. No puedes seguir fingiendo que no pasa nada.

—No, no puedo. Pero el regente tiene que comprender que una lágrima de mi madre vale más que mil de sus cartas.

—Pero esto no es justo —rebatió el secretario—. El regente tiene pesadas responsabilidades y necesita estar tranquilo.

—Tiene también todo el poder y mi madre, a fin de cuentas, es la reina de Macedonia. Hay que comprenderla también a ella.

Eumenes sacudió la cabeza, dándose cuenta de que no había nada que hacer. Por otra parte, el rey no veía a su madre desde hacía ya cuatro años y era comprensible que recordase de ella únicamente los aspectos gratos. Y sentía asimismo una gran nostalgia por su hermana Cleopatra, a la que no dejaba de escribir cartas de una gran ternura.

Cuando hubieron terminado de despachar la correspondencia, Alejandro dijo:

—He decidido licenciar a los aliados griegos.

—¿Por qué? —preguntó Eumenes.

—La liga panhelénica está de nuevo firmemente en nuestras manos y tenemos bastante dinero para enrolar a cualquier ejercito que nos sea útil. Además los griegos, una vez en casa, contarán lo que han visto y hecho, y esto tendrá una influencia enorme sobre la gente, mucho más que la *Historia* que está escribiendo Calístenes.

—Pero son guerreros formidables y...

—Están cansados, Eumenes, y el camino que nos espera es todavía largo. Podría llegar el momento en que se sintieran demasiado lejos de casa y podrían tomar decisiones irreflexivas en el momento equivocado. Prefiero prevenir todo esto. Reúneles mañana al amanecer fuera del campamento.

Los griegos habían comprendido por muchos indicios que les aguardaba algo importante: a la hora antelucana, recibieron la orden de preparar los bagajes y los carros de transporte y de ponerse la armadura perfectamente bruñida.

Alejandro se presentó a lomos de *Bucéfalo*, armado hasta los dientes, flanqueado por su guardia. Esperó a que los primeros albores hicieran brillar las armas de los hoplitas y comenzó a hablar:

—¡Aliados! Vuestra contribución a nuestra victoria ha sido de gran importancia, en ciertos casos determinante. Ninguno de nosotros olvida que fue la infantería griega, en la jornada de Gaugamela, la que resistió en el ala derecha los continuos asaltos de Beso y de sus jinetes medos. Habéis sido arrojados, valerosos, leales a vuestro juramento de servir a la liga panhelénica y a su comandante supremo. Habéis hecho realidad lo que ningún griego, ni siquiera los que tomaron parte en la guerra de Troya, pudo ver cumplido: conquistar Babilonia, Persépolis, Ecbatana.

»Ha llegado para vosotros la hora de disfrutar de los frutos de vuestro compromiso. Os libero de vuestro juramento y os licencio. Cada uno de vuestros oficiales recibirá un talento, cada soldado treinta minas de plata, aparte del dinero para pagar vuestros gastos de viaje de aquí hasta Grecia. ¡Os estoy agradecido; volved con vuestras familias, con vuestros hijos, a vuestras ciudades!

Alejandro se esperaba una explosión de júbilo y de aplausos y en cambio oyó un murmullo difuso que pronto se convirtió en una animada discusión.

—¿Qué ocurre, soldados? —gritó entonces estupefacto—. ¿No os pago bastante? ¿No estáis contentos de volver?

Un oficial que frisaría en los cuarenta, un tal Heliodoro de Egión, se adelantó y dijo:

—Rey, te damos las gracias por todo y estamos contentos de que valores nuestra ayuda. Pero sentimos tener que dejarte. —Alejandro le miró incrédulo—. Porque combatiendo a tu lado hemos llevado a cabo gestas que ningún soldado soñaría en realizar. Muchos de nosotros se preguntan qué cosas no harás todavía, qué tierras conquistarás aún, qué lejanos lugares le será dado ver a quien sirva bajo tu estandarte. Es cierto que muchos aceptarán tu invitación y volverán a sus casas, con alegría por un lado, pero con el corazón lleno de tristeza por el otro, porque en todo este tiempo han aprendido a admirarte y a quererte.

»Otros no tienen familia o, si la tienen, creen que es para ellos más importante seguirte adonde tú quieras conducirles y luchar honorablemente arriesgando su vida si fuera preciso. Si los aceptas, estos hombres prefieren quedarse.

Una vez que hubo terminado de hablar, retrocedió a las filas al lado de sus compañeros.

—Hombres como vosotros —respondió Alejandro— hay pocos y me sentiré honrado si alguno quiere quedarse. Pero quien se quede no estará aquí como aliado enviado por su ciudad, sino por razones privadas, como soldado de oficio. Le ofreceré una suma de seiscientos dracmas por toda la campaña y, si cayera en combate, dicha suma será entregada a su familia. Quien quiera quedarse que dé tres pasos al frente de la primera línea, y los demás pueden partir en cualquier momento con mi gratitud, mi amistad y mi afecto.

Los hombres golpearon largo rato las lanzas contra los escudos vitoreando el nombre del rey, como verdaderos soldados macedonios. Luego aquellos que querían quedarse dieron tres pasos al frente de la primera fila y Alejandro pudo ver que eran casi la mitad.

Aquel mismo día, los griegos que volvían a casa emprendieron viaje marchando entre las dos alas de la infantería y de la caballería formadas para el último saludo, mientras sonaban las trompas en señal de licenciamiento. Y cuando Parmenión en persona ordenó «¡Presenten... armas!», muchos de aquellos hombres, hechos a todo tipo de peligros y de excesos, tenían lágrimas en los ojos.

Tan pronto como hubieron desaparecido tras el primer recodo del camino y se hubo apagado el sonido de los tambores que marcaba su paso, Alejandro hizo sonar de nuevo las trompas y el ejército, tras realizar una amplia conversión, se puso en marcha tras los pasos del Gran Rey. Oxatres, que conocía unos atajos, se ofreció a ir por delante con dos de sus mercenarios escitas y partió al galope.

El ejército avanzaba por una vasta planicie donde podían verse pequeños antílopes y cabras salvajes y donde por la noche se oía, de vez en cuando, el rugido del león. El ritmo de marcha era casi insoportable: muchos infantes tuvieron que detenerse a causa de sus pies llagados y no pocas bestias de carga se desplomaron agotadas bajo el peso de la impedimenta, extenuadas por el esfuerzo, pero Alejandro no atendía a razones y seguía pidiendo que avanzaran cada vez más deprisa, durmiendo sólo unas pocas horas por la noche sin montar las tiendas, para no dar tregua a Darío.

Les recordaba a todos los veteranos cómo habían alcanzado una vez Tebas desde la riberas del río Istro en tan sólo trece días de marcha, y él mismo dormía de noche en el suelo junto con ellos cubriéndose únicamente con el manto militar. En ocasiones existía la posibilidad de encontrar refugio en los caravasares diseminados a lo largo del camino que conducía hacia las provincias orientales, pero se trataba de estructuras de capacidad limitada, donde eran albergados los enfermos o los más duramente castigados por el esfuerzo.

El aire se hacía cada vez más fino y cortante, especialmente al atardecer, y Eumenes había recobrado la costumbre de ponerse los pantalones, con los se sentía mucho mejor. Durante seis días de marchas forzadas hacia el este bordearon una imponente cadena montañosa rematada por una cima tan alta como no habían visto nunca otra, cubierta de nieve, hasta que llegaron a la entrada de un desfiladero llamado las Puertas Caspias. Se trataba de una garganta, al fondo de la cual corría un torrente, flanqueado por unas paredes tan escarpadas que a duras penas los agrianos hubieran podido escalarlas.

—Si nos tienden una emboscada aquí —dijo El Negro— pueden hacernos pedazos.

Y parecía imposible que el rey Darío no aprovechara aquella ventaja. Alejandro miró hacia lo alto las pinas paredes y el lento revolotear de un águila.

—¿Crees que hay alguien allá arriba?

—No hay manera de saberlo.

—Los agrianos.

—Les mandaré inmediatamente en misión de reconocimiento.

Poco después los soldados, desde el fondo de la garganta, miraban nariz en alto las acrobacias de los exploradores agrianos que trepaban por las pendientes rocosas, que excavaban a veces, con los picos, estrechos pasos para avanzar por el borde de torrenteras escarpadas y luego volver a subir con infatigable aliento. Uno de ellos, poco antes de alcanzar la cima, perdió pie mientras trataba de agarrarse con la mano a un saliente y se precipitó al vacío despanzurrándose contra las rocas. Sus compañeros siguieron subiendo, pero otro grupo se destacó del hondo valle y subió hasta el lugar donde el destrozado cadáver había quedado encajonado entre dos rocas. Lo cogieron y lo arrastraron con gran peligro al valle, luego prepararon unas parihuelas, le acomodaron en ellas y lo cubrieron con un manto en espera de reanudar la marcha.

Los otros, entre tanto, cerca de una veintena, habían llegado a la cima y con el cuerno daban la señal de que se podía avanzar. El ejército progresó de ese modo sin que los soldados del Gran Rey hicieran nada por oponer resistencia y, a la primera parada, los agrianos celebraron las exequias de su compañero caído. Le pusieron sobre una pira de ramas de pino y le quemaron cantando a coro una lúgubre nenia. Luego, tras haber guardado en una urna sus cenizas con las armas y la fíbula del manto, se embriagaron y armaron gran algarabía el resto de la noche.

28

Poco antes de acabar su guardia el cuarto turno, Alejandro, que estaba en duermevela, oyó a *Peritas* que gruñía.

—¿Qué pasa, oyes algo? Bueno, bueno... Será algún lobo, o un lince.

Alzó los ojos hacia el cielo y vio la fogata que los agrianos mantenían encendida en las laderas de la garganta para indicar que el camino estaba expedito por el momento. Luego oyó un ruido de pasos, un parlotear confuso.

—¿Qué sucede? —repitió más fuerte.

Se adelantó Hefestión.

—Es Oxatres de vuelta con sus escitas. Quiere hablar contigo.

—¿Oxatres? Hazle pasar.

Del fondo de la quebrada avanzaban los tres jinetes, armados y con los arcos en bandolera, cubiertos de polvo. Oxatres, agotado por el esfuerzo realizado, se apeó y se balanceó en un estado de gran debilidad. Probablemente no sentía ya las piernas por haber cabalgado más allá de todo límite de resistencia.

—El rey Darío destituido y hecho prisionero por Beso —dijo jadeando—, sátrapa de Bactriana.

—Ese hijo de perra que en Gaugamela estuvo a punto de envolvernos por la derecha —observó Leonato.

Oxatres pidió un intérprete para asegurarse de ser comprendido y prosiguió:

—El rey había abandonado Ecbatana con seis mil jinetes, veinte mil infantes y siete mil talentos del tesoro real con la intención de poner tierra quemada de por medio y esperarte en el paso de las Puertas Caspias, pero sus soldados, viéndole siempre huir, se desmoralizaron, en parte también porque se supo que ni los escitas ni los cadusios mandarían tropas de refuerzo. Muchos comenzaron a desertar, nosotros mismos hemos encontrado a varios de ellos que nos han dado esta información, abandonando de noche el campamento y dispersándose por las montañas o por el desierto, mientras los correos referían que tu vanguardia se hallaba cada vez más cerca. En ese momento Beso, con el apoyo de otros sátrapas, Satibarzanes, Barsaentes y Nabarzanes, apresó al rey, le hizo encadenar y encerrar dentro de un carro y ahora se dirige rápidamente hacia las provincias orientales.

—¿Dónde están, ahora? —preguntó Alejandro.

Entretanto sus compañeros se habían vestido y armado, habían atizado el fuego y estaban todos de pie en torno al vivaque, presintiendo que dentro de poco entrarían en acción.

—Entre aquí y la ciudad de Hecatómpilos, la capital de los medos. Pero la garganta está expedita, y si corres con la caballería llegarás a tiempo de alcanzarles. Aborrezco la simple idea de que un hombre ambicioso disfrute de los frutos de su traición. Si piensas seguirle, iré contigo y te haré de guía.

—No me pareces estar en condiciones aún de cabalgar —replicó Alejandro—. Estás extenuado.

—Dame tiempo para comer algo y desentumecer un poco las piernas y verás.

Alejandro hizo una señal a Leptina, que llegaba en aquel momento con el «bocado de Néstor», y se lo hizo dar a Oxatres.

—Prueba esto —dijo—. Resucita a los muertos. —Luego, vuelto hacia los compañeros—: Todas las unidades de caballería dispuestas a ponerse en camino inmediatamente.

No esperaban otra cosa: en pocos instantes las trompas tocaron a reunión e inmediatamente después Alejandro saltó a caballo y se lanzó al galope a lo largo de la quebrada al lado de Oxatres, seguido por Hefestión, Tolomeo, Pérdicas, Crátero y todos los demás. Las unidades de los *hetairoi* fueron desfilando a medida que estaban listas para partir y que quedaba espacio libre al fondo de la estrecha garganta.

Cabalgaron durante horas deteniéndose sólo el mínimo indispensable para permitir a los caballos recuperar el aliento. Ahora el desfiladero se ensanchaba hacia el valle que descendía en dirección a la ciudad y el sol comenzaba a asomar por las cimas nevadas de los montes de Hircania. De repente Oxartres gritó:

—¡Alto!

Y tiró de las riendas de su caballo. El animal se quedó parado bufando, reluciente de sudor, y también Alejandro y los suyos se detuvieron disponiéndose en amplio círculo y echando mano a las armas. El rey desenvainó su espada, Leonato desató su hacha y todos miraron al príncipe persa que señalaba un objeto a un par de estadios de distancia.

—Es un carro de las caballerizas reales —dijo—. Acaso lo han abandonado para correr más rápidos.

—Sigamos adelante y estemos atentos —ordenó Alejandro—. Podría tratarse de una trampa. Tú, Hefestión, por allí, y Tolomeo por aquel lado. Tú, Pérdicas, ve adelante y echa un vistazo a lo que hay detrás del recodo. Ten cuidado.

Oxatres empujó adelante su caballo al paso y se acercó y también Alejandro le siguió juntamente con Leonato y Crátero.

El carro real estaba en medio del camino, aparentemente intacto, y tenía las puertas cerradas.

—Espera —dijo Leonato—. Deja que vaya yo primero. —Se apeó blandiendo el hacha, abrió la puerta y se asomó a su interior. Murmuró—: Oh, gran Zeus...

Alejandro se acercó a su vez: el rey Darío yacía en el fondo, en traje de campaña, sin ninguno de los signos de su realeza salvo el aspecto majestuoso, la larga cabellera, la barba rizada y los tupidos bigotes que contrastaban con la mortal palidez de la piel. Tenía en el pecho una gran mancha de sangre que le empapaba las ropas hasta la cintura y tenía las manos encadenadas. Por desprecio le habían atado las manos con una cadena de oro.

—¡Cobardes! —maldijo Alejandro indignado.

—¡Rápido, saquémosle afuera! —exclamó Tolomeo—. Tal vez esté aún vivo. ¡Llamad a Filipo, deprisa!

Dos soldados levantaron delicadamente el cuerpo del Gran Rey y lo depositaron en el suelo sobre una manta. Filipo llegó a toda prisa y se arrodilló al lado de Darío apoyando el oído sobre su pecho.

—¿Está muerto? —preguntó Leonato.

Filipo le hizo una señal con la mano de que guardara silencio y continuó auscultándole.

—Es increíble... —dijo—. Aún respira.

Todos se miraron a la cara. Alejandro se arrodilló cerca de Filipo.

—¿Puedes hacer algo por él?

El médico sacudió la cabeza, luego se puso a soltar las cadenas que tenían atadas las muñecas del soberano.

—Sólo dejarle morir como un hombre libre. Es cuestión de pocos momentos ya.

—¡Mirad! —exclamó Crátero—. Mueve los labios...

Oxatres se arrodilló a su vez al lado del rey y acercó el oído a su boca, por un instante, luego se puso en pie con los ojos relucientes.

—Ha muerto —dijo con voz que le temblaba de la emoción—. El Gran Rey Darío III ha muerto.

Alejandro se le acercó.

—¿Ha dicho algo? —preguntó—. ¿Has conseguido oír sus palabras?

—¡Ha dicho... «venganza»! —respondió.

Alejandro miró a su enemigo, su mirada vítrea que un día le mirara fijamente por un instante llena de espanto en el campo de batalla de Issos y sintió una profunda sensación de piedad por aquel hombre que hasta pocos meses antes estaba sentado en el más alto trono de la tierra, venerado como un dios por millones de súbditos y que ahora, traicionado por sus propios amigos, yacía abandonado en un camino polvoriento. Le vinieron a la memoria los versos de *La caída de Ilión* que describían el cuerpo inerte de Príamo muerto por Neoptólemo:

Aquí yace el rey del Asia, quien poderoso señor fuera
de los ejércitos, como árbol abatido por el rayo,
un tronco abandonado, un cuerpo sin nombre.

Murmuró:
—Seré yo mismo quien te vengue. Te lo juro.
Y le cerró los párpados.

29

Alejandro a Sisigamis, Gran Madre Real, ¡salve!

Tu hijo Darío ha muerto. No por mi mano, ni de ninguno de mis hombres, sino por mano de sus propios amigos, que lo han asesinado, abandonándole junto al camino en la ruta de Hecatómpilos.

Cuando le encontré respiraba aún, pero no pudimos hacer nada por ayudarle, salvo jurar vengar su muerte ignominiosa. Su último pensamiento fue sin ninguna duda para ti, tal como lo es ahora el mío. Esta muerte es una ofensa para mí como lo ha sido para él porque nos ha privado a ambos de un leal combate, cara a cara, que dejase un vencedor y un vencido y rindiese honor en cualquier caso al desafortunado valor del perdedor.

Ahora te lo mando a ti, para que puedas estrecharle contra tu pecho por última vez y llorarle mientras le acompañas a su última morada. Su cuerpo ha sido preparado para que pueda afrontar, incorrupto, el largo viaje hasta las rocas de Persépolis, donde está lista para acogerle la tumba que se hizo excavar en la roca al lado de los demás reyes.

Dispón tú las más solemnes exequias. En cuanto a mí, no cejaré hasta haber dado con los asesinos y vengado su muerte. Para una madre no hay dolor más grande que perder a un hijo, pero, te ruego que no me odies. A ti los dioses te conceden, en cualquier caso, el poder llorarle y darle sepultura según la costumbre de tus mayores. A mi madre, que hace años que me espera, tal vez ni siquiera esto le sea concedido.

Sisigambis cerró la carta y lloró largamente en la intimidad de su aposento; luego llamó a los eunucos y les ordenó que prepararan la litera y las caballerías, las ropas de luto y las ofrendas fúnebres. Al día siguiente se puso en viaje a través del país de los uxios en favor de los que había intercedido ante Alejandro para que no fueran expulsados de su tierra.

Cuando corrió el rumor de que la reina madre subía a Persépolis para dar sepultura a su hijo, el pueblo entero se congregó a lo largo del sendero: hombres, mujeres, viejos y niños acogieron en silencio a la anciana soberana rota de dolor y le dieron escolta hasta el confín de su tierra, hasta el límite de la meseta desde la cual se veían ahora las ruinas de la capital quemada, las columnas del luminoso palacio del solsticio, troncos petrificados de un bosque devorado por el fuego.

Se detuvo ante las puertas de la ciudad destruida, hizo levantar la tienda y ayunó allí hasta el día en que vio aparecer, al fondo del camino que llegaba de Ecbatana, el carro tirado por cuatro caballos negros que transportaba el cuerpo de su hijo.

Alejandro reanudó inmediatamente la persecución de Beso y de sus cómplices llegando al cabo de un día a la ciudad llamada Hecatómpilos, donde el comandante persa se rindió sin presentar batalla, y desde ahí también llegó a Zadracarta, en el país de los hircanios. Delante de ellos se abría ahora la inmensa llanura del mar Caspio.

El rey se apeó del caballo y comenzó a pasear descalzo por entre los cantos rodados de la orilla, mojados por las olas, y los compañeros le seguían asombrados y perplejos delante de aquel confín líquido que señalaba al norte el límite extremo de su marcha.

—¿En qué parte del mundo estamos, según tú? —preguntó Leonato a Calístenes cuando se encontraron frente al mar.

—Dame tu lanza —repuso el historiador.

Leonato se la dio con una expresión de perplejidad. Calístenes la hincó en el suelo lo más recta que pudo y luego midió con sumo cuidado la sombra.

—Aproximadamente a la altura de Tiro, pero no sabría decirte a qué distancia.

—¿Y dónde termina este mar?

Calístenes paseó su mirada por la vasta extensión marina que se teñía de rojo bajo los rayos del sol poniente y luego se volvió hacia Nearco, que se acercaba en aquel momento y tal vez supiera dar una respuesta a aquel interrogante. El navarca se inclinó, recogió una piedra de la orilla y la lanzó al agua haciendo florecer una rosa de círculos concéntricos que fueron a romper en la arena. Respondió:

—Esto nadie lo sabe, pero si pudiera construir una flota me gustaría llevarla más allá del horizonte que cierra nuestra mirada, allí abajo hacia el septentrión. Descubrir si es un golfo del Océano septentrional como muchos dicen, o si es un lago.

Mientras hablaban, se oyó como un alboroto procedente del campamento y luego un ruido cada vez más fuerte, gritos exultantes, cantos de francachela.

Alejandro se volvió.

—¿Qué sucede en el campamento?

—No lo sé —repuso Leonato recuperando su lanza.

—Entonces, ve a ver.

Leonato saltó a caballo, se lanzó al galope hacia el campamento; a medida que se acercaba, oía los gritos y los cantos cada vez más fuertes y claros. Luego comprendió el origen de toda aquella alegría: los soldados que habían tenido conocimiento de la muerte de Darío pensaban que la guerra había terminado y había corrido el rumor de que finalmente se volvía a casa. Festejaban, bebían y bailaban fuera de sí por el júbilo, cantaban las viejas canciones macedonias que parecían haber ya olvidado y preparaban los bagajes para el largo viaje de vuelta.

Leonato saltó a tierra y paró al primero que pasó por delante de él: un miembro de la falange de la infantería de los *pezetairoi*.

—¿Qué está sucediendo aquí, por Heracles?

—Volvemos a casa, ¿o es que no lo sabes? ¡La guerra ha terminado!

—¿Que ha terminado? ¿Y quién ha dicho que ha terminado?

—Lo dice todo el mundo. Darío ha muerto y la guerra ha terminado. ¡Volvemos a casa, volvemos a casa!

—¡Idiota! —le espetó Leonato a la cara—. Diles a todos esos imbéciles que se calmen y que acaben con esta escandalera. Sólo hay un hombre que puede decir cuándo ha terminado la guerra, y ése no es otro que Alejandro. ¿Entendido? ¡Alejandro! Y él no ha dicho nada de esto, puedo asegurártelo.

Le dejó plantado como alelado en medio del campamento y de la confusión cada vez más ensordecedora de aquella fiesta fuera de lugar y volvió precipitadamente adonde estaba el rey.

—¿Qué es lo que pasa? —le preguntó Alejandro.

Leonato saltó a tierra y trató de explicar lo que había visto.

—Pues, no sé cómo decirte...

—¡Por Heracles, habla! ¿Qué está pasando en mi campamento?

—No se sabe cómo, ha corrido la voz de que la guerra ha terminado y que volvemos a casa... Desde el momento que licenciaste a los griegos, pensaron que ahora les tocaría a ellos, en vista de que Darío ha muerto. Los hombres están de francachela y...

Alejandro saltó inmediatamente sobre su caballo y se precipitó hacia el campamento. Apenas hubo entrado, llamó con un gesto a los trompeteros y hizo tocar a reunión, dos veces. El estruendo se apagó, transformándose en un vago murmullo; luego los hombres, en grupos, por unidades o en pequeñas partidas se reunieron en medio del campamento en torno al podio de la asamblea. Alejandro, rodeado de sus compañeros, estaba erguido en el centro, con expresión sombría. Levantó la mano para pedir silencio y comenzó:

—¡Soldados! ¿Qué estáis haciendo? ¡Vamos, responded, haced que se adelanten vuestros comandantes y decidme qué estáis haciendo!

El murmullo volvió a crecer y se veía que todos eran presa del espanto por aquel inesperado enfriamiento de su exultante júbilo. Uno a uno se fueron adelantando los comandantes de las diferentes unidades, se consultaron entre ellos unos instantes al pie del podio y luego habló uno en nombre de todos:

—Rey, después de que licenciaste a los aliados griegos, se extendió la noticia de que licenciarías también a los tesalios y ellos se han puesto a preparar los bagajes. Ahora, puesto que todo el mundo sabe que Darío ha muerto, hemos pensado que la guerra había terminado y que nos llevarías a casa también a nosotros. Los hombres se han puesto a celebrarlo. Tienen ganas de volver con sus mujeres e hijos, a los que no ven desde hace cuatro años.

—Es cierto —repuso Alejandro—. Tengo intención de licenciar a los tesalios igual que licencié a los griegos. Son nuestros aliados de la liga panhelénica y su cometido ha terminado. Juramos liberar a las ciudades griegas de Asia y derrotar al enemigo secular de los griegos y así lo hemos hecho. Hemos conquistado las cuatro capitales, el Gran Rey está muerto, pero nuestra tarea no ha terminado. —Un murmullo de contrariedad creció de intensidad ante aquella palabras—. ¡No, hombres, compañeros de tantas batallas, amigos míos! En Oriente, los sátrapas rebeldes se están preparando para el contraataque, reúnen un nuevo ejército de miles y miles de guerreros y sólo esperan que nosotros les demos la espalda para atacarnos.

»Caerán encima nuestro por todas partes con sus caballos velocísimos, no nos concederán tregua ni de día ni de noche, empozoñarán los pozos a lo largo de nuestro camino, quemarán las cosechas, destruirán las aldeas donde busquemos refugio de los rigores del invierno. Nuestro viaje de vuelta, después de haber realizado gestas tan gloriosas, se transformará en una catástrofe. ¿Es esto lo que queréis?

Un silencio lleno de descorazonamiento y de desilusión fue la respuesta a la pregunta del rey. Aquellos hombres que se habían batido siempre con formidable valor, que habían arrostrado todo peligro sin mirar por su vida, atraídos y como fascinados por su caudillo, ahora se sentían inseguros y dubitativos. Veían tierras y mares completamente desconocidos, les parecía hasta ver cambiar en el cielo la posición de las constelaciones y no tenían idea de dónde se encontraban. De golpe se sentían demasiado lejos de sus casas, sentían por primera vez la certidumbre de que Alejandro no deseaba en absoluto el regreso, que solamente quería seguir adelante, siempre adelante. Sentían el temor de no regresar nunca más.

El rey prosiguió hablando:

—¡Hemos de seguir adelante! Hemos de sacarles de su escondite, derrotarles y establecer nuestra autoridad sobre todo el imperio que fue de los persas. Si no lo hacemos, todos los esfuerzos realizados hasta ahora habrán sido baldíos, todo lo que hemos construido se hundirá, nadie estará ni siquiera seguro del regreso. ¡Soldados! ¿He traicionado alguna vez vuestra confianza? ¿Os he engañado jamás? ¿No os he recompensado generosamente por vuestros esfuerzos, y no creéis que lo haré más aún cuando hayamos llevado a término esta empresa? Lo sé, estáis cansados, pero también sé que sois los mejores soldados del mundo, nadie posee audacia y valor iguales a los vuestros. Yo no quiero obligaros, nadie mejor que yo sabe que merecéis el descanso y la recompensa. No os retengo, por tanto. Quien quiera partir que lo haga, podrá hacerlo con honor y con mi gratitud, pero que sepa que, aun cuando todos me abandonaseis para volver a Macedonia, yo seguiría adelante con mis compañeros hasta el cumplimiento de mi empresa, y si fuera necesario... ¡solo!

Calló cruzándose de brazos. Siguió un interminable momento de silencio.

Los compañeros de Alejandro, aquellos que un día se habían reunido con él en su exilio entre las nieves de Iliria y que estaban en aquel momento detrás de él, dieron un paso adelante con las manos en la espada, y junto con ellos dieron un paso adelante Filotas y Clito *El Negro*.

Al ver aquello, uno de los hombres de *La Punta* que se encontraba en medio del campamento con su alforja ya lista al hombro la dejó caer al suelo, desenvainó la espada y asestó un gran golpe contra el escudo que resonó como un trueno en medio del silencio. Todos se volvieron hacia él e inmediatamente otro soldado le respondió con un golpe no menos estruendoso. Al segundo se añadió un tercero y luego un cuarto y muy pronto todos los demás jinetes de *La Punta*, allí donde se encontraban, cerca de las puertas o de la empalizada o en medio del campamento u ocupados en hacer los bagajes, desenvainaron las espadas y uno tras otro comenzaron a golpearlas contra los escudos y poco a poco se iban acercando al podio hasta encontrarse delante del rey. Y continuaron, sin cesar, rítmicamente, armando un ensordecedor ruido con el bronce y el hierro. Y tras ellos, también los restantes soldados, de caballería y de infantería, miembros de la falange, exploradores y zapadores, tracios y agrianos, todos formaron en las filas y se unieron a los jinetes de *La Punta* golpeando las armas contra los escudos. Luego el abanderado del primer batallón levantó el estandarte rojo con la estrella argéada y todos se detuvieron de golpe, cada uno firmes en su puesto de combate. El abanderado dio un paso adelante, inclinó el estandarte y gritó:

—¡A tus órdenes, rey!

Alejandro, sacudido por la emoción, se adelantó y alzó los brazos al cielo para expresar su agradecimiento a sus soldados por no haberle abandonado. Tolomeo, que estaba cerca de él, vio que tenía los ojos llenos de lágrimas. Permaneció en aquella actitud unos largos instantes, mientras el ejército entero vitoreaba su nombre con voz tonante:

Aléxandre! Aléxandre! Aléxandre!

Luego, flanqueado por los compañeros, el rey bajó del podio, atravesó el campamento entre dos setos vivos de lanzas esplendentes y alcanzó a *Bucéfalo*, que le esperaba piafando.

30

El ejército avanzó hasta Zadracarta, la capital de los hircanios, y allí Alejandro encontró la corte de Darío III que Beso no había querido consigo en su retirada hacia las provincias extremas del Imperio. El rey despidió en aquel punto a la caballería tesalia, dando la posibilidad a quien quisiera de seguir combatiendo como mercenario, y ordenó preparar el ejército para la larga marcha hacia Oriente. La partida se produciría cuando hubieran llegado los nuevos refuerzos que esperaba de Macedonia y que le enviaría Parmenión tan pronto como le fuera posible.

La corte estaba albergada en un barrio de la ciudad bajo la vigilancia de los eunucos. Alejandro dio inmediatamente orden de poner a todos sus componentes bajo la protección del ejército y quiso saber cuáles eran los miembros de la familia real que formaban parte aún de ella.

El maestro de ceremonias de la corte, un hombre que debía de rondar la setentena de nombre Fratafernes, completamente lampiño y con el cráneo rapado, se presentó para informarle.

—Están las concubinas del rey con sus hijos y la princesa Estatira.

—¿Estatira?

—Sí, mi señor.

Alejandro se acordó de la carta en que Darío le había ofrecido el dominio de Asia al oeste del Éufrates y la mano de su hija, y se acordó de cómo había rechazado aquellos ofrecimientos contra el parecer de Parmenión.

—Deseo que me fijes lo más pronto posible una audiencia con la princesa —dijo.

El eunuco se despidió y a primera hora de la tarde mandó un mensajero a anunciar que la princesa le esperaba a partir de la puesta del sol en sus habitaciones del palacio que fuera del sátrapa de Partia.

Se presentó ataviado con un quitón griego muy sencillo, blanco y largo hasta los pies, y con un manto azul cerrado con una fíbula de oro.

El eunuco le esperaba en la puerta.

—La princesa está de luto, mi señor, y pide excusas por no haber podido engalanar su persona del modo más conveniente, pero te recibirá con mucho gusto porque le han dicho que eres un hombre de espíritu y sentimientos nobles.

—¿Habla griego?

El eunuco asintió.

—Cuando el rey Darío pensó en ofrecértela como esposa, la hizo instruirse en tu lengua, pero luego...

—¿Querrías anunciarme?

—Puedes entrar sin más —repuso el eunuco—. La princesa te espera.

Alejandro entró, se encontró en un pequeño vestíbulo decorado con motivos florales y festones de fruta y vio delante de él otra puerta, enmarcada con una jamba de piedra tallada con el arquitrabe sostenido por dos grifos. La puerta se abrió y una doncella le hizo pasar, saliendo inmediatamente y cerrándola tras de sí.

La princesa Estatira estaba ahora frente a él, de pie cerca de una pequeña mesa de lectura en la que descansaban unos rollos y una estatuilla de bronce que representaba a un jinete de la estepa. Iba vestida con una túnica de burda lana color marfil ceñida con un cinturón de cuero y calzaba babuchas de cuero adornadas con un modesto encaje de lana azul. No ostentaba joya alguna, salvo un pequeño aderezo con un colgante de plata que representaba al dios Ahura Mazda. No llevaba ningún afeite, pero sus facciones pronunciadas y agraciadas hacían resaltar igualmente su rostro orgulloso y delicado al mismo tiempo. De su padre tenía los ojos oscuros y profundos y las cejas marcadas, de su madre debían de ser los labios suaves y húmedos, perfectamente perfilados, el cuello delgado, el pecho alto y firme, las piernas que se adivinaban largas y esbeltas.

Alejandro se adelantó hasta encontrarse cara a cara con ella, lo bastante cerca como para percibir el delicado perfume a casia y a nardo, como para dejarse envolver por la fascinación que ahora ya había aprendido a reconocer en las mujeres orientales.

—Estatira —dijo inclinando la cabeza—. Estoy profundamente apenado por la muerte de tu padre el rey y he venido para decirte...

La joven correspondió a su inclinación con una sonrisa melancólica y le alargó la mano que Alejandro estrechó por un momento entre las suyas.

—No quieres sentarte, ¿mi señor? —preguntó la muchacha, y la len-

172

gua griega que resonaba en sus labios con un extraño y musical acento le recordó de modo impresionante la voz de Barsine. Alejandro sintió que el latido de su corazón aumentaba de intensidad. Se sentó enfrente de ella y prosiguió:

—Deseo anunciarte que he dispuesto que se dispensen los más altos honores al rey Darío y que sea sepultado en su tumba en la fortaleza de Persépolis.

—Te lo agradezco —replicó la joven.

—He jurado también capturar al asesino, al sátrapa Beso que ha huido hacia Bactriana, e infligirle el castigo que la ley persa destina a quien traiciona y mata al propio rey.

Estatira bajó la cabeza con un movimiento ligero y gracioso, en señal de aprobación, pero no dijo nada. Entretanto entró una de las doncellas con una bandeja y dos copas llenas de nieve desleída con jugo de granada recién exprimido, de un brillante color rosado. La princesa ofreció una copa a su huésped, pero ella no bebió, observando las rígidas normas del luto, y se quedó mirándole en silencio: le parecía imposible que aquel muchacho de facciones casi perfectas, de maneras tan sencillas y corteses fuera el invencible conquistador, el implacable exterminador que había arrollado a los más poderosos ejércitos de la tierra, el demonio que había quemado el palacio de Persépolis y entregado la ciudad al saqueo. En aquel momento le parecía únicamente el joven gentil que había tratado con respeto a todas las mujeres persas que había hecho prisioneras, que había honrado a los adversarios y se había ganado el afecto de la reina madre.

—¿Cómo está la abuela? —preguntó con expresión ingenua, e inmediatamente se corrigió—: La Gran Madre Real, quería decir.

—Está bastante bien. Es una mujer noble y fuerte que soporta con gran dignidad los reveses de la fortuna. ¿Y tú cómo estás, princesa?

—Yo estoy bastante bien, mi señor, dadas las circunstancias.

Alejandro le rozó de nuevo la mano con una caricia.

—Eres hermosa, Estatira, y amable. Tu padre debía de estar orgulloso de ti.

Se le pusieron los ojos relucientes.

—Lo estaba, pobre padre mío. Hoy habría cumplido cincuenta años. Gracias por tus amables palabras.

—Son sinceras —replicó Alejandro.

Estatira inclinó la cabeza.

—Es extraño oírlas del joven que rechazó mi mano.

—No te conocía.

—¿Habría cambiado ello algo?

—Tal vez. Una mirada puede cambiar el destino de un hombre.

—O de una mujer —repuso ella mirándole fija e intensamente con los ojos brillantes de lágrimas—. ¿Por qué has venido? ¿Por qué has dejado tu país? ¿Acaso no es hermoso?

—Oh, sí—repuso Alejandro—. Sí, mucho. Hay montañas cubiertas de nieve, rojas a la luz del sol poniente y de plata a la luz de la luna, hay lagos de aguas cristalinas como ojos de muchacha y prados floridos y bosques de abetos azules.

—¿No tienes madre, alguna hermana? ¿No piensas en ellas?

—Todas las noches. Y cada vez que el viento sopla hacia poniente les confío las palabras que brotan de mi corazón para que las lleve a Pella, al palacio en que nací, y a Butroto, donde vive mi hermana, como una golondrina, en un nido de piedra que cae a pico sobre el mar.

—Pero ¿entonces por qué?

Alejandro dudó, como si temiera poner al desnudo su alma frente a aquella joven desconocida, y dejó vagar la mirada lejana, más allá del perfil de las murallas, en el paisaje de montañas cubiertas de bosques y de pastos verdeantes. Subían en aquel momento de la calle las voces de los hombres que negociaban sus mercancías, las de las mujeres que charlaban mientras hilaban la lana, y se oía el desagradable grito de los grandes camellos de Bactriana que caminaban pacientes en largas caravanas.

—Es difícil responderte —dijo en un determinado momento como sacudiéndose—. Siempre he soñado con ir más allá del horizonte que podía alcanzar con la mirada, de llegar al último confín del mundo, a las olas del Océano...

—¿Y luego? ¿Qué harás una vez que hayas conquistado el mundo entero? ¿Crees que serás feliz? ¿Que habrás obtenido lo que verdaderamente deseas? ¿O te sentirás dominado más bien por un ansia más fuerte y profunda, esta vez invencible?

—Es posible, pero no podré saberlo nunca hasta que no haya alcanzado los límites que los dioses han asignado al ser humano.

Estatira le miró en silencio y por un momento tuvo la sensación, con su mirada fija en sus ojos, de asomarse a un mundo misterioso y desconocido, a un desierto habitado por demonios y fantasmas. Experimentó una sensación de vértigo, pero también una atracción invencible y cerró los ojos instintivamente. Alejandro la besó y ella sintió la caricia de sus cabellos sobre su rostro y cuello. Cuando volvió a abrir los ojos, él ya no estaba.

Al día siguiente vino a verla Eumenes, el secretario general, a pedirla por esposa para su rey.

31

El matrimonio fue oficiado a la manera macedonia: el esposo cortaba el pan con la espada y lo ofrecía a su esposa, que lo comía juntamente con él: un rito sencillo y sugerente que gustó a Estatira. También la fiesta se celebró según la usanza macedonia con grandes libaciones, un festín interminable, cantos, espectáculos y danzas. Estatira no tomó parte en él porque estaba aún de luto por la muerte de su padre y esperó al marido en su aposento, un pabellón de madera de cedro en lo alto del palacio, protegido por grandes cortinajes de lino egipcio e iluminado por velones.

Cuando Alejandro entró, se oyeron resonar aún durante un poco en los corredores las canciones obscenas de sus soldados, pero apenas la gritería se hubo apagado, ascendió un canto solitario en medio de la noche, una elegía suave que voló como el canto de un ruiseñor sobre las copas de los árboles floridos.

—¿Qué es? —preguntó el rey.

Estatira se le acercó revestida con un traje indio transparente y apoyó su cabeza en un hombro de él.

—Es un canto de amor de nuestra tierra. ¿Conoces la historia de Abrecomes y Antía?

Alejandro le pasó una mano en torno a la cintura y la estrechó contra sí.

—Claro que la conozco. Un autor nuestro la describe en una obra titulada *La educación de Ciro*, pero sería muy hermoso escucharla en persa, aunque no comprenda aún tu lengua. Es un relato maravilloso.

—Es la historia de un amor que va más allá de la muerte —dijo Estatira con un temblor en la voz.

Alejandro le desató los cordones del traje y la contempló desnuda delante de él; luego la levantó en brazos como si fuera una niña y la tendió en el lecho. La amó con ternura intensa, como para pagarle cuanto le había quitado: la patria, el padre, la juventud despreocupada. Ella respondió con ardor apasionado, guiada por su instinto de muchacha intacta y por la milenaria, sapiente experiencia que sus damas de compañía debían de haberle transmitido para que no desilusionara a su esposo en el tálamo.

Y mientras él la estrechaba entre sus brazos, le besaba los pechos, el vientre suave y los largos muslos esbeltos de efebo, oía sus gemidos de placer liberarse cada vez más altos. La antigua canción de Abrecomes y Antía, los amantes perdidos, seguía resonando en el aire perfumado como un himno dulcísimo y dolorosamente conmovedor.

La poseyó varias veces, pero ninguna vez se retiró de ella antes de haber cumplido hasta el fondo su acto vital de esposo íntegro y potente. Acto seguido se dejó caer a su lado, mientras ella se acurrucaba cerca acariciándole el pecho y los brazos hasta que se durmió. También la canción se apagó lejos en la noche; durante un poco permaneció el sonido de un instrumento desconocido, semejante a una cítara, pero más suave y armonioso, y luego ya nada.

Las primeras luces del sol despertaron a Alejandro. El rey hizo ademán de levantarse y de llamar a Leptina, como de costumbre, cuando vio delante de él a una larga fila de personas, hombres y mujeres, ordenadamente alineados, que debía de hacer un buen rato que esperaban, pacientemente, su despertar.

En la parcial inconsciencia de la duermevela, Alejandro hizo ademán de echar mano a la espada, pero se refrenó. Se levantó para sentarse en el lecho apoyando la espalda en la cabecera y preguntó, más asombrado que enojado:

—¿Quiénes sois?

—Somos el personal destinado a tu persona —respondió el eunuco—, y yo soy el responsable del ceremonial matutino.

Alejandro sacudió con un brazo a Estatira, que estaba durmiendo aún, y también ella se levantó, cubriéndose con la bata.

—¿Qué debo hacer? —musitó Alejandro.

—Nada, mi señor, lo harán todo ellos. Para eso están aquí.

Inmediatamente después, el eunuco le hizo una indicación de que le siguiera a la estancia del baño, donde dos doncellas y otro jovencísimo eunuco semidesnudo le lavaron, le masajearon y le perfumaron, mientras Estatira era puesta en manos de sus doncellas.

Inmediatamente después, el joven y hermosísimo eunuco se le acercó y le secó con movimientos muy delicados y sabios, demorándose con una cierta insistente diligencia en las partes más sensibles de su cuerpo. Luego llegó el momento de vestirlo: una tras otra, a una señal del eunuco jefe, las doncellas se presentaron trayendo cada una de ellas una prenda que le hicieron ponerse con movimientos expertos y delicados: primero la ropa interior, que Alejandro no había usado nunca hasta aquel entonces, luego los calzones de biso recamado, pero él los rechazó con un gesto.

El eunuco sacudió la cabeza e intercambió una mirada perpleja con el responsable del guardarropa.

—No llevo calzones —explicó el rey—. Dadme mi quitón.

—Pero, mi señor... —aventuró el jefe del guardarropa, pareciéndole absurdo que alguien llevara la ropa interior sin luego ponerse el indumento propiamente dicho.

—No llevo calzones —repitió Alejandro categórico, y aunque el hombre no entendía el griego comprendió muy bien el tono y el gesto. Las doncellas contuvieron a duras penas una risita. El eunuco y el responsable del guardarropa real se consultaron con una mirada; luego mandaron a un siervo a buscar su quitón griego y se lo pusieron. En aquel momento, sin embargo, no sabían ya cómo proceder con el resto de la indumentaria. El joven y hermosísimo eunuco tomó entonces la iniciativa: se hizo dar por una doncella la *kandys*, la espléndida sobreveste real de anchas mangas plisadas, y se la alargó para ponérsela. El rey la miró, luego miró al responsable del guardarropa, que tenía los ojos fijos en él cada vez más estupefacto, y no sin cierta reticencia se la puso. Le trajeron acto seguido el turbante para la cabeza y se lo drapearon con extraordinaria elegancia en torno a la frente y el cuello, dejándoselo caer con suaves pliegues sobre los hombros.

Otros siervos le rociaron con perfume y el joven eunuco le puso delante de un espejo para que se contemplara y le dijo en griego:

—Eres maravilloso, mi señor.

Alejandro se quedó sorprendido de que aquel joven hablase el griego tan bien y le preguntó:

—¿Cómo te llamas?

—Me llamo Bagoas. Estaba destinado al servicio personal del rey Darío y era su favorito. Nadie sabía darle placer como yo. Ahora soy tuyo, si me quieres.

Y pronunció aquella palabras con un timbre de voz tan turbio y sensual que el rey se quedó impresionado. No respondió, observó la imagen reflejada por la lámina de plata bruñida y experimentó una especie de ingenua complacencia, le pareció que aquel atuendo le sentaba de maravilla. Estaba a punto de ir adonde estaba Estagira para que ésta le viera, cuando resonó en el corredor el paso de unas botas macedonias claveteadas e inmediatamente después se presentó El Negro, totalmente armado y visiblemente alarmado. Comenzó diciendo aún antes de entrar:

—Rey, hay noticias importantes de... —Pero apenas le vio se interrumpió, su expresión cambió de improviso y estalló a reír—. ¡Por Zeus! Pero ¿quién es toda esta gente? ¡Todas estas mujeres y todos estos capones! Y luego... ¿cómo te has arreglado?

Alejandro no se rió en absoluto y con tono irritado y resentido repuso:

—¡Déjalo correr, déjalo correr inmediatamente! Te recuerdo que soy el rey.

—¿El rey? —continuó El Negro—. ¿Qué rey? Yo no te reconozco ya, pareces...

—Una palabra más y te hago desarmar y poner bajo custoria. Ya veremos si te quedan aún ganas de reírte.

El Negro inclinó la cabeza.

—¿Qué tienes que decirme?

—Ha llegado la noticia de que Beso está en Bactriana, donde se ha proclamado Gran Rey, con el nombre de Artajerjes IV.

—¿Nada más?

—Han sido avistados los refuerzos de Macedonia por el camino de Ecbatana, cerca de siete mil hombres, y están también con ellos los pajes. Estarán aquí antes de la noche.

—Bien. Les veré hoy mismo, a la puesta del sol. Manda formar al ejército.

El Negro salió mordiéndose la lengua para no decir nada más y poco después, por todo el campamento, circulaba la voz de que Alejandro se había vestido como un persa y que se rodeaba de mujeres y de eunucos.

—¡No lo dirás en serio! —exclamó Filotas al enterarse—. Mi padre se taparía los ojos si viera semejante vergüenza.

—También yo lo creo —replicó Crátero—. ¿No fue él mismo quien nos echó un rapapolvo, cuando estábamos en Persépolis, diciéndonos que no nos había traído hasta allí para ver que nos comportábamos igual que aquellos que habíamos derrotado?

—Yo no le encuentro nada de extraño —intervino Hefestión—. Ya visteis a Alejandro en Egipto vestido como un faraón. ¿Por qué en Persia no debería vestirse como el Gran Rey? Se ha casado con una hija suya y ha heredado su reino.

—Haga lo que haga o diga lo que diga Alejandro, para ti siempre está todo bien —le replicó Filotas—, pero el rey Filipo se sentiría horrorizado de ver una cosa así y...

—¡Déjalo correr! —le interrumpió Hefestión—. Él es el rey y tiene derecho a hacer lo que le plazca. Y vosotros deberías avergonzaros. También tú, Negro, que dices cosas terribles. Cuando os cubrió de favores, cuando os llenó las tiendas de oro persa bien que lo cogisteis, ¿o no? Tú, Filotas, ¿te pusiste contento cuando te nombró comandante supremo de la caballería, verdad? Y ahora os escandalizáis por cuatro trapos. ¡Me hacéis reír!

—¿Te hago reír? ¡Pues ahora mismo voy a hacer que se te pasen las ganas de reírte! —gritó El Negro, que estaba ya de pésimo humor, y levantó el puño amenazante.

Tolomeo se interpuso inmediatamente para separarles y Seleuco le echó una mano.

—¡Quietos! ¿Estáis locos? ¡Basta! ¡Dejadlo correr, por todos los dioses! ¡Dejadlo correr!

Los dos se separaron mirándose de reojo y Crátero se puso de parte de Clito, como para hacer saber que le daba la razón.

—Escuchad —dijo Seleuco—. Es de necios llegar a las manos por estas tonterías. Alejandro puede haberse vestido con ropas persas para agradar a Estatira o bien por simple curiosidad. Siempre hemos estado de acuerdo y tenemos que seguir estándolo. Estamos en el corazón de un territorio aún en gran parte hostil. Si comenzamos a pelearnos entre nosotros estamos perdidos, ¿no lo comprendéis?

—No son tonterías —exclamó una voz bien conocida a sus espaldas. Seleuco se volvió.

—Repito, no son tonterías —dijo Calístenes—. Alejandro partió de Grecia como caudillo de la liga panhelénica para destruir al enemigo secular de los griegos. Ése es su verdadero y único cometido, aquél por el que se comprometió en Corinto con un solemne juramento.

—Ha quemado Persépolis —intervino Eumenes, que se había quedado en silencio hasta aquel momento—. ¿No te basta? Ha sacrificado la residencia real más bella del mundo en el altar de la idea panhelénica.

—Te equivocas —rebatió Calístenes—. Lo ha hecho porque no tenía otra elección, y te lo digo porque lo sé de buena fuente. No le importaba ya nada Grecia ni los griegos en aquel momento, me temo, no le importa nada.

Resonaron en aquel momento las trompas y una unidad de *hetairoi* en traje de gala salió al galope por la puerta de poniente del campamento, colocándose en dos filas a los lados del camino de acceso. Poco después se oyó el redoblar de los tambores y el paso cadencioso de un ejército que se acercaba.

—¡Llegan las tropas de refuerzo! —exclamó Tolomeo—. Alejandro estará aquí en unos momentos. Tratemos de prepararnos, en vez de estar discutiendo.

Calístenes sacudió la cabeza con una expresión de indulgencia y se alejó. Los demás, unos antes, otros después, fueron a equiparse con la armadura para formar delante del resto del ejército que se preparaba para recibir a los compañeros que acababan de llegar de Macedonia.

Los recién llegados marcharon en perfecto orden a través del campamento, saludados por altos toques de trompa y por la unidad de *hetairoi* que presentaba armas, y fueron a colocarse delante del podio que se alzaba al lado de la tienda real. Detrás de ellos, formó al ejército al completo. Destacaban, por los blancos mantos y los quitones rojos, los pajes, los jovencísimos hijos de lo más escogido de la nobleza macedonia que habían venido a servir al rey Alejandro como hicieran en otro tiempo Pérdicas, Tolomeo, Lisímaco y los otros compañeros con el rey Filipo, en la residencia real de Pella.

Luego se oyeron otros toques y esta vez se volvieron todos hacia la puerta oriental, porque aquel sonido anunciaba la llegada del soberano.

—Oh, dioses —mumuró en voz baja Tolomeo llevándose una mano a la frente—. Lleva aún el atuendo persa.

—Así sabrán todos a qué atenerse —comentó impasible Seleuco—. Es mejor, créeme.

Alejandro llegó al galope montando a *Bucéfalo*, y la sobreveste persa de finísimo biso ondeaba al viento como un velo. El turbante que le encuadraba el rostro y le caía cruzado sobre el pecho y luego sobre los hombros le confería un aspecto insólito, y sin embargo extrañamente atractivo.

Saltó a tierra delante del podio y subió lentamente los escalones que llevaban a la plataforma, luego se volvió y dio la cara, con aquel atuendo y en aquella actitud, al ejército macedonio con los veteranos y los reclutas, bajo la mirada estupefacta de todo el mundo, desde los compañeros hasta el último soldado; también los muchachos alineados bajo la tarima le miraban como si no creyeran lo que sus ojos veían.

—He querido venir en persona —comenzó— para dar la acogida a estos compañeros nuestros recién enrolados que nos han sido enviados por el regente Antípatro y para recibir a los muchachos que los nobles de Macedonia han mandado para que crezcan en el servicio de su rey y aprendan a convertirse en guerreros valerosos y leales. Leo el estupor en vuestros ojos, como si hubiese aparecido un fantasma, pero sé la razón de ello. Es a causa de este traje que llevo, la *kandys*, y de este paño con que he envuelto mi cabeza. Son, en efecto, prendas persas las que llevo sobre el quitón de guerrero griego y quiero que sepáis que lo he hecho con toda intención, porque no soy ya únicamente rey de los macedonios. Soy también faraón de Egipto, rey de los babilonios y Gran Rey de los persas. Darío está muerto, yo he tomado por esposa a la princese Estatira y, por tanto, soy su sucesor. Como tal reivindico la autoridad sobre el imperio que fuera suyo y trato de hacerla valer persiguiendo al usurpador Beso allí donde quiera que se esconda. Le apresaremos y le infligiremos el castigo que se merece.

»Ahora haré repartir unos presentes a los recién llegados y esta noche tendréis todos una cena especial y buen vino, en abundancia. ¡Quiero que os divirtáis y estéis de buen talante porque dentro de poco volveremos a partir para no detenernos hasta que no hayamos conseguido nuestro objetivo!

Hubo un tibio aplauso, pero Alejandro no hizo nada por solicitar uno más caluroso y entusiasta. Se daba cuenta de lo que sentían sus hombres y sus compañeros y de lo perplejos que estaban los muchachos recién llegados de Macedonia como pajes, para los cuales debía de ser ya una leyenda viviente. Se encontraban frente a un hombre ataviado con las ropas de los bárbaros vencidos, que para ellos tenían un inconfundible carácter femenino. Y no era esto todo: lo que estaba por decir era aún peor.

Esperó a que se hubiera hecho el silencio y reanudó su discurso:

—La empresa a la que nos aprestamos no es menos difícil que las que hemos afrontado hasta ahora, y las tropas de refresco recién llegadas de Macedonia no son suficientes. Tendremos que luchar contra enemigos que no hemos visto jamás y con los que no hemos combatido antes, tendremos que imponer guarniciones en decenas de ciudades y fortalezas, enfrentarnos con ejércitos más numerosos aún que aquellos que derrotamos en Issos y en Gaugamela... —Reinaba ahora un silencio absoluto en el campamento y los ojos de todos los guerreros estaban fijos en el rostro de Alejandro, los oídos aguzados para no perderse una sola palabra—. Por esto he tomado una decisión que puede que no sea de vuestro agrado, pero que es absolutamente necesaria. No podemos desangrar a nuestra patria con levas continuas ni desguarnecerla de sus defensas. He establecido, por tanto, que se enrolen treinta mil persas y adiestrarlos según la técnica militar macedonia. El adiestramiento comenzará a partir de mañana mismo, los jefes militares de todas las satrapías del Imperio recibirán instrucciones precisas al respecto.

Nadie aplaudió, nadie pidió la palabra ni abrió la boca. En medio de aquel silencio sepulcral, el rey estaba solo como no lo había estado nunca antes de entonces. Únicamente Hefestión se le acercó y le sujetó la brida de *Bucéfalo* mientras él saltaba sobre su grupa, alejandose inmediatamente después al galope.

32

Eumenes cerró el rollo y miró a la cara a Calístenes.

—Así que ¿esto es, para ti, Alejandro?

—Tal vez deberías decir «esto es lo que Alejandro debería ser» —repuso Calístenes con una expresión de perplejidad en la mirada.

—Debería ser tarea del historiador contar los hechos tal como se han desarrollado, después de haber sido testigo ocular de los mismos o bien después de haber consultado a testigos directos y fidedignos —replicó el secretario como si recitase una fórmula aprendida de memoria.

—¿Crees que no conozco cuál es la tarea de un historiador? Pero he de tratar de interpretar también el ánimo y los pensamientos de Alejandro y volverlos comprensibles a aquellos que lean mi obra. Te he permitido leer lo que he escrito hasta ahora porque necesito de tu aliento y porque llevas cada día el diario de esta expedición, pero sobre todo porque...

—¿Porque él esta rebasando los márgenes de tu página, los límites que tú has trazado en torno a él con tu obra?

—Tal vez.

—Tienes que resignarte. Alejandro no es ya la persona que conocíamos; tal vez no lo ha sido nunca.

—Juró ante todos los griegos encabezar una expedición panhelénica contra Persia, su secular enemigo.

—Lo ha hecho. Y ha vencido. El primero y único entre todos los griegos.

Calístenes se puso en pie en un arranque de intransigencia:

—Sí, pero ahora se está convirtiendo en uno de ellos, se viste como ellos, se rodea de eunucos y concubinas, les enseña nuestra técnica de combate; dicen que recibe lecciones de persa, dicen... que ayer, durante una de sus fiestas bárbaras, besó en público, en la boca, a ese... ese Bagoas.

—Ha decidido escandalizar a todos los que piensan como tú, eso es todo —rebatió Eumenes—. Quiere hacerte comprender que ya no es posible volver atrás. En cuanto a las fiestas, no me parece que las vuestras sean menos bárbaras. Hemos de aceptar lo que es y ha sido siempre, créeme, y olvidar la imagen que nos habíamos hecho de él para nuestra tranquilidad.

—¿Tranquilidad?

—Sí. La imagen que tú has creado en tu *Historia* es una imagen tranquilizadora, fácil de comprender y de querer para un griego de buena educación y de ideas políticas lo bastante moderadas. Pero Alejandro es muy distinto.

—Oh, sobre esto no cabe ninguna duda, y cada día que pasa no pierde ocasión de recordárnoslo. Los hombres están desconcertados, los reclutas y los jóvenes pajes llegados de Macedonia están escandalizados. Esperaban encontrarse un héroe, un conquistador, el heredero de Aquiles y de Heracles, y en cambio ven a un hombre vestido como una mujer, que cada día introduce costumbres bárbaras, usos despreciables y vergonzosos.

—Usos distintos de aquellos a los que estamos habituados, Calístenes. Nos ha conducido a territorios que nunca ningún griego antes que nosotros había pisado, bajo otro cielo, a través de desiertos y mesetas; nos ha conducido más allá del Nilo, del Tigris y del Éufrates y sueña con el Indo. Nada podía seguir siendo como antes, ¿es que no lo entiendes?

—Lo entiendo, pero no lo aceptaré nunca.

—¿Se lo has dicho?

—Por supuesto.

—¿Y él qué ha respondido?

—Ha respondido: «¡Escribe lo que quieras, Calístenes!». No le importa nada, no le importa ya nada.

Eumenes no añadió nada más: comprendía que su interlocutor estaba tan amargado que nada habría podido sacarle de su convencimiento y de la idea que se había formado en su mente. Se había hecho ya tarde y se levantó para irse, pero antes de cruzar el umbral se volvió porque sentía que debía decir algo aún.

—Alejandro cambia continuamente porque su curiosidad es insaciable y su fuerza vital inagotable. Es como la gaviota, que dicen que no se posa nunca en tierra firme durante toda su vida y que duerme en pleno vuelo, haciéndose llevar por el viento. Si no te ves con fuerzas para seguirle, vete, Calístenes, vuelve atrás mientras estés a tiempo.

Salió dejándole solo, reflexionando sobre aquellas palabras y recorriendo con la mirada las líneas de su *Historia de la expedición de Alejandro* a la luz del velón. Le hizo volver a la realidad, al cabo de un rato, la voz de un siervo:

—Señor, hay un hombre que ha llegado con las tropas de refuerzo y que lleva un tiempo buscándote. Necesita hablar contigo.

—Hazle pasar y ponnos de beber.

El hombre entró y se presentó: se llamaba Evónimo, era natural de Bizancio, pero vivía en las cercanías de Neápolis, en Tracia. Un gran sabio de Estagira le había confiado un mensaje que debía entregar a Calístenes, pagándole la molestia y garantizándole que el destinatario le daría más dinero.

—Yo soy Calístenes —dijo el interesado echando mano a la bolsa—. Y aquí tienes dos estáteros nuevos por tu amabilidad. Ahora puedes darme el mensaje.

El hombre entregó la misiva, se embolsó el dinero, tomó un vaso de vino y se fue.

El mensaje decía:

Aristóteles a su sobrino Calístenes, ¡salve!

Espero que estés bien de salud. Yo lamentablemente estoy atormentado por un dolor en un hombro que no me deja descansar bien ni siquiera de noche. Me preguntó dónde te llegará esta carta mía y si te encontrarás en la mejor disposición de ánimo. Ya desde hace algún tiempo me llegan de parte de Alejandro un buen número de plantas y animales raros para mis colecciones, lo que me hace comprender que os alejáis cada vez más hacia países remotos y poco conocidos.

Por mi parte, en los períodos en que he estado libre de las obligaciones de la Academia, he vuelto a Macedonia y a Tracia para proseguir con mi investigación. El hombre que decía llamarse Nicandro y que había sido cómplice de Pausanias en el asesinato de Filipo, en realidad se llama Eupitos y, tal como te dije en una carta anterior, tiene una hija que mantenía escondida en un templo de Artemisa en Tracia, en las cercanías de Salmideso. He conocido a la hija con la ayuda de un oficial de Antípatro y la he hecho poner bajo custodia en un lugar seguro donde también su padre pudiera verla y convencerse de que debía hablar si lo que quería era volver a tenerla.

Creo que ha dicho lo que sabía, es decir, que Pausanias fue muerto por uno de los soldados de la guardia epirota que, en realidad, estaba de acuerdo con los asesinos del rey; que él, Eupitos, tenía la misión de encontrar un escondrijo para aquel soldado y hacerle desaparecer. Los indicios parecen volver a dirigir las sospechas sobre la reina madre, pero bueno es razonar sin prejuicios hasta que todo esté aclarado enteramente.

Este hombre está vivo aún y se esconde en una aldea de montaña en Fócide, no lejos de Haliarto. Es allí adonde tengo intención de dirigirme, tan pronto como el tiempo, que ahora es pésimo, haya mejorado un poco y cuando el dolor de mi hombro me conceda una tregua.

Cuídate.

Calístenes cerró la carta, apagó el velón y se acostó, tratando de pensar en algo que le ayudara a conciliar el sueño.

La marcha se reanudó pocos días después y, la noche anterior a la partida, todos los compañeros de Alejandro y los comandantes de las grandes divisiones de la falange y de la caballería de los *hetairoi* recibieron como presente del rey unos arreos de plata para los caballos, a la manera persa, y unos mantos de púrpura. Nadie se atrevió a rechazarlos, ni siquiera Clito *El Negro*, pero ni él ni Filotas hicieron uso de ellos. Estatira fue mandada a Ecbatana con sus damas de compañía y de allí partiría nuevamente a visitar la tumba de su padre en la roca de Persépolis. Alejandro se despidió de ella con amargura.

—¿Pensarás en mí? —le preguntó la muchacha mientras las doncellas la preparaban para la partida.

—Siempre, aún en medio de las batallas, incluso cuando me halle tan lejos que vea nuestras constelaciones bajas en el horizonte. Y piensa tú también en mí, esposa dulcísima.

—¿Te llevarás contigo a Bagoas? —preguntó Estatira con una punta apenas perceptible de malicia.

—Sí —repuso Alejandro—. Me divierte y consigue calmarme también cuando me agobian pensamientos y preocupaciones. Danza y canta de modo encantador.

—Y es muy apuesto también —dijo Estatira—. Tiene unas caderas perfectas, como para provocar la envidia de la más graciosa de las muchachas, y una piel lisa y suave como un pétalo de rosa. En el fondo puedes considerarlo como un regalo mío, en vista de que fui yo misma quien se lo di a mi padre.

Alejandro la estrechó en un largo abrazo y luego la ayudó a subir a su carruaje.

—Si advirtieras que estás en estado, házmelo saber de inmediato, allí donde me encuentre, por medio del correo más veloz de la ciudad. Le he escrito a mi tesorero Hárpalo para que ponga a tu disposición todo cuanto necesites.

—Tú eres lo que necesito —replicó la muchacha—, pero no se puede tener todo. Ten cuidado, no te expongas siempre entre los primeros. No podría resignarme a perderte.

Le besó en la boca, mientras el sol se asomaba detrás de las cimas altísimas de los montes hircanios.

En aquel momento, se oyó el ruido de millares de cascos, gritos de arrieros y un gran chirriar de ruedas. Alejandro se volvió y vio un interminable cortejo de carros, muy semejantes a aquel en el que Estatira estaba a punto de alejarse, que se ponían a la zaga de las últimas unidades del ejército, escoltados por jinetes persas armados.

—Pero... ¿quiénes son? —preguntó el rey, asombrado, al oficial persa que mandaba la escolta.

—Tus concubinas, mi adorado esposo —repuso Estatira antes de que pudiera abrir la boca—. Trescientas sesenta y cinco, tantas como los días del año, cada una con su propio séquito, naturalmente.

—¿Mis concubinas? Pero si yo voy a la guerra y...

—No puedes separarte de ellas. Cada una es hija de un rey aliado nuestro o de un poderoso jefe de tribu de la estepa. Supongo que no querrás ganártelos como enemigos y empujarles a aliarse con Beso.

—No —repuso Alejandro consternado—. No, por supuesto.

33

El ejército se puso en marcha poco después dirigiéndose hacia levante, avanzando por una meseta ondulada cubierta de una rica vegetación. La noticia de que toda la corte persa al completo, aparte de la princesa Estatira, seguía a la expedición corrió de inmediato por todas las unidades sembrando el desconcierto, provocando sarcasmos o incluso una abierta burla. Hefestión a punto estuvo en varias ocasiones de desenvainar la espada para defender el honor del rey, pero Tolomeo y Seleuco no se separaban de su lado y cortaban apenas se producían las peleas y riñas que habrían podido degenerar en altercados mucho más serios.

Después de veinte días de marcha, cuando los guías estaban a punto de tomar hacia el norte en dirección a Bactriana donde se había refugiado Beso, se supo que Satibarzanes y Barsaentes, sátrapas de las provincias de Aria y de Aracosia, se habían rebelado y preparaban un ejército para sorprender al macedonio por la espalda.

Alejandro reunió inmediatamente el consejo de guerra presentándose revestido con la armadura griega, pero a nadie le pasó por alto que, aparte del anillo con la estrella argéada, llevaba también otro con el sello real persa.

—Amigos —comenzó diciendo—, debéis saber que hemos de modificar la dirección de nuestra marcha. Hay que tomar hacia el sur para cortar la rebelión de Satibarzanes y Barsaentes. Haremos lo siguiente: mientras Crátero sigue con la infantería, yo partiré con toda la caballería. Me seguirán Filotas, Hefestión, Tolomeo, Lisímaco y Leonato. Pérdicas y Seleuco se quedarán con Crátero. Nosotros caeremos sobre los rebeldes con la máxima rápidez, antes de que se den cuenta de que hemos cambiado de camino, y les barreremos. Crátero nos echará una mano

187

tan pronto como llegue, si lo necesitamos. Si alguien tiene alguna idea mejor, que la exprese libremente.

Nadie habló, nadie rió o bromeó o dijo ninguna bravata como generalmente sucedía. Reinaba un clima cargado de descontento e incomodidad. Todos sabían cómo había tratado el rey a Clito en Zadracarta cuando se había permitido criticarle por su modo de vestir. Todos pensaban, sin decirlo, en el gran compromiso y en los esfuerzos que costaba la escolta del enorme séquito de concubinas, siervos y eunucos que demoraban inútimente la marcha. Todos estaban al corriente de los continuos episodios de fricciones y de recíproca intolerancia entre tropas macedonias y tropas persas.

Alejandro les miró a la cara uno a uno, buscando una expresión de amistad o de comprensión, pero todos bajaban la mirada como avergonzándose de mostrarle el afecto que habían sentido por él durante tantos años.

—No veo mucho entusiasmo —observó en tono intencionadamente humilde—. ¿Acaso os he tratado mal? ¿Os he desilusionado en algo? ¡Vamos, hablad!

Habló Hefestión:

—No tienen el coraje de decírtelo, pues tienen miedo. ¡Mírales! Ahora que son ricos y esperan poder disfrutar de la vida tienen miedo; te critican porque vistes con excesivo lujo, porque llevas contigo a los soldados persas y a todas esas muchachas, pero a ellos les gustaría hacer lo mismo, acaso cómodamente instalados en un hermoso palacio de algún lugar entre aquí y la costa fenicia. No se acuerdan ya de las promesas que te hicieron de seguirte adonde fuere, incluso al fin del mundo. ¿No es así, muchachos? Eh, ¿no es así acaso? Vamos, decid algo, ¿o es que os habéis quedado sin habla?

—Déjalo correr, Hefestión —intervino en ese punto Crátero—. Yo estoy dispuesto a dar la vida por el rey, aquí, en este momento, y lo mismo lo están todos mis compañeros. No sólo es cuestión de atuendos o de concubinas. Los hombres tienen necesidad de saber cuándo terminará esta maldita guerra. Tienen necesidad de saber dónde está la meta y cuánto tiempo se necesitará para alcanzarla. No pueden saber en el último momento, día a día, que habrá una etapa más y luego otra y otra. ¿Hacia el norte, no, hacia el sur, o tal vez hacia el oeste? Tienen necesidad de reconocerte, Alejandro, de saber que sigues siendo su rey. Están dispuestos a seguirte, pero no pueden vivir en una continua incertidumbre, consumir un día tras otro sin esperanza, sin seguridad en nada.

Alejandro hizo un gesto con la cabeza sin hablar, como tomando nota de una situación que ni siquiera habría podido imaginarse sólo un mes antes. De nuevo tomó la palabra Hefestión:

—Pero vosotros, vosotros ¿qué les decís a vuestros hombres? Tú, Filotas, que eres ahora el comandante general de toda la caballería, ¿qué les dices a tus *hetairoi*? ¿Sigues diciendo que Alejandro no habría hecho nada sin tu contribución y la de tu padre? ¿Te has vuelto un flojo? ¿Que cada noche su única preocupación es asistir al desfile de sus concubinas desnudas para elegir a aquella que deberá ocuparse de su pajarito? ¿Que no estudia ya, que nos se preocupa ya de sus hombres ni de su destino?

—¡Mientes! —gritó Filotas fuera de sí—. Nunca he dicho nada por el estilo.

—De ácuerdo —replicó Hefestión—. Pero tales son los rumores que corren y que ya lo hacían en Cilicia tras la batalla de Issos, y en Egipto después de nuestro regreso del oasis de Amón.

—¡Meras calumnias! ¡Mentiras! Tráeme a quien ha dicho esas palabras, encuéntrame a uno sólo que venga a sostenerlas a cara descubierta, si tiene el valor de hacerlo. Ayer llegó la noticia de que mi hermano Nicanor yace herido en Zadracarta por un flecha durante una patrulla por las montes de Hircania, y ninguna cura ha servido de nada hasta ahora. ¿Alguien se ha preocupado por preguntar cómo está? ¿Alguien ha pensado en mi padre, que ha perdido ya a su hijo más joven y que tal vez perderá ahora a otro? ¿Y he pedido yo ser exonerado, ser dejado atrás para prestarle asistencia?

—Tú eres comandante general de la caballería y ese cargo te obliga bastante a tener que olvidar al pobre Nicanor —rebatió sarcástico Hefestión.

Filotas se levantó e hizo ademán de arrojarse sobre él, pero Tolomeo le detuvo interponiéndose y mirando directamente a los ojos de Hefestión.

—¡Basta ya! —le gritó—. Es injusto hablarle a Filotas de ese modo. Nicanor se está muriendo, he tenido conocimiento de la noticia hace poco por un correo, antes de que comenzase este consejo. A estas horas podría estar ya...

En la tienda del consejo se hizo un silencio sepulcral y durante interminables momentos se oyó tan sólo el silbido del viento de la meseta, voz inquietante de una soledad infinita, y el chasquear insistente del estandarte real contra su asta. Filotas se había tapado el rostro con las manos, Hefestión había bajado los ojos y no sabía qué decir. Seleuco y Tolomeo intercambiaban una mirada angustiada buscando en vano el uno en los ojos del otro la idea para desbloquear aquella tensión insoportable. *Peritas*, que estaba acostado a los pies de Alejandro, levantó el morro hacia su amo gruñendo inquieto. Parecía percibir el peso que embargaba su ánimo.

Alejandro le hizo una caricia, luego se puso en pie y dijo:

—Sinceramente lo siento por Nicanor, pero yo he de saber si puedo contar con vosotros.

Crátero miró a su compañeros, luego se levantó a su vez y se enfrentó a él.

—¿Cómo puedes dudarlo? ¿No estamos siempre contigo? ¿No hemos luchado siempre sin ahorrar esfuerzos, no hemos recibido todo tipo de heridas? Únicamente pedimos saber qué quieres de nosotros, pero sobre todo de los hombres que te han seguido hasta aquí.

—Quiero ser comprendido —respondió Alejandro— porque no he cambiado. Lo que hago debe ser hecho.

—¿Puedo hablar? —le preguntó en aquel punto Leonato.

—Ciertamente.

—Los hombres tienen miedo de que quieras llegar a ser como el Gran Rey, que quieras obligarles a comportarse como persas y a los persas a comportarse como ellos.

—Si hubiera querido convertirme en el Gran Rey, ¿crees que habría quemado el palacio de Persépolis y el salón del trono? Mañana reanudaremos la marcha. Eumolpo de Solos me ha hecho saber que Satibarzanes está en Artacoata. Partiremos al amanecer. Aquel de vosotros que no se vea con ánimos puede volver atrás y llevarse con él a sus hombres.

—Alejandro, pero nosotros... —trató de replicar Leonato.

Pero el rey se levantó y salió.

Filotas levantó la cabeza y se volvió en torno para mirar a sus compañeros.

—No tiene derecho a tratarnos de este modo. No tiene ningún derecho —dijo.

Alejandro alcanzó entretanto su tienda y entró. En el interior le esperaba Eumolpo de Solos.

—¿Hay más noticias de Satibarzanes? —preguntó dejándose caer en un asiento.

—Se está preparando para el enfrentamiento, pero sus tropas están bastante desmoralizadas. No creo que presenten una denodada resistencia. ¿Cómo ha ido el consejo?

Alejandro se encogió de hombros.

—No te lo tomes a mal. Sólo necesitan habituarse a las novedades. Es gente apegada a sus tradiciones, y luego, en mi opinión, están celosos. Temen que tú te alejes de ellos, que no seas ya capaz de tratarles con la misma confianza.

—Parece que les conozcas muy bien.

—Bastante.

—¿Qué quieres decir?

—Quiero decir que después de Issos, cuando reanudé mi trabajo a tu servicio, me ocupé también de tus amigos. ¿Quién crees que metió a las muchachas en su cama?

—¿Tú? Pero yo no...

—¡Ah, tonterías! Mi trabajo, o se hace bien, o no se hace en absoluto. Y además las historias de cama son mi especialidad. ¿Sabías que los hombres tienden a hablar mucho más libremente después de haber jodido? ¿No es curioso?

—Déjalo correr.

—Y las muchachas me lo contaban todo.

—Mis amigos no me traicionarían jamás.

—Tal vez no. Pero alguno puede estar más expuesto que otros a cierto tipo de tentaciones. Por ejemplo Filotas, tu comandante general de la caballería. Un hombre que tiene un cargo delicado.

Alejandro se mostró de repente atento.

—¿Qué sabes de Filotas?

—No mucho. Pero en aquel entonces solía decir que eras un jovenzuelo presuntuoso, que sin él y su padre no habrías vencido nunca, ni en el Gránico ni en Issos, y que les tratabas injustamente.

—¿Por qué no me lo dijiste enseguida?

—Porque no me habrías prestado oídos.

—¿Y por qué debería prestártelos ahora?

—Porque ahora estás en peligro. Estás a punto de atravesar lugares completamente desconocidos, para hacer frente a poblaciones salvajes. Has de saber con quién puedes contar y con quién no. Ándate con cuidado con tu primo Amintas.

—Le he hecho vigilar con discreción después de que le hice arrestar la primera vez en Anatolia. Siempre se ha comportado como un valiente y siempre ha sido leal conmigo.

—Precisamente por eso, un príncipe leal y valeroso. Si perdieras el favor de tus hombres, ¿hacia quién se volverían sus miradas?

Alejandro le miró en silencio y fue Eumolpo quien dio voz a la respuesta que le leía en los ojos:

—Al único superviviente de la casa de los Argéadas. Espero que los dioses te concedan un sueño tranquilo. Buenas noches.

Se levantó, saludó con un leve gesto de cabeza y, asegurándose de que *Peritas* no le hubiera seguido, se alejó hacia su alojamiento.

34

El Asia interior se ofrecía ante el ejército de Alejandro con paisajes cada más yermos y desolados, con pedregales candentes bajo un sol de justicia, reino de escorpiones y de serpientes. Ralos matojos espinosos salpicaban el fondo de torrentes secos y los ríos que tenían agua morían en lagunas amargas orladas por vastas extensiones de sal. Durante jornadas enteras, los soldados marchaban en silencio sin ver nunca una sombra en la que poder buscar refrigerio, sin que nunca un soplo de viento trajera alivio al sofocante calor.

También el cielo estaba despejado y candente, deslumbrante como un escudo de bronce, y si en lontananza se distinguía a veces un lento latir de alas, casi siempre se trataba de buitres que estaban al acecho de las bestias de carga que se habían perdido o que la muerte había postrado en alguna parte en medio del inmenso pedregal.

Ni siquiera el viaje hacia el oasis de Amón había sido tan angustioso: las dunas de aquel desierto tenían una majestuosa belleza en las crestas afiladas, en los claroscuros violentos, en la pureza de las formas agraciadas y cambiantes, esculpidas por el viento. Tenían el aspecto de un océano dorado, vuelto de pronto inmóvil por el gesto de un dios, teatro grandioso y solemne de una epifanía inminente.

Aquellos lugares, en cambio, no inspiraban nada más que pensamientos de muerte, de vacía soledad, de inmutable desolación, y cada uno en su corazón alimentaba una nostalgia profunda, un deseo angustioso de retorno.

Ningún objetivo, ningún significado daba sentido en aquellos días a su extenuante fatiga, y daban cada paso con reticencia siempre creciente, presa de la angustia de aquellos paisajes sin límites y sin puntos de referencia, en los que únicamente la incomprensible seguridad de los guías indígenas parecía ver una meta en algún lugar más allá del horizonte evanescente.

Los días de sus empresas más gloriosas aparecían ya lejanos y muchos parecían arrepentirse de haber respondido de forma impulsiva a las llamadas del rey. Nadie conseguía comprender qué buscaba él en aquellos lugares tan distantes del mar, en aquellas tierras míseras que ofrecían subsistencia tan sólo a poco pobladas aldeas de cabañas de adobe cubiertas de estiércol de camello y de oveja.

Luego, poco a poco, el paisaje comenzó a cambiar, el aire se volvió más refrescante y vivo, aparecieron alturas que la lluvia regaba de tanto en tanto, expandiendo en ellas un leve velo verdeante, alimentando aquí y allá algún que otro árbol solitario y manadas de pequeños caballos peludos o de salvajes dromedarios. Se acercaban al valle de un río y a las orillas de un vasto lago en cuyas aguas vieron finalmente reflejarse las murallas y las torres de Artacoata, la capital de los arios, la fortaleza de Satibarzanes.

No tuvo el ejército tiempo de desplegarse cuando ya las puertas de la fortaleza se abrieron de par en par y un escuadrón de jinetes se lanzó al asalto con grandes gritos, levantando una nube de polvo rojizo que se extendió por el llano como un nubarrón de tempestad. Filotas y Crátero hicieron sonar las trompas, los *hetairoi* espolearon a sus caballos cansados y sedientos y el choque hizo pensar en un primer momento que llevaban las de perder. Asaltados por tropas de refresco y descansadas, retrocedieron batiéndose sin embargo con valor, buscando el apoyo de los compañeros que poco a poco acudían llamados por el grito insistente de las trompas.

Alejandro mandó entonces al ataque a los soldados persas que hasta aquel momento había tenido en la retaguardia para proteger los carruajes y el séquito de las mujeres y de los cortesanos. Sus caballos de Partia, más resistentes al calor y a la fatiga, se arrojaron al galope con ardor igual al de sus adversarios, y los guerreros medos e hircanios y los últimos supervivientes de la guardia de los Inmortales, deseosos de distinguirse a los ojos del rey, embistieron entre las filas enemigas abriendo brechas y sembrando el desconcierto. Ataviados como ellos, no se distinguían en medio de la confusión del combate y pudieron golpear con devastadora eficacia durante el primer asalto. La presión del choque se atenuó, la carga se fragmentó en muchos combates aislados y furiosos y los jinetes de *La Punta*, que hasta ese momento no habían formado aún, montaron sus caballos descansados y se lanzaron sobre el flanco enemigo al mando del rey en persona. Embestidos con extrema violencia y empujados hacia atrás, los hombres de Satibarzanes se vieron de repente dominados por el desaliento, momento en que Pérdicas lanzó a los agrianos de a pie, armados con sus cuchillos y largas podaderas afiladas. Protegidos por el denso polvo, se movían cual espectros eligiendo a sus víctimas y golpeando con precisión, de modo que ninguna cuchillada fuera en vano.

Satibarzanes, visto el fracaso de su tentativa, hizo sonar los cuernos para ordenar la retirada y sus tropas se replegaron veloces volviendo a entrar, no sin sufrir bajas, en la ciudad. Poco después se levantó viento y despejó el polvo, descubriendo cientos de cadáveres tendidos sobre el terreno y muchos heridos que se lamentaban y pedían socorro.

Los agrianos pasaban de hombre a hombre cortando el gaznate a todos los enemigos y despojándoles de las armas y de los objetos de adorno, ante los ojos de las mujeres que desde lo alto de los muros se mesaban los cabellos y lanzaban hacia el cielo gritos desgarradores.

En tanto Eumenes había dado orden de levantar el campamento y de defender todo su perímetro con una trinchera y un talud, y mientras vigilaba los trabajos, podía oír los refunfuños de descontento de los soldados que soportaban de mal grado la decisión del rey de utilizar a los persas en el ataque al ejército de Satibarzanes.

—¿Qué necesidad había de hacer intervenir a esos bárbaros? —decían—. Nos las hubiéramos arreglado solos. La infantería no ha entrado siquiera en combate.

—Sí, es cierto —confirmaba alguien—. El rey ha querido humillarnos y esto no es justo, después de todos los sacrificios que hemos tenido que afrontar.

—No hay nada que hacer —comentaba otro—. Ahora ya se ha vuelto uno de ellos, se rodea de soldados de guardia persas, se baña con el castrado que le da masajes y no sé qué más, lleva detrás de él a todas esas concubinas y nosotros a montar la guardia...

Eumenes escuchaba en silencio porque aquellas palabras le dolían. Y también Eumolpo de Solos escuchaba: aunque se mantuviera aparte y pasara la mayor parte de su tiempo bajo la tienda, tenía muchos ojos y muchos oídos, a los que se le escapaban muy pocas cosas. A pesar de todo ello, no se imaginaba de todos modos que por primera vez en su vida los acontecimientos fueran a sorprenderle.

El campamento estaba ya montado y los hombres se preparaban para el descanso.

Mientras el sol descendía tras las murallas color ocre de Artacoata, se alzó en el aire la llamada larga y quejumbrosa de un cuerno. Oxatres, que había hecho ya de guía a Alejandro en el camino de Ecbatana y de Zadracarta, se acercó al rey.

—Eso es un heraldo —dijo en un griego que iba mejorando—. Un heraldo de Satibarzanes.

—Ve tú, Oxatres, tal vez quieran parlamentar... rendirse.

Oxatres montó a caballo y se acercó a las murallas de la ciudad, mientras un jinete salía al mismo tiempo yendo a su encuentro. Los dos intercambiaron unas pocas frases, luego cada uno volvió allí de donde había venido.

Mientras tanto los compañeros del rey se habían reunido en torno a Alejandro para informarle acerca de las bajas que cada unidad había sufrido y para aconsejarle sobre lo que harían al día siguiente. Oxatres se presentó para informar.

—Satibarzanes desafía al más fuerte de todos vosotros a duelo. Si él es el vencedor, os marcharéis; si pierde, vuestra será la ciudad.

Alejandro se encendió ante aquella palabras: de golpe le vinieron a la mente las escenas de duelos entre campeones homéricos que habían poblado durante años sus fantasías de muchacho.

—Ya voy yo —dijo sin dudarlo.

—No —repuso al punto Tolomeo—. Un rey de Macedonia no se bate con un sátrapa. Elige a alguien que te represente.

Intervino Oxatres:

—Satibarzanes es grande, fuerte.

Y levantó los brazos como para simular una mole imponente.

—Ya voy yo —se propuso Leonato—. También yo soy lo bastante alto y más bien fuerte.

Alejandro le miró de arriba abajo, haciendo un gesto con la cabeza como para tranquilizarse a sí mismo y a sus compañeros. Luego le dio una palmada en un hombro:

—Conforme. Hazle pedazos, Leonato.

Los dos campeones se encontraron al amanecer del día siguiente en un espacio despejado y llano, y los dos ejércitos, casi al completo, se dispusieron en semicírculo a los lados para asistir al duelo. La voz había corrido rápidamente entre los soldados macedonios y, al mismo tiempo que la voz, un extraordinario nerviosismo. Todos conocían la potencia de Leonato y su formidable prestancia física que habían admirado muchas veces en el curso de tantas batallas campales y, apenas le vieron aparecer armado hasta los dientes con el gran escudo con la estrella de plata en el brazo izquierdo, la espada de acero reluciente en la derecha y en la cabeza el yelmo rematado por una cimera bermeja, estallaron en un retumbo, en un coro de gritos de ánimo.

Pero cuando la formación persa se abrió y apareció el adversario, muchos de ellos enmudecieron: Satibarzanes era gigantesco y andaba majestuosamente con paso lento y pesado. Blandía en la diestra un largo sable curvo afiladísimo, embrazaba un escudo de madera cubierto de escamas de hierro brillantes cual soles, calzaba un yelmo cónico de tipo asirio del que colgaban un cubrenuca de cuero tachonado que le llegaba hasta los hombros y un griñón de malla de hierro. Lucía unos poblados bigotes caídos y unas espesas cejas negras, unidas sobre el entrecejo de la gran nariz aquilina, que le conferían un aspecto duro y feroz.

En breve se encontraron el uno frente al otro y se miraron a los ojos sin decir una palabra, esperando la señal de los dos heraldos, el macedonio y el persa. El intérprete tradujo:

—El noble Satibarzanes propone un enfrentamiento a muerte y sin reglas de ningún tipo, a fin de que venzan nada más que la fuerza y el valor.

—Dile que me parece bien —replicó Leonato apretando la espada en el puño y disponiéndose al primer asalto.

Entonces los heraldos dieron la señal del inicio del combate, que habría de concluir sólo con la muerte de uno de los dos guerreros.

Leonato comenzó a acercarse, buscando una fisura en la defensa de su enemigo, que se cubría casi completamente con el gran escudo y mantenía el sable bajado, como si no temiera de ningún modo sus golpes, pero cuando él atacó a fondo, Satibarzanes soltó un fulminante mandoble que le golpeó de lleno en el yelmo haciéndole vacilar aturdido.

—¡Atrás! —gritó Alejandro angustiado—. ¡Leonato, atrás! ¡Protégete, protégete!

Hubiera querido correr en defensa de su amigo, pero había dado su palabra de rey de que nadie intervendría en el enfrentamiento.

Satibarzanes golpeó una y otra vez, mientras Leonato alargaba el escudo retrocediendo con poca firmeza en las piernas. El ejército entero asistía mudo a la escena, observaba impotente el arreciar de golpes tremendos; en el otro lado, los persas lanzaban gritos de ánimo a su campeón, que avanzaba inexorable, buscando el golpe mortal. Leonato, incapaz aún de reaccionar, dobló las rodillas y otro mandoble de su adversario resbaló primero sobre el escudo rozando la estrella de plata, terrible presagio a los ojos de los soldados macedonios, y luego le golpeó en el hombro haciendo brotar un chorro de sangre.

Al ver aquello, un grito de espanto recorrió las filas de los *pezetairoi*, y muchos tenían los ojos relucientes de lágrimas y esperaban ahora el golpe fatídico. Pero el dolor, agudo y ardiente como un latigazo, despertó a Leonato, que se puso en pie con un impulso repentino de energía y logró arrancar las correas del yelmo mellado que le oprimía el cráneo y lanzarlo lejos. En ese mismo instante vio la herida que manaba sangre, se dio cuenta al momento de que disponía de poco tiempo antes de perder las fuerzas y se arrojó hacia delante con un aullido salvaje, embistiendo frontalmente con el escudo el de su adversario.

Cogido por sorpresa, sacudido por aquel rugido, Satibarzanes perdió el equilibrio y Leonato se aprovecho de ello, golpeó con la espada con enorme violencia una, dos, tres veces, mientras el guerrero persa trataba de parar los golpes con la suya. Cayó hacia atrás y Leonato golpeó con ardor aún mayor, pero la espada se le quebró en el choque con la hoja mejor del sátrapa.

Satibarzanes reaccionó, recuperó el equilibrio y se adelantó hacia el enemigo inerme. Levantó el sable, que resplandeció amenazante en el sol naciente, pero cuando estaba a punto de asestar el golpe Lisímaco gritó:

—¡Tómala, Leonato!

Y le lanzó el hacha de doble hoja. Leonato la cogió al vuelo y, antes de que Satibarzanes hubiera dejado caer el sablazo, le cortó el brazo limpiamente y luego, mientras el adversario permanecía inmóvil como petrificado por el dolor, con otro golpe le cercenó la cabeza haciendola rodar por el suelo con los grandes ojos negros aún desorbitados y atónitos.

Un grito exultante se alzó de entre las filas macedonias e inmediatamente los ayudantes fueron a socorrer al campeón, pálido por el esfuerzo espantoso y por la pérdida copiosa de sangre. Le llevaron a la tienda de Filipo para que éste pudiera salvarle la vida.

Los persas se reunieron en torno al cuerpo desmembrado de su comandante, formando una barrera para ocultar a los ojos de los enemigos aquel espectáculo lastimoso, y sólo cuando el cuerpo de Satibarzanes fue recompuesto y colocado sobre una litera se alejaron hacia la ciudad con lento paso fúnebre, dejando tras de sí un largo reguero de sangre.

Antes de la puesta del sol, Artacoata se rindió.

35

Alejandro refundó la ciudad con el nombre de Alejandría de Aria, precisamente cuando recibió de Egipto noticias de que su primera Alejandría, aquella que había construido para él el arquitecto Dinócrates a orillas del mar, prosperaba por el florecimiento del comercio y se iba poblando día a día con nuevos habitantes que acudían de todas partes, adquiriendo las casas, los huertos y los jardines que la hacían ya una ciudad en grande y tumultuoso crecimiento.

Dejó en Alejandría de Aria un gobernador macedonio y una pequeña guarnición de mercenarios a los que asignó una renta, propiedades, esclavos y mujeres, para que pudieran formar una familia y sentirse ligados a aquel lugar remoto, olvidando, en la medida de lo posible, su propia patria de origen.

Esperó a que Leonato se recuperara de las heridas sufridas en el duelo con Satibarzanes, y a continuación dio orden de volver a ponerse en camino hacia el norte, a lo largo del valle verdeante de un río que se dividía en muchas corrientes secundarias que se entrelazaban de continuo, encerrando en una red de plata a miles de isletas verdes y esplendentes cual esmeraldas. Marcharían en dirección a una cadena de montañas en comparación con las cuales, le dijeron, cualquier otra cumbre en el mundo era un modesto collado. Aquella formidable barrera se llamaba Paropámiso y separaba Bactriana de las inmensas llanuras de Escitia, vasta como el Océano.

Leonato, con el hombro izquierdo aún vendado, se hacía preparar sus bagajes por unos siervos, ante la mirada de Calístenes, que parecía en aquellos días de humor cada vez más tétrico. Le dijo:

—Pero ¿es posible que esos montes sean más altos que el Olimpo?

—Nos acercamos a lugares que ninguno de nosotros conoce. Es posible que aquellos montes sean la barrera que delimita el confín extremo del mundo y que por eso superen en altura a cualquier otro. Todo es ya posible, y todo es absurdo al mismo tiempo.

—¿Qué intentas decir?

El historiador bajó la cabeza y no respondió y tampoco Leonato dijo ya nada. La alegría de su victoria se había diluido pronto en el descontento que sentía insinuarse entre las unidades del ejército, en el clima de sospecha que se percibía a veces también entre los jefes y oficiales. Los únicos que parecían entusiastas de aquella empresa eran los jovencitos llegados de Macedonia para servir como pajes a la persona del rey. Miraban a su alrededor estupefactos y fascinados, contemplaban con maravilla el paisaje imponente y majestuoso, impresionante en los colores encendidos de las puestas de sol, en el azul intenso del cielo suspendido, en las nieves inmaculadas de las cumbres, en el increíble esplendor de miríadas de estrellas en las noches serenas.

Y también la naturaleza les asombraba con el cambiar continuo de sus manifestaciones: plantas nunca vistas antes y animales de los que tan sólo habían oído hablar. El tigre, con su pelaje estriado, había sido entrevisto ya por alguien a lo lejos, abajo en el río, cuando lo atravesaba al amanecer para tender una trampa a ciervos y gacelas o a los grandes búfalos de curvos cuernos que pacían en las riberas.

Las tareas de los jóvenes pajes les llevaban a estar a menudo presentes tanto en la residencia real al lado de Alejandro como en las de sus compañeros o de los altos oficiales del ejército. Fue así como uno de ellos, un muchacho de quince años rubio y grácil, de nombre Cibelinos, se enteró de un terrible secreto. ¡Una conjura para dar muerte al rey!

Se confió en voz baja con un amigo suyo que se llamaba Agirios, algo mayor, que dormía cerca de él en la tienda común y que algunas veces salía en su defensa contra los compañeros más prepotentes. Le despertó cuando todos los demás se hubieron dormido y aquél se frotó los ojos, se sentó en el borde de la cama y escuchó estupefacto y angustiado el increíble relato.

—Si no estás absolutamente seguro de lo que dices no abras el pico, porque está en juego tu cabeza —le aconsejó.

—Estoy más que seguro —le replicó Cibelinos—. He oído a dos altos oficiales de la falange discutir el modo, el día y la hora.

Agirios sacudió la cabeza incrédulo.

—Acabamos de llegar hace unos pocos días y ya nos vemos envueltos en un acontecimiento de este tipo. Es espantoso.

—¿Qué debería hacer, según tú? ¿Debería hablar de ello con el rey?

—No, ¿estás loco? Con el rey no. Es muy difícil que uno de nosotros pueda encontrar el modo de dirigirle directamente la palabra, sobre todo ahora que el ceremonial se ha vuelto tan complicado. Podrías hablar con uno de sus compañeros. El general Filotas, por ejemplo, es el comandante supremo de la caballería de los *hetairoi* y a partir de mañana estaremos asignados a su servicio. Ya pensará él en advertir al rey.

—También a mí me parece lo mejor —replicó Cibelinos—. Me has dado un buen consejo.

—Ahora duerme —dijo Agirios—. Mañana el cabo nos despertará antes del alba para el adiestramiento a caballo.

El muchacho trató de conciliar el sueño, pero la trascendencia del secreto del que había tenido conocimiento no le dejaba pegar ojo y se quedó largo rato tumbado boca arriba, con los ojos abiertos de par en par en la oscuridad, atormentado por la pesadilla sangrienta del regicidio. Al mismo tiempo se sentía muy excitado ante la idea del gran mérito que recaería sobre él por su revelación, al pensar que Alejandro III de Macedonia en persona, el conquistador de Menfis, Babilonia y Susa, le debería a él, Cibelinos, el más grácil de los pajes, al que todos hacían el blanco de sus bromas y de sus burlas, la vida.

Se vistió antes de que sonara la trompa de diana y desayunó en silencio con los demás pajes, sentado cerca de Agirios.

—¡Eh, Cibelinos se ha quedado sin habla! —dijo un compañero.

—¡Déjale tranquilo! —le hizo callar Agirios—. Lo único que sabéis hacer es meteros con el más débil.

—¿Es que acaso quieres que me meta contigo?

Agirios dejó pasar la provocación y terminó de desayunar, y acto seguido todos siguieron al cabo que les condujo hacia los picaderos de los caballos para dar comienzo al adietramiento diario.

Cibelinos se cayó varias veces, haciéndose un buen número de contusiones, porque tenía la cabeza en otra cosa, pero todos pensaron que quizá era su acostumbrada ineptitud y fueron pocos los que le dieron importancia. Por la noche, antes de la cena, fue admitido, junto con su amigo, en la residencia de Filotas con el cometido de ayudar al general a quitarse la armadura y cuidarse de sus armas: bruñir la coraza y las grebas, revisar las correas del escudo, afilar la espada y la lanza.

Se esforzaron por hacerlo lo mejor posible y mientras tanto Cibelinos buscaba el momento más oportuno para hablar, pero no conseguía encontrar el valor para hacerlo. Y así no dijo nada, ni aquel día ni tampoco al siguiente. Agirios le incitaba a cobrar valor:

—El general te elogiará, ¿o qué crees? No debes tener miedo. El tiempo pasa y cada segundo puede ser el que los conjurados han elegido para dar muerte al rey. Vamos, ¿a qué esperas?

El muchacho tomó su decisión y la noche siguiente, mientras Filotas se disponía a salir, consiguió finalmente abrir la boca:

—*Hegemón*...

Filotas se volvió.

—¿Qué pasa, muchacho?

—Necesito hablar contigo, *hegemón*.

—Ahora no tengo tiempo. ¿De qué se trata?

—Se trata de una cosa importante. Se trata de la vida del rey.

Filotas se detuvo en el umbral y bajó la cabeza como si hubiera sido fulminado por un rayo, pero no se volvió.

—¿Qué tratas de decir?

—Que está en grave peligro. Hay alguien que trata de matarle y...

Filotas cerró de golpe la puerta y se acercó al muchacho.

—¡Locos desgraciados! —murmuró entre dientes—. No han querido escucharme... —El jovencito se echó para atrás atemorizado, pero él le miró con una expresión incitante—. ¿Cómo te llamas, muchacho?

—Me llamo Cibelinos.

—Bien. Ahora siéntate y dime cuanto sepas. Ya verás cómo lo arreglamos todo.

36

Se acercaba el día fijado para la partida y Alejandro había hecho venir a la princesa Estatira de Zadracarta para pasar con ella algún tiempo antes de una larga separación. Salió a recibirla al camino y ella, apenas le vio de lejos, bajó de su carruaje y corrió a su encuentro a pie igual que una muchacha corre a echarse en brazos de su primer enamorado. También él bajó del caballo y la estrechó contra sí con pasión cuando ella se le arrojó al cuello. Le fascinaba su frescura ingenua, su dócil disponibilidad, el hecho de que no le coaccionara nunca en nada, ni siquiera en las cartas que le escribía.

Luego se pusieron en camino a pie, conversando como viejos amigos, hacia la residencia del rey en Alejandría de Aria; Estatira observaba las obras que aparecían por doquier para la realización de los nuevos edificios que harían de la vieja Artacoata una ciudad griega: los templos de los dioses en el lugar más elevado, el gimnasio al lado del ágora para los ejercicios de los jóvenes guerreros, el teatro para las representaciones escénicas.

—Lo que encuentro más emocionante —decía el rey— es pensar que dentro de un tiempo, en este lugar tan lejano de Atenas, de Corinto y de Pella, resonarán los versos de Eurípides y de Sófocles. ¿Has asistido alguna vez a una de nuestras tragedias?

—No —respondió Estatira—, pero he oído hablar de ellas. Se representa una historia, hay actores que actúan, un coro que danza y que canta, ¿no es así? Mi preceptor me dijo que había visto una tragedia en una de las ciudades *yauna* de la costa.

—Más o menos así es —replicó Alejandro—, pero asistir a ella es otra muy distinta, pues uno revive las emociones y las pasiones de los antiguos héroes y de sus mujeres como si fueran seres vivos y reales.

Estatira le apretó el brazo para hacerle sentir cuánto la fascinaban aquellas palabras.

—Me hubiera gustado esperar a que el teatro estuviera acabado, pero no hay tiempo. El usurpador Beso se apresta a atravesar el Paropámiso para unirse a las tribus escitas de las grandes llanuras. Tengo que darle alcance para hacer justicia con él, y por tanto adelantaré la representación a mañana, en una escena de madera y con graderías de madera. Partiré al día siguiente.

—¿Podré pasar la noche contigo? —preguntó Estatira. Y le susurró al oído—: He recorrido setenta parasangas en ese carruaje sobre todo para esto, ¿o qué crees?

Alejandro sonrió.

—Espero que estés a la altura de un sacrificio tan grande. Entretanto haré que estés dignamente hospedada.

En el ínterin habían llegado a su residencia, el palacio que fuera del sátrapa Satibarzanes, y las mujeres tomaron bajo su cuidado a la princesa llevándola a sus habitaciones.

El rey volvió a hacerle una visita hacia el anochecer, saliendo del campamento donde había pasado por la tarde para vigilar el estado de los preparativos para la partida. El sol había desaparecido por el horizonte y los últimos reflejos doraban aún las ralas nubes que navegaban lentamente cual veleros por el cielo. Pero hacia la parte de levante se había ya completamente despejado y precisamente de aquel lado observó Alejandro la luz de un fuego solitario.

—¿Quién hay allí? —preguntó a sus soldados de la guardia.

—Tal vez sea un pastor que está preparando su comida antes de echarse a dormir —fue la respuesta.

Pero cuando estuvieron más cerca, se vio ondear un manto blanco que se alzaba del suelo, agitado por la brisa nocturna.

—Aristandro —murmuró el rey y espoleó a su cabalgadura hacia el vivaque.

La guardia se dispuso a seguirle, pero él hizo un gesto de que se quedarán atrás y tuvieron que obedecer.

El vidente estaba de pie delante de un montón de piedras sobre las que ardía el fuego y mantenía la mirada fija en las llamas que crepitaban alimentadas por ramiza seca de acacia. No pareció darse cuenta siquiera del ruido de los cascos del caballo que se acercaba, pero volvió a la realidad al oír la voz de Alejandro.

—¿Has oído mi llamada? —preguntó con un extraño timbre alterado.

—He visto tu fuego.

—Estás en peligro.

—Lo estoy siempre. Mi cuerpo está lleno de cicatrices.

El vidente pareció verle sólo en aquel momento y mientras le miraba fijamente a los ojos murmuró:

—Es extraño, sólo tu rostro se ha visto libre de ellas. En cambio, dicen que tu padre estaba desfigurado cuando murió.

—¿Acaso tienes fuertes presagios de muerte para mí, Aristandro? Yo quisiera hacer realidad mi sueño y querría... un hijo, antes de...

El vidente le interrumpió:

—Te salvarás, pero presta atención a lo que te diga un muchacho. A la voz de un muchacho —repitió—. No puedo decirte nada más, no puedo...

Tenía los ojos húmedos.

—¿Y tu pesadilla? ¿Todavía ves a ese hombre desnudo que arde vivo en una pira?

—Lo veo siempre. —Y señaló el fuego que tenía delante—. Su silencio me trastorna. Su silencio, ¿comprendes?

Alejandro se alejó a pie llevando a su caballo por el ronzal y llegó al sendero donde le esperaba la guardia. Le pareció que veía a su padre traspasado por la espada de uno de ellos y los alejó con un gesto de la mano.

—Podéis marcharos. No necesito ninguna guardia. Mis hombres me quieren, así como también mis compañeros. Marchaos.

Filotas salió de su morada entrada la noche y fue andando apresuradamente hacia un lugar en la parte alta de la ciudad, una maciza construcción de adobe que había sido destinada a cuartel general de los oficiales de la caballería de los *hetairoi*. No había luna, pero el cielo resplandecía de una miríada de estrellas increíblemente grandes y brillantes, y la estela diáfana de la galaxia se extendía en la bóveda celeste cual un largo suspiro de luz.

Iba cubierto con un manto oscuro y ocultaba su cabeza y rostro bajo la capucha, de modo que nadie habría podido reconocerle. Únicamente se descubrió delante de la guardia que vigilaba la entrada, que se puso firmes bajando la lanza en señal de saludo. Entró y se encontró frente a Simias, uno de los comandantes del batallón de los *pezetairoi*.

—¿Dónde están los demás? —preguntó.

—No lo sé —repuso el oficial.

—Claro que lo sabes. Como lo sé yo. No me moveré de aquí hasta que les haya visto a todos, uno por uno, aunque sea a costa de... de tener que avisar al rey.

Simias palideció.

—No te muevas —dijo—. Algunos están en la torrecilla del bastión oriental, otros en el cuerpo de guardia del patio central.

Salió por una puertecilla lateral y Filotas permaneció caminando adelante y atrás mientras se retorcía las manos durante la angustiosa espera.

Llegaron uno tras otro, en pequeños grupos, y Filotas les miró atentamente, como si estuviera pasando revista a una unidad, pero con una expresión de fastidio: Simias de Neápolis, comandante del tercer batallón de los *pezetairoi*, Agesandro de Leucopedión, vicecomandante del quinto escuadrón de los *hetairoi*, Héctor de Termas, comandante de la primera compañía de *La Punta*, Cresilas de Metona, comandante de los mercenarios griegos, y Aristarco de Poliakmon, vicecomandante de los «portadores de escudo».

Les atacó sin darles siquiera tiempo a abrir la boca.

—¿Es que estáis locos? Pero ¿qué es esa historia de que habéis decidido matar al rey?

—Mira que te equivocas... —trató de replicar Simias.

—¡Espera! —le hizo callar Filotas—. ¿Con quién crees que estáis hablando? Ahora quiero que me digáis quién ha tomado esta decisión y cuándo teníais intención de actuar, pero sobre todo por qué.

—El por qué ya lo sabes —repuso Cresilas—. Alejandro no es ya nuestro rey. Es un bárbaro, que viste como tal y se rodea de bárbaros. ¿Y nosotros? Nosotros que le hemos conquistado un imperio estamos obligados a hacer humillantes antesalas si necesitamos mantener una conversación con él.

—Y por si esto no bastase —intervino Simias—, están sus locos planes, la conquista del mundo. ¿Comprendes? La conquista del mundo. Pero ¿qué mundo? ¿Hay alguno de nosotros que sepa dónde termina el mundo? ¿Y si no terminara nunca? ¿Tendremos que arrastrarnos siempre por desiertos, montañas y desoladas planicies únicamente por conquistar de vez en cuando una aldea miserable como ésta de Artacoata?

—Y eso no es todo —dijo Héctor de Termas—. Ahora funda colonias, pero ¿dónde? No en la costa, en lugares adecuados y agradables como fue el caso de su primera Alejandría; crea ciudades en lugares desiertos, entre poblaciones bárbaras, a una enorme distancia del mar. Obliga a miles de desgraciados a echar raíces en lugares odiosos, a emparejarse con mujeres bárbaras para dar origen a una generación de bastardos desdichados.

—Todos los griegos de las colonias se han unido con mujeres bárbaras —observó Filotas—. Ésta no es una razón para matarle.

—No seas hipócrita —replicó Simias—. Tú siempre has estado de acuerdo con nosotros, el unico de sus amigos, en el hecho de que no es posible continuar de este modo. Has sido el único en comprender los sufrimientos de nuestros hombres, sus temores, su deseo de volver a la patria, y ahora finges sorprenderte de lo que ya sabías.

—¡No es cierto! —rebatió Filotas—. El acuerdo entre nosotros era completamente distinto. Optamos por un pronunciamiento de nuestras unidades cuando llegara el momento. Para obligarle a renunciar a sus propósitos.

—De ser necesario por la fuerza —apostilló Aristarco.

—Pero sin derramamiento de sangre —replicó más decidido aún Filotas—. Si realmente vuestro plan se hiciera realidad, el ejército quedaría sin mando en el corazón de un país extranjero y el trono sin un rey.

—No es cierto —intervino Agesandro—. Tenemos un rey.

—Amintas IV —dijo Simias—. El legítimo hijo del legítimo rey Amintas III.

Filotas sacudió la cabeza.

—Es imposible. Amintas es leal a Alejandro.

—Esto lo dices tú —rebatió Simias—. Espera a que ciña la corona de Macedonia.

Filotas se dejó caer sobre un escaño y se quedó un rato en silencio. Simias siguió hablando:

—Tú eres el comandante supremo de la caballería de los *hetairoi* y el nuevo rey tendrá que contar contigo. Hemos de saber qué piensas tú.

Filotas suspiró.

—Escuchad, yo pienso, mejor dicho, estoy convencido de que no es necesario mancharse las manos con la sangre de Alejandro al que todos debemos mucho.

—Es él quien nos debe mucho a nosotros —le interrumpió Aristarco—. Y además, cuando esté muerto, nada impedirá tributarle grandes honores, erigirle estatuas y monumentos, celebrarle en todo el mundo con inscripciones: así es como se hace. En cuanto a Amintas, nos deberá el trono a nosotros y nos escuchará.

Filotas prosiguió como si Aristarco no hubiera dicho nada.

—No quiero matarle. Y tampoco vosotros le mataréis. Ya diré yo cómo actuaremos y cuándo.

Habló con tal decisión que nadie se atrevió a replicarle. Luego se cubrió de nuevo la cabeza con la capucha y salió al camino.

Simias esperó a que se hubiera alejado el ruido de sus pasos y se volvió hacia sus compañeros.

—¿Quién ha hablado?

Todos sacudieron la cabeza.

—Filotas conocía nuestra decisión, por lo que alguien se lo ha dicho.

—Yo no he hablado, lo juro —aseguró Cresilas.

—Y nosotros tampoco —le hicieron eco los demás.

—Con esto nos estamos jugando la cabeza —rebatió Simias—. Recordad que no debe trascender ni media palabra de todo esto, ni con amantes, ni amigos, ni hermanos. Y en cualquier caso Filotas se ha enterado, e igual que lo sabe él podría saberlo también algún otro.

—Es cierto —comentó Aristarco—. ¿Qué piensas hacer?

—Tenemos que actuar inmediatamente.

—¿Tratas de decir que hemos de matar al rey ahora?

—Lo más pronto posible. Si llega a sus oídos lo que Filotas acaba de saber, estamos perdidos. ¿Habéis visto alguna vez un proceso macedonio por alta traición? Yo sí. Y también una ejecución. El culpable es despedazado por el ejército. Lentamente.

—¿Cuándo entraremos en acción? —preguntó Héctor de Termas.

—Mañana —repuso Simias—, antes de que a Filotas le entren más escrúpulos. Una vez que Alejandro esté muerto, no podrá echarse ya atrás y asumirá sus propias responsabilidades. En cuanto a Pérdicas, Tolomeo, Seleuco y los demás, se harán cargo de la situación. Son casi todos ellos hombres racionales. Ahora escúchadme atentamente, porque el mínimo error podría traicionarnos y exponernos a un final espantoso. —Desenvainó la espada y comenzó a trazar señales en el suelo de tierra batida—. Mañana el rey inaugurará el nuevo teatro. Quiere que Estatira asista a la exhibición de Tésalo en los *Suplicios*. Partirá del palacio de Satibarzanes y pasará por este camino bordeando el barrio de los mercaderes de especias. Llegado a este punto, tomará por la calle que conduce al teatro entre dos filas de *pezetairoi* de la falange que le rendirán honores y le separarán de la multitud. Ése será nuestro momento.

Hincó la espada en el terreno y miró a los ojos a los conjurados uno a uno.

37

Cibelinos había conseguido abrise paso, junto con su amigo Agirios, hasta encontrarse casi en primera fila y, por un lado, miraba ansiosamente al rey que avanzaba rodeado de sus amigos, y por el otro, a los oficiales al mando de las unidades de combate y al príncipe Amintas.

—No veo al comandante Filotas —dijo tras haberle buscado en vano entre los hombres del séquito de Alejandro.

—¿Crees que le ha avisado? —le preguntó Agirios.

—Sin duda que lo ha hecho —repuso Cibelinos—. Me escuchó muy atentamente y me dijo que estuviera tranquilo, que todo iría bien.

—Pero ¿cuándo será, según tú?

—No lo sé. Había ruidos que llegaban de la calle mientras escuchaba y no conseguí oírlo, pero creo que darán el golpe antes de que el ejército se ponga en marcha hacia Bactriana.

—Mira —observó Agirios indicando la cabeza del cortejo que avanzaba—. Ahí está el rey con la princesa Estatira y ahí sus compañeros. Tampoco yo veo al comandante Filotas.

—Tal vez hoy esté ocupado. He oído decir que el otro sátrapa, Barsaentes, se acerca al pie de las montañas con bandas armadas de guerreros sacas y gedrosios. Tal vez ha recibido órdenes de darles caza.

—Tal vez...

Ahora se acercaba el rey y Cibelinos se sintió de repente invadido por un extraño frenesí, un estremecimiento que le sacudía los miembros sin ningún motivo.

—¿Qué te sucede? —le preguntó Agirios—. Estás extraño.

Precisamente en aquel instante su joven amigo se acordó de golpe de una palabra que había oído de labios de uno de sus generales, una palabra que entonces le había parecido sin sentido y que ahora de improviso resonaba en su mente cargada de un terrible significado: *Ysayarsa gadir*, la «Puerta de Jerjes». ¡Y ahí estaba! La tenía a sus espaldas, y en lo alto de la torrecilla que remataba el pórtico tres arqueros, surgidos de la nada, estaban apuntando. Se lanzó hacia delante forzando la barrera de los *pezetairoi* y gritó:

—¡Van a matar al rey! ¡Van a matar al rey! ¡Salvadle!

Las flechas salieron disparadas en el mismo instante, pero ya los escudos de Tolomeo y de Leonato se habían alzado cual barreras de hierro para proteger el pecho inerme del soberano. Pérdicas dio un alarido con cuanto aliento tenía en el gaznate:

—¡Apresad a esos hombres! —Y lanzó a un grupo de exploradores hacia la Puerta de Jerjes.

Aquellas palabras resonaron en la mente de Alejandro amplificadas por el recuerdo, despertando una pesadilla adormecida: la imagen de su padre Filipo que se hundía en un mar de sangre con una daga celta clavada en el costado. Oyó la voz de Estatira a su lado proferir palabras incomprensibles y luego un torbellino de gritos, de secas órdenes, un estruendo de armas, un galope martilleante de caballos, pero ante sus ojos no había más que sangre y más sangre, y la palidez cenicienta del rostro de Filipo moribundo.

Le devolvió a la realidad la voz de Tolomeo:

—Éste es el muchacho que te ha salvado la vida. Es un joven paje valeroso y fiel. Se llama Cibelinos.

Alejandro le miró: facciones finas, miembros casi gráciles, ojos grandes y claros. Temblaba aún y tenía la mirada baja para disimular la emoción. Le preguntó:

—¿De dónde eres, muchacho?

—Soy de Eunostos, una aldea de Lincéstide, rey —consiguió balbucear el jovenzuelo.

—Me has salvado la vida. Gracias. Daré orden de que seas recompensado por tu fidelidad. Pero dime, ¿cómo sabías que alguien quería matarme?

—Señor, yo hablé de ello con el general Filotas, que sin duda te habrá dicho que...

Se paró y miró a su alrededor perdido, viendo una expresión de estupor en el rostro del rey y de todos sus compañeros.

Estaba también el secretario general, Eumenes de Cardia, que se le acercó y le apoyó una mano en un hombro.

—Ven, mi querido muchacho, vámonos de aquí. Tienes que explicármelo todo desde el principio.

Emocionado y excitado por el papel de salvador del rey, Cibelinos contó hasta los más nimios detalles de lo que sabía de la conjura y de cómo había dado aviso a Filotas, que le había prometido contárselo de inmediato al rey.

Una vez que hubo terminado, Eumenes le dio una palmada en la espalda diciendo:

—Eres un buen muchacho, nos has hecho a todos un gran favor. El rey Alejandro te confiere desde ahora el grado de comandante de los pajes reales con los emolumentos y las insignias que el grado comporta. Te hace donación además de un talento de plata que podrás guardar o mandar, todo o en parte, a tu familia. Ahora puedes irte, ve a descansar, pues esta jornada ha estado muy cargada de emociones para todos nosotros.

El muchacho se despidió emocionado y corrió a ver a su amigo Agirios para darle la noticia, saboreando ya de antemano el placer que sentiría dando órdenes e infligiendo castigos a todos los compañeros que hasta aquel día se habían burlado de él y le habían maltratado.

Alejandro firmó la orden de arresto inmediato para los comandantes Simias de Neápolis, Héctor de Termas, Cresilas de Metona, Menécrates de Megalópolis, Aristarco de Poliakmon, Agesandro de Leucopedion y además para el general de los *hetairoi* Filotas y para el príncipe Amintas de Lincéstide. Luego se encerró en su palacio y no quiso ya ver a nadie.

Seleuco, Tolomeo y Eumenes decidieron hablar con Hefestión, el único a quien el rey podía recibir en un momento para él tan dramático, y fueron a verle, hacia el anochecer, a su morada.

—Trata de saber cuáles son sus intenciones —dijo Eumenes.

—Sobre todo respecto a Filotas —añadió Seleuco.

—Veré si consigo hablar con él. No le he visto nunca así en toda mi vida, ni siquiera cuando estábamos en el exilio y corríamos peligro cada día de morir de hambre y de frío.

Hizo ademán de salir, pero precisamente en aquel momento un emisario llamó a la puerta y entregó la orden de convocatoria inmediata por parte de Alejandro.

—Déjalo correr —dijo Eumenes—. Se nos ha adelantado.

Salieron a pie los cuatro juntos.

—¿Qué crees tú que nos preguntará? —inquirió Hefestión.

—Es evidente —respondió Eumenes—. Nos preguntará qué pensamos de la conjura y sobre todo nos consultará acerca de la suerte que deberá reservarse a Filotas.

—¿Y qué vamos a responderle nosotros? —preguntó sombrío Seleuco, como si se dirigiera aquella pregunta a sí mismo.

Llegaba en aquel momento Pérdicas a caballo e inmediatamente, al ver a los amigos, desmontó y se acercó a ellos llevando el animal por la brida.

—Preferiría coger un toro por los cuernos que decir lo que pienso de todo este asunto. ¿Habéis pensado en ello?

Los amigos le miraron; en sus ojos Pérdicas leyó el desconsuelo, la angustia y la incertidumbre que debía haber también en los suyos. Sacudió la cabeza.

—Ni siquiera vosotros sabéis qué decir, justo como yo, ¿no es así?

Ahora ya estaban cerca del palacio del gobernador, vigilado por un grupo de *pezetairoi* y por cuatro Inmortales de la guardia imperial. De dirección opuesta llegaban Leonato con su hombro vendado, Clito *El Negro* y Lisímaco.

Sólo falta Crátero —observó Tolomeo.

—Y Filotas —añadió Eumenes con la mirada baja.

—Por supuesto —replicó Tolomeo.

Se miraron todos a la cara sin hablar. Sabían que dentro de poco tendrían que decirle al rey si uno de ellos, uno del grupo, uno con el que habían compartido la comida y el ayuno, el sueño y la vigilia, las alegrías y los peligros, las esperanzas y el desaliento, debía seguir con vida o bien debía morir.

Rompió el silencio Leonato:

—Filotas nunca ha sido de mi agrado. Es jactancioso y lleno de vanidad, pero la simple idea de verle destrozado en una ejecución militar me produce jaqueca. Y ahora vamos, pues no puedo más con toda esta incertidumbre.

Entraron y llegaron a la sala del consejo, donde les esperaba Alejandro, sentado en el trono, pálido, con las señales del insomnio en el rostro. *Peritas* estaba acurrucado a sus pies y de vez en cuando levantaba el hocico con la inútil esperanza de una caricia.

No esperó siquiera a que se hubieran sentado.

—Todos vosotros estabais presentes cuando el asesinato de mi padre —comenzó diciendo.

—Es cierto —confirmó al punto Eumenes, que desde aquel acontecimiento conservaba una herida profunda y todavía dolorosa—, pero cometerías un grave error juzgando bajo el influjo de aquellas imágenes de sangre. No es lo mismo, no es la misma situación y...

—¿No? —gritó Alejandro de repente—. Fui yo quien le extrajo la espada del costado, yo quien se empapó las ropas con su sangre, yo quien acogió su último estertor. Yo, ¿comprendes? ¡Yo!

Eumenes se dio cuenta de que no había ya nada que hacer; era evidente que estaba obsesionado por la idea del regicidio y que había pasado la noche trastornado por la pesadilla de la muerte violenta de Filipo. Entró en aquel momento Crátero, de pésimo humor también.

—Si has tomado ya una determinación —dijo en ese punto Tolomeo—, ¿para qué convocarnos?

Alejandro pareció calmarse.

—No he tomado ninguna determinación ni tengo tampoco intención de tomarla. Será el ejército reunido en asamblea quien juzgue, siguiendo la antigua usanza.

—Entonces —intervino Seleuco—, nosotros no podremos serte de gran ayuda...

Alejandro le interrumpió:

—Si queréis, podéis marcharos, no os entretendré. Os había llamado para que me dierais vuestro consejo y vuestro aliento, pues sois nuestros más valerosos oficiales, y entre ellos uno de nuestros amigos más íntimos, casi un hermano, ha conspirado para asesinarme. Estabais presentes, y habéis visto y oído el testimonio del paje.

El Negro, que había permanecido en silencio hasta aquel momento, tomó la palabra:

—Cuidado, Alejandro. Contra Filotas no hay más pruebas que el testimonio de ese muchacho.

—Que me ha salvado la vida y que en todo lo demás ha dicho la verdad. Los arqueros que tenían que matarme han hablado bajo tortura y confirmado plenamente el relato de Cibelinos. Los interrogatorios se han realizado por separado, pero el resultado ha sido el mismo.

—¿Y qué conclusión se ha sacado sobre Filotas? —siguió preguntando El Negro.

—Sin duda sabía, y no ha hablado. ¿Comprendes, Negro? De haber sido por él estaría ya muerto, acribillado de flechas, traspasado de parte a parte. Mi cuerpo estaría ahí fuera en medio de un charco de sangre.

Tenía lagrimas en los ojos mientras decía aquella palabras y todos comprendieron que no era el pensar en aquellos hierros que hubieran tenido que desgarrarle las carnes lo que le hacía llorar, sino el pensar que un amigo en el que había confiado, con el máximo cargo del ejército después de él, poco menos que el custodio de su persona, hubiera urdido la conspiración, hubiera tenido el valor de imaginarle traspasado de flechas retorcerse entre los espasmos de una atroz agonía. A nadie se le escapaba en aquel momento su mirada llena de dolor, el temblor de su voz, las manos que apretaban angustiosamente los brazos del escaño.

—¿Qué os he hecho? —preguntó casi llorando—. ¿Qué os he hecho?

—Alejandro, nosotros no... —trató de responder Tolomeo.

—¡Vosotros le estáis defendiendo! —gritó.

—No —rebatió Seleuco—. Simplemente, no conseguimos creérnoslo, aunque todo esté en su contra.

Se hizo en la sala, con las sombras de la tarde, un largo silencio que nadie conseguía romper, ni siquiera *Peritas*, que miraba inmóvil a su amo con sus grandes ojos acuosos. Se sentían todos demasiado solos y demasiado alejados del tiempo feliz de su amistad y de su adolescencia. De repente los días de los sueños y del heroísmo parecían muy lejanos y debían enfrentarse a la angustia y a la duda, buscar una salida en medio del laberinto de intrigas, de falsedades y de sospechas.

—¿Qué se ha podido saber sobre el príncipe Amintas? —siguió preguntando El Negro.

—Habría sido el nuevo rey, después de mi muerte —repuso sombrío Alejandro. Y luego, tras un instante, preguntó—: ¿Qué debería hacer, según vosotros?

Respondió por todos El Negro:

—No hay elección. Se trata de oficiales del ejército del rey, y el ejército del rey les debe juzgar.

No había nada más que decir y salieron todos, uno tras otro, dejando a Alejandro solo con sus fantasmas. Ni siquiera Hefestión tuvo el valor de quedarse.

38

Eumenes y Calístenes llegaron antes del amanecer y le encontraron sentado en un sencillo escabel, cubierto tan sólo con la burda clámide macedonia. Veíase que no había pegado ojo en toda la noche.

—¿Ha admitido su traición? —preguntó sin levantar la cabeza.

—Ha soportado la tortura con increíble valor. Es un gran soldado —repuso Eumenes.

—Lo sé —replicó sombrío Alejandro.

—¿Y no quieres saber qué ha dicho? —preguntó Calístenes.

El rey asintió con un lento, repetido gesto de la cabeza.

—En el colmo de su tormento ha gritado: «¡Preguntadle a Alejandro qué quiere que diga y terminemos con esto!».

— Despectivo —comentó el rey— como un verdadero noble macedonio. Despectivo como siempre.

—Pero ¿cómo puedes no sentirte dominado por la duda? —preguntó Calístenes.

—No me ha sido dado dudar —repuso Alejandro—. Hay un testimonio aplastante, confirmado por los sicarios.

—¿Y Amintas? —preguntó angustiado Eumenes—. Perdónale al menos a él. No hay acusaciones contra él.

—Ha habido un precedente. Y habría sido el rey tras mi muerte. ¿No basta?

—¡No! —exclamó Calístenes con un valor que no había demostrado nunca con anterioridad—. ¡No, no basta! ¿Y quieres saber por qué? ¿Te acuerdas de la carta de Darío con la promesa de dos mil talentos? ¡Pues era falsa! Todo falso, la carta, el mensajero, la conjura... o mejor dicho, la conjura existió, pero fue tu madre quien la urdió, de acuerdo con el egipcio Sisine, para acabar con Amintas.

—¡Mientes! —gritó Alejandro—. Sisine era un espía de Darío y por eso fue ajusticiado después de Issos.

—Sí, pero fui yo el último en hablar con él. Quería corromperme y quería corromper a Tolomeo. Yo fingí aceptar, quince talentos para mí y veinte para Tolomeo para que guardásemos silencio y acreditásemos su inocencia. No te dije nada y mantuve un estricto silencio para no angustiarte, para no enfrentarte con tu madre. Olimpia ha estado siempre obsesionada por la sucesión. Fue ella quien hizo estrangular al hijo de Eurídice en la cuna, ¿no te acuerdas ya?

Alejandro se estremeció, volvió a ver, como si hubiera sucedido el día antes, a Eurídice llena de moretones, con el rostro arañado y los cabellos sucios, que estrechaba contra su pecho el cadáver de su hijo.

—Una criatura de tu misma sangre —continuó implacable Calístenes—, ¿o acaso crees que eres hijo de un dios?

Alejandro se puso en pie como golpeado por un fustazo y se lanzó sobre él con la espada desenvainada gritando:

—¡Has ido demasiado lejos!

Calístenes palideció y se dio cuenta de golpe de que había desencadenado una cólera cuyas consecuencias no se veía capaz de soportar. Eumenes se interpuso y el rey se detuvo en el último momento.

—Ha dicho lo que pensaba. ¿Quieres matarle por eso? Si lo que quieres son aduladores o cortesanos que te digan siempre sólo lo que te halaga, entonces no tienes necesidad de nosotros. —Se volvió hacia su compañero que temblaba como una hoja, pálido como un cadáver—: Ven, Calístenes, vamos; el rey no está hoy de buen humor.

Salieron y Alejandro se dejó caer sobre el escabel llevándose las manos a las sienes para frenar las desgarradoras punzadas.

—Un feo asunto —dijo una voz a sus espaldas—, estoy de acuerdo. Pero por desgracia no tienes escapatoria. Tienes que golpear sin vacilación, por más que tengas dudas. Tal vez Filotas no quería matarte, tal vez lo que quería era ponerte bajo tutela u obligarte a actuar a su modo confiando en su posición y en la de su padre, pero seguramente formaba parte de la conjura y eso basta. —Eumolpo de Solos atravesó la sala casi vacía aún y fue a sentarse en un escabel enfrente del rey.

—¿Has escuchado también las otras cosas que ha contado Calístenes?

—¿La historia de Amintas? Sí. Pero también en eso, ¿puedes acaso fiarte? ¿Quién estuvo presente en el interrogatorio que precedió a la ejecución de Sisine? Nadie, que yo sepa, a excepción del mismo Calístenes, y por tanto su verdad no puede ser contrastada. Amintas es objetivamente peligroso. Y recuerda que tú eres también el rey de los persas ahora. Eres el Rey de Reyes. Pero en cualquier caso no creo que tengas que exponerte, pues el tribunal emitirá sin duda un veredicto condenatorio. Lo único que tendrás que hacer es negar la gracia si alguien la pide.

Entró un ayudante flanqueado por dos pajes que traían las armas del rey.

—Señor —dijo—, es la hora.

El proceso militar delante de la asamblea del ejército era un rito antiguo e impresionante, concebido por los antepasados para infligir el máximo dolor y vergüenza a los traidores: estaba presidido por el soberano y se celebraba en presencia de todos los guerreros, de los generales de caballería, de infantería y de los auxiliares; los componentes del tribunal, en número de diez, eran sorteados entre los oficiales de más alta graduación y entre los soldados de más edad.

El ejército formó en la llanura desierta antes del amanecer, llamado por un toque de trompa alto y prolongado, espantoso en su única nota tensa y cortante como una hoja. Los *pezetairoi* estaban dispuestos en apretadas filas, armados hasta los dientes, con las *sarisas* empuñadas. Enfrente se hallaba la caballería de los *hetairoi*. En los extremos, casi cerrando las dos largas filas paralelas a modo de rectángulo, estaban alineados los cuerpos de infantería ligera de asalto, los exploradores y los «portadores de escudo», dejando únicamente una corta brecha de entrada por la parte oriental, por donde harían su entrada el rey con los jueces y los prisioneros. No eran admitidos ni los griegos de la infantería mercenaria ni los tracios ni los agrianos, porque únicamente los macedonios podían condenar a los macedonios.

En el centro de la formación de los *hetairoi* había una tarima sólo un poco más alta que el suelo, con el asiento del rey y los del tribunal.

Asomó el sol por las montañas y sus rayos hirieron primero las puntas de las *sarisas*, haciéndolas resplandecer con destellos siniestros, y luego descendieron a iluminar a los hombres inmóviles en sus caparazones de acero, para esculpir sus pétreos rostros, curtidos por el sol, el viento y el hielo.

Tres toques de trompa anunciaron la llegada del rey y poco después llegaron los jueces seguidos por los prisioneros encadenados. Entre ellos destacaban Filotas, por el cuerpo roto por las torturas, y Amintas, que avanzaba majestuoso, aparentemente impasible.

Cuando el rey y los componentes del tribunal hubieron ocupado sus puestos en el podio, el miembro de más edad leyó los cargos. Se hizo desfilar a los testigos; un heraldo repetía cada afirmación suya gritándola en voz alta, a fin de que toda la asamblea pudiera oír. Por último los miembros del tribunal votaron y el veredicto fue unánime para todos los imputados: culpables.

—Ahora —gritó el heraldo repitiendo las palabras del juez de más edad—, ahora que vote la asamblea. Se votará para cada imputado concreto. Quien esté en contra del veredicto que deposite en el suelo su espada y luego que se echen atrás diez pasos a fin de que se puedan contar las espadas.

El juez de más edad fue pronunciando uno por uno los hombres de los imputados y cada vez los guerreros retrocedían. Los condenados volvían la mirada hacia aquel lado, primero hacia las filas de la infantería, luego hacia las de la caballería, con la última esperanza de que sus conmilitones trataran de salvarles, pero las espadas que brillaban en el suelo eran siempre demasiado pocas. Cuando llegó el turno de Filotas, las espadas fueron más numerosas, especialmente por parte de los *hetairoi*, pero no suficientes. Su altanería y la escasa familiaridad le habían enajenado sobre todo a los soldados de infantería, y pesaba sobre él, en cualquier caso, el testimonio del paje Cibelinos, que todos habían podido oír.

Filotas no dirigió siquiera la mirada al suelo como habían hecho los demás: la mantuvo fija en Alejandro, apretando los dientes para ahogar los lamentos, y continuó manteniéndola cuando le pusieron ante el poste de ejecución. Rechazó a los verdugos que querían atarle las muñecas y los tobillos y se irguió en toda su altivez presentando el pecho al pelotón de arqueros que debían ejecutar la sentencia. El oficial que les mandaba se acercó al podio para oír, como era costumbre, si el rey, en el último momento, quería conceder la gracia.

Alejandro ordenó:

—Al corazón, al primer disparo. No quiero que sufra un instante más.

El oficial asintió, se acercó a su pelotón e intercambió unas breves palabras con sus hombres. Luego gritó una orden y los arqueros empulgaron y apuntaron. Se hizo un silencio plúmbeo en el campamento atestado de guerreros y los soldados de la caballería clavaron la mirada en el cuerpo de Filotas, porque sabían que, también en el momento extremo, pese a estar agotado por las torturas sufridas, les enseñaría cómo moría el comandante de los *hetairoi*.

El oficial dio la orden de disparar, pero Filotas, antes de que las flechas le hubieran destrozado el corazón, tuvo tiempo de gritar:

Alalalài!

E inmediatamente se desplomó en el polvo, en medio de un charco de sangre.

El príncipe Amintas fue ajusticiado el último, y muchos de los presentes no consiguieron contener las lágrimas viendo qué epílogo lastimoso había tenido la existencia de un joven noble y valeroso, al que la suerte había privado del trono y luego de la vida, en la flor de la edad.

Alejandro regresó a su palacio presa del más sombrío desconsuelo por lo que había visto, angustiado por haber perdido a un compañero de infancia y de juventud no en el campo de batalla, sino delante del poste de ejecución, trastornado sólo de pensar que un joven de su misma edad que siempre había tomado parte en todas sus empresas, al que había confiado la más alta responsabilidad, de golpe hubiera llegado a tal punto de repulsa y de rechazo como para olvidar todo, como para conjurarse contra él. Pero el tiempo de los engaños y de la sangre no había terminado aún: una decisión mucho más terrible debía ser tomada.

Convocó al consejo de su compañeros después de la puesta del sol en una tienda aislada en medio del campo. Estaba presente también Eumenes, pero no Clito *El Negro*, encargado de dar sepultura a los condenados. No había soldados de guardia en la entrada, tampoco asientos en el interior, mesas o alfombras, sino nada más que la desnuda tierra: deliberaron de pie a la luz de un solo velón. Nadie había cenado, y en el rostro de todos ellos no podía leerse nada más que amargura y espanto.

—Esta actitud no es propia de vosotros —comenzó diciendo Alejandro—. Nadie ha intervenido para salvar a Filotas de la muerte.

—Yo soy griego —rebatió al punto Eumenes—. No tengo derecho a ello.

—Lo sé —replicó Alejandro—, de lo contrario habrías hablado en favor suyo en público como lo hiciste en privado, pero ahora la sentencia ha sido emitida por los jueces, aprobada por la asamblea y ejecutada. Lo hecho, hecho está.

—Entonces, ¿por qué nos has convocado? —preguntó Leonato con voz que le temblaba.

Era impresionante ver a aquel híspido gigante con los ojos relucientes de la emoción.

—Porque la cosa no ha terminado aún, ¿o me equivoco? —intervino Eumenes—. Cuando se comienza una obra hay que acabarla.

—¿Qué otros conjurados has descubierto? —preguntó ansiosamente Tolomeo.

El rey le miró durante un instante con una expresión de extravío, como si tuviera que hacer frente al más ímprobo de los esfuerzos, la tarea más repugnante; luego comenzó en voz baja:

—Hoy, al volver a mis cuarteles tras la ejecución, me he sentado en la mesa y he comenzado a escribir al general Parmenión... —aquel sólo nombre, apenas pronunciado, evocó de inmediato en aquel exiguo espacio la enorme tragedia en curso y todos se dieron dramáticamente cuenta de la decisión que iban a tener que tomar— para darle con una carta mía personal la noticia de que su hijo Filotas ha sido condenado a muerte y que la sentencia ha sido ejecutada por voluntad de la asamblea del ejército. Quería decirle que como rey debía aceptar el veredicto, pero que como hombre hubiera querido morir yo con tal de ahorrarle un dolor tan atroz. —Eumenes le miró y vio que le corrían las lágrimas por las mejillas mientras hablaba, que sufría en aquel momento del mismo sufrimiento que el viejo general—. Pero mi mano no ha tardado en detenerse. Un pensamiento angustioso me impedía continuar y es este pensamiento el que me ha llevado a convocaros. Nadie de nosotros saldrá de aquí antes de haber tomado una decisión.

—Cómo reaccionará Parmenión, éste es el pensamiento que te atormenta, ¿no es así? — le anticipó una vez más Eumenes.

—Así es —hubo de admitir Alejandro.

—Él te había entregado ya a dos hijos suyos —prosiguió Eumenes—. Héctor, que se ahogó en el Nilo, y Nicanor, cuya vida segó una herida mortal. Y ahora has hecho dar tormento y matar al tercero, el primogénito, aquel del que más orgulloso se sentía.

—¡Yo no! —gritó Alejandro—. Yo le promoví a la más alta dignidad después de mí. Ha sido juzgado por lo que ha hecho. —Bajó la cabeza durante unos largos e interminables momentos, y luego prosiguió en voz baja—: Estamos solos, aislados en el corazón de un país inmenso y desconocido, estamos a punto de dar cima a la empresa que juramos llevar a término y cualquier error puede hacer que todo sea inútil, puede volver a dar fuerzas a un adversario no domado aún que prepara la revancha, puede precipitar en la ruina toda la expedición. ¿Queréis ver a nuestros compañeros dispersos o prisioneros, torturados y muertos o vendidos como esclavos en lejanas regiones, privados para siempre de la esperanza del retorno? ¿Y queréis que nuestra patria se vea trastornada, invadida, que vuestras familias sean aniquiladas, vuestras casas incendiadas por enemigos implacables? Si cae Alejandro, el mundo entero será presa de espantosas convulsiones, ¿es que no os dais cuenta? ¿Es eso lo que quieres, Eumenes de Cardia? ¿Es eso lo que queréis todos? He tenido que golpear sin vacilación, con desprecio de toda consideración, de todo afecto, de toda... piedad.

Hablaba con los ojos llenos de lágrimas ardientes, con la voz rota por las pasiones que le desgarraban el espíritu y los compañeros le reconocieron, sintieron la fuerza arrolladora que casi habían olvidado. Era como si su aliento hubiera penetrado en sus pechos, como si sus lágrimas corrieran por sus mejillas, como si sus dudas y sus angustias agitaran sus almas.

El rey les miró uno por uno a los ojos; luego dijo:

—Y lo más horrible está aún por cumplirse.

—¿La muerte de Parmenión? —preguntó Eumenes con voz que le temblaba.

Alejandro asintió.

—No sabemos qué hará cuando se entere de la muerte de Filotas. Pero si decide vengarse, estamos todos perdidos. Tiene el dinero para comprar nuestras vituallas, tiene el control de los caminos y de todos los contactos con Macedonia para el envío de refuerzos de los que tenemos constante necesidad, puede cerrar la puerta a nuestras espaldas y abandonarnos a nuestra suerte o bien aliarse con Beso o con cualquier otro y aniquilarnos hasta el último. ¿Podemos correr ese riesgo?

—Un momento —dijo Crátero—. ¿Tú crees que Parmenión estaba enterado de la conjura o que formaba parte de ella? Filotas era su hijo, y es lícito pensar que cuando menos le había puesto al corriente.

—Yo no lo creo, pero tengo que pensarlo. Soy el rey y nada y nadie puede ayudarme. Estoy solo cuando tomo decisiones tan terribles. El único consuelo para la angustia es la amistad. Sin vosotros, no sé si encontraría la fuerza, la voluntad, el sentido de todo esto. Y ahora escuchadme. Yo no quiero imponeros la pesada carga de mi remordimiento, que sólo yo deberé llevar, pero si creéis que todo es una locura, si creéis que he rebasado los límites legítimos para el ser humano, si consideráis que lo que me dispongo a hacer es la acción de un tirano execrable, matadme. Ahora mismo. Por vuestra propia mano, la muerte no me parecerá terrible. Y luego elegid al mejor de entre vosotros, porque yo no tengo hijos; poneos de acuerdo con Parmenión y volved atrás.

Se desató la coraza y la dejó caer al suelo mostrando el pecho indefenso.

—Yo he jurado seguirte hasta el final —dijo Hefestión—. En todos los sentidos, incluso más allá del límite que separa el bien del mal —Luego, vuelto hacia los compañeros, agregó—: Si alguien quiere matar a Alejandro, que me mate a mí también.

Se desató la coraza y la dejó caer a su vez, poniéndose al lado del rey.

Tenían todos lágrimas en los ojos o lloraban tapándose el rostro entre las manos. Crátero se acordó en aquel momento de un día lejano en el que había ido al encuentro de su príncipe exiliado en medio de una tormenta de nieve, junto con sus compañeros, en un puerto de montaña helado de Iliria, para que supiera que sus amigos no le abandonarían por ninguna razón del mundo, y entonces llamó con voz ronca:

—¡La cuadrilla de Alejandro!

Y todos respondieron:

—¡Presentes!

39

Eumolpo de Solos entró en la vieja sala de armas del palacio del sátrapa y el hombre se volvió de golpe al ruido de sus pasos.

—¿Cómo te llamas? —le preguntó el informador—. ¿Y cuál es tu unidad?

—Me llamo Demetrio —repuso el hombre—. Unidad quinta del tercer batallón de exploradores.

—Tengo un encargo para ti de parte del rey. —Le mostró una tablilla con la estrella argéada impresa en ella—. ¿Conoces esto?

—Es el sello real.

—En efecto. Y por tanto en virtud de esto la orden que vas a recibir viene directamente de Alejandro. Se trata de una tarea no fácil y de gran responsabilidad, pero sabemos que no eres nuevo en estas lides y que siempre has actuado con rapidez y precisión.

—¿A quién tengo que matar? —preguntó Demetrio.

Eumolpo le miró directamente a los ojos.

—Al general Parmenión.

El hombre tuvo una reacción apenas perceptible en el parpadeo repentino. Eumolpo prosiguió, sin dejar de mirarle fijamente:

—La orden es de viva voz y sólo tú la conoces. Nadie, por otra parte, ni siquiera el rey, sabe que serás tú quien parta para esta misión. Tendrás dos guías indígenas de absoluta confianza y emplearéis dromedarios de las caballerizas de Satibarzanes. Los animales más veloces y más resistentes en este terreno. Deberéis llegar antes de que la voz sobre la muerte de Filotas llegue a Ecbatana. —Le alargó un rollo—. Éste es el documento que te acredita como correo real, mas para llegar hasta él con un mensaje de viva voz debes conocer el santo y seña que sólo saben el rey y Parmenión.

—¿Cuál es ese santo y seña?

—Es una vieja cantinela macedonia que cantan los niños. Tal vez la conoces, es la que dice:

¡El viejo soldado que va la guerra...

El sicario tuvo un destello de sarcasmo en los ojos mientras, con uina inclinación de la cabeza, decía el verso siguiente:

... cae por tierra!

—Exactamente ésa —confirmó Eumolpo sin dejar traslucir ninguna emoción. Y prosiguió—: No hay recompensa para esta misión, pero recibirás de mi bolsillo un talento de plata.

—No es necesario —repuso el hombre.

—Te scrá de ayuda. Usarás la daga y le golpearás en el pecho. El más grande soldado de Macedonia no debe morir herido por la espalda.

Demetrio asintió.

—¿Alguna cosa más?

—Debes sorprenderle. Si intuye tu movimiento, estás perdido. No cuentes con el hecho de que tenga setenta años. Un león es siempre un león.

—Estaré atento.

—Entonces parte, ahora mismo. No tienes un instante que perder. Tus guías te esperan en las caballerizas de abajo con los dromedarios ya listos. Encontrarás el dincro en Ecbatana, cerca del templo de Esmún de los caldeos, fuera de la puerta sur. Inmediatamente después te pondrás en camino para no volver nunca más.

El hombre salió por una puerta secundaria que le fue indicada, bajó las escaleras hasta las caballerizas y partió en dirección al sol poniente. Alejandro, desde lo alto de la torre, se quedó mirándoles, pálido e inmóvil, hasta que hubieron desaparecido de su vista más allá del perfil ondulado del desierto.

Demetrio empleó seis días y cinco noches en llegar a Zadracarta, durmiendo cada noche sólo unas pocas horas, comiendo y bebiendo sobre la albarda de su animal. Todos los días él y los guías se paraban a cambiar de montura de manera que mantuvieran una velocidad constante: era increíble cómo enormes distancias podían cubrirse en breve tiempo con aquel sistema. Llegaron a Ecbatana a eso del atardecer del tercer día y Demetrio se presentó inmediatamente ante la puerta del palacio del gobernador.

—¿Quién eres, qué quieres? —le preguntó el centinela.

Demetrio mostró el salvoconducto con el sello real.

—Correo del rey con prerrogativa de máxima urgencia. Mensajero de viva voz, personal, para el general Parmenión.

—¿Tienes un santo y seña?

—Por supuesto.

—Espera —repuso el centinela.

Entró en el cuerpo de guardia y parlamentó con su comandante, que salió casi al punto y se dirigió al recién llegado:

—Sígueme.

Entraron en un amplio patio con columnas en cuyo centro se abría un pozo del que los siervos sacaban agua para los huéspedes y para los animales y lo atravesaron de un extremo a otro. En el lado de poniente del pórtico, ya en sombra, se abría una escalera que subía al piso superior. Doblaron por un corredor vigilado por un par de *pezetairoi* y llegaron hasta el fondo. No había guardia delante de la puerta. El oficial llamó y esperó. Poco después se oyó un ruido de pasos y una voz que preguntaba:

—¿Quién es?

—Cuerpo de guardia —respondió el oficial—. Hay un correo urgente del rey, con mensaje de viva voz y santo y seña.

La puerta de abrió y apareció un hombre de unos cincuenta años, casi calvo, con una tablilla bajo el brazo izquierdo y un estilo en la derecha.

—Soy el secretario para el despacho de la posta —se presentó—. Sígueme. El general te recibirá de inmediato. Acaba de terminar de responder la correspondencia y estaba preparándose para el baño antes de la cena. Espero que le traigas buenas noticias. Sigue destrozado por la muerte de Nicanor y siempre está preocupado por el rey y por el último hijo que le queda, pobre hombre.

Y mientras hablaba, escrutaba de reojo el rostro pétreo del sicario como para adivinar el tenor de las noticias que referiría a su general, y mirándole no conseguía presagiar nada bueno.

Se detuvieron delante de otra puerta. El hombre dijo:

—Espérame aquí. Hay que cumplir una formalidad para ser admitidos a presencia del general.

Demetrio se temió un cacheo y estrechó el mango de su puñal bajo el manto. Pasó algún tiempo sin que se oyera ningún ruido ni ninguna voz; luego, finalmente el secretario reapareció con una bandeja en la que había una pedazo de pan, una escudilla de sal y una copa de vino.

—Es deseo del general Parmenión que todos cuantos entran en su casa disfruten de su hospitalidad. Dice que trae buena suerte —añadió con una media sonrisa—. Por favor, sírvete.

El sicario dejó de apretar el puñal y alargó la mano hacia la bandeja. Tomó el pan, lo sazonó con sal y comió. Luego se mando al coleto un sorbo de vino.

—Dale las gracias al general de mi parte —dijo limpiándose la boca con el dorso de la mano.

El secretario asintió, apoyó la bandeja sobre una mesa, luego le indicó el camino hasta la puerta que llevaba al despacho de Parmenión y le hizo esperar aún unos instantes. Demetrio podía oír el sonido de las voces de los dos hombres a través de la puerta entreabierta. Finalmente el secretario salió y le indicó que le esperaban. Demetrio entró y cerró la puerta.

Parmenión estaba sentado en su mesa de trabajo y tenía a sus espaldas un estante lleno de rollos, cada unos de ellos diferenciado por un cartelito con la etiqueta, y al lado, sobre un caballete, un mapa que representaba las provincias del imperio persa al este del Halis. Apenas vio entrar al correo, se levantó para ir a su encuentro. Llevaba tan sólo el quitón militar que le cubría las piernas hasta las rodillas y calzaba botas macedonias de piel de media caña. Era de complexión extraordinariamente robusta, y su armadura de hierro y cuero que colgaba de un gancho delante de la pared izquierda tenía que pesar, con el escudo, casi un talento. Estaba desarmado. Su espada, una hoja de antigua factura, pendía en bandolera del mismo clavo.

Le indicó, solícito, un asiento:

—Ponte cómodo, soldado.

—No estoy cansado —repuso el sicario.

—Parece, en cambio, que hayas atravesado los mismos infiernos —rebatió Parmenión—. Tienes un aspecto horrible. Vamos, siéntate.

Demetrio obedeció para no despertar sospechas y esperó a que el general se le acercase, pero mientras se sentaba el mango de la daga que llevaba debajo del manto asomó lo bastante como para que pudiera ser advertido. Parmenión retrocedió hacia su armadura.

—¿Quién eres? —preguntó y alargó la mano hacia la empuñadura de la espada—. Tienes un santo y seña, has dicho.

El hombre se levantó.

—El viejo soldado que va a la guerra... —dijo echando mano a la daga.

A aquellas palabras, Parmenión dejó caer la espada que ya estrechaba en la mano y avanzó hacia él con una expresión de dolorido estupor en la mirada.

—El rey... —murmuró incrédulo—. ¿Cómo es posible?

El sicario le clavó la daga en el pecho y le miró mientras caía sin un gemido, expandiendo un amplio charco de sangre por el suelo. Le miró mientras moría y no vio odio ni rebelión en sus ojos que se apagaban. Sólo lágrimas. Y le pareció que sus labios musitaban algo con el último aliento, tal vez... tal vez su santo y seña.

Salió por otra puerta que había en la pared derecha y se perdió por los intrincados corredores del gran palacio. Poco después la paz del atardecer se vio rota por un largo grito de horror.

Trece días después, Alejandro supo que Parmenión había sido asesinado y, aunque hubiera sido suya la orden, aquella noticia le hirió cruelmente, como si hubiera esperado que un dios cualquiera hubiese impartido al destino una dirección distinta. Se encerró en su tienda oprimido por la angustia durante días, sin ver a nadie, sin probar bocado ni beber agua. Leptina trató varias veces de cuidarse de él, pero cada vez se la vio salir con lágrimas en los ojos y luego acuclillarse en el suelo, fuera de la tienda, esperando entre sollozos, al sol o bajo la lluvia, que el rey la dejara entrar. Y los amigos, que se acercaban de vez en cuando al pabellón para oír si daba alguna señal de vida, oían tan sólo su voz ronca y monótona repetir al infinito una vieja cantinela macedonia que acostumbraban a cantar de niños, y se iban sacudiendo la cabeza.

Eumenes concluyó el cuarto libro de sus *Diarios* escribiendo:

> El séptimo día del mes de Pianepsión el general Parmenión ha sido asesinado por orden del rey, sin ninguna culpa. Era un hombre valiente, que siempre había combatido con honor, batiéndose como un joven aunque era de edad avanzada. Ninguna mancha podrá afear nunca su memoria: vivirá para siempre en nuestro recuerdo.

40

Luego, un día, Alejandro volvió a su palacio, a pie, con la barba sin arreglar y los cabellos sucios, enflaquecido, y con una luz incierta y huidiza en la mirada. Estatira le recibió entre sus brazos y trató de aliviar su dolor sentándose por la noche a sus pies, cantando y acompañando su canto con el arpa babilonia.

El verano llegaba ya a su término cuando el rey convocó al ejército y fijó el día de la partida. Los oficiales de marcha consultaron a los guías, los superintendentes de los pertrechos prepararon los carros y las bestias de carga, los comandantes de los batallones formaron a sus tropas y las llevaron durante unos días a realizar largas marchas de adiestramiento para volver a habituarlos al cansancio del largo itinerario que les esperaba hacia las gargantas del Paropámiso. Se había extendido por el campamento una gran animación por la reanudación de la actividad militar. Los soldados no veían la hora de dejar aquel lugar maldito en el que habían asistido a acontecimientos luctuosos y todos deseaban olvidar los días de holganza y de sangre que habían vivido a orillas de un lago sin vida, bajo los muros resquebrajados de Artacoata, que ahora se llamaba Alejandría de Aria.

La princesa Estatira se dio cuenta de que estaba encinta y aquella noticia pareció traer un alivio al rey e infundirle un poco de felicidad. También los amigos se alegraron pensando que dentro de no mucho tiempo verían a un nuevo, pequeño Alejandro. La marcha hacia el norte era demasiado dura para una mujer en aquel estado y Alejandro le rogó que volviera atrás y se estableciera en uno de sus palacios. Estatira obedeció y se puso en viaje hacia Zadracartra, con la intención de reunirse con su madre en Ecbatana o en Susa.

Las trompas dieron la señal de partida una nítida mañana de comienzos de otoño y el rey se puso a la cabeza del ejército, revestido con su más esplendente armadura, montando a *Bucéfalo* como en los tiempos de sus empresas más gloriosas. A su lado cabalgaban Hefestión, Pérdicas, Tolomeo, Seleuco, Leonato, Lisímaco y Crátero cubiertos de hierro, con las cimeras que ondeaban al sol.

Remontaron durante días el valle por el que corría un río de mil arroyos, pasando de aldea a aldea sin que nada sucediese. Los nobles persas que seguían a la expedición con sus tropas hablaban con la gente y les explicaban que el resplandeciente joven que cabalgaba sobre el gigantesco caballo negro era el nuevo Rey de Reyes y a veces alguien salía agitando ramas de sauce para saludarle. El cielo nocturno estaba cada vez más despejado y el número de estrellas aumentaba increíblemente, como si los astros nacieran espontáneamente a millares en la inmensa bóveda curva, cual flores en un campo primaveral. Calístenes explicó que el aire, a aquellas alturas, era mucho más puro al no haber ríos y exhalaciones que lo adensaran y por esto las estrellas eran simplemente más visibles, pero muchos soldados creían que el cielo cambiaba con el cambiar de la tierra y que en aquellos remotísimos territorios nada podía ya asombrar.

El campamento se levantaba cada tarde a la caída del sol a lo largo de las orillas del río, y cuando se encendían los fuegos de los vivaques, la gran multitud de soldados a los que se añadía el vasto séquito de mujeres, mercaderes, siervos, porteadores, pastores y mayorales con sus ganados daba la impresión de una verdadera ciudad ambulante.

Un día, el valle del río de los mil arroyos se ensanchó en una vasta planicie rodeada en gran parte por una grandiosa cordillera de montes altísimos cubiertos de nieve que resplandecían al sol y se recortaban maravillosamente sobre el cielo.

—¡El Paropámiso! —gritó Eumenes emocionado a la vista de tanta belleza, pero Calístenes objetó:

—He intercambiado unos mensajes con mi tío Aristóteles en estos últimos tiempos y, en su opinión, las montañas que hemos encontrado en esta zona deberían de ser las últimas estribaciones de la cadena del Cáucaso, que es la más alta del mundo.

—¿Y vamos a tener que subir hasta allí arriba? —preguntó Leonato indicando los pasos suspendidos entre cielo y tierra.

—Así es —repuso Tolomeo—. Pues ahora es ya seguro que Beso se encuentra del otro lado, con un ejército de bactrianos, sogdianos y escitas, y Alejandro quiere apresarle a toda costa.

Leonato hizo visera con la mano, miró de nuevo la imponente cadena montañosa, deslumbrante con su manto de hielo y nieve; luego sacudió la cabeza y se fue.

La hipótesis geográfica de Calístenes fue aceptada también por el rey, que en los días siguientes descubrió en el extenso y fértil valle un lugar ideal para fundar una nueva ciudad y para establecer allí una parte del vasto séquito que se movía detrás del ejército en marcha. La llamó Alejandría del Cáucaso e instaló en ella a un millar de personas con cerca de doscientos mercenarios, que se ofrecieron a quedarse en aquel lugar antes que afrontar la vertiginosa travesía de las montañas.

En aquel aire límpido, bajo aquel cielo de colores refulgentes, en aquellos prados de esmeralda encajonados entre las plateadas cintas del río parecieron disolverse durante un tiempo los fantasmas de Artacoata, pero la sombra ensangrentada de Parmenión seguía perturbando las noches de Alejandro. Un día, a la caída del sol, oprimido por la angustia de las inminentes tinieblas, se presentó en la tienda de Aristandro y le dijo:

—Toma un caballo y sígueme.

Éste le obedeció y poco después, tras eludir la vigilancia de su guardia, se perdían en la sombra que ya descendía de las montañas y comenzaban a subir por las laderas de la inmensa sierra.

—¿Qué quieres hacer? —preguntó el vidente.

—Evocar la sombra de Parmenión —repuso el rey mirándole con una mirada febril—. ¿Puedes hacer esto por mí, Aristandro?

El vidente asintió.

—Si anda merodeando aún por estas tierras, le haré venir a ti, pero si ha descendido ya a la morada del Hades, no sé si me será posible llegar hasta él sin morir yo también.

—La otra noche soñé que le veía subir, solo, a pie, hacia ese paso de montaña. Avanzaba con la espalda inclinada, como si llevara una pesada carga, y su blanca cabellera se confundía con la blancura de la nieve. De vez en cuando me hacía un gesto con la mano para que le siguiera... su gruesa mano callosa de viejo guerrero. De golpe se volvió hacia mí y pude ver la herida que tenía en el pecho, pero en su mirada no había odio ni resentimiento. Únicamente una melancolía infinita. ¡Llámale, Aristrandro, te lo suplico!

—¿Recuerdas en qué punto de la montaña te pareció verle?

—Allí —repuso el rey indicando un lugar donde el sendero pedregoso se confundía con la nieve.

—Entonces, llévame hasta allí, antes de que la noche nos sorprenda y borre el camino.

Reanudaron el camino primero a caballo y luego a pie, cuando el sendero se volvió más estrecho y difícil. Llegaron antes de medianoche al límite de las nieves y se detuvieron ante la blanca extensión que llegaba hasta los altísimos picos.

—¿Estás preparado? —preguntó Aristandro.

—Lo estoy —contestó el rey.

—¿Para qué?

—Para todo.

—¿También para la muerte?

—Sí.

—Entonces desnúdate.

Alejandro obedeció.

—Túmbate sobre la nieve.

Alejandro se tumbó sobre el níveo manto estremeciéndose al gélido contacto y vio que Aristandro se arrodillaba a su lado y comenzaba a cantar, bamboleándose sobre los talones hacia adelante y hacia atrás, una extraña nenia sincopada, a ratos, por breves gritos en una lengua bárbara incomprensible. Pero a medida que ese canto ascendía hacia el cielo álgido y lejano, su cuerpo se hundía en la nieve hasta verse inmerso casi en ella.

Sentía la piel transida por miles de agujas heladas que parecían llegarle hasta el corazón y el cerebro; el dolor crecía a cada instante volviéndose insoportable. Se dio cuenta en un determinado momento de que él mismo emitía los breves gritos sincopados en la lengua bárbara juntamente con Aristandro, y vio que el vidente, arrodillado delante de él, tenía los ojos blancos e inexpresivos, como los de una estatua de mármol a la que la lluvia hubiera desvaído los colores.

Trató de hablar, pero no lo logró; trató de levantarse, pero sintió que no tenía ya fuerzas. Trató asimismo de gritar, pero no tenía ya voz. Se hundía en el hielo cada vez más, o acaso fluctuaba en el aire helado y transparente sobre los puntiagudos picos de los montes... Se volvió a ver entonces niño, como en un sueño, corriendo por las salas del palacio real mientras la vieja Artemisia, jadeante, trataba en vano de andar tras él. Y he aquí que, de repente, se encontraba en la gran sala del consejo, en la sala de armas donde los generales del reino se sentaban al lado de su padre, y se paraba atónito delante de los majestuosos guerreros encerrados en sus relucientes armaduras. Veía asomar en aquel momento, por un pasillo lateral, a un hombre imponente con una ondeante cabellera blanca: ¡el primer soldado del reino, el general Parmenión!

Éste le miraba fijamente y decía:

—¿Cómo es esa cancioncilla, pequeño príncipe, cómo es? ¿No quieres cantarla otra vez para tu viejo soldado que se va a la guerra?

Y Alejandro trataba de cantar la cancioncilla que provocaba la risa general, mas no lo lograba, pues se le hacía un nudo en la garganta. Se dio la vuelta para regresar a su estancia, pero vio delante de sí el paisaje nevado, vio nuevamente a Aristandro de rodillas, rígido como un cadáver y con los ojos en blanco. Sacó fuerzas de flaqueza para alcanzar con la mano el manto que había abandonado sobre la nieve, pero mientras con inmenso esfuerzo volvía la cabeza hacia aquel lado, se quedó paralizado del estupor: delante de él estaba Parmenión, pálido bajo la luna, embutido en su armadura, con su magnífica espada que le colgaba del costado.

Los ojos se le llenaron de lágrimas mientras murmuraba:

—Viejo... valeroso... soldado... perdóname.

Parmenión frunció apenas los labios en una melancólica sonrisa y respondió:

—Ahora estoy con mis hijos. Estamos todos bien. Adiós, *Aléxandre*. Obtendrás mi perdón cuando volvamos a vernos. Y no será dentro de mucho.

Se alejó a paso lento por la nieve inmaculada y se desvaneció en la sombra.

En aquel momento, Alejandro notó una sacudida de conciencia y de golpe vio frente a él a Aristandro, que sostenía en la mano su manto y le decía:

—¡Cúbrete, rápido, cúbrete! Has estado a punto de morir.

Alejandro consiguió levantarse y envolverse en su manto, y la tibieza de la lana le reanimó lentamente.

—¿Qué ha sucedido? —le preguntó Aristandro—. He empleado todas las potencias de mi espíritu, pero no recuerdo nada.

—He visto a Parmenión. Iba revestido con su armadura, pero no tenía ninguna herida y me ha sonreído. —Agachó la cabeza con gesto desconsolado—. Pero probablemente no ha sido más que una ilusión.

—¿Ilusión? —dijo el vidente—. Tal vez no. Mira.

Alejandro se volvió y vio una fila de huellas en la nieve que terminaban a un tiro de piedra, como si el que las había dejado se hubiera disuelto en el aire. Se arrodilló para tocarlas con la punta de los dedos y luego se volvió hacia Aristandro con la mirada llena de asombro.

—Botas macedonias... claveteadas. Oh, gran Zeus, pero ¿es posible?

El vidente clavó la mirada en el horizonte.

—Volvamos —dijo—. Es tarde. Las estrellas que nos han protegido hasta ahora están a punto de desaparecer.

41

Alejandro festejó el nacimiento de su nueva ciudad con solemnes sacrificios propiciatorios, después de lo cual anunció unos juegos gímnicos y certámenes poéticos con representaciones escénicas. Los mejores actores trágicos, intérpretes de los papeles más comprometidos, trataron de disputar la primacía del ya legendario Tésalo, a cuya voz el clima de la meseta parecía conferir mejor timbre y potencia si cabe.

El punto álgido del ciclo trágico fue alcanzado con la puesta en escena de *Los siete contra Tebas*, en la que un joven actor natural de Milasa encarnó con impresionante realismo el papel de Tideo, que hundía sus dientes en el cráneo de Melanipo. Pero el premio a la mejor interpretación lo ganó una vez más Tésalo por la magistral demostración hecha en el papel protagonista de *Agamenón*.

Las celebraciones duraron siete días. Al octavo, el ejército se puso en marcha detrás de un grupo de guías indígenas, en dirección al paso. Al cabo de sólo dos etapas, el ejército empezó a avanzar entre la alta nieve, en un territorio que aparecía completamente desierto; dado que los senderos de acceso eran extremadamente escabrosos e impracticables, las bestias habían sido cargadas con la mitad del peso que generalmente llevaban, de modo que la autonomía de la expedición se veía enormemente limitada.

Los guías explicaron que las aldeas existían y que contaban también con reservas de víveres, pero que estaban completamente escondidas en la nieve y por ello del todo invisibles. La única forma de descubrirlas era esperar a la noche cuando se encendían los fuegos para cocer la cena y el humo indicaba su posición exacta. De este modo el ejército pudo saciar su hambre, pero los habitantes de aquellas míseras aldeas se vieron privados de lo necesario para sobrevivir, obligados a dejar sus casas y descender hacia territorios más bajos para disputarles la comida a otros desdichados.

La marcha prosiguió a costa de enormes esfuerzos y muchos hombres comenzaron a sufrir de graves trastornos en los ojos a causa del reflejo cegador del sol sobre la nieve.

Alejandro convocó al médico Filipo en su tienda tras la puesta del sol y le mostró un fragmento de *La expedición de los Diez Mil*.

—Jenofonte cuenta que tuvo el mismo problema con sus hombres en las nieves de Armenia. Incluso dice que no pocos perdieron la vista.

—He dado instrucciones a los soldados de vendarse los ojos dejando únicamente una fisura para ver el mínimo indispensable —repuso Filipo—. Esto debería salvarles la vista. Más no puedo hacer. No tenemos remedios suficientes para tantas personas, pero me he acordado de que mi viejo maestro Nicómaco, que te ayudó a nacer, empleaba la nieve para eliminar la irritación de los tejidos además de para reducir o detener las hemorragias. He hecho la prueba con nuestro guerreros y he obtenido resultados alentadores. En este caso puede decirse que lo que duele también cura. Y tú, ¿cómo te sientes, señor? —le preguntó a continuación, viéndole fatigado.

—Mis dolores son de un tipo que tú no puedes curar, mi buen Filipo, sólo el vino consigue a veces mitigarlos... Nunca como ahora he comprendido lo que trataba de decir mi padre al afirmar que un rey está solo.

—¿Consigues dormir?

—Sí, algunas veces.

—Entonces, vé a descansar. Que tengan a bien los dioses concederte una noche serena.

—Y también a ti, *iatré*.

Filipo sonrió: el rey le llamaba con su título de médico cuando sus servicios eran especialmente apreciados. Saludó con un leve gesto de cabeza y salió a la noche estrellada.

Al día siguiente llegaron a la vista de una enorme roca, escarpada y peñascosa. Calístenes la observó largamente y se hizo llevar por un grupo de agrianos hasta su misma base. Había notado, por un lado, un saliente vagamente semicircular que recordaba la forma de un nido gigantesco y, por el otro, precisamente en mitad de la pared, unas sombras o manchas como anillos, del color de la herrumbre, y una concavidad que hacía pensar en la forma de un cuerpo humano de enormes proporciones. Hizo llamar inmediatamente a Aristandro.

—Mira —le dijo—, ¡es extraordinario! Hemos encontrado la roca en la que fuera encadenado Prometeo. Ése —añadió señalando el saliente— podría ser el nido del águila que le devoraba el hígado y aquellos —siguió indicando las sombras herrrumbrosas en la pared— son los anillos de la cadena que mantenía prisionero al titán. Y aquí tienes la huella dejada por su cuerpo... Si mi tío Aristóteles, como yo creo, está en lo cierto y esto es el Cáucaso, entonces ésta podría ser verdaderamente la roca de Prometeo.

La noticia corrió rápidamente entre las filas del ejército: no pocos soldados abandonaron las filas para ir a ver y, cuanto más miraban, más se convencían de lo que había dicho Calístenes. Llegó también Tésalo e, inspirado por la grandiosidad del paisaje, comenzó a declamar emocionado los versos del *Prometeo* de Esquilo: el lamento del titán encandenado a la roca escita. Su voz estentórea, repercutida por las paredes que caían a pico, hizo volar las palabras del gran poeta a través de aquella región bárbara y remota, permanentemente castigada por el azote del hielo:

¡Éter divino, raudas brisas, fuentes de los ríos y sonrisa infinita de las olas del mar, madre de todo! Pero también a ti quiero invocarte, ¡disco del sol, que todo lo contemplas! Miradme: soy un dios y, sin embargo, ¡qué trato he recibido de los dioses!...

También el rey se detuvo y aguzó el oído al oír aquellos versos sublimes, pero en el mismo instante Calístenes respondió a Tésalo encarnando a Hefesto, obligado a encadenar al titán:

... en esta roca, guardia habrás de montar, siempre, en insomnio, de pie, sin doblar la rodilla. En vano te desharás en llantos y gemidos, pues el pecho de Zeus es inflexible. ¡Que todo nuevo rey reina como tirano!*

Aquel fragmento hirió a Alejandro, como si hubiera sido pronunciado para él.

Un águila se lanzó en aquel momento desde una altísima cumbre e hizo resonar el espacio inmenso con sus roncos chillidos mientras se cernía con lento vuelo solemne sobre el desierto de hielo, como si Zeus respondiera ofendido a las palabras insolentes de los mortales.

Calístenes se volvió y se topó con la mirada absorta del rey. Dijo:

—¿No son acaso unos versos estupendos?

—Lo son —repuso Alejandro.

Y reanudó su camino.

*Esquilo, *Prometeo encadenado*, versos 31-35.

En dieciséis días de marcha el ejército atravesó la inmensa cadena de una parte a otra, padeciendo penalidades inauditas, hambre y toda clase de fatigas, y descendió hacia la llanura escita. Fue necesario sacrificar también a una parte de las bestias de carga para superar el último tramo de aquella formidable barrera, pero finalmente Alejandro pudo contemplar una nueva provincia de su inmenso dominio.

Su mirada, desde el último paso, se paseó por una estepa ilimitada y de nuevo los hombres se sintieron dominados por el espanto a la vista de aquella extensión infinita y uniforme, pero sobre todo les asombraba el hecho de que el hielo y las nieves eternas limitaran casi con tierras semidesérticas, abrasadas por el sol.

Y sin embargo el estar nuevamente en el séquito de Alejandro les hacía sentirse como reabsorbidos por una corriente vertiginosa, por una fuerza invisible a la que eran incapaces de resistirse. Sentían reanudarse el curso de una aventura incomparable que nadie más en el mundo habría podido vivir, nadie que no hubiera tenido la suerte de conocer a un hombre semejante, si es que se trataba de un hombre. Muchos de aquellos que seguían al ejército, en efecto, al verle casi siempre de lejos resplandecer con su coraza de plata al lado del estandarte rojo con la estrella de oro, se habían acostumbrado ya a considerarle como un ser sobrehumano.

Recién llegados a la llanura, se dirigieron hacia la capital de aquella región, una ciudad de nombre Bactra que se alzaba en el centro de un pujante oasis donde finalmente pudieron encontrar descanso. La ciudad se rindió sin combatir y Alejandro confirmó en su cargo al viejo sátrapa Artaozo. Fue él quien le recibió en el palacio y le informó de que Beso se había retirado poniendo tierra quemada por medio.

—No se esperaba que llegases tan pronto, que atravesaras los montes en pocos días, venciendo la nieve y el hambre. No habiendo, sin embargo, podido reunir un ejército lo bastante numeroso para enfrentarse contigo en campo abierto, ha cruzado el río Oxo, uno de los más grandes entre los que descienden de nuestros montes, y ha alcanzado del otro lado las ciudades aliadas suyas, detruyendo los puentes detrás de él.

El rey, a aquella noticia, decidió no entretenerse por más tiempo y se puso nuevamente en marcha con la intención de atravesar a su vez el río. Cuando llegaron a las orillas del Oxo, llamó a Diadés, el ingeniero jefe, y le señaló la otro orilla.

—¿Cuánto tiempo hará falta —preguntó —para construir un puente?

Diadés tomó una jabalina de uno de los soldados de la guardia y la hincó en el fondo, pero inmediatamente la corriente la inclinó hasta casi la superficie del agua.

—Arena —exclamó—. ¡Sólo arena!

—¿Y cuál es el problema? —preguntó el rey.

—Que los palos no se sostienen, como el asta de esta jabalina, tal cual. —Miró a su alrededor—. Y además no veo árboles en los alrededores en número suficiente.

—Haré volver a unos hombres a la montaña para que talen abetos.

Diadés le miró.

—Señor, sabes que nunca nada me ha detenido, que no ha existido jamás una empresa que haya considerado imposible, pero este río tiene cinco estadios de ancho, una corriente muy impetuosa y el fondo completamente arenoso. No hay palo que se sostenga, y sin palos no puede haber puente. Te aconsejo que busques un vado.

Se adelantó Oxatres y con su griego cojeante declaró:

—Vado no.

Alejandro se puso a pasear en silencio arriba y abajo de la orilla, ante la mirada de su ejército entero y la de sus perplejos compañeros. Luego llamó su atención la actividad de algunos campesinos que trabajaban en los campos de las riberas del río. Éstos separaban la paja del cascabillo aprovechando aquel ventoso día y la arrojaban al aire con palas y horcas. La paja volvía a caer a escasa distancia y el cascabillo, más ligero, fluctuaba en el viento hasta las márgenes de la era. Era un espectáculo hermosísimo de ver, una especie de torbellino dorado hecho de mil pajuelas centelleantes.

Al acercarse aquel joven de gran apostura, los campesinos se detuvieron y le miraron maravillados mientras él se inclinaba y recogía un puñado de cascabillo.

Volvió sobre sus pasos hasta donde estaba Diadés, que había hincado en el fondo, un poco más abajo, otras estacas y miraba con desconsuelo cómo se inclinaban al hilo de la corriente.

—He encontrado la manera —dijo Alejandro.

—¿La manera de pasar? ¿Y cómo? —preguntó el técnico abriendo los brazos.

El rey dejó caer el cascabillo que apretaba en el puño.

—Con esto —repuso.

—¿Con cascabillo?

—Exactamente. Se lo vi hacer a los getas en el Istro. Llenan de cascabillo pellejos de buey, luego los cosen y los meten en el agua. El aire aprisionado entre las pajuelas y las aristas hace flotar esa especie de odres el tiempo necesario para permitir la travesía.

—Pero no tenemos cascabillo suficiente para todos nuestros hombres —objetó el ingeniero.

—No, pero tenemos suficiente para construir una pasarela. Usaremos las pieles de las tiendas, ¿qué te parece?

Diadés lo miró incrédulo.

—Es una idea genial. Podemos incluso untarlas con sebo para hacerlas más impermeables.

Fue convocado el Consejo de los compañeros y se procedió al reparto de las tareas: Hefestión se encargó de recoger el cascabillo, Leonato de reunir todas las pieles disponibles de las tiendas y requisar también la de los indígenas. Las tablas de las bateas de las máquinas de guerra serían utilizadas para construir la base para pasar y como anclas se utilizarían piedras atadas con cuerdas.

Al caer la tarde, todo el material estuvo listo y Alejandro pasó revista al ejército, pero cuando se encontró frente a los veteranos les miró como si les viera por vez primera y sintió compasión. Muchos de ellos tenían casi sesenta años. Otros tenían más y todos acusaban duramente los enormes esfuerzos realizados, las batallas, las heridas, las penalidades. Presentía que le seguirían en cualquier caso, pero leía en sus ojos el espanto frente a aquel río enorme que iban a tener que atravesar sobre sacos de paja y frente a la inmensa, vacía extensión de la llanura desértica.

Llamó entonces a Crátero y le ordenó que convocara a todos delante de su tienda apenas se hubiera puesto el sol, porque había decidido licenciarlos. Crátero obedeció, y cuando los soldados de más edad fueron reunidos en el centro del campamento, Alejandro subió a un podio y comenzó a hablar:

¡Veteranos! Habéis servido a vuestro rey y a vuestro ejército con honor, superando todas las fatigas y adversidades sin ahorrar jamás esfuerzos. Habéis conquistado el mayor imperio que haya existido nunca y habéis alcanzado la edad en la que es justo que un hombre disfrute del reposo y de los privilegios a que se ha hecho merecedor combatiendo honorablemente. Os libero de vuestro juramento y os devuelvo a vuestras casas. Recibiréis cada uno doscientos estáteros de plata como regalo mío personal y la soldada pagada hasta vuestra llegada a Macedonia. Saludad de mi parte a la patria y vivid contentos los años que os queden de vida. Bien merecidos que los tenéis.

Calló esperando una ovación y en cambio corrió entre las filas tan sólo un murmurllo, un parloteo quedo, luego un capitán de compañía ya entrado en años se adelantó y dijo:

—¿Por qué ya no nos quieres, rey?

—¿Cómo te llamas, capitán? —preguntó Alejandro.

—Me llamo Antenor.

—¿No tienes ganas de volver a ver a tu familia?

—Tener ganas, sí que tengo.

—¿Y no tienes ganas de volver a ver tu casa y de estar en ella tranquilo comiendo, bebiendo y que te sirvan?

—Por supuesto.

—Entonces, partid contentos y dejad que os releven los jóvenes que están a punto de llegar. Habéis cumplido con vuestra misión.

El hombre no se movió.

—¿Alguna cosa más, capitán?

—Estoy pensando que el primer día será muy hermoso. Volveré a ver a mi mujer y a mis hijos, a alguno de los amigos, la casa. Compraré ropas nuevas y comida en abundancia, pero es el día siguiente el que me espanta. ¿Me comprendes?

—Te comprendo, capitán. El día siguiente espanta a todo el mundo. También a mí. Por eso no puedo detenerme... nunca. He de correr para alcanzarlo, y sobrepasarlo.

El veterano asintió, aunque no hubiera comprendido, y dijo:

—Tienes razón, rey. Tú eres joven y nosotros viejos. Es hora ya de que volvamos a casa. Pero por lo menos...

—¿Qué?

—¿Puedo abrazarte en nombre de todos mis compañeros?

Alejandro le estrechó contra sí como un viejo amigo y entonces estalló la ovación porque los veteranos, desde el primero hasta el último, sentían en aquel momento que el rey les abrazaba emocionado a todos y notaban que las lágrimas les subían a los ojos.

Aquella noche Calístenes escribió una larga carta para su tío Aristóteles y se la entregó a uno de los veteranos que iban a partir y que vivía en las cercanías de Estagira. Le dio como compensación un estátero de oro, el primero acuñado por Filipo con la imagen de Alejandro, un Alejandro que para él no existía ya desde hacía tiempo. Los veteranos partieron al alba saludados por los hombres de armas, siguiendo la línea de las montañas en dirección de Zadracarta.

No se había apagado aún el eco de los tambores que marcaban el ritmo de la marcha cuando Diadés procedió al montaje de la estructura lo más deprisa posible e, inmediatamente después, se inició el paso: primero los *hetairoi* a pie llevando a los caballos del ronzal y luego la infantería.

El contingente entero estuvo del otro lado antes del mediodía y los ingenieros procedieron a continuación, hasta entrada la noche, a recuperar los materiales en la orilla norte del río. Mientras los hombres se disponían a plantar las tiendas, Oxatres y sus jinetes dieron una amplia vuelta de reconocimiento y luego volvieron a donde estaba Alejandro para referirle que habían encontrado numerosas huellas de caballos y que debía de tratarse del ejército que acompañaba al usurpador Beso.

El rey reunió inmediatamente al consejo de los compañeros, Clito *El Negro* y algunos comandantes de batallón que se habían distinguido particularmente en las últimas operaciones. Admitió también a Oxatres y a algunos oficiales persas de la caballería, cosa que provocó una reacción de celos sobre todo por parte de Clito y de sus comandantes.

—Nuestros amigos persas nos han sido muy valiosos —comenzó diciendo Alejandro —para dar con los pasos de nuestro enemigo. Ahora sabemos adónde se ha dirigido Beso y sabemos cómo actuar. Tenemos que apresarle ahora o no le apresaremos ya. Tolomeo tendrá el mando de *La Punta*, de un escuadrón de *hetairoi* y de dos de exploradores ligeros y se lanzará en su persecución lo más velozmente que pueda. Oxatres vendrá con vosotros junto con su unidad—. Tolomeo hizo un ademán de rechazo que no escapó a Alejandro—. ¿Alguna objeción, Tolomeo?

—Ninguna —fue su rápida respuesta.

—Entonces está decidido. Partiréis de inmediato. Vuestros guías saben moverse también en la oscuridad.

Tolomeo se calzó el yelmo y salió seguido por todos los demás componentes del consejo. Se quedó El Negro.

—¿Había necesidad de mandar a esos bárbaros con Tolomeo? —preguntó—. ¿Acaso no lo hemos logrado siempre solos?

Alejandro le miró fijamente.

—Sí, y por dos razones, Negro. La primera es que conocen estos territorios como ningún otro, y la segunda es que dentro de poco entrarán a formar parte de nuestro ejército como unidades regulares al mismo nivel que nuestros cuerpos de caballería y de infantería.

Clito inclinó la cabeza como si fuera a tragar un bocado amargo.

—Estas cometiendo un error, Alejandro.

—¿Por qué?

—Porque antes o después tendrás que elegir... O nosotros o ellos.

Salió sin siquiera un saludo. Poco después las trompas de Tolomeo tocaron a reunión.

42

Oxatres se reveló enseguida indispensable. Se había puesto unos pantalones escitas de piel curtida y un jubón de cuero guarnecido con placas de hierro, llevaba en bandolera arco y aljaba y al costado un largo sable hircanio. Montaba un caballo de la estepa, pequeño y peludo, pero de una increíble resistencia. Quiso que todos cogieran unas antorchas, luego encendió la suya y miró a la cara a Tolomeo con una expresión elocuente, como si quisiera decir: «Veamos si eres tan duro como quieres parecer». Acto seguido se lanzó al galope manteniéndola en alto para iluminar la pista y para resultar visible para el resto de las tropas que le seguían. A medida que avanzaban, los rastros eran cada vez más recientes y evidentes, señal de que estaban ganando terreno.

Tolomeo observó que los jinetes asiáticos no se detenían nunca y que incluso orinaban a caballo. Cuando finalmente dio orden de hacer un alto para que las bestias descansaran y conceder a sus hombres algunas horas de sueño, Oxatres sacudió la cabeza para manifestar su desacuerdo, luego se abandonó sobre el cuello del caballo y descabezó un breve sueño, imitado por sus jinetes hircanios y bactrianos. Apenas se habían tumbado los otros en el suelo sobre sus mantos cuando él enderezó nuevamente la espalda y aferró la brida diciendo:

—Es tarde, Beso no nos espera.

Encendió una segunda antorcha con el cabo humeante de la primera y se lanzó al galope seguido por los suyos. Se detuvo poco antes del alba, desmontó, recogió un poco de excremento de caballo y se lo mostró a Tolomeo:

—Es reciente. Mañana les daremos alcance.

—Si es que no hemos muerto antes —replicó uno de los oficiales de *La Punta*.

Tolomeo, que no quería parecer menos, gritó:

—¡A caballo, soldados! ¡Demostradles quiénes sois!

El orgullo y el amor propio sirvieron para despertar aún un poco de energía en los miembros de los agotados jinetes, pero Tolomeo observó que algunos de ellos tenían escoriaciones sanguinolentas en la parte interior de los muslos.

—¿Habéis comprendido por qué ellos llevan pantalones? ¡Y ahora adelante, movámonos!

El sol asomó poco después y su prístina luz alargó con desmesura sus sombras en la llanura esteparia completamente vacía, luego hizo destacar de la oscuridad los colores de aquella tierra aparentemente desolada y, a aquella hora de quietud y de silencio, la hizo parecer amable. Había pequeñas flores amarillas de margaritas silvestres, penachos de cardos purpúreos y, de vez en cuando, arbustos de color plateado que resplandecían cual joyas sobre el ocre de la tierra arenosa. Encontraron en un determinado momento una larga caravana de camellos gigantescos, peludos y de doble joroba, llamados «camellos de Bactriana», que llenaban el aire de extraños mugidos quejumbrosos.

—Ellos van a Esmirna —explicó Oxatres riendo—. ¿Queréis ir también vosotros?

Tolomeo sacudió la cabeza y le hizo señal de que siguiera derecho: le quemaban los ojos del cansancio, tenía ampollas por todas partes, pero se habría dejado matar antes que pedir descansar. Un cierto número de sus hombres, sin embargo, se habían detenido ya o se habían desplomado simplemente al suelo vencidos por el cansancio. Les abandonó pensando que les recogería a la vuelta.

Entretanto el sol había alcanzado su cenit y el calor se había hecho casi insoportable. Nubes de moscas llegadas de quién sabe dónde se metían en los ojos, ávidas de su humor, cientos de tábanos atormentaban a los caballos, que coceaban y relinchaban de dolor. Tolomeo observó que los caballos de los persas no sufrían por ello gracias a su espeso e hirsuto pelaje y a sus largas colas que tocaban el suelo y llegaban para golpear por todas partes a los molestos parásitos. Pensó que, hasta cierto punto, Alejandro tenía razón sobre la capacidad de los bárbaros y sobre sus conocimientos del territorio y de las gentes que lo habitaban.

Y precisamente mientras estaba absorto en estos pensamientos, le sacudió la voz de Oxatres.

—Ahí está la ciudad.

Y señalaba una muralla de adobe que rodeaba un poblado gris hecho de casas bajas y con un solo edificio suficientemente alto e imponente, que debía de ser la residencia del jefe. Tolomeo hizo una señal y la caballería se desplegó en un amplio arco hasta encerrar la ciudad dentro de una especie de anillo, de modo que nadie podía entrar ni salir. Oxatres parlamentó con el jefe enemigo y al cabo de un rato rehizo el camino hasta donde estaba Tolomeo.

—Están muy sorprendidos de vernos y se sienten muy desalentados. Dos sátrapas le entregarán, si les dejamos libres a ellos.

—¿Quiénes son?

—Espitámenes y Datafernes.

—¿Y dónde se encuentran ahora?

—Dentro de la ciudad. Beso está con ellos.

Tolomeo reflexionó unos momentos mientras los rebaños que volvían de los pastos, al no poder entrar en la ciudad, se amontonaban en el exterior del círculo de jinetes alineados y cubiertos de polvo lanzando balidos ensordecedores. Por último tomó su decisión.

—Aceptamos. Que nos digan dónde tendrá lugar la entrega. Dejaremos aquí al grueso de las tropas para evitar sorpresas y nosotros acudiremos a la cita.

Oxatres volvió atrás y habló de nuevo unos momentos con sus interlocutores, luego hizo una señal a Tolomeo de que había concluido el trato y éste dejó pasar los rebaños, que se precipitaron, con sus pastores, por la puerta abierta de la ciudad. Poco después los glacis estaban atestados: hombres y mujeres, viejos y niños querían ver a aquellos *daiwa* cubiertos de metal y con los yelmos crestados, montados en aquellos enormes caballos de pelo reluciente. Se los señalaban unos a otros y luego indicaban las montañas, que se teñían en lontananza con los rayos del ocaso, para expresar que habían descendido de allí como las aves de rapiña.

Oxatres refirió los términos del acuerdo: la entrega se produciría en un lugar distante unos tres estadios, a la caída de la tarde. Tan pronto como oscureciera, un grupo de sus jinetes sogdianos entregaría al prisionero, mientras Espitámenes y Datafernes se retirarían huyendo por la puerta de levante que debería ser dejada libre.

—Diles que me parece bien —repuso Tolomeo, pensando que había recibido la orden de capturar a Beso y no de apresar también a los otros dos sátrapas; por tanto, permitió a los hombres comer y beber sentados en el suelo y luego dio orden de dejar libre la puerta de levante tan pronto como hubiera caído la noche.

—Pero ¿quién asegura que respetarán el pacto? —preguntó Tolomeo preocupado mientras se dirigían hacia el lugar de la cita.

—He dejado en la puerta de poniente a un grupo de los míos que conocen a Beso. Si pasa, se darán cuenta.

Se detuvo cuando vio una vieja y seca acacia en el borde del sendero y se volvió hacia Tolomeo:

—Es aquí adonde llegarán. Sólo nos resta esperar.

La inmensa llanura, al oscurecer, había sido tragada por el silencio, pero con el transcurrir del tiempo comenzaba a oírse el canto de los grillos cada vez más fuerte, al que se sumó la larga llamada del chacal, que pareció llegar de la nada y en la nada se apagó. Pasó tal vez una hora y se oyó primero el ladrar de un perro y luego un ruido de cascos. Oxatres se reanimó.

—Vienen —dijo.

Y de repente se puso tieso como un depredador al acecho. Un grupo de sombras aparecieron por la estepa: una docena de jinetes sogdianos mandados por un oficial persa con un prisionero encadenado. Oxatres sopló sobre el cabo de antorcha que tenía consigo y despabiló la llama. Luego la acercó al rostro del prisionero encadenado, le reconoció y se puso radiante con una siniestra expresión sarcástica, de lobo. Los jinetes que habían escoltado a Beso se alejaron, desapareciendo inmediatamente de la vista.

Oxatres hizo una señal a uno de sus hombres para que le sostuvieran la antorcha y a otros dos para que mantuvieran sujeto al prisionero.

—Pero ¿qué haces? —gritó Tolomeo—. ¡Es un prisionero de Alejandro!

—Primero es mío —repuso el persa y le miró con un destello tal de ferocidad en los ojos que Tolomeo no fue capaz de reaccionar. Luego se sacó el puñal del cinto, una hoja afilada como una navaja, y se acercó al prisionero, que apretaba las mandíbulas preparándose para sufrir todo el dolor que puede sufrir un hombre caído bajo el dominio absoluto de su peor enemigo.

Oxatres le cortó todas las ligaduras de las ropas y le dejó completamente desnudo: la mayor humillación para un persa. Luego le agarró por los cabellos y le cortó primero la nariz y luego las orejas. Beso soportó con heroico coraje aquellas atroces mutilaciones, sin llorar ni gritar, y su rostro así desfigurado e inundado de sangre en un cuerpo aún imponente y escultórico tenía su dramática y espantosa dignidad.

—¡Ahora basta! —gritó Tolomeo horrorizado—. ¡Basta he dicho!

Saltó a tierra, dio un empellón a Oxatres y llamó a un cirujano ordenándole que vendase las heridas del prisionero a fin de que no perdiera demasiada sangre.

No hubo otro modo para los médicos de cerrar la hemorragia que envolver con una venda el rostro del prisionero, que fue obligado, acto seguido, a ponerse en camino, desnudo y descalzo tal como estaba, por el sendero sembrado de puntiagudo sílex. Tolomeo le contempló mientras sus enemigos le arrastraban con una cuerda atada al cuello y aquella escena lastimosa le pareció una grotesca parodia de un pasaje del *Edipo rey* que había visto de niño en un teatro ambulante, en su tierra natal. Así aparecía Edipo, con una venda ensangrentada en torno a la cabeza, después de que se hubiera perforado las pupilas con una fíbula.

Caminaron toda la noche y todo el día siguiente. Al tercer día encontraron a Alejandro con el resto del ejército. El rey se adelantó rodeado por sus amigos y por un grupo de oficiales persas y miró fijamente a su adversario, el que decía llamarse Artajerjes IV. Los persas que había sido fieles al difunto rey Darío le cubrieron de escupitajos, de puntapiés, de puñetazos y de bofetones en las heridas aún abiertas, reduciéndole el rostro a una máscara sanguinolenta.

Alejandro no dijo nada porque en aquel momento era el vengador de Darío y se sentía su único y legítimo sucesor. Esperó a que se hubieran desfogado, y a continuación llamó a Oxatres.

—Ahora basta —dijo—. Haz que le lleven a Bactra y di que convoquen allí un tribunal cuando yo haya vuelto. Hasta ese momento, que no se le haga ningún daño. —Luego se volvió hacia Tolomeo—: Has llevado a cabo una empresa extraordinaria. He sabido que has recorrido en tres días el camino de diez. ¿Vendrás a cenar conmigo esta noche?

—Iré —repuso Tolomeo.

Caía la noche y Alejandro regresó a la tienda donde Leptina le había preparado el baño. En el momento de meterse en la tina, le fue anunciada la visita de su médico Filipo.

—Entra —le invitó—. Estaba a punto de tomar un baño. ¿Hay algo acaso que anda mal?

—No, señor. Estamos todos bien, pero tengo una triste noticia para ti. La princesa Estatira ha abortado.

Alejandro bajó la cabeza.

—Era... ¿un varón? —preguntó con voz quebrada.

—Así parece, por lo que me han dicho —repuso Filipo.

El rey no preguntó nada más; tampoco el médico conseguía decir nada, porque tenía un nudo en la garganta. Se limitó a añadir:

—Lo siento... lo siento.

Y salió.

43

El séquito que se movía detrás del ejército del rey, a veces incluso a una distancia de algunas jornadas de camino, era cada vez más numeroso, una auténtica ciudad ambulante en la que habían sido creados tribunales que administraban justicia, teatros ambulantes que daban representaciones tanto de dramas populares indígenas como de comedias o tragedias del repertorio griego, emporios que vendían y compraban toda clase de mercancías.

Y cada vez más se multiplicaban las uniones entre soldados macedonios y muchachas indígenas, con el consiguiente nacimiento de muchos niños de sangre mixta. Para toda esta gente, el joven rey era ya un dios a todos los efectos, tanto por su aspecto resplandenciente como por su invencibilidad y por su capacidad de superar todo obstáculo natural, ya fuesen las más altas montañas o los más vastos y caudalosos ríos.

Pero Alejandro se daba perfecta cuenta de que aquel séquito causaría a la larga la parálisis del ejército, entorpeciendo en exceso su capacidad de movimiento y condicionando la posibilidad de actuar con la debida rapidez frente a un ataque. Decidió, pues, mandar atrás a una parte con Crátero, a orillas del Oxo, para fundar una nueva Alejandría. Se establecieron allí algunos cientos de personas y cerca de cuatrocientos soldados, aquellos que habían creado una familia con las mujeres del séquito; a toda la comunidad se le dio las instituciones de las ciudades griegas, con asamblea electiva y magistrados. Luego el rey reanudó la marcha hacia el norte a través de un territorio en gran parte árido, hasta llegar a orillas de un afluente del Oxo que los indígenas denominaban «El Muy Honorable», y así también decidieron llamarlo los griegos del mismo modo: Politimeto. Sobre el río se asomaba una hermosa ciudad, Maracanda, frecuentada tanto por los sogdianos como por los escitas asiáticos que venían de los territorios inmensos de más allá del río y que traían sus productos al mercado: pieles, ganado, piedras duras, polvo de oro y a veces esclavos raptados en lejanos lugares. Llegaban también las caravanas procedentes de la India a través de los pasos de montaña.

Desde allí, Alejandro partió de nuevo hacia levante hasta la localidad más remota que los persas hubieran alcanzado nunca en aquella dirección. Era una ciudad fundada junto al río Yaxartes por Ciro el Grande en persona y se llamaba Kurushjar, que quiere decir Cirópolis. En aquel momento era la fortaleza de un grupo de insurrectos amigos de los dos sátrapas rebeldes, Espitámenes y Datafernes. Habían entregado a Beso a Tolomeo para ponerse ellos a la cabeza de las poblaciones que se negaban a someterse al nuevo soberano.

La ciudad estaba protegida por un viejo bastión de adobe, surcado por las lluvias, erosionado por el viento y rematado por algunas torrecillas de guardia de madera, y estaba rodeada por otras siete ciudades menores. En menos de un mes fueron conquistadas todas ellas, una tras otra, y obligadas a aceptar una guarnición macedonia.

Por último Alejandro quiso celebrar la victoria con un banquete y mandó una invitación personal a todos sus compañeros y a los oficiales superiores.

El rey les recibió en el umbral, les besó en la mejilla uno por uno y luego les hizo acomodar en el interior, donde estaba ya preparado el servicio del banquete con la crátera, las copas y los potes para sacar el vino. Cuando todos se hubieron acomodado, llegaron otros huéspedes y los presentes se volvieron para mirarles: eran Oxatres y sus nobles, ataviados con sus suntuosos trajes nacionales, y fueron a acomodarse en los puestos que les habían sido asignados. Se habían distinguido en el asalto a las ciudades rebeldes y el rey había querido honrarles también a ellos invitándoles a su mesa.

Los demás comensales le miraron consternados y luego se miraron a la cara unos a otros sin proferir palabra. En medio de aquel embarazoso silencio, Alejandro habló:

—Hemos apresado a Beso, amigos míos, y hemos ocupado las ciudades rebeldes gracias a la rapidez extraordinaria de las tropas de Tolomeo y gracias a la ayuda de nuestros amigos persas. Ahora tengo que haceros un anuncio importante. Mañana tengo intención de licenciar a la caballería aliada de los veteranos tesalios. Me quedaré solamente con los más jóvenes, llegados con los últimos refuerzos.

—¿Quieres despedir a los tesalios? —preguntó estupefacto Clito—. Pero si los tesalios nos salvaron de la derrota en Gaugamela, ¿acaso te has olvidado de ello?

El comandante de los tesalios, que evidentemente había sido ya puesto al corriente de aquella decisión personalmente por el rey, no abrió la boca.

—No quiero despedirles, pero muchos de ellos están cansados, otros desean reunirse con sus familias después de todos estos años de guerra, otros tampoco se ven con fuerzas para aventurarse a una expedición contra los escitas...

—¿Contra los escitas? —preguntó Crátero—. ¿Vamos a enfrentarnos a los escitas? Pero... si nunca nadie ha conseguido vencerles: Ciro el Grande perdió la vida, el ejército de Darío fue aniquilado, no se sabe siquiera cuántos son, dónde están, y tampoco se sabe dónde empieza y dónde acaba su territorio. Es como adentrarse... en la nada.

—Puede ser —rebatió con calma Alejandro—. Y precisamente es lo que trato de descubrir.

—Y yo contigo —dijo Hefestión,

Crátero no añadió nada más y se puso a comer de mala gana el cordero asado que estaban sirviendo.

Transcurrieron unos momentos de silencio, un silencio que se vio interrumpido por el parloteo de los persas que charlaban entre ellos en voz baja.

Fue Clito quien intervino.

—¿Y cómo sustituirás tres magníficos batallones de caballería tesalia?

—Han llegado dos mil jinetes persas adiestrados a nuestra manera repuso firme el rey mirándole fijamente a los ojos—. Les he llamado los Sucesores.

El Negro se quedó como paralizado ante aquellas palabras; sus ojos relucieron de cólera. Se levantó y dijo:

—Entonces, no tienes ya ninguna necesidad de nosotros, me parece a mí.

Luego se envolvió en su manto e hizo ademán de salir.

—¡Detente, Negro! ¡Detente! ¡No me desafíes, Negro! —gritó el rey.

Pero Clito no se volvió siquiera y se fue dándole la espalda. Otros se levantaron, abandonando el banquete y las mesas ya servidas: el comandante de los tesalios, luego los jefes de batallón Meleagro y Poliperconte, y poco a poco casi todos los oficiales con mando en la caballería de los *hetairoi*.

—¿Queréis iros vosotros también? —preguntó Alejandro vuelto hacia sus amigos.

Habló Seleuco, habitualmente el más frío y calmo, a veces aparentemente el más cínico:

—No te lo tomes a mal. No ha ocurrido nada preocupante. Somos nosotros, los aquí presentes, quienes juramos llegar contigo hasta el confín del mundo. Los demás pueden hacer lo que quieran, pues no les necesitamos.

—¡Exactamente! —aprobó Leonato, que poco antes no parecía muy convencido—. Y, además, esos escitas supongo yo que serán de carne y hueso... Yo les he visto, ¿lo sabías? En Atenas les pagan por mantener el orden público y hacen la ronda con unas mazas de madera y el arco en bandolera. Y no me parecieron nada del otro mundo.

Tolomeo se le acercó y le desordenó la cabellera.

—Bravo, Leonato, no te falta razón. Pero ten presente que éstos de aquí están hechos de otra pasta. Lo que ha dicho Crátero es la pura verdad. Hicieron morder el polvo a Ciro el Grande y pusieron de rodillas a Darío I. Ejércitos enteros se adentraron en sus tierras inmensas y se ha perdido de ellos toda memoria.

44

Los tesalios fueron cubiertos de presentes en el momento de su despedida y, al igual que el resto de los veteranos, se les dio una sustanciosa paga para cubrir los gastos del viaje de regreso a la patria, lo cual sirvió para aplacar no poco su resentimiento hacia Alejandro. Muchos, además, le saludaron emocionados. Un veterano que había combatido en todas las batallas, desde el Gránico hasta Artacoata, se limitó a decirle:

—Me he enterado de que harás luchar a los bárbaros al lado de tus tropas y que les admitirás entre los oficiales de tu alto mando. No creo que se trate de una buena elección, y sin embargo he de admitir que cada vez que hemos murmurado contra ti, refunfuñado y gruñido por decisiones que a nosotros nos parecían desatinadas e insensatas, al final siempre has tenido tú razón.

»Tenemos ganas de volver a abrazar a nuestras familias, de volver a ver nuestras ciudades y nuestros pueblos y, honradamente, la idea de correr detrás de los escitas en una pradera sin fin donde no crece ni un pie de olivo ni una vid y donde dicen que no se ve una casa por espacio de cien jornadas de camino no es que nos agrade mucho. Y sin embargo, y hablo también nombre de la mayoría de mis compañeros, nos disgusta dejarte, rey. No dormiremos por la noche pensando que estás allí, en esa landa desierta, rodeado de bárbaros, por delante y por detrás, pero me temo que nada puede cambiar tu destino. Ha sido magnífico combatir a tu lado. Cuídate, *Aléxandre*, adiós.

Alejandro les pasó revista montando a *Bucéfalo* y a todos dedicó una sonrisa o dirigió un saludo, y estrechó la mano a aquellos que reconoció o de quienes se acordó por haberles visto batirse con valor. Y eran sinceras las lágrimas que bañaban su rostro cuando les vio ponerse al paso en filas de a ocho, mientras el sol descendía encendido hacia el horizonte.

Al día siguiente llegaron las primeras vanguardias de jinetes persas adiestrados en la retaguardia en la técnica macedonia de combate y equipados con armamento macedonio. La única diferencia, aparte de su aspecto físico, de los poblados bigotes y de los elaborados peinados, era el uso de los pantalones. Por otra parte, llamaba la atención su costumbre de acercarse al rey con el mismo ceremonial que habían observado siempre con Darío, doblando la espalda en una profunda inclinación y mandando un beso volado. Los macedonios y los griegos llamaban a este gesto *proskynesis*, «prosternación», y lo despreciaban como costumbre bárbara, digna de esclavos más que de hombres, pero Alejandro lo aceptó, mostrando con esto que se consideraba ya a todos los efectos el sucesor de los emperadores aqueménidas.

Más allá de Cirópolis corría el gran río Yaxartes, el extremo confín alcanzado por los persas hacia el norte, y Alejandro llegó allí en una jornada de marcha, plantando el campamento en sus orillas. Por otra parte, no tardaron en aparecer nutridos grupos de jinetes escitas, espléndidamente ataviados y armados, que gritaban desafiándoles con gestos o incluso disparaban flechas hacia la orilla opuesta del río.

Destacaba entre ellos el que debía de ser su jefe: un hombre imponente con una poblada barba negra y los largos cabellos sujetos por una cinta de tela roja. Vestía una túnica de largas mangas y bombachos de tela del mismo color, con una banda adamascada en oro en el costado. El pecho estaba protegido por una coraza de escamas y la parte inferior de las piernas se hallaba cubierta por unas grebas metálicas a la manera griega. Llevaba una espada colgada del cinto, el arco en bandolera y la aljaba atada a los arreos de su caballo. Todos los caballos tenían testeras de metal repujado y magníficos adornos de chapa de oro fijados a la capizana de cuero que protegía la base del cuello.

—¿Qué es lo que dicen? —preguntó Alejandro a su intérprete.

—Dicen —intervino Oxatres que les entendía— que eres un vil cobarde, que debes marcharte inmediatamente después de haberles pagado un tributo. Dicen que cien talentos de plata.

Alejandro, furibundo, empujó a *Bucéfalo* hasta la orilla del río, sin preocuparle la lluvia de flechas que eran disparadas contra él, mientras Leonato y Tolomeo trataban de protegerle con los escudos. Gritó:

—¡No os temo! ¡Cruzaré el río y os perseguiré por todas partes, aunque sea hasta las orillas de Océano septentrional!

—¿Crees que han comprendido? —preguntó Seleuco con su habitual ironía.

—Tal vez no —repuso Alejandro—, pero dentro de poco comprenderán. Dile a Lisímaco que traiga todas las catapultas hasta la orilla y les tenga permanentemente a tiro. Mañana pasaremos al otro lado y fundaremos una ciudad: la última Alejandría.

Lisímaco alineó veinte catapultas en doble fila casi enfrente del río y comenzó a disparar. Mientras una de las filas soltaba una salva de saetas, la otra cargaba, de modo que el lanzamiento era continuo y mortífero. Cayeron a docenas, golpeados de lleno, y los otros huyeron espantados por aquellas armas que no habían visto nunca antes. En aquel momento, Alejandro mandó a los agrianos a nado; luego los exploradores establecieron una cabeza de puente en la otra orilla. Antes del mediodía, la cabeza de puente estaba consolidada y Diadés de Larisa comenzó a lanzar sus armadías apoyadas en los sacos de piel llenos de paja y cascabillo, tal como hiciera en el Oxo.

Hacia la puesta del sol, *La Punta* estaba ya del otro lado y Alejandro quiso plantar la tienda en la orilla norte del río por más que Aristandro hubiera tenido diversos auspicios negativos mientras hacía sacrificios a los dioses.

El vidente llegó entrada la noche de un pésimo humor y no quiso siquiera tomar parte en la cena en la tienda real. Entretanto, a la luz de las teas, seguía cruzando el resto del ejército: estaban atravesando los *hetairoi* y un escuadrón de caballería persa compuesto sobre todo por medos, hircanios y bactrianos. Los pocos indígenas que se encontraban en la orilla veían un espectáculo impresionante: una fila interminable de caballos y jinetes que serpenteaba en la llanura iluminando a su paso primero los campos de cereal y de mijo y luego la superficie cabrilleante del río.

Al día siguiente, mientras los ingenieros comenzaban a trazar los límites de Alejandría Última, miles y miles de jinetes, que avanzaban al paso formados en un frente increíblemente amplio, aparecieron en el horizonte.

—¡Los escitas! —gritó Leonato—. ¡Alarma! ¡Alarma!

Sonaron las trompas, y mientras la infantería pesada se alineaba en cuadro alrededor del perímetro ya trazado de la nueva ciudad, la caballería se reunió en el espacio delantero.

—¿Qué hacemos? —preguntó Crátero.

Un jefe tracio que había luchado durante un tiempo con Filipo se adelantó.

—¿Puedo hablar? —preguntó vuelto hacia Alejandro.

—Por supuesto —repuso el rey sin perder de vista un instante el frente amenazante que avanzaba por la desierta llanura.

—Escucha, yo luché contra los escitas en el Istro junto con tu padre y me acuerdo aún. ¡Ay del que entre en su territorio alejándose demasiado de sus propias bases! Mira esa planicie. Se extiende sin otra interrupción que el curso de los grandes ríos hasta el Istro, hasta los confines con Macedonia, y aquéllos —prosiguió indicando a los guerreros relucientes en sus corazas de escamas metálicas— se mueven en esta llanura inmensa como peces en el agua, saben orientarse sin necesidad de divisar un árbol ni una cabaña por espacio de miles de estadios. Ahora les ves en formación frontal —continuó—, pero no es así como atacarán. Apenas nos hayamos movido, comenzarán a correr en círculo en torno a nosotros, pero sin acercarse nunca a menos de un disparo de arco y desde esa distancia nos lanzarán una lluvia de dardos. El efecto de una táctica semejante es que cientos de hombres son heridos, a menudo de modo ligero, pero lo suficiente para anularles, para ponerles fuera de combate.

»El ataque provoca una reacción, pero ellos no aceptan el enfrentamiento, retroceden, fingen huir para atraerte más lejos aún y luego reaparecen de repente, como fantasmas, y vuelven a correr en pos de ti disparando nubes de flechas hasta dejarte en las últimas. En ese momento desencadenan el asalto frontal exterminando a los supervivientes, y cuando están todos muertos se ponen a despojar los cadáveres, a cortar las cabezas para exhibirlas como trofeos o a arrancar el cuero cabelludo a los muertos para adornar con los cabellos de los enemigos las virolas de sus lanzas o las empuñaduras de sus hachas de combate.

—Una costumbre interesante —comentó Seleuco pasándose una mano por entre los cabellos.

Alejandro miró a su alrededor y vio a cierta distancia al Negro, que vigilaba a sus hombres mientras plantaban las tiendas. Guardaba las distancias desde que había abandonado la mesa del rey en Cirópolis y le hablaba lo menos posible, pero no pudo echarse atrás cuando le llamó con un gesto de la mano.

—¡A tus órdenes, rey! —repuso con la fórmula impersonal del protocolo militar tan pronto como se hubo acercado.

—No tengo nada que ordenarte —replicó Alejandro—. Sólo quisiera que escuchases las palabras de este amigo que luchó contra los escitas en el Istro.

—También yo luché —dijo Clito.

—Y, entonces, ¿qué propones?

—Volver atrás.

Alejandro miró el vasto frente enemigo que ahora aparecía inmóvil en medio de la estepa.

—Eres libre de hacerlo, aunque tu experiencia y tu valor me serían más necesarios que nunca, pero yo no me retiro delante de un enemigo formado en campo abierto.

—Creo poder hacerte una sugerencia —prosiguió el tracio.

—¿Cuál? —preguntó el Negro metiéndose a pesar suyo en la discusión.

—Mandemos por delante a un grupo lo bastante fuerte, en torno a un millar de hombres, hagámosles desfilar por su derecha como si quisieran dirigirse hacia el interior y no perdamos de vista sus movimientos con un correo, digamos un hombre a caballo cada cinco estadios. Si no se mueven, mandemos un segundo contingente con un segundo correo...

—Entendido —dijo Alejandro—. Apenas se decidan a atacar, los correos nos darán aviso y nosotros les sorprenderemos por la espalda con todas las fuerzas que nos queden.

—Y a toda la velocidad posible —añadió el tracio—. Y dada la situación, ésos nos serán de un valor inapreciable —dijo señalando a los jinetes del contingente persa.

El Negro torció el gesto, pero no dijo esta boca es mía.

—Entonces, Negro, ¿estás con nosotros? —preguntó Pérdicas.

—¿Y con quién quieres que esté? —repuso el interpelado.

—Entonces, ¿quién es el primero en partir? —preguntó Alejandro.

—¿Para hacer de cebo? Mejor que vaya yo que soy más duro de roer —replicó Clito.

Hizo tocar a reunión a su escuadrón y luego ordenó avanzar al paso. Alineados de a cuatro, los *hetairoi* formaban, en medio de la verde llanura, una masa parda ordenada y centelleante que se movía compacta al redoble de los tambores. A medida que transcurría el tiempo, se empequeñecían en la distancia, pero siempre quedaba a la vista un correo, mientras que la caballería escita, cogida por sorpresa por aquella maniobra, parecía no saber a qué atenerse.

—No se mueven, no muerden el anzuelo... —dijo Tolomeo, sacudiendo la cabeza.

—Entonces lancemos un segundo escuadrón —ordenó Alejandro—. Ve tú, Pérdicas, y a bastante velocidad. Primero alcanza al Negro, es lo mejor. Y llévate contigo también a ésos —añadió indicando el contingente persa que esperaba órdenes en la margen del campamento.

Oxatres hizo una señal de que había comprendido y, apenas sonaron de nuevo las trompas y la unidad de Pérdicas se lanzó adelante, también él se sumó con sus jinetes de la estepa.

Los escitas parecieron no reaccionar tampoco esta vez, y acto seguido, como si obedecieran a una señal, se volvieron atrás y desaparecieron en breves instantes detrás de las ondulaciones del terreno.

Alejandro ordenó formar a todas las fuerzas que habían quedado y permaneció a la espera de una señal cualquiera que indicara qué estaba sucediendo.

Entretanto el cielo se había cubierto de una extraña calina que difundía los rayos del sol en una claridad diáfana y lechosa, anulando más aún si cabe la sensación de distancia y de profundidad.

—¡Mira! —exclamó de pronto Leonato—. ¡El correo! Atacan.

45

Alejandro reunió a toda la caballería que había quedado, confió los escuadrones y las unidades auxiliares a Tolomeo y a los demás y partió al galope llevándose consigo también a la segunda unidad de Oxatres, compuesta por un centenar de escitas que desde hacía tiempo militaban como mercenarios en el ejército imperial.

No quería dejarse ver mientras se acercaba y siguió manteniendo el contacto con los correos hasta que le dijeron que el ejército enemigo había entablado batalla con los escuadrones de Pérdicas y de Clito.

—¿Cómo están formados? —preguntó el rey.

—No tienen ninguna formación propiamente dicha. Corren alrededor de nuestras tropas y las cubren de flechas. Hasta ahora los nuestros se han defendido con los escudos, pero no pueden continuar de ese modo.

—En efecto, es hora de acabar con esto —repuso Alejandro. Llamó a sus compañeros en torno a él—. Ahora avanzaremos a velocidad moderada hasta establecer contacto. Apenas los tengamos a la vista, las trompas darán la señal. Clito y Pérdicas romperán el cerco por el frente, abriéndose inmediatamente después en abanico y haciendo una conversión hacia nosotros, que sorprenderemos a los escitas por la espalda con una maniobra convergente. No tendrán escapatoria ni siquiera por los lados abiertos. No quiero ningún prisionero a menos que pidan la rendición. ¡Y ahora, a caballo!

Alejandro espoleó a su bayo sármata protegido por el abanderado con el estandarte rojo y todos los demás le siguieron desplegando un amplio frente en aquella llanura sin obstáculos, sobre un fondo de tan sólo cuatro filas.

Tan pronto como aparecieron los escitas a la vista con sus brillantes trajes y sus armaduras de escamas, el rey hizo una indicación a los trompeteros, que dieron la señal convenida. Casi al punto Clito y Pérdicas dispusieron a sus hombres en cuña y cargaron de frente rompiendo el cerco y continuando su carrera en línea recta hasta que el último de sus hombres hubo salido del cerco enemigo. Luego, se separaron en dos mitades, cada una de las cuales hizo una amplia conversión en abanico y luego, reunidos en un único frente, volvieron atrás cargando compactos con las lanzas bajadas.

Por el lado opuesto, en ese mismo instante, apareció Alejandro con sus escuadrones ya lanzados a paso de carga. Cogidos por sorpresa y atrapados completamente en medio, los escitas tuvieron que enzarzarse en un cuerpo a cuerpo hacinados en un espacio demasiado exiguo y sin posibilidad de huida por los lados. Estaban furiosos por haber caído en una trampa en su llanura oceánica, precisamente como peces en una red, y trataban por todos los medios posibles de romper el cerco, pero el terreno tan llano y regular permitía a la caballería macedonia mantener un orden cerrado de frente y hacer valer la superioridad del armamento pesado.

Los escitas combatieron con feroz encarnizamiento sufriendo cuantiosas bajas, y cuando, a eso de la tarde, se dieron cuenta de que estaban condenados a la matanza, se arrojaron todos al mismo tiempo hacia un punto aprovechando un momento en que se había producido una fisura en el frente adversario; al mando de su jefe, consiguieron ganar el terreno abierto y alejarse.

Los soldados macedonios gritaron exultantes levantando al cielo las puntas de las lanzas, pero el rey les detuvo.

—No se ha acabado —dijo—. Ahora les perseguiremos hasta sus aldeas y haremos que se acuerden para siempre de Alejandro y de sus *hetairoi*.

Pero cuando de disponía a lanzar la orden de partida, se presentaron unos correos del campamento con un mensaje del comandante de la infantería.

—Rey, el sátrapa Espitámenes ha sublevado a los bactrianos y sogdianos y están atacando Maracanda. Los comandantes quieren saber qué deben hacer.

—Dejar una guarnición en la nueva ciudad y luego regresar hacia Maracanda. Yo llegaré apenas haya concluido mi incursión.

Los correos se fueron y Alejandro reanudó la marcha por la llanura guiado por Oxatres. Ahora avanzaban al paso siguiendo las huellas de los jinetes escitas que habían escapado al cerco; aquella inmensidad ilimitada les llenaba de admiración y desconcierto: no había delante de ellos ni un sólo árbol, ni una piedra o roca, ni un relieve del terreno, mientras que a sus espaldas las montañas del Paropámiso se encendían de un color rosado por los rayos del ocaso que relumbraban en las cimas nevadas.

Tolomeo dijo, como hablando para sí:

—En la isla de Eubea, las ciudades de Calcis y de Eretria combatieron ferozmente entre sí por la posesión de una amplia llanura de treinta y cinco estadios.

—Sí —le hizo eco Pérdicas—, y aquí la mirada llega hasta el horizonte sin encontrar ningún obstáculo ni tampoco la menor señal de presencia humana.

—Y sin embargo no han desaparecido en la nada —observó Hefestión—. No son fantasmas.

—Son nómadas —explicó Oxatres que cabalgaba detrás de ellos—. Viven en carros tirados por bueyes y dentro tienen a su familia: mujeres, ancianos, niños. Se alimentan de leche y de carne, y pueden cabalgar durante días y noches sin detenerse nunca porque sus caballos son increíblemente resistentes.

—¿Hasta dónde llega su tierra? —preguntó Alejandro, que recordaba relatos de su padre y sus batallas contra los escitas allende el Istro.

—Nadie lo sabe —repuso el persa.

—Según algunos —intervino Seleuco—, limitan al norte con los hiperbóreos y al este con los isedones, que se alimentan únicamente de leche de yegua.

—¿Podemos perdernos? —preguntó Leonato dirigiendo su mirada preocupada por la llana extensión esteparia.

—Imposible —le tranquilizó Seleuco—. Tenemos a nuestras espaldas las montañas y a nuestra izquierda el Yaxartes. De todos modos, yo volvería atrás en vista de lo que está sucediendo en Maracanda.

Alejandro siguió cabalgando en silencio: aquel era su modo de ponerles a prueba, de ver hasta qué punto eran fuertes aún su fidelidad, su amistad y su resolución a desafiar lo desconocido. En un determinado momento, las huellas de los escitas desaparecieron del todo como si sus caballos hubieran emprendido el vuelo.

—¡Por Zeus! —exclamó Pérdicas.

Oxatres desmontó y examinó el terreno.

—Han envuelto las patas de los caballos y sobre esta hierba seca no dejan huellas visibles. Pero mis escitas podrán descubrirlas.

—Entonces sigamos adelante —ordenó el rey.

La marcha se reanudó hasta que se hizo de noche y ni siquiera los exploradores escitas de Oxatres conseguían ver ya nada. Entonces Alejandro hizo dar por medio de la trompa la señal de alto y todos extendieron en el suelo sus mantos, sacaron un poco de pan y de carne seca de las alforjas, las cantimploras con el agua y se sentaron para tomar una de las cenas más frugales que recordaran. Reinaba una gran paz alrededor: la luna casi llena asomaba detrás de las montañas iluminando la vasta llanura y haciendo brillar las aguas del río, y las constelaciones más luminosas comenzaron a aparecer una tras otra en el despejado cielo, sin una nube. Sólo al fondo, hacia levante, en la cresta de los montes se veían unos relampagueos; por lo demás, el mundo estaba inmerso en la quietud de la noche. Los guerreros asiáticos se habían reunido en círculo y alguno había conseguido encender un fuego.

—Pero ¿cómo se las arreglan? —preguntó Hefestión que sentía bastante frío—. No he visto un matojo en un radio de cien estadios.

—Estiércol —repuso Oxatres con sus vagos conocimientos de griego y con una expresión de profundo desprecio.

—¿Estiércol? —preguntó Seleuco arqueando las cejas.

—De oveja, de caballo, de cabra. Lo recogen en bolsas, y cuando está seco lo queman.

—¡Ah!

—Para nosotros eso es un sacrilegio, la profanación del fuego. En Persia está castigado con la muerte, pero ellos son... —y pronunció una palabra que en persa significaba «bárbaros».

—¿No os parece que es igualmente una cena sabrosa? —preguntó Alejandro cambiando de conversación.

—Cuando se tiene hambre... —aprobó Hefestión.

—Y este lugar... —prosiguió Alejandro—. No había visto nunca nada semejante. Ni una casa siquiera en todo el espacio que la mirada alcanza a ver. —Se volvió hacia Oxatres—: ¿Qué me dices, tendrá vida Alejandría Última?

—La tendrá —repuso el guerrero persa—. Cuando los soldados se vayan, llegaran los mercaderes y la ciudad se llenará de gente, de rebaños, de vida. Tendrá vida.

Durmieron toda la noche vigilados por un doble cordón de centinelas a caballo que podían fácilmente escudriñar la llanura iluminada por la luna, y se despertaron al amanecer para reanudar la persecución. Al cabo de tres días encontraron huellas de ruedas de carro y al poco llegaron a la vista del pueblo ambulante del jefe escita que había escapado de la batalla: un triple círculo de carros cubiertos por lonas de pieles curtidas.

Oxatres le reconoció por la enseña izada sobre el carro de cabeza: un asta de madera con dos íbices de bronce embistiéndose.

—Es un rey —dijo—. Tal vez ése del turbante rojo... Y ahora no tiene escapatoria. En este momento estará pensando: «¿Cómo has podido darme alcance en el corazón de mi llanura, cómo has podido dar con el camino en una tierra siempre igual?».

Alejandro hizo una señal a los compañeros y cada uno de ellos dispuso a sus tropas en torno a la pequeña ciudad sobre ruedas. Los jinetes erguidos en sus cabalgaduras, con las largas astas empuñadas, parecían seres sobrehumanos en aquel lugar solitario, expresaban una sensación de potencia irresistible en las relucientes musculaturas de los caballos de batalla, en las puntas afiladas de los aceros, en el esplendor centelleante de las relucientes corazas y de los yelmos, en las cimeras agitadas por la brisa de la aurora.

En el silencio irreal de la hora matutina se oyó de pronto el sonido de un cuerno que casi se apagó de inmediato en la inmensidad de la llanura. Luego el rey escita salió montando un soberbio semental rodado, completamente distinto de los pequeños caballos peludos de sus hombres, acaso el presente de algún rey limítrofe o el fruto de una razia. Llevaba aún su uniforme de combate, la diadema escarlata, el pectoral, la coraza de escamas. Le seguía, a pie, su esposa, que ostentaba un cubrecabezas altísimo de lámina de oro, decorado a listas paralelas, un largo velo rojo y una túnica carmesí adornada de lentejuelas de lámina de oro en las orlas, y una falda larga hasta los pies que casi le cubría los zapatos de lana recamada. Llevaba de la mano a una niña de unos doce años, sin duda su hija a juzgar por la semejanza.

El jefe miró a su alrededor, como si quisiera pasar revista a la imponente formación de guerreros acorazados como surgidos de la nada; luego se acercó con paso seguro a Alejandro y comenzó a hablar. Oxatres había hecho venir a unos de sus mercenarios escitas y, conforme este traducía, le iba traduciendo a su vez a Alejandro.

—Nadie, que memoria humana recuerde, se atrevió jamás a aventurarse tan adentro en la tierra de los escitas. Nadie jamás consiguió batirles y sorprenderles en el corazón de su propio territorio. Y he oído decir también que has derrotado al rey de los persas y te has apoderado de su reino. Así pues, o eres un dios o un dios está de tu lado. He perdido, combatiendo contra ti, a mis mejores guerreros y he salvado a duras penas mi vida. He venido a ofrecerte la paz y, en prenda de este pacto, te ofrezco como esposa a mi hija.

La reina, a aquellas palabras, empujó a la niña reticente hacia adelante y Alejandro vio que tenía los ojos relucientes de llanto bajo las negras y largas pestañas.

Desmontó del caballo, miró a la niña y se emocionó a su vez: le vino a la memoria su hermana Cleopatra a aquella misma edad y también algo de su aspecto infantil cuando él había partido para Mieza a fin de seguir un largo estudio bajo la guía de Aristóteles... ¿Cuánto tiempo hacía de aquello?

—Tu hija necesita aún del afecto y de los cuidados de su madre y yo no quiero llevármela —repuso—. Para sellar un pacto entre dos reyes basta con hacer un juramento por el cielo, que está sobre la cabeza de todos los hombres, y por la tierra, que un día nos acogerá a todos en su seno. Y un apretón de manos.

Esperó a que el intérprete hubiera traducido, luego alargó la mano al rey escita, que se la estrechó, levantando la otra primero hacia el cielo y luego extendiendo la palma hacia abajo, hacia el suelo.

—Mi nombre es Dravas —dijo el jefe mirando fijamente a los ojos del joven extranjero de cabellos dorados—, ¿y el tuyo?

—*Aléxandros* —fue la respuesta—, y puedo volver en cualquier momento y por cualquier lugar.

Y lo dijo en un tono y con una mirada tales que el jefe escita no dudó siquiera por un instante de la veracidad de aquellas palabras.

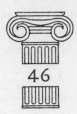

46

A la mañana siguiente reemprendieron el camino hacia poniente para alcanzar la corriente del Yaxartes, pero se encontraron en una región completamente desértica y abrasada por el sol, de modo que los hombres dieron rápidamente buena cuenta de las reservas de agua. Los soldados de la caballería ligera que habían soportado el esfuerzo mayor en los reconocimientos a larga distancia y en los turnos de guardia fueron los primeros en agotarlas y Alejandro ordenó darles su provisión personal. Avanzaron así durante otro día de camino y la sed se hizo insoportable. El rey bebió de una charca de aguas estancadas al fondo de una hondonada del terreno y antes de la noche se sintió presa de terribles dolores de vientre, luego de una fiebre altísima y de una virulenta disentería.

Hefestión le hizo construir unas parihuelas y lo transportó así durante otros dos días presa del delirio, muerto de sed por la continua pérdida de líquidos, sucio de sus propios excrementos, que la falta de agua no permitía limpiar, atormentado por nubes de moscas.

—Si no encontramos el vado puede morir —dijo Oxatres—. Iré por delante a buscarlo. Vosotros seguid mi rastro. Si capturáis algo de caza, comed la carne cruda. Pero nadie puede beber el agua que no beben los mercenarios escitas. Ellos saben.

Desapareció en dirección a poniente juntamente con un grupo de jinetes sogdianos, los más resistentes al calor y a la sed, mientras que la columna continuó avanzando al paso bajo el sol implacable. No volvió hasta entrada la noche y preguntó enseguida por el rey.

—¿Cómo está?

Hefestión sacudió la cabeza sin responder. Alejandro yacía en tierra en medio de la fetidez de sus excrementos, con los labios agrietados y abrasados, la respiración agónica.

—He encontrado el vado —dijo el persa—. Y he traído agua para beber, pero no para lavarse.

Alejandro bebió y bebieron aquellos que más cerca estaban de morir de sed; luego todos se pusieron de nuevo en marcha por la noche para alcanzar el Yaxartes, que apareció a las primeras luces del alba. El rey fue sumergido en el agua fría y dejado en ella hasta que la temperatura de su cuerpo bajó. Entonces recobró lentamente la conciencia y preguntó:

—¿Dónde estoy?

—En el vado —explicó Oxatres—. Aquí hay pescado fresco y leña para cocer.

—Tu griego mejora —tuvo fuerzas aún para responder Alejandro.

Se unieron al resto del ejército en las cercanías de Maracanda, donde les esperaba una amarga sorpresa. Los comandantes de los *pezetairoi* habían lanzado un ataque irreflexivo contra las tropas de Espitámenes junto al río Politimeto y habían sufrido una seria derrota. Casi mil soldados habían quedado sobre el terreno y algunos cientos habían recibido heridas; las piras funerarias ardían durante días y días contra un cielo oscuro y caliginoso.

Leptina se puso a llorar de desespero cuando vio al rey en aquel lastimoso estado. Le lavó, le volvió a vestir con ropas limpias e hizo venir a hombres con flabelos de plumas para hacerle aire de día y de noche. Filipo, tras acudir a su cabecera, se dio cuenta de que la fiebre era aún altísima y que cada noche, a la puesta del sol, el rey caía presa del delirio. Acordándose de las enseñanzas de su maestro Nicómaco, mandó entonces unos jinetes hircanios a coger nieve en las montañas, y recubría con ella el cuerpo de Alejandro cada vez que la fiebre comenzaba a subir y Leptina seguía cambiándole el paño frío en la frente durante toda la noche. Luego comenzó a alimentarle con pan seco y miel amarga hasta que la diarrea disminuyó.

—Tal vez salgas de ésta también —le dijo cuando le vio recobrar un poco el color, por fin sin fiebre—. Pero si sigues comportándote de modo tan irreflexivo, ni el mismo Asclepio en persona, que dicen resucita a los muertos, podrá salvarte.

—Yo creo que tú eres mejor que Asclepio, *iatré* —tuvo la fuerza de replicar el regio paciente antes de volver a dormirse.

Apenas estuvo en condiciones de dar órdenes, Alejandro prohibió a los supervivientes de la batalla del Politimeto que hablaran de ella con nadie a fin de no sembrar el desánimo; luego mandó a Pérdicas, Crátero y Hefestión a contraatacar las fuerzas de Espitámenes repeliendo a los revoltosos hacia las montañas, pero en aquel momento comenzaba a avanzar el otoño y hubiera sido de locos volver a tomar el camino de los montes para seguirles. Decidió volver a Bactra, donde era mantenido prisionero Beso, marchando hacia poniente a lo largo de la frontera norte del Imperio para afirmar también en aquellos lugares su autoridad y ver si las tierras de los escitas se extendían también en esa dirección por tan amplia extensión.

Cruzó de nuevo el Oxo sobre el puente de odres y de adentró por una zona aún en gran parte desierta, vasta y completamente llana, que se extendía al norte esfumándose hacia un horizonte neblinoso. A veces encontraban largas caravanas de camellos de Bactriana que se dirigían en dirección a poniente, otras veces eran seguidos de lejos por grupos más o menos nutridos de jinetes escitas, reconocibles por sus ropas de vivos colores, por los pantalones adornados, por las características armaduras de escamas. Un día, a eso del atardecer, cuando se preparaban para levantar el campamento, una de las vanguardias regresó con una noticia asombrosa:

—¡Amazonas!

Seleuco dijo sarcásticamente:

—Con la escasez de agua que tenemos, no sabía que sirviesen vino puro a la tropa.

—No estoy borracho, comandante —replicó serio el soldado—. Hay mujeres guerreras formadas en una elevación del terreno justo enfrente de nosotros.

—Yo no combato con mujeres —afirmó solemnemente Leonato—. A menos que...

—Pero no tienen ningún propósito agresivo —precisó el soldado—. Nos han sonreído y la que parecía mandar era muy hermosa y... —Se volvió para mostrar al rey el punto en el que se había producido el encuentro y vio que la tenía casi detrás, a menos de un estadio de distancia, escoltada por cuatro de sus compañeras.

—Dejad que se acerquen —ordenó Alejandro e instintivamente se pasó una mano por entre los cabellos como para arreglárselos—. Tal vez estemos de veras en la tierra de las amazonas.

La hermosa guerrera, entretanto, se había acercado más y había desmontado del caballo, imitada por sus compañeras. A una cierta distancia, se veía a las otras que estaban levantando una tienda. Una sola en medio de aquel inmenso territorio.

El rey fue a su encuentro flanqueado por Hefestión y Crátero, mientras detrás de ellos podía oírse el murmullo de asombro que se extendía entre los soldados y las personas del séquito. Calístenes, tras conocer la noticia, se abría paso a codazos y también Leptina se había acercado mucho, llena de curiosidad por aquel extraño acontecimiento.

La reina guerrera estaba ahora exactamente enfrente de Alejandro y se quitaba el gorro, una especie de yelmo cónico de cuero con orejeras, dejando al descubierto unos cabellos magníficos, negros y relucientes, recogidos en una larga trenza que le caía por detrás hasta casi la cintura.

Frisaría en los veinte y no se parecía en nada a las imágenes de las amazonas que todos conocían y que habían visto representadas en su gloriosa desnudez en los relieves esculpidos por Briaxis y por Escopas en el Mausoleo de Halicarnaso o pintadas por el pincel de Zeuxis y Parrasio en el «Pórtico adornado» de Atenas. Aparte del rostro de un bonito color aceitunado, ninguna parte de su cuerpo resultaba visible. Llevaba pantalones de lana azul bordados de rojo y encima una extraña túnica de piel ceñida a la cintura y larga hasta debajo de las rodillas. Del cinto le colgaba una espada y una cantimplora con agua, y llevaba en bandolera el arco y las flechas, armas consideradas tradicionalmente típicas de las amazonas, pero no tenía el escudo en forma de media luna.

Ella le miró con sus ojazos oscuros y dijo algo que nadie comprendió.

Alejandro se volvió hacia Oxatres.

—¿Has entendido algo?

El persa sacudió la cabeza.

—¿Y tus escitas?

Oxatres intercambió con ellos unas pocas palabras, pero tampoco ellos daban muestras de haber comprendido nada.

—No te entiendo —le dijo Alejandro con una sonrisa. Estaba profundamente disgustado de encontrarse por fin enfrente de una de las criaturas mitológicas que habían poblado sus sueños infantiles y no poder decirle una sola frase que ella pudiera entender.

La joven habló de nuevo devolviendo la sonrisa y tratando de ayudarse con gestos, pero sin resultado.

—Yo la comprendo —dijo de repente una voz a espaldas de Alejandro.

El rey se volvió de golpe porque era una voz femenina la que había hablado.

—¡Leptina!

La muchacha se adelantó y, entre el estupor general, se puso a hablar con la joven guerrera.

—Pero ¿cómo es posible? —exclamó Calístenes, estupefacto por aquel acontecimiento casi prodigioso.

Alejandro recordó, sin embargo, en un vívido sobresalto de memoria, una lejana noche de invierno que había pasado con ella en Egas, en el antiguo palacio de sus antepasados, recordó que ella hablaba en sueños en una extraña lengua incomprensible y recordó su tatuaje en un hombro, idéntico a la imagen que aparecía en la chapita de oro que colgaba del cuello de las amazonas: un ciervo echado, de larga y ramosa cornamenta.

—Sucede a veces —intervino el médico Filipo—. Jenofonte cuenta un episodio análogo que le ocurrió a él en Armenia, cuando un esclavo reconoció de repente la lengua de los cálibes, un pueblo para él completamente desconocido.

Mientras Leptina hablaba, primero con alguna vacilación, y luego con una mayor seguridad, aunque sus palabras parecían salir de su mente una tras otra con esfuerzo, como si emergiesen de los abismos de la memoria. En ese momento Alejandro se le acercó y descubrió el tatuaje que tenía en el hombro mostrándoselo a la joven guerrera.

—¿Lo reconoces? —preguntó.

Y la expresión estupefacta de ella le hizo comprender que sí, que lo había reconocido, y que aquella imagen tenía para ella un valor extraordinario.

Las dos mujeres siguieron hablando en su misteriosa lengua; luego la amazona estrechó las manos de Leptina, miró a los ojos al joven soberano extranjero y volvió hacia su tienda.

—¿Qué te ha dicho? —preguntó Alejandro tan pronto como se hubo alejado—. Eres una de ellas, ¿no es así?

—Sí —repuso Leptina—, soy una de ellas. Fui raptada cuando tenía nueve años por una banda de guerreros cimerios que debieron de venderme a algún mercader de esclavos en cualquier emporio del Ponto. Mi madre era la reina de una tribu de estas mujeres guerreras y mi padre era un noble entre los escitas que viven a lo largo del Tanais.

—Una princesa —murmuró Alejandro estrechándole las manos entre las suyas—. Eso es lo que eres.

—Que era —le corrigió Leptina—. Pero ahora esos tiempos han pasado para siempre.

—No es cierto. Ahora puedes volver entre tu gente, retomar el puesto que te corresponde. Eres libre, y yo te daré una rica dote: oro, ganado, caballos.

—El puesto que me corresponde está al lado del rey, mi señor. No tengo a nadie más en el mundo y esas mujeres no son para mí más que unas extranjeras. Iría con ellas sólo si tú me rechazaras, sólo si me obligaras a ir.

—No te obligaré a hacer nada que no quieras, y te tendré conmigo mientras viva si esto es lo que deseas. Pero dime una cosa. ¿Por qué esa joven ha venido hasta aquí? ¿Por qué ha plantado allí arriba su tienda?

Leptina bajó los ojos como si sintiera vergüenza o pudor de responder a aquellas preguntas, y finalmente dijo:

—Ha dicho que es la reina de las mujeres guerreras que viven entre el Oxo y las riberas del mar Caspio. Ha oído decir que eres el hombre más fuerte y poderoso del mundo y cree que sólo tú eres digno de ella. Te espera en esa tienda y te invita a pasar la noche con ella. Espera... que vayas y que conciba de ti un hijo o una hija que un día reciba de sus manos el cetro.

Se tapó el rostro con las manos y se fue corriendo entre sollozos.

47

Alejandro contemplaba la tienda solitaria apenas visible en la oscuridad en medio de la pradera mientras llegaba a sus oídos el llanto quedo de Leptina y le dominaba una profunda emoción de pensar en el doble prodigio que aquella tierra misteriosa había obrado: la aparición de un grupo de amazonas en un lugar tan lejano del río Termodonte que corría, según la leyenda, en el confín de su territorio, y el reconocimiento de Leptina, el repentino emerger en su mente de su lengua nativa. Pensaba en cuántas cosas había que descubrir, cuántos misterios que desvelar, cuántas tierras que explorar, y en la brevedad de la vida humana.

Hubiera querido ayudar a Leptina, que combatía contra la íntima agitación y los sentimientos de dos vidas tan distintas y lejanas que de repente se enfrentaban en su ánimo, pero le dominaba la curiosidad de conocer a aquella mujer misteriosa que le esperaba en medio de la estepa cubierta por la sombra de la noche. Montó a caballo y se dirigió hacia la tienda solitaria, armado tan sólo de su espada. Hefestión le vio e hizo una seña a algunos hombres de *La Punta* para que se acercaran.

—Colocaos alrededor de esa tienda sin que se os vea —les ordenó— y, a la mínima señal sospechosa, corred inmediatamente en ayuda del rey. Llevaos también a *Peritas*, que en caso de peligro es mucho más rápido que nadie.

Los hombres obedecieron y se alejaron en la oscuridad, abriéndose en abanico en torno a la tienda. Uno de ellos, el que sostenía la traílla de *Peritas*, se acercó más que los demás y se agazapó en la hierba al lado del moloso, pero la noche transcurrió tranquila y *Peritas* dormitó durante todo el tiempo aguzando las orejas y el hocico tan sólo cuando oía el olor de algún animal salvaje que pasaba por la estepa silenciosa.

Nadie supo nunca qué sucedió aquella noche ni si un hijo de Alejandro fue sembrado en el vientre de aquella reina de desmesuradas soledades para crecer como un caballo salvaje, para correr, pobre y libre, en un territorio sin límites, ante la mirada del sol y en las alas del viento.

El rey volvió antes del alba con una luz intensa y febril en los ojos, como si hubiera descendido del Olimpo.

Reanudó la marcha hacia poniente hasta que encontraron un río; Alejandro quiso descenderlo para ver hasta donde llegaba y si conducía hacia el Océano septentrional, pero después de tres días de camino la estepa se transformó en desierto y el río se secó entre las arenas encendidas. Avanzaron entonces nuevamente hacia poniente durante cuatro etapas de cinco parasangas hasta encontrar otro curso de agua y empezaron a descender también aquél, pero vieron que era igualmente tragado por las hendiduras de la reseca tierra.

Tolomeo se acercó al rey que escrutaba ansioso el horizonte ofuscado por el reflejo del sol abrasador y le apoyó una mano sobre el hombro.

—Volvamos atrás, Alejandro, allí no hay nada más que pesadillas meridianas. Si la tierra se traga los ríos antes de que lleguen al mar, seguramente existe una terrible razón que a nosotros se nos escapa. Porque ¿es posible que una madre devore a un hijo después de haberle dado a luz?

También Calístenes observaba desconcertado aquel fenómeno. Su física y su filosofía sugerían respuestas que venían enseguida a borrar miedos que surgían de lo más profundo de su ánimo.

—Es a estos interrogantes a los que quisiera encontrar respuesta, Tolomeo —replicó el rey sin volverse—. Quisiera perseguir, si las fuerzas nos bastasen, las formas engañosas de las pesadillas meridianas, los fantasmas que pueblan el horizonte. Grande fue la fortuna de Odiseo, que pudo oír el canto de las sirenas, atado al mástil de su nave; pero él no reveló nunca a nadie qué decía ese canto. El secreto murió con él en un lugar lejano y escondido, allí donde le llevó el vaticinio de Tiresias, la meta largamente perseguida del último viaje...

Retomaron el camino que conducía al sur y volvieron a encontrar, día tras día, a medida que se acercaban a las alturas de Margiana, agua y vegetación, plantas y animales. A orillas de un río, el rey fundó otra ciudad y la llamó Alejandría de Margiana, instalando en ella a las gentes seminómadas que vivían en los contornos y parte de los hombres y de las mujeres de su séquito. Dejó de guarnición a quinientos entre macedonios, griegos y tesalios, aquellos que habían creado una familia con las mujeres asiáticas que caminaban con increíble constancia y resistencia tras los pasos del ejército. Hizo establecerse allí a los hombres que parecían haber olvidado a la familia que dejaran en la patria tanto tiempo antes, un tiempo que parecía ya infinitamente más largo que los años transcurridos en realidad.

Llegó a Bactra hacia finales del otoño para pasar el invierno y allí mandó que se celebrase el proceso al usurpador Beso, según el rito persa. Oxatres reunió al consejo de los jueces ancianos e hizo traer ante ellos al prisionero. Las mutilaciones que le había infligido aquella noche en la oscuridad del campo habían cicatrizado, pero conferían a su rostro devastado un aspecto más inquietante aún si cabe, de calavera viviente.

El proceso se desarrolló en un tiempo bastante corto, y cuando se le preguntó si quería disculparse, Beso no dijo palabra. Se irguió mudo delante de sus enemigos mostrando la dignidad de quien había querido redimir el honor del imperio de los persas, humillado por la cobardía de Darío, que por dos veces había huido del campo de batalla. La dignidad de quien había intentado encabezar el desquite contra el invasor.

Se dictó sentencia condenatoria: la más terrible, la que se infligía a quien asesinaba a la sagrada persona del rey y a quien usurpaba el trono de los Aqueménidas. El descuartizamiento.

Beso fue desnudado y conducido a un lugar al aire libre, ya preparado desde hacia tiempo para la ejecución de la sentencia. Dos sauces, esbeltos y delgados y bastante próximos el uno del otro, habían sido doblados hasta el suelo de modo que se entrecruzasen y la copa de cada árbol había sido asegurada con una cuerda atada a una estaca hincada en el suelo. Ambos troncos doblados formaban una especie de arco ojival. El prisionero fue conducido hasta allí y atado a los dos montantes en su parte más alta de las muñecas y los tobillos, de manera tal que quedaba elevado del suelo unos cinco codos. Asistían a aquel bárbaro rito no sólo los persas y los habitantes del lugar, sino también no pocos macedonios y griegos. Y había venido expresamente de Zadracarta la princesa Estatira, impaciente por ver vengado a su padre, al que había dado sepultura y llorado largo tiempo en la necrópolis real de Persépolis, ahora ya abandonada. Estaba sentada, pálida e inmóvil, al lado de Alejandro.

A una señal del juez supremo, los verdugos se acercaron a las cuerdas y blandieron un hacha. A una segunda señal, descargaron en perfecta sincronía un seco golpe que cortó limpiamente las cuerdas. Los dos troncos se enderezaron al punto: por un instante la poderosa musculatura de Beso se tensó en el imposible esfuerzo del impacto, luego su cuerpo fue desmembrado. La parte de la izquierda, desde el hombro hasta la ingle, quedó sujeta a uno de los troncos, mientras que la otra, con la cabeza y las entrañas, quedó colgando del otro árbol. Aún había una sombra de vida en sus ojos cuando las aves de presa, siempre a la espera en aquel lugar de suplicios, se abatieron para banquetear sobre sus desgarradas carnes.

Alejandro se quedó en Bactra con Estatira y la corte durante todo el invierno. Pasó mucho tiempo con Eumenes escribiendo a los sátrapas de sus provincias: a Antígono, llamado *El Bizco*, que gobernaba Anatolia, a Maceo en Babilonia y también a Artabazo en Panfilia. Les preguntó cómo estaba Phraates, si se había recuperado del dolor por la pérdida de sus seres queridos y si llevaba una vida tranquila en su palacio junto al mar. Había dado órdenes a sus herreros de construir un pequeño carruaje y se lo pensaba mandar de regalo junto con dos potros escitas.

Recibió también cartas de su madre Olimpia y de Cleopatra, que le contaba cosas de su vida en el palacio de Butroto y de su nostalgia:

> Las noticias de tus gestas me llegan amortiguadas y como deformadas por la distancia y me parece imposible que yo, tu hermana, no pueda verte, no pueda saber cuándo volverás, cuándo pondrás fin a esa interminable empresa tuya.
>
> Sufro por tu lejanía y sufro por mi soledad. Te ruego que me dejes acercarme hasta donde estás y pueda ver personalmente las maravillas que has llevado a cabo, los esplendores de las ciudades que has conquistado.
>
> Te estoy agradecida por los regalos que continuamente me haces llegar y de los que me siento orgullosa, pero el regalo mayor sería poder volver a abrazarte, no importa en qué lugar, si en las heladas extensiones de Escitia o en los desiertos de Libia. Te ruego que me llames a tu lado, Aléxandre, y yo volaré sin demora desafiando también las olas del mar tempestuoso y los vientos adversos. Cuídate.

Alejandro dictó la respuesta, afectuosa pero inflexible, y concluyó diciendo:

> Mi imperio no está aún enteramente pacificado, mi queridísima hermana, y debo pedirte que tengas paciencia por un tiempo. En cuanto todo haya concluido, te llamaré a milado a fin de que participes de la alegría de todos y puedas asistir al nacimiento de un mundo nuevo.

Luego se volvió hacia Eumenes.

—La prosa de Cleopatra mejora cada vez. Seguramente recibe costosas lecciones de un excelente maestro de retórica.

—Es cierto —hubo de admitir Eumenes—. Y sin embargo, también detrás de sus imágenes floridas, detrás de los adornos retóricos, hay un afecto sincero. Cleopatra siempre te ha querido, hizo siempre de escudo contra la cólera de tu padre. ¿No la echas tal vez de menos?

—Terriblemente —respondió Alejandro—, y echo de menos también aquellos días. Pero no me está permitido abandonarme a los recuerdos. La tarea que me propuse me vuelve implacable, como un imperativo al que todo debe ser sacrificado y al que no puedo sustraerme.

—Al que no quieres sustraerte —replicó Eumenes.

—¿Crees acaso que podría, aunque quisiera? Los dioses ponen en el corazón de los hombres sueños, deseos, aspiraciones a menudo más grandes que ellos mismos. La grandeza de un hombre corresponde a la desproporción dolorosa entre la meta que se propone y las fuerzas que la naturaleza le ha concedido en el momento de nacer.

—Como le ha sucedido a Beso.

—Y a Filipo.

—Y a Filipo —hubo de admitir Eumenes bajando la mirada.

Guardaron silencio ambos, como si la sombra del gran rey muerto aletease en aquel lugar evocada de repente por el silencio y el olvido.

Otras veces Alejandro se dedicaba a mantener los contactos con las ciudades que había fundado por doquier en las más lejanas provincias del Imperio y que llevaban su nombre. Escribía personalmente a los jefes militares y a los magistrados de aquellas modestas comunidades, acampadas en las márgenes de territorios inaccesibles y desconocidos. Y le escribía a Aristóteles describiendo sus ordenamientos políticos, las constituciones que habían de enriquecer su colección.

A veces recibía también misivas de aquellas perdidas avanzadillas, unas misivas redactadas en un griego bastante tosco o en dialecto macedonio: casi siempre se trataba peticiones de ayuda y de socorro contra ataques externos, contra el asedio de poblaciones extranjeras, ferozmente celosas de su identidad. La rebelión de Espitámenes se propagaba por doquier. La entrega de Beso se había producido nada más que para allanar el camino al nuevo caudillo encastillado en las laderas nevadas del Paropámiso.

A todos les respondía Alejandro: «Resistid. Estamos reuniendo más tropas, esperamos nuevos refuerzos para ayudaros, para pacificar las tierras en las que veréis crecer a vuestros hijos».

Transcurrió así todo el invierno. Al retorno de la primavera, llegaron tropes de refresco de Macedonia y de Anatolia y el ejército se volvió a poner en marcha. Una vez llegado a Bactriana, Alejandro se dio cuenta de que los rebeldes estaban dispersos en un gran numero de fortalezas y de castillos y decidió dividir las fuerzas para lanzar una serie de ataques con la mira puesta en cada centro de resistencia, pero cuando comunicó a sus generales y a sus compañeros su decisión, casi ninguno se mostró de acuerdo.

—¡Nunca hay que dividir las fuerzas! —exclamó El Negro—. Por lo que hemos sabido, el rey Alejandro de Epiro, tu tío y cuñado, fue superado por los bárbaros en Italia precisamente porque había tenido que dividir sus fuerzas. Y hacerlo expresamente... me parece una locura.

—En mi opinión, sería mejor permanecer todos unidos —replicó Pérdicas—. Atacarlos uno por uno y aplastarlos como si fueran piojos.

Leonato asintió con la cabeza, queriendo decir que aprobaba aquellas palabras, que no había ni que discutirlo.

—Si puedo decir lo que yo pienso... —comenzó diciendo Eumenes, pero Alejandro le dejó con la palabra en la boca:

—Entonces, entendidos. Crátero se quedará en el sur en la zona de Bactra, y nosotros iremos al norte y al este, a Sogdiana, a desalojar a los rebeldes de los montes, y en un determinado punto nos abriremos en abanico. Cinco destacamentos, uno por cada uno de vosotros, uno por cada una de las fortalezas que hay que tomar. Diadés ha proyectado nueve catapultas de larga distancia, que lanzan saetas más pequeñas pero igualmente eficaces.

Leonato dejó de asentir al darse cuenta de que la situación había cambiado y Alejandro, que le estaba mirando, le preguntó:

—Pero ¿no estás de acuerdo?

—Yo, la verdad, estaba de acuerdo con... —trató de replicar, pero ahora ya todos se habían levantado porque no había nada más que decir y Alejandro les acompañó a la salida.

En pocos días, se puso en práctica el plan: el rey y los compañeros, con más de la mitad del ejército, se dirigieron hacia la entrada de los valles en los que esperaban los rebeldes alzados en armas. Combatieron durante todo el verano expugnando algunas fortalezas, pero luego las operaciones quedaron interrumpidas debido a lo impracticable del terreno y de la táctica equívoca del enemigo, que había empezado a atacar de repente y a retirarse.

Cuando comenzó a empeorar el tiempo y los víveres a escasear, Alejandro recondujo al ejército hacia Maracanda.

Las cosas para Crátero fueron de muy distinto tenor. Habiéndose quedado atrás, no le había dado tiempo de alcanzar la capital de la provincia cuando vino a su encuentro un correo enviado por el comandante de la guarnición.

—Espitámenes ha invadido los alrededores de Bactra y saqueado los campos y las aldeas. Nuestra guarnición ha hecho una primera salida y ha sido derrotada, luego ha intentado una segunda en estos días para perseguirle, pero tenemos necesidad urgente de refuerzos.

Crátero fue presa de un sombrío presentimiento. Conocía la astucia de Espitámenes y estaba casi convencido de que la incursión en los alrededores de Bactra era nada más que una provocación para atraer a campo abierto a la guarnición de la capital y aniquilarla.

—¿Por qué lado se han ido? —preguntó al correo.

—Por ahí —respondió señalando la pista que llevaba hacia el desierto.

—También nosotros iremos hacia allí —decidió el comandante macedonio—. Después de haber descansado el mínimo indispensable. Es inútil que pasemos por la capital.

Reanudaron la marcha antes del alba, vadearon un torrente y comenzaron a acercarse a un desfiladero flanqueado por matorrales de acacias y tamariscos: el lugar ideal para una celada. De golpe, se le acercó Koinos, el comandante del segundo escuadrón de los *hetairoi*.

—Mira allí —dijo señalando con el dedo hacia el cielo.

—¿Qué sucede? —preguntó Crátero haciendo visera con la mano.

—Buitres —repuso sombrío el oficial.

48

El espectáculo que se presentó ante sus ojos era escalofriante. Cientos de soldados macedonios yacían en el suelo heridos de muerte. Los cadáveres habían sido horrendamente mutilados, muchos decapitados o despojados de su cuero cabelludo. Otros fueron encontrados empalados, o atados a los árboles con señales de espantosas torturas. Los comandantes, dos oficiales de la vieja guardia amigos de Clito *El Negro*, habían sido crucificados.

—¿Qué hacemos? —preguntó Koinos, tétrico.

—Reúne a toda la caballería. Caeremos sobre ellos ahora mismo. La infantería seguirá a marchas forzadas.

Koinos mandó tocar a reunión y hizo transitar la caballería al paso a través del campo de la matanza, en medio de un silencio sepulcral. Quiso que los soldados vieran todo lo que el enemigo había hecho a sus compañeros, quiso que creciera en ellos en desmesura el furor y la sed de venganza antes de lanzarles en su persecución.

Apenas el desfiladero se hubo ensanchado en una planicie esteparia y ondulada, Crátero los alineó en cinco filas por seiscientos de frente y gritó:

—No me detendré hasta que no les hayamos apresado y hecho pedazos. ¡Venid detrás de mí, soldados, y recordad lo que les han hecho a vuestros compañeros!

El rastro de los enemigos eran reciente y perfectamente visible y los escuadrones no tuvieron que descomponer siquiera las filas. Se lanzaron al galope en medio de una nube de polvo, superaron de un impulso una hondonada esteparia y remontaron una larga pendiente hasta una prominencia que escondía a la vista una nueva hondonada. Koinos fue uno de los primeros en llegar a lo alto junto con Crátero y vio a la caballería enemiga a menos de tres estadios de distancia que avanzaba al paso, desconocedora del peligro.

—¡Son ellos! —gritó Crátero—. ¡Trompas, a la carga! ¡No os detengáis, soldados! ¡Exterminarles, aniquiladlos hasta el último! ¡Adelante! ¡Adelante!

Resonó repetidamente la señal de ataque y la caballería se arrojó pendiente abajo como una avalancha. La tierra tembló, el aire fue desgarrado por el grito broncíneo de las trompas, por los alaridos del asalto furibundo. Espitámenes, que mandaba un ejército compuesto de bactrianos y de escitas masagetas, cogido por sorpresa ordenó atacar de frente al enemigo, pero la maniobra tuvo éxito sólo a medias, porque los macedonios estaban ya encima de ellos con las lanzas abatidas. Cayeron a centenares al primer choque, traspasados de parte a parte, arrojados al suelo, machacados bajo las patas de los caballos. El centro fue arrollado y dispersado, las alas opusieron alguna resistencia y trataron de llevar a cabo una serie de maniobras de distracción, pero Crátero no mordió el anzuelo. Llamó de nuevo a sus hombres, les hizo volver a apiñarse y les lanzó nuevamente en un ataque frontal y masivo. En menos de una hora, las tropas supervivientes de Espitámenes fueron desbaratadas y aniquiladas. El sátrapa consiguió ponerse a salvo a duras penas juntamente con unos pocos cientos de escitas masagetas y encontrar escapatoria en el desierto.

Crátero volvió atrás para rendir los honores fúnebres a los soldados caídos, pero antes llamó a su presencia a Koinos.

—¿Sabes a quiénes hemos tenido delante?

—A los escitas.

—Masagetas. La tribu que hace trescientos años derrotó y dio muerte a Ciro el Grande. Difunde entre ellos el terror, haz que no se atrevan nunca ya a atacarnos... nunca más. ¿Me has entendido?

—Entendido —repuso Koinos, y luego añadió—: Mándame las balistas, todas las que tengas, y una unidad de agrianos.

Crátero asintió y volvió a llevar a sus *hetairoi* al campo de la matanza, adonde había llegado ya la infantería. Los soldados, tras depositar las armas, recogían a los caídos, recomponían los cuerpos mutilados, desgarrados, y con lágrimas en los ojos los llevaban a las márgenes del campo, donde otros talaban los árboles y erigían las piras funerarias.

Koinos esperó la llegada de las balistas, hizo decapitar por los agrianos todos los cadáveres de los escitas masagetas, luego se acercó al confín de su tierra, señalado por el torrente Artakoenes y vigilado por pequeños grupos de caballería enemiga que se mantenían a no gran distancia. Armó las balistas y disparó las cabezas cercenadas, a racimos, del otro lado, haciéndolas rodar hasta debajo mismo de las patas de los caballos. Luego volvió atrás para reunirse con el resto del ejército. Marcharon hacia Bactra y recibieron la sumisión de todas las aldeas que se habían adherido a la rebelión de Espitámenes.

Entretanto, el primer ejército que había hecho la campaña con Alejandro se había acuartelado hacia tiempo en Maracanda y de allí los oficiales persas reclutaban al mayor número de jóvenes posible, de Bactriana y de Sogdiana, en el ejército real, que ahora tenía muy poco en común ya con el que había partido de Pella siete años antes. De este modo, al enemigo le quedaban cada vez menos recursos humanos para alimentar la resistencia.

Seguía presente el hecho de que los éxitos de la expedición habían sido limitados, lo cual pesaba en el prestigio del rey, tanto más cuanto que no pocos de sus compañeros le habían disuadido de semejante estrategia. Alejandro trató entonces de hacer olvidar aquella situación dando fiestas y banquetes en los que quiso que participaran también los oficiales persas, y esto trajo nuevas tensiones entre los macedonios y entre sus propios amigos. Muchos sentían antipatía también por Hefestión, que parecía apreciar las costumbres persas no menos que el rey y que se ataviaba a menudo al modo oriental.

Vinieron muchas embajadas a negociar, entre ellas el jefe de una tribu escita que habitaba allende el Oxo; el rey mantuvo para todos el protocolo de las audiencias persas, con la «prosternación», y a menudo recibió a los huéspedes vistiendo el *kandys* y llevando incluso la tiara. Esto acentuó más aún el malhumor.

De Grecia y de Anatolia llegaron, además, atraídos por la fama de las gestas del rey y más todavía por los rumores que circulaban acerca de las riquezas inmensas de las que el ejército se había adueñado, filósofos, adivinos, rétores, poetas y actores, todos ellos con la esperanza de hacerse con algo de aquellas inmensas fortunas o cuando menos de hacerse conocer por el joven conquistador. Alejandro les recibía y les admitía en los banquetes, pareciéndole así que un pedazo de Grecia era trasplantado a aquellas lejanas regiones y también por su natural inclinación a escuchar conversaciones filosóficas o disputas de retórica. Pero toda esta gente no perseguía otro propósito que ganarse el favor del rey y por tanto le adulaban de todos los modos posibles, a menudo con sabias artes para que ello no fuera tan descaradamente evidente. Y también esto irritaba a los macedonios habituados a una relación de camaradas y casi campechana con su rey, aparte del tradicional rito del beso en la mejilla reservado sólo a los íntimos.

Un día llegó uno con una provisión de fruta seca para ofrecérsela al soberano, traída directamente de Grecia: higos, almendras, nueces. Alejandro la probó y le pareció tan buena que pensó en ofrecer una parte de ellas a Clito *El Negro* como señal de afecto después de numerosos choques incluso tempestuosos, debidos a la elección de su ceremonial y a su firme voluntad de dar entrada a los persas y a los asiáticos, no sólo en la corte sino también en el ejército.

El Negro, que no obstante su carácter irascible y más bien altanero era un hombre leal, estaba inmolando a los dioses algunas ovejas cuando llegó el enviado con la convocatoria del rey. Dejó a medias el sacrificio y le siguió, sin advertir que un par de ovejas habían echado a andar tras él.

Cuando llegó al patio del palacio con aquel séquito, Alejandro se echó a reír.

—¡Negro! —exclamó—. ¿Acaso te has hecho pastor?

Pero cuando supo que eran los animales destinados al sacrificio que habían seguido a su general quedó afectado. Le regaló la fruta y, apenas Clito se hubo ido, llamó a Aristandro y le contó el incidente. El vidente se puso sombrío.

—No es buena señal —respondió—. Trae mala suerte.

Esa misma noche, acaso influido por las palabras que había oído de su adivino, soñó que veía a Clito, vestido de negro de la cabeza a los pies, estaba sentado al lado de los tres hijos de Parmenión que habían muerto. Se despertó angustiado y no se atrevió a contarle el sueño a Aristandro. Prefirió dar una fiesta aquella misma noche para ahuyentar la pesada sensación de angustia que le había dominado. A pesar de los frecuentes choques, sentía un afecto profundo por Clito, cuya hermana le había amamantado de niño: esto, en la tradición macedonia, creaba un vínculo fuerte, casi de parentesco.

Aquella noche fue nombrado maestro del festín Pérdicas, quien decretó inmediatamente que debía haber dos cráteras, una para los macedonios con vino puro y otra para los griegos con una parte de vino y cuatro de agua. Esta decisión originó por supuesto descontento, y también un cierto malhumor en Alejandro, porque no habían sido mencionados los huéspedes persas.

Entre los griegos, aparte de Calístenes, había un filósofo sofista de nombre Anaxarco, llegado hacía poco, presuntuoso y arrogante pero muy hábil, el cual había traído en su séquito a un par de poetas que se habían puesto enseguida a beber y a atiborrarse. La fiesta había seguido con bromas, frases ingeniosas y mordaces, historias desenfadadas y con la contribución de algunas hetairas no menos audaces que los hombres.

Todos se habían puesto a beber en exceso, y sobre todo los macedonios, incluido el rey, estaban, mediada ya la velada, más bien achispados.

En ese punto, uno de los poetas del séquito del filósofo, un tal Pránikos, exclamó:

—¡He compuesto un pequeño poema épico! ¿Alguien quiere oírlo?

Alejandro soltó la carcajada.

—¿Por qué no?

Animado por la aprobación del soberano, el poeta comenzó a declamar su obra maestra provocando las risotadas de sus amigos. Pero los macedonios, no bien repararon en el tema, aunque ebrios enmudecieron de repente estupefactos, no dando crédito a lo que oían: aquel poetastro estaba declamando una especie de estúpida sátira sobre sus comandantes de la guarnición de Bactra caídos en la emboscada de Espitámenes durante la campaña de primavera, haciendo burla sobre todo de su avanzada edad.

> *Cantos de guerras graznaban los dos vejetes*
> *incapaces ya de enderezar el asta,*
> *embestir pretendían, con lanza en ristre,*
> *por más que pelada tuvieran ya la cabeza.*

El Negro se puso en pie y le arrojó su copa de vino a la cara vociferando:

—¡Calla csa boca, griego asqueroso, so mierda!

Alejandro, casi ebrio y medio desnudo entre dos hetairas que le solazaban, no habiendo comprendido nada pero habiendo visto lo que había hecho El Negro a su huésped griego, gritó:

—¡Cómo te permites! ¡Pídele excusas ahora mismo y déjale que siga! A mí me gusta la poesía.

Clito, ya alterado por lo efluvios del vino, al oír aquellas palabras se salió de sus casillas:

—¡Pequeño, presuntuoso, arrogante fantoche! ¿Cómo puedes permitir a este mierda de griego pedorrearse sobre dos oficiales valerosos que dieron su sangre en el campo de batalla?

—¿Qué has dicho? —gritó Alejandro dándose cuenta de la sangrante ofensa.

—¡He dicho lo que he dicho! Pero ¿quién te crees que eres? ¿De veras crees que eres el hijo de Zeus Amón? ¿Te crees las patrañas que hace circular esa exaltada de tu madre sobre tu nacimiento divino y todas las demás mandangas? ¡Pero mírate! ¡Mira cómo vas peinado, vestido como una mujer, con todos esos bordados y esos encajes!

Y señalaba las ropas persas que el rey llevaba puesta hasta que las muchachas habían comenzado a desnudarle.

Alejandro se levantó pálido de ira y ordenó furibundo a su ayudante:

—¡Toca a llamada para los portadores de escudo! ¡Toca, te he dicho!

Era un gesto extremo al que los reyes macedonios recurrían cuando su persona se veía directamente amenazada, y la irrupción de los «portadores de escudo» habría significado la muerte inmediata del culpable, de modo que el hombre dudó desconcertado. Alejandro le asestó un puñetazo en el rostro, lo mandó cuan largo era por los suelos y llamó a voz en grito:

—¡Portadores de escudo, a mí!

—Sí —gritó fuera de sí Clito—. ¡Llámalos! ¡Llámalos, adelante! ¿Sabes la verdad? ¡No eres nada sin nosotros, nada! ¡Somos nosotros quienes hemos vencido, quienes hemos combatido, quienes hemos conquistado. ¡No eres ni la sombra de lo que era tu padre Filipo!

Tolomeo, espantado por el cariz que tomaba la disputa, le agarró por detrás de los hombros y trató de llevarle fuera.

—¡Negro, basta ya, estás borracho, no ofendas al rey! ¡Vamos, vamos!

También Pérdicas le echó una mano y casi habían conseguido llevarle fuera, pero Clito logró liberar una de sus manos y agitándola en alto gritó:

—¡Eh, hijo de Zeus! ¿Ves esta mano? ¿La ves? Pues es ésta la que te salvó el pellejo en el Gránico, ¿lo has olvidado?

Dio un tirón más fuerte y se liberó volviendo hacia atrás, mientras seguía gritando e insultando.

Alejandro cogió de la mesa una manzana y se la tiró a la cara para hacerle retroceder, pero él la esquivó y siguió adelante mofándose de él. Cegado por la ira, ultrajado por la desobediencia de su ayudante, ridiculizado delante de sus huéspedes, el rey perdió la cabeza: cogió la *sarisa* de uno de los *pezetairoi* que estaban a sus espaldas y la arrojó contra Clito, pero en el mismo instante tuvo la seguridad de que él la evitaría, que todo acabaría en un simple susto, en una lección... Un instante interminable, largo como una vida, en el que la mano que había arrojado el arma, tendida aún hacia adelante, habría querido asirla de nuevo para que no alcanzase su blanco, pero el Negro la evitaría con un gesto fulminante. En cambio, no fue así: el Negro era sostenido en aquel instante de nuevo por Tolomeo que quería salvarle de la ira del rey y arrastrarle fuera. Fue cogido de lleno y traspasado de parte a parte.

Alejandro gritó:

—¡Nooo! ¡Negro, no! ¡Nooo!

Y corrió hacia él, que vomitaba sangre sobre el pavimento. Le extrajo de forma fulminante la lanza del cuerpo, apoyó el asta contra la pared y se arrojó sobre la punta para traspasarse del mismo modo. Le aferraron justo a tiempo Seleuco y Tolomeo, mientras él se desprendía como un poseso gritando a lágrima viva:

—¡Dejadme!, ¡dejadme! ¡No merezco vivir!

Leonato se precipitó para echar una mano a sus amigos, pero Alejandro, liberada una mano, había aferrado su espada y trataba de quitarse la vida. Le desarmaron y le llevaron fuera a la fuerza.

Eumenes no había podido hacer nada porque estaba sentado lejos, en el otro lado de la sala, cerca de Calístenes, y ahora miraba petrificado la escena mientras la sala, que unos momentos antes resonaba con la orgía de vino y de sangre, había caído en un silencio absurdo, irreal. Los pajes firmes contra la pared con sus uniformes de gala se miraban unos a otros, pálidos y espantados. Calístenes se volvió hacia ellos y citó una sentencia de Aristóteles:

—Quien comete un crimen en estado de embriaguez es doblemente condenable; porque se ha embriagado y porque ha cometido un crimen.

Eumenes le miró de hito en hito, sacudiendo la cabeza incrédulo.

—Pero ¿qué clase de hombre eres? —le preguntó.

Uno de los pajes, sin embargo, un muchacho de nombre Hermolao, le miró lleno de admiración.

Durante tres días y cuatro noches, Alejandro lloró desesperadamente invocando el nombre del amigo muerto, rechazó la comida y el agua y quedó reducido a un fantasma de sí mismo.

Por último los compañeros, preocupados porque perdiese la cordura y luego la vida, le pidieron a Aristandro que interviniera. El vidente entró y le habló largamente recordando el sueño que había tenido y el infausto presagio de las ovejas que habían abandonado el altar del sacrificio: un acontecimiento ya escrito por el hado. Ineluctable. Finalmente logró devolverle a la vida, pero desde entonces el espectro de Clito *El Negro* afligió su existencia con el dolor y el remordimiento para el resto de sus días y de sus noches. Alejandro empezó a beber aún más sin moderación y los pajes a los que, por una antigua tradición, correspondía el honor de vigilar por turno el sueño del rey concibieron desprecio por él, viéndole muchas veces entrar beodo, ser llevado al dormitorio incapaz de sostenerse de pie y luego caer en un pesado sueño, roncando y eructando como un bruto.

Sólo Leptina seguía sirviéndole amorosamente, como siempre, sin preguntarle nada, rezando en silencio a sus dioses para que le devolvieran la serenidad.

A comienzos del otoño, los dos cuerpos de ejército se reunieron en Maracanda y Crátero quedó afectado por la noticia de aquel drama espantoso; para evitar el embarazo de encontrar al rey, se volvió a poner en marcha hacia el desierto para dar una última y durísima lección a las tribus masagetas incorporadas a la revuelta de Espitámenes. Pero éstos, se dieron cuenta de que el sátrapa no tenía ninguna esperanza de sublevar Bactriana y Sogdiana contra Alejandro; estaban aterrorizados por cuanto había sucedido en el río Artakoenes y habían tenido noticia también por su jefe Dravas de que el rey llegado de poniente era un semidios invencible que podía aparecer de improviso en cualquier lugar con devastadora violencia. Reunieron un consejo de jefes y tomaron la resolución de que se debían establecer buenas relaciones con el nuevo dominador para no provocar su cólera. Capturaron a Espitámenes a traición, sorprendiéndole mientras dormía, le decapitaron y entregaron su cabeza a Crátero para demostrar su buena disposición.

A la llegada de los primeros fríos, los dos cuerpos de ejército macedonio, reunidos de nuevo en Maracanda, se pusieron en marcha hacia Bactra para pasar allí el invierno.

49

La primavera siguiente Alejandro se puso de nuevo en marcha hacia Sogdiana para aniquilar los últimos reductos de resistencia, en particular una fortaleza en las montañas llamada Roca Sogdiana, un nido de águilas absolutamente inaccesible, posesión de un señor del lugar llamado Oxiartes, valeroso y temerario, irreductible. La fortaleza era accesible tan sólo por un estrecho y impracticable sendero que subía cortado en la roca hasta la única puerta que se abría en las altísimas murallas, que caían a pico sobre el precipicio. Por la parte trasera, el recinto amurallado se apoyaba contra un pico rocoso cubierto de hielo durante casi todo el año, que superaba a la fortaleza en una altura de al menos mil pies.

Alejandro mandó un heraldo con un intérprete sendero arriba a pedir la rendición de Oxiartes, pero éste, desde lo alto de los glacis, gritó:

—¡No nos rendiremos nunca! Tenemos víveres en abundancia y podemos resistir durante años, mientras que vosotros os moriréis de frío y de hambre. Decidle al rey que sólo si tuviera soldados con alas podría esperar conquistar mi fortaleza.

—¡Soldados con alas! —repitió Alejandro apenas le fue traída la respuesta—. Soldados con alas...

Diadés de Larisa miró a lo alto, haciendo visera con la mano para evitar el resplandor de la nieve.

—Si piensas en Dédalo e Ícaro, tengo que recordarte que, por desgracia, se trata solamente de una leyenda. El hombre no podrá volar nunca, ni siquiera en el caso de que alguien le fabrique unas alas. Créeme, es una empresa imposible.

—No conozco esa palabra —replicó el rey—. Y en otros tiempos no la conocías tampoco tú, amigo mío. Mucho me temo que te estés haciendo viejo.

Diadés guardo silencio, confuso, y se alejó. No se le ocurría ninguna idea para tomar al asalto un lugar semejante.

Pero Alejandro tenía ya una idea. Llamó al heraldo que había enviado a parlamentar y le ordenó que fuera por todo el campamento y prometiera veinte talentos a todo aquel que se ofreciera a escalar, de noche, el pico que superaba la fortaleza: una ascensión de al menos dos mil pies desde el punto en el que se encontraban.

—¿Veinte talentos? —preguntó Eumenes—. Pero si es una suma desproporcionada.

—La compensación debe ser adecuada a una gesta imposible —le rebatió Alejandro—. Una suma como para hacer rica a una familia durante cinco generaciones. Y yo estoy convencido de que el dinero puede dar alas a los hombres.

En menos de una hora, se presentaron trescientos voluntarios: más de la mitad agrianos; los otros eran macedonios de las zonas más montañosas.

—Se nos ha ocurrido una idea —dijo el que parecía el jefe de ellos—. Los cuchillos de los agrianos no sirven aquí. Usaremos los piquetes de las tiendas, que son de hierro templado. Los clavaremos en el hielo con el martillo, ataremos las cuerdas y subiremos uno por vez. Podemos conseguirlo.

—Yo también lo creo —repuso el rey—. Pedidle a Eumenes que os entregue una bandera y hacedla ondear tan pronto como hayáis llegado a la cima. Nosotros haremos sonar las trompas y sólo en ese momento deberéis asomaros para que os vean desde la fortaleza.

Al caer la tarde dio comienzo la increíble empresa. Los hombres subieron a pie hasta donde fue posible llevando a la espalda las alforjas con las cuerdas y los piquetes; luego comenzaron a plantarlos en el hielo y a subir, uno tras otro.

Ni el rey ni sus compañeros se acostaron aquella noche: permanecieron despiertos, nariz en alto, mirando con el aliento en suspenso a los hombres que subían lentamente, con inmenso esfuerzo, por la pared helada. Hacia medianoche se levantó también viento, un viento helado que atería los miembros y penetraba hasta la médula de los huesos, pero los guerreros continuaron su ascensión; la línea oscura de los escaladores apenas si se percibía sobre la blancura inmaculada de la nieve.

Treinta hombres se precipitaron al vacío, despanzurrándose contra las rocas, pero doscientos setenta alcanzaron la cima del pico a las primeras luces del alba.

—¡La bandera! —gritó Pérdicas indicando una pequeña mancha roja que ondeaba en la cumbre.

—¡Lo han conseguido!

—¡Oh, dioses del cielo! —exclamó Eumenes—. Esto, si me lo hubieran contado, no me lo habría creído. ¡Rápido, haced sonar las trompas!

El silencio del valle se vio roto por el toque insistente repercutido y multiplicado por el eco y los guerreros se asomaron desde lo alto gritando para hacerse oír por los ocupantes de la Roca. Los centinelas de guardia en los glacis no consiguieron comprender al principio de dónde provenían las voces, luego alzaron los ojos, vieron a los hombres de Alejandro en la cima del pico y corrieron a despertar a su señor, que se precipitó incrédulo al adarve. Poco después el heraldo de Alejandro subió a la fortaleza y gritó:

—Como puedes ver, tenemos soldados con alas, y tenemos muchos. ¿Qué decides?

Oxiartes miró a lo alto, luego abajo y a continuación de nuevo arriba.

—Me rindo —respondió—. Dile a tu rey que estoy dispuesto a recibirle.

Alejandro con sus compañeros y los *hetairoi* de *La Punta* subió a la Roca al día siguiente, hacia el atardecer, y se dirigió al castillo de Oxiartes, que le esperaba en el umbral. Hubo un intercambio por ambas partes de saludos de cortesía y luego el huésped, junto con sus amigos, fue acompañado a la sala del banquete preparada de acuerdo a la usanza sogdiana: mullidos cojines puestos en el suelo en doble fila con las mesas en medio. El rey se encontró de frente a Oxiartes, pero enseguida su mirada se sintió atraída por la persona que estaba sentada a la derecha del amo de casa: ¡su hija Roxana!

Una muchacha de increíble belleza, de formas divinas, un mito entre su gente, que la llamaba con el poético nombre de «Pequeña Estrella».

Le sonrió y los dientes le brillaron cual perlas; su rostro, un suave óvalo, era de una delicada pero absoluta perfección; las pestañas eran largas y relucientes y la piel, lisa como el mármol, estaba teñida de un pálido reflejo ambarino. Los cabellos, negros hasta el punto de irradiar reflejos azulados, enmarcaban una frente purísima y, cuando movía la cabeza, sombreaban la luz intensa y suave de sus ojazos de color violeta.

Se miraron y un torbellino les envolvió, un aura mágica y estremecida, líquida y enrarecida como un sueño matutino. No existía ya nada para ellos, se desvanecían lejanas las voces de los comensales y la sala estaba como vacía; solamente la melodía de un arpa india vagaba por el dilatado y vibrante espacio, entraba en sus almas y en sus cuerpos y hasta en sus voces, voces de lenguas diversas y sin embargo iguales en la música de un sentimiento inefable, de un transporte sublime.

Entonces Alejandro comprendió que no había amado verdaderamente nunca hasta aquel momento, que había vivido historias de una profunda e intensa pasión, de ardiente lujuria, de afecto, de admiración, pero nunca de amor. Aquello era el amor, lo que sentía en aquel momento, aquel ansia palpitante, aquella sed inextinguible de ella, aquella profunda paz de espíritu y al mismo tiempo aquella inquietud incontrolable, aquella felicidad y aquel miedo. Aquél era el amor del que hablaban los poetas, dios invencible y despiadado, fuerza ineluctable, delirio de la mente y de los sentidos, única posible felicidad. Olvidó los fantasmas sangrientos del pasado, las angustias y los terrores, y su ansia de infinito se aplacó y se apagó en la luz de aquellos ojos de color violeta, en aquella divina sonrisa.

Cuando volvió a la realidad, se dio cuenta de que todos le miraban y que todos habían comprendido. Entonces se puso en pie delante del noble Oxiartes y dijo con voz firme y con los ojos brillantes de emoción.

—Sé que hemos sido enemigos hasta hace unas pocas horas, pero ahora yo te ofrezco una larga y firme amistad y, en prenda de esta amistad y por el amor sincero y profundo que siento en este momento, te pido por esposa a tu hija.

Y apenas el intérprete hubo terminado, se volvió hacia ella y añadió:
—Siempre que ella quiera.

Roxana se puso en pie y respondió en su lengua tan extraña y sonora al mismo tiempo. Y pronunció su nombre como lo había oído de boca de sus amigos. Dijo:
—Yo te quiero, *Aléxandre*, para siempre.

Las nupcias se celebraron con gran fasto tres días después; Alejandro eligió el rito persa del pan, pero a la manera macedonia, cortándolo con su espada. Luego ambos esposos comieron de aquel pan mirándose a los ojos y sintieron que se amarían hasta el fin. Y más allá incluso. Roxana iba vestida con su hábito de ceremonia, una sobreveste azul puesta sobre una túnica roja, ceñida a la cintura con un cinturón de discos de oro, y tocada con un velo del que colgaba una diadema también de oro, de lágrimas, adornada de lapislázuli.

Durante la cena que siguió al rito, el rey no bebió casi nada y no hizo más que sostener la mano de su esposa hablándole en voz baja, al oído. Eran palabras que ella no podía comprender, versos de grandes poetas, imágenes de sueño, invocaciones, palabras de amor. El alma atormentada de Alejandro buscaba consuelo en la mirada de aquella virgen intacta, en el sentimiento de amor que emanaba de sus manos mientras le acariciaba, de sus ojos cuando le miraban fijamente con un deseo ingenuo y descarado, ardiente y suave al mismo tiempo. Cada respiración suya le alzaba el seno lozano, difundía en sus mejillas un leve rubor, y en aquel aliento el rey buscaba a su vez el significado imprevisto y aún en gran medida desconocido, que ardía en deseos de que fuera inmutable y eterno.

Cuando finalmente estuvieron solos y Roxana comenzó a desnudarse con la mirada baja, desvelando lentamente su cuerpo divino, llenando aquel tosco tálamo con el perfume de su piel y de sus cabellos, Alejandro fue presa de una intensa y profunda emoción, como si se sumergiera en un baño tibio después de haber caminado largamente en medio de una tormenta de nieve y de padecer el hielo, como si bebiera agua cristalina de fuente después de haber vagado largamente por el desierto, como si se sintiera una vez más hombre después de haber explorado la depravación, la ferocidad, la brutalidad.

Tenía los ojos relucientes de la emoción cuando la estrechó contra él y notó el contacto de su piel desnuda, cuando buscó sus labios inexpertos, cuando le besó el pecho, el vientre, la ingle. La amó con honda intensidad, con total abandono, como no había sentido nunca en toda su vida y, cuando sus cuerpos se estremecían en el espasmo supremo, sintió que le derramaba en su vientre la vida, el secreto de aquella energía salvaje que había arrollado ciudades y ejércitos, que había soportado las heridas más espantosas, que había pisoteado los sentimientos más sagrados, matado la piedad y la compasión. Y cuando se dejó caer cansado al lado de ella para abandonarse al sueño, soñó que se encaminaba por un largo e impracticable camino, bajo un cielo negro hasta las orillas de un océano llano, frío e inmóvil como una lámina de acero bruñido. Pero no tuvo miedo porque el calor de Roxana le envolvía como un traje suave, como la felicidad misteriosa de un recuerdo de infancia.

Cuando se despertó y la vio a su lado, más hermosa aún y con la luz de los sueños en la mirada, la acarició con infinita dulzura y dijo:

—Ahora partiremos, amor mío, y no nos detendremos hasta que no veamos el fin del mundo y las ciudades del Ganges, las garzas de los lagos dorados y los pavos iridiscentes de Palimbotra.

En aquellos días Alejandro retomó los preparativos y reorganizó el ejército, enrolando una vez más a miles de asiáticos de las provincias de Bactriana y Sogdiana, cuya fidelidad se veía ahora doblemente asegurada y cimentada por el matrimonio con la princesa hija de Oxiartes. Llegaron también diez mil persas adiestrados y armados a la manera macedonia, reclutados por sus gobernadores en las provincias centrales del Imperio. Pensó en aquel momento que el ceremonial persa y el uso de la prosternación debían ser extendidos a todos, porque los súbditos debían ser tratados de igual modo. Pero los macedonios se rebelaron y Calístenes se le enfrentó directamente recordándole que aquella pretensión era absurda.

—¿Qué harás —le dijo— cuando vuelvas a la patria? ¿Pretenderás que también los griegos, los más libres entre los hombres, te rindan honores como se rinde honores sólo a los dioses? Ellos son distintos, ni siquiera rindieron honores divinos a Heracles en vida, y tampoco después de que hubiera muerto hasta que un oráculo de Delfos lo pidió expresamente. ¿Quieres identificarte con estos soberanos bárbaros? Pero piensa en lo que les sucedió a ellos: Cambises fue derrotado por los etíopes, Darío por los escitas, Jerjes por los griegos y Artajerjes por los Diez Mil de Jenofonte que tú tan bien conoces. Todos fueron derrotados por hombres libres. Es verdad que estamos en tierras extranjeras y en cierto modo tenemos que pensar como estos extranjeros, pero ¡te ruego que te acuerdes de Grecia! Acuérdate de las enseñanzas de tu maestro. ¿Cómo podrán los macedonios tratar como un dios a su rey y cómo podrán los griegos tratar como un dios al comandante de su liga? A un hombre se le da un apretón de manos, un beso; a un dios se le erigen templos, se le ofrecen sacrificios, se le cantan himnos. Existe una diferencia entre honrar a un hombre y venerar a un dios. Eres digno de los máximos honores entre los hombres porque has sido el más audaz, el más valeroso, el más grande. ¡Pero conténtate con esto, te lo ruego, conténtate con el homenaje de hombres libres y no quieras que se prosternen ante ti como esclavos!

Alejandro, que se sentaba en aquel momento en la audiencia, agachó la cabeza y aquellos que tenía cerca sintieron que murmuraba:

—No me comprendéis... no me comprendéis...

Lo oyó también uno de los pajes, Hermolao, el joven que admiraba muchísimo a Calístenes y despreciaba al rey. Era él el jefe de los pajes porque Cibelinos, que una vez había salvado la vida a Alejandro, no había podido soportar luego las excesivas penalidades de la vida militar y de aquel clima tan duro, había enfermado de una fiebre altísima durante la campaña entre los escitas y había muerto al cabo de algunos días. Hermolao pasaba todo el tiempo que podía escuchando los consejos y las enseñanzas de Calístenes y no raramente desatendía el servicio al que estaba destinado.

El rey dispensó, de todos modos, de la obligación a aquellos que no estaban dispuestos a rendirle el homenaje de la prosternación y no insistió más, pero tampoco esto trajo la paz entre su gente. Ni tan siquiera toleraban que él recibiera la prosternación de los asiáticos, para los cuales era un gesto natural y debido, y a escondidas muchos continuaban tachándole de tirano presuntuoso, cegado por el poder y por la excesiva fortuna.

Lamentablemente el descontento no se detuvo en los murmullos y en las murmuraciones. Derivó una vez más en una conjura. Para matarle. Y esta vez fueron precisamente los muchachos más jóvenes, aquellos que estaban destinados al servicio más íntimo de su persona: los pajes que debían vigilar al rey en sus horas de sueño.

Un drama terrible y doloroso tuvo origen después de que el ejército hubiera vuelto a Bactra, en un momento de esparcimiento y de alegría, durante una partida de caza al jabalí. Hermolao, en su calidad de jefe de sus compañeros, cabalgaba muy cerca del rey cuando de repente, perseguido por *Peritas* y por otros canes, apareció un jabalí de entre la espesura y embistió contra él. Alejandro se hizo a un lado y empuñó la jabalina para golpear, pero Hermolao, llevado por el entusiasmo y ansioso de alzarse con la victoria, fue el primero en herir al jabalí arrebatándole la precedencia al rey.

Era una falta gravísima y una señal de arrogancia y de absoluto desprecio por la tradición y por el protoclo cortesano. En semejantes casos, sólo el rey podía infligir castigos corporales a un paje o mandar que otro lo hiciera, y Alejandro se valió de esta prerrogativa: mandó atar al muchacho y azotarle.

Era un castigo duro, pero considerado normal dentro de las costumbres de la corte macedonia. De chicos todos habían sido castigados de aquel modo: Leonato llevaba aún las señales en la espalda, pero también Hefestión y Lisímaco habían pagado en varias ocasiones así su indisciplina por orden del rey Filipo y a manos de Leónidas o de su maestro de armas. En la mentalidad del autor de aquellas reglas, el castigo era asimismo una especie de ejercicio para soportar el dolor, un modo de habituarse a la obediencia y de acostumbrar el cuerpo y el espíritu a las dificultades. En Esparta, el azotamiento de los muchachos era practicado sin ninguna finalidad punitiva, sino sólo como educación para el valor y el sacrificio, como ejercicio de resistencia.

Hermolao, en cambio, se consideró víctima de una vejación terrible y de una injusticia totalmente sin motivo y desde aquel día incubó un profundo rencor contra el rey, hasta llegar a concebir el plan de darle muerte. Hubiera sido fácil atacarle mientras dormía, pero no podía hacerlo solo. Necesitaba a alguien que le mantuviera abierta una vía de huida. Enfervorecido por las ideas de libertad que Calístenes le había inculcado, no se daba cuenta de que no era un ciudadano ateniense que debía defender la democracia de su ciudad contra un tirano, sino un paje macedonio al servicio de su rey en una región remota, en medio de toda suerte de peligros. Y no se daba cuenta tampoco de que también Calístenes comía de la mano de Alejandro, que recibía de su liberalidad la comida, las ropas y las mantas para calentarse en las frías noches de la meseta.

Con la inconsciencia propia de los muchachos, Hermolao se confió a un amigo suyo de nombre Epimenes y éste habló con un compañero suyo en el que tenía una ciega confianza, un tal Caricles, que a su vez habló de ello con el hermano de Epimenes, Euríloco, que espantado trató de disuadirles de todas las formas posibles.

—Pero ¿estáis locos? —dijo un día que estaban reunidos en la tienda—. No podéis hacer una cosa así.

—Claro que podemos —replicó Hermolao—. Y habremos liberado al mundo entero de un hombre desalmado, de un tirano odioso.

Euríloco sacudió la cabeza.

—Fue culpa tuya, pues sabes perfectamente que el primer golpe corresponde al rey.

—Estaba prácticamente caído, ¿cómo hubiera podido disparar?

—Estúpido, Alejandro no cae nunca. Y en cualquier caso, ¿cómo piensas hacerlo? ¿Crees que resulta tan fácil asesinar a un rey?

—Por supuesto. Piensa en cómo murió Filipo, que era mucho mejor que éste. Y el asesino no ha sido descubierto.

—Pero aquí estamos solamente nosotros, rodeados de bárbaros y del desierto. Vendrán en nuestra busca enseguida. Y además, por si quieres saberlo, corren rumores ya sobre ti y sobre Calístenes que os hacen sospechosos. Alguien te oyó preguntarle qué hay que hacer para convertirse en el hombre más famoso del mundo y dicen que él te respondió: «¡Matar al hombre más poderoso del mundo!». Tienes suerte de que estas palabras no hayan llegado todavía a oídos del rey, pero no se puede desafiar la suerte impunemente por demasiado tiempo. —Se volvió hacia Epimenes—. En cuanto a ti, ya basta con esto. Soy tu hermano mayor y te mando que te olvides de estos desgraciados. Y también vosotros, si es que tenéis dos dedos de frente, dejad correr este asunto. Comportaos de modo respetuoso y tal vez estas habladurías se desvanezcan, poco a poco.

Hermolao se encogió de hombros.

—Yo hago lo que me da la real gana, y si tú no tienes intención de ayudarme no hagas nada, pues tengo otros amigos. Será fácil, como escupir al suelo.

Escupió. Luego le dio la espalda y se fue.

Los jovenes conjurados esperaron a que Alejandro y los suyos hubieran salido a campo abierto en una operación contra un grupo de rebeldes a fin de que su muerte pareciera obra de un enemigo infiltrado en el campamento y luego estuvieron deliberaron durante día y noche.

Cuando el rey dejó el palacio de Bactra, Roxana le abrazó estrechamente.

—¡No vayas!

—Haces grandes progresos con el griego —replicó Alejandro—. Cuando lo hayas aprendido, te enseñaré también el dialecto macedonio.

—¡No vayas! —repitió Roxana angustiada.

Alejandro le dio un beso.

—Pero ¿por qué no tengo que ir?

La muchacha le miró fijamente con lágrimas en los ojos y dijo:

—Dos días. Veo... oscuridad.

El rey sacudió la cabeza como para ahuyentar un pensamiento fastidioso; luego los ayudantes le ataron las ligaduras de la armadura y le acompañaron al patio donde le esperaban sus jinetes, dispuestos para la partida.

Pasaron los dos días y el rey, preocupado por aquella especie de presagio, habló de ellos con Aristandro.

—¿Qué crees que puede significar?

—Las mujeres, en este país, practican la adivinación y la magia, tienen la capacidad de presentir una amenaza en el aire. Por lo demás, Roxana te ama.

—¿Qué es lo que debería hacer?

—Permanece despierto esta noche. Lee, bebe, pero no tanto como para perder la lucidez. Debes permanecer vigilante.

—Así lo haré —repuso Alejandro, y esperó a que se hiciera de noche.

50

Tolomeo vio luz encendida en la tienda de Alejandro y entró, saludado por los dos pajes que aquella noche estaban de turno para el servicio.

—¿Cómo es que estás levantado aún a estas horas? —preguntó—. Es ya el segundo turno de guardia.

—No tengo sueño. Estaba leyendo algo.

Tolomeo miró de soslayo.

—La *India* de Ctesias. Estás impaciente, ¿verdad?

—Sí. Y cuando hayamos conquistado la India, podremos decir que toda Asia está en nuestro poder. Volveremos atrás y comenzaremos a cambiar el mundo, Tolomeo.

—¿De veras crees que el mundo puede ser cambiado? ¿Que un proyecto semejante puede llevarse a cabo de verdad?

Alejandro levantó los ojos del rollo que tenía desplegado delante.

—Sí, lo creo. ¿No recuerdas ya aquella noche en el santuario de Dionisio en Mieza?

—La recuerdo. Éramos unos muchachos, llenos de entusiasmo, de esperanzas, de sueños...

—Esos muchachos han conquistado el más grande imperio de la tierra, los dos tercios del mundo, han fundado docenas de ciudades con cultura y ordenamientos políticos griegos en el corazón de Asia. ¿Crees que esto ha ocurrido por simple casualidad? ¿Crees que esto no tiene un significado, una finalidad?

—Quisiera creerlo. En cualquier caso, puedes contar siempre con mi amistad, con mi fidelidad. Yo no te abandonaré nunca. De esto puedes estar seguro. Por lo demás, en determinados momentos, yo mismo no sé qué pensar...

Entró en ese momento Hermolao. *Peritas* gruñó y Tolomeo se volvió hacia él.

—¿Estás de turno tú esta noche?

—Sí, *heghemón* —repuso el muchacho.

—¿Y entonces por qué estabas fuera?

—El rey no dormía aún y no quería molestarle.

—No me molestas —dijo Alejandro—. Puedes quedarte, si así lo deseas.

El muchacho se sentó en un rincón de la tienda. Tolomeo le miró, luego miró a Alejandro: percibía una extraña situación, un clima impalpable de tensión y de energía reprimida.

—Es el muchacho al que castigué el otro día, después de esa partida de caza.

—¿Te lo tomaste a mal? —preguntó Tolomeo al paje, viéndole con expresión sombría—. Oh, no debes hacerlo. Si supieses cuántas recibí yo a tu edad. El rey Filipo la emprendió conmigo a patadas en el culo, y me hizo también azotar, una vez que le dejé cojo un caballo. Pero yo no se lo tuve en cuenta porque era un gran hombre y lo hacía por mi propio bien.

—Los tiempos han cambiado —comentó Alejandro—. Estos muchachos no son como nosotros. Son... distintos. O tal vez somos nosotros quienes estamos envejeciendo. Tengo treinta años, ¿lo creerías?

—Si es por eso, yo los cumplí hace un tiempo. Bueno, seguiré con mi ronda de inspección. ¿Puedo coger el perro? Me hace compañía.

Peritas meneó el rabo.

—Llévatelo, así moverá un poco las patas. Está engordando.

—Entonces, me voy. Si me necesitas, llámame.

Alejandro asintió con la cabeza y volvió a enfrascarse en la lectura, bebiendo de vez en cuando un sorbo de una copa que tenía sobre la mesa.

Hermolao estaba sentado delante de él en silencio, con las mandíbulas contraídas y los ojos gachos. El rey alzaba de vez en cuando la cabeza de su rollo y le observaba con una mirada extraña, perplejo. En un determinado momento le dijo:

—Me odias, ¿verdad? Me odias porque te hice dar unos azotes.

—No es cierto, señor. Yo...

Pero se veía que mentía y esto convenció al rey de que aquel muchacho era malvado, porque no tenía el valor de manifestar su odio y tampoco de renunciar a él.

—De acuerdo, no importa.

Pasó así casi toda la noche: una noche fría, vacía, inútil. Y se acercaba el fin del turno de vigilancia. Dentro de poco, comenzaría a clarear. Hermolao estaba atormentado por la duda y seguía mirando fijamente al rey, que de vez en cuando doblaba la cabeza como si estuviera a punto de dormirse.

También Euríloco se había quedado de pie todo la noche, porque se había dado cuenta de que los tres pajes de turno estaban conjurados y estaba convencido de que decidirían actuar, tanto más cuanto que el comandante Tolomeo estaba acostumbrado a coger con él a *Peritas* cuando estaba de turno para la inspección de los cuerpos de guardia, pero luego, viendo que la luz había estado en todo momento encendida en el pabellón real y que el rey había estado en vela sin acostarse, aunque no hubiera ningún peligro inminente de incursiones enemigas, se convenció de que estaba a punto de suceder algo terrible: tal vez Alejandro lo había descubierto todo o tal vez Hermolao y los demás asestarían su golpe antes de que se hiciera de día. Pensó que sólo hablando podría salvar a aquellos desgraciados. Vio a Tolomeo que desmontaba de vuelta de su ronda de inspección y decidió acercarse a él:

—*Heghemón*...

—¿Qué hay, muchacho?

—Yo... tengo que hablar contigo.

—Te escucho.

—Aquí no.

—En mi tienda, entonces.

Se lo llevó con él y le hizo entrar en ella.

—¿Qué sucede? ¿A qué viene todo este secretismo?

—Escúchame, *heghemón* —comenzó Euríloco—. Mi hermano Epimenes, Hermolao y otros muchachos... cómo decirte... tienen extrañas ideas. Ya sabes que Hermolao junto con mi hermano y algunos de sus compañeros frecuenta a Calístenes y él les ha llenado la cabeza de estupideces acerca de la democracia y la tiranía, y el caso es que...

—¿Qué? —preguntó Tolomeo frunciendo el ceño.

—No son más que unos críos, *heghemón* —prosiguió Euríloco sin conseguir contener ya las lágrimas—. Esta vez quizá hayan renunciado, tal vez el rey sospecha alguna cosa.. No sé... He decidido hablarte para que les metas un buen susto y no lo intenten más. Aunque el rey hizo azotar a Hermolao por lo del jabalí, no sé yo si llegaría al punto de... Pero nunca se sabe...

—¡Oh, gran Zeus! —prorrumpió Tolomeo. Y enseguida gritó—: ¡*Peritas*, corre, corre adonde está Alejandro!

El perro echó a correr y se precipitó en la tienda del rey precisamente cuando su amo estaba a punto de adormecerse sobre la mesa y Hermolao se llevaba lentamente la mano al cinto, debajo de la túnica. *Peritas* le arrojó al suelo y le mordió la mano que estrechaba el puñal.

Tolomeo irrumpió inmediatamente después y apenas si tuvo tiempo de agarrar al perro por el collar antes de que le arrancase limpiamente la mano al muchacho. Alejandro, recobrándose de repente de su somnolencia por todo aquel estruendo, se puso en pie de golpe desenvainando la espada.

—Querían matarte —dijo jadeando Tolomeo mientras desarmaba a Hermolao.

El muchacho se retorcía, gritaba:

—¡Maldito, tirano, monstruo sanguinario! ¡Te has ensuciado las manos de sangre! ¡Mataste a Parmenión y Filotas, eres un asesino!

Los otros dos de guardia en el exterior trataron de alejarse, pero Tolomeo llamó a grandes voces a los trompeteros, hizo dar la señal de tumulto para los «portadores de escudo» e inmediatamente después los pajes fueron detenidos e inmovilizados cuando se daban a la fuga. Euríloco acudió llorando y suplicando:

—¡No les hagas ningún daño, *heghemón*! No les hagas ningún daño, No harán ya nada, te lo juro. ¡Entrégamelos a mí, ya les castigaré yo, les daré una buena paliza, pero no les hagas daño, te lo ruego!

Alejandro salió, pálido de cólera, mientras Hermolao seguía vomitando todo tipo de insultos y ofensas contra él en voz alta, en medio del campamento atestado ahora ya de soldados que acudían de todos lados.

—¿Qué se merecen estos hombres, rey? —preguntó Tolomeo con la fórmula ritual.

—Somételes al juicio del ejército —repuso Alejandro.

Y se retiró a su tienda.

Los jueces militares se reunieron inmediatamente y los pajes estuvieron declarando durante todo el día y la noche siguiente, sometiéndoseles a careos, induciéndoseles a caer en contradicción, golpeados y azotados hasta que confesaron. Ninguno de ellos, siquiera bajo tortura, mencionó el nombre de Calístenes, pero Euríloco, que había sido perdonado por haber salvado la vida del rey, seguía diciendo que aquellos muchachos nunca habrían concebido un plan semejante si Calístenes no les hubiera echado a perder con sus ideas. Y siguió implorando hasta el último momento que fueran perdonados. Pero en vano.

Al amanecer del día siguiente, un amanecer gris y lluvioso, fueron lapidados.

Eumenes, que había asistido tanto al proceso como a la ejecución, se acercó a la tienda de Calístenes y le encontró que temblaba, pálido como un cadáver, y se retorcía las manos por la angustia.

—Alguien ha mencionado tu nombre —le dijo.

Calístenes se dejó caer sobre un asiento con un largo suspiro.

—Entonces la cosa ha terminado para mí, ¿no?

Eumenes no respondió.

—¿Ha terminado para mí, no es cierto? —gritó más fuerte.

—Tus fantasmas han tomado cuerpo, Calístenes, el cuerpo de esos muchachos que ahora yacen bajo un montón de piedras. Un hombre como tú... ¿Acaso no sabías que las palabras pueden matar más que la espada?

—¿Me torturarán? No lo resistiré, no lo resistiré. ¡Me harán decir lo que quieran! —gritó entre sollozos.

Eumenes bajó la cabeza confuso.

—Lo siento. Sólo quería decirte que vendrán dentro de poco. No tienes mucho tiempo.

Y salió bajo la lluvia que arreciaba.

Calístenes miró en torno desesperado, buscando un arma, una hoja, pero no había nada más que rollos de papiro por todas partes, sus obras, su *Historia de la expedición de Alejandro*. Luego de golpe recordó algo que habría tenido que destruir hacía tiempo y que en cambio había conservado, quién sabe por qué. Fue a un arcón, hurgó entre jadeos por el miedo y la angustia, y finalmente cogió entre sus manos una caja de hierro. La abrió: contenía un rollo y, envuelta en un paño, una ampolla de vidrio llena de un polvo blanco. La hoja decía:

Nadie puede controlar la propagación de las enfermedades. Pero este fármaco causa los mismos síntomas.

Un décimo de *leptón* produce fiebre alta, vómito y diarrea durante dos o tres días. Luego se experimenta una mejoría y parece que el paciente está en vías de curación. El cuarto día la fiebre sube de nuevo muchísimo e inmediatamente después sobreviene la muerte.

Calístenes quemó el billete y luego ingirió todo el contenido de la ampolla. Cuando llegaron los guardias, le encontraron caído boca arriba entre los rollos de su *Historia*, con los ojos abiertos y fijos, llenos de terror.

51

La costa de Fócide se perfilaba ahora ya clara, saliendo de la oscuridad de la noche, y las nubes del cielo y las olas del mar se encendían de los colores del ocaso.

La barca navegaba empujada por un viento que soplaba, ligeramente contrario, desde el golfo de Egina. Aristóteles se acercó a la proa para observar la maniobras de atraque y poco después bajó al pequeño muelle de Itea, adonde se ajetreaban amarradores, descargadores y vendedores de objetos sacros.

—¿Quieres una oveja para hacer una ofrenda al dios? —preguntaba uno—. Aquí cuestan la mitad que en Delfos. Mira este corderillo. Son cuatro óbolos. ¿Una pareja de palomos, tal vez?

—Lo que necesito es un asno —repuso el filósofo.

—¿Un asno? —replicó estupefacto el vendedor—. Supongo que bromeas. Quién ofrecería nunca un asno al...

—No es mi intención inmolarlo, sino cabalgarlo.

—Ya, por supuesto. En ese caso, ven conmigo, pues tengo un amigo arriero que tiene unas bestias dóciles y tranquilas.

El mercader, en efecto, veía claramente que estaba ante un hombre de letras, un estudioso seguramente poco versado en equitación.

Pactaron la compensación por tres días de alquiler y un anticipo a cuenta y Aristóteles partió hacia el santuario de Apolo, solo. Era una hora ya tardía y la gente prefería normalmente subir por entre el bosque de olivos resplandecientes de plata por la mañana, a la luz del día, más que en la oscuridad, que transformaba los seculares troncos en formas amenazadoras e inquietantes. El paso tranquilo de su cabalgadura favorecía la meditación y la última tibieza del sol que descendía sobre el mar le calentaba los miembros un tanto helados por la travesía nocturna y por el viento que debía de haber acariciado las primeras nieves sobre el monte Citerón.

Pensaba en los largos años en que no había dejado nunca de indagar en la muerte del rey Filipo, de perseguir una verdad huidiza y engañosa.

Las noticias que le llegaban de Asia no le entusiasmaban desde hacía un tiempo: Alejandro parecía haber olvidado sus enseñanzas, al menos en lo que hacía a la política. Había puesto a los bárbaros en el mismo plano que a los griegos, vestía como un déspota persa, exigía la prosternación y daba crédito a las voces difundidas expresamente por su madre Olimpia acerca de su origen divino.

¡Pobre rey Filipo! Pero era una cuestión de destino, pues de todos los grandes hombres que se decía que eran los bastardos de algún dios o de alguna diosa, Heracles, Cástor y Pólux, Aquiles, Teseo..., Alejandro no podía ser una excepción. Comprensible. Es más, previsible. Y sin embargo, a pesar de esto le echaba de menos, habría dado cualquier cosa por poder verle de nuevo, por hablar con él. Quién sabe cómo era, si conservaba aquel modo suyo curioso de ladear la cabeza sobre el hombro derecho cuando escuchaba o decía palabras que llegaban al alma.

¿Y Calístenes? Bueno con la pluma, sin duda, aunque un poco acrítico, pero sin un excesivo buen sentido: ¿quién sabe cómo se las arreglaba en aquellas situaciones extremas, en aquellos lugares impracticables, entre aquellas gentes toscas y entre las intrigas de aquella corte andariega, inestable y por eso mismo aún más peligrosa? No tenía noticias de él desde hacía muchos meses, pero sin duda el correo tenía dificultades en atravesar regiones tan extensas, desiertos y mesetas, ríos llenos de remolinos, cadenas montañosas...

El filósofo acicateó a su asnillo con los talones porque quería llegar a lo alto antes de que oscureciera. Por supuesto, el asesino... Debía de tratarse de una mente diabólica si se había burlado hasta aquel momento de él y de cualquier otro. La primera pista llevaba a la reina Olimpia, pero se había revelado improbable: ¿por qué la mujer de Filipo había hecho el gesto plebeyo de coronar el cadáver del homicida? Quedaban muchos amigos del rey que habrían podido hacérselo pagar caro, tanto más cuanto que ella era extranjera y por tanto doblemente expuesta y débil en aquella situación. Luego había seguido la hipótesis del delito pasional: una historia de sexo masculino en la que Pausanias, el homicida, se vengaba en la persona de Filipo de un ultraje sufrido por el último y reciente suegro del rey, Átalo, padre de la jovencísima Eurídice. Pero Átalo estaba muerto y los muertos no hablan.

El ruido regular de los cascos del asno sobre el cascajo del camino acompañaba las reflexiones del filósofo, poco menos que marcaba el ritmo tranquilo de su pensamiento. Le vino a la mente la charla con la prometida de Pausanias, al lado de una tumba, un gélido atardecer de invierno. Y he aquí la tercera hipótesis: tan pronto como la última joven esposa de Filipo, Eurídice, había dado a luz un varón, el padre de ella, Átalo, abuelo del niño y suegro del rey, había concebido un plan audaz, el de dar muerte a Filipo y proclamarse regente en nombre del nieto, que reinaría cuando alcanzase la mayoría de edad. El plan tendría grandes posibilidades de éxito porque la madre del pequeño era macedonia de pura sangre, a diferencia de Olimpia, que era extranjera. Y habría tenido luego un remate perfecto con la muerte de Pausanias, único testigo de la conjura. Pero se trataba de una hipótesis indemostrable, porque Átalo no había hecho ningún intento desde la muerte de Filipo de tomar el poder, no había marchado sobre Pella con el ejército del que tenía el mando en Asia. ¿Tal vez por miedo a Parmenión? ¿O a Alejandro?

En cualquier caso, ¿cómo explicar las palabras de la prometida de Pausanias? Ella, que estaba sin duda bien informada, parecía creer que su amado había sido violado en una orgía por los guardas de caza de Átalo, lo que no tenía sentido, si él era su sicario. Había buscado de nuevo a la muchacha, pero le habían dicho que había desaparecido hacía mucho tiempo y que no se había vuelto a tener noticias de ella.

Quedaba una última pista, la que le llevaba al santuario de Delfos, el santuario que había emitido un vaticinio ambiguo pero verdadero sobre la muerte inminente de Filipo. Y a escasa distancia vivía, bajo nombre falso, el hombre que había dado muerte a Pausanias, el único testigo que habría podido conducir al instigador.

El filósofo se volvió hacia atrás: las últimas luces del ocaso teñían de color violáceo el espejo de agua del golfo, encerrado entre dos promontorios, y arriba, a su izquierda, el gran templo dórico de Apolo se iluminaba ya por la reverberación de los trípodes y de las lámparas. Un canto suavísimo se elevaba en el hondo silencio del anochecer.

> *¡Dios del arco de plata, esplendente Febo,*
> *que traes la luz ahora a las tierras del Elíseo,*
> *y a las Islas de los Bienaventurados en el voraginoso Océano,*
> *vuelve, vuelve, oh divino! Tráenos mañana la aurora,*
> *tu sonrisa luminosa, tras la oscura noche,*
> *madre de pesadillas, hija del Caos...*

Había llegado. Ató el asno a una anilla cerca de la fuente y se encaminó a pie a lo largo de la vía sacra, pasando por entre los templetes votivos de los atenienses, de los sifnios, de los tebanos, de los espartanos.

Todos estaban llenos de trofeos de victorias sobre la sangre fraterna, de griegos que habían dado muerte a griegos, y al contemplarlos le parecía oír lo que habría dicho Alejandro de haber podido hablar con él en aquellos momentos.

Los últimos peregrinos se alejaban y él guardián se disponía a cerrar las puertas del santuario desierto. Le rogó que esperase.

—He llegado aquí desde muy lejos y mañana antes del amanecer he de volver a irme. Te suplico que me concedas nada más que un momento, deja que dirija una plegaria al dios, una petición apremiante porque soy víctima de un terrible sortilegio, de una maldición que me persigue.

Y le ofreció una moneda.

El guardián se la metió en la bolsa diciendo:

—Está bien, pero date prisa.

Y se puso a barrer las gradas del podio.

Aristóteles entró y se deslizó acto seguido en la penumbra de la nave lateral de la izquierda recorriéndola a pequeños pasos y observando los mil objetos votivos que colgaban de la pared. Le guiaba una intuición, la sombra de un recuerdo de muchos años antes cuando, niño aún, había hecho una visita al templo que estaba a cargo de su propio padre, Nicómaco. Y un objeto votivo había llamado su atención. Aquel recuerdo, junto con la sospecha, le habían llevado entre aquellos sagrados muros.

Llegó al fondo de la nave y pasó al otro lado, bajo la mirada de madreperla del dios sentado en el trono. Prosiguió su inspección descendiendo a lo largo de la otra nave y mirando atentamente. Pero no conseguía distinguir nada que viniese a confirmar aquella imagen descolorida, aquel recuerdo remoto. Estaba demasiado oscuro. Tomó entonces un velón que colgaba de una columna, lo acercó a la pared y en su rostro se pintó una expresión de victoria: ¡no se había equivocado! Delante de él se entreveía apenas, descolorida por el tiempo, la impronta de un objeto que había permanecido colgado allí durante muchos años.

Miró a su alrededor para asegurarse de que no había nadie, luego levantó con una mano la lámpara y con la otra extrajo de la alforja la espada celta que había matado al rey Filipo aquel día en Egas. La acercó lentamente, casi con temor, a la impronta de la pared: ¡coincidía perfectamente!

Estaban aún los dos clavos con los que se correspondían las curvaturas de la empuñadura de la espada de antenas de mariposa y Aristóteles la volvió a colgar en su sitio.

—¿Qué, has terminado ya con tus plegarias? —resonó la voz del guardián desde el exterior—. He de cerrar.

—Ya voy —repuso el filósofo y salió apresuradamente dándole las gracias.

Pasó la noche bajo el pórtico, envuelto en su manto como el resto de los peregrinos, pero durmió bastante poco. ¡La anfictionía! ¿Era posible? ¿Era posible que el santuario más venerado del mundo griego hubiera provocado la muerte del rey Filipo? Tal vez aquella sombra en el muro fuese tan sólo una extraña coincidencia, tal vez quería ver a toda costa una solución al enigma que había desafiado durante años su inteligencia. Y sin embargo aquella hipótesis era la única para la cual existía una prueba objetiva: ¡la espada que había servido para dar muerte al rey provenía del templo! Y a fin de cuentas la hipótesis era también plausible: ¿podía la más alta autoridad de toda la Grecia ecuménica estar sujeta para siempre a la voluntad de un único hombre? ¿Y no era una muestra de inteligencia divina dar muerte a un gran rey en el momento en que casi todos podían ser inculpados de su asesinato?

Los atenienses que veían en él a un opresor y al usurpador de su primacía, los supervivientes tebanos que le odiaban ferozmente por la matanza de Queronea, los persas que temían su invasión de Asia, la reina Olimpia que le odiaba por haberla humillado y haber preferido a Eurídice, el príncipe Amintas, al que Filipo había privado de su legítima sucesión. Hasta el mismo Alejandro, de llevar las cosas al extremo, resultaba sospechoso. Todos. Y por tanto nadie. Sublime. Y el móvil era de aquellos que justifican cualquier crimen: el poder sobre las mentes de los hombres, mucho más fuerte y más importante que cualquier otro poder en el mundo, semejante, más que cualquier otro, al poder de los dioses.

Pero quedaba una última comprobación: el hombre que había matado a Pausanias y que vivía, según sus informadores, cultivando una heredad propiedad del santuario.

Se levantó cuando estaba aún oscuro, albardó su asno y reanudó viaje. Bajó cerca de unos diez estadios por el camino que conducía al mar; luego se desvió por un camino de herradura que se alejaba por la derecha y que se adentrada en un pequeño llano con bancales para el cultivo de la vid.

Sí, la casa debía de estar allí abajo, una vez pasada la viña, una casita baja cubierta de tejas de barro cocido, precedida por un pequeño pórtico de columnas de madera de olivo, cerca de una vieja encina centenaria.

Entró en la era, donde un grupito de cerdos hozaban y comían bellotas esparcidas al pie de la encina y preguntó:

—¿Hay alguien? Eh, ¿hay alguien?

No hubo respuesta. Bajó del asno y llamó a la puerta, que se abrió dejando entrar un rayo de luz en su interior.

Era él. Y colgaba de una cuerda atada a las vigas del techo.

Aristóteles retrocedió espantado, llegó hasta su asno y lo puso al trote, alejándose lo más deprisa posible.

Llegó a Atenas tan pronto como pudo y durante un día no quiso recibir a nadie. Destruyó sus apuntes y las copias de las cartas que había enviado a su sobrino sobre aquel particular. En el expediente de las indagaciones dejó tan sólo unas anotaciones vagas y genéricas, y comenzó a escribir una conclusión: «La causa del crimen hay que buscarla probablemente en una sórdida historia de relaciones sexuales entre hombres...».

Hacia finales de mes, un correo llamó a su puerta y le hizo entrega de un voluminoso paquete sellado. Aristóteles lo abrió y vio que contenía algunos objetos personales de Calístenes así como todas las cartas que le había escrito. Aparte había un rollo con el sello de Tolomeo, hijo de Lago, guardia personal del rey Alejandro, comandante de cuerpo de ejército de la milicia macedonia. Lo abrió con las manos temblorosas y leyó:

Tolomeo a Aristóteles, ¡salve!

El cuarto día del mes de Elafebolión del tercer año de la centésimo décimo tercera Olimpíada, tu sobrino Calístenes, historiador oficial de la expedición de Alejandro, fue encontrado muerto en su tienda; Filipo, el médico del rey, ha verificado que el deceso tuvo lugar como consecuencia de la ingestión de un poderoso tósigo. Un grupo de jóvenes pajes había tramado la muerte del rey y, aunque ninguno de los acusados durante la declaración hiciera mención de nombre de Calístenes, había ya quien le atribuía una especie de responsabilidad moral en aquel delictivo plan. Parecía extraño, en efecto, que unos muchachos tan jóvenes llegasen al punto de tratar de asesinar a su rey si alguien no les hubiera inspirado para hacerlo. Hay razones para creer que tu sobrino ha querido prevenir con el suicidio una condena mucho más penosa.

El rey no se ha visto con fuerzas para escribirte, al estar su ánimo turbado por muchos y encontrados sentimientos, y he decidido hacerlo yo en su lugar.

Sé que esta noticia te llegará con un gran retraso porque ahora atravesamos un territorio extremadamente impracticable para emprender la invasión de la India. He querido, además, enviarte la copia de la *Historia de la expedición de Alejandro* que el propio Calístenes había hecho realizar a su escribano a fin de que puedas leerla. Por desgracia el lamentable suceso de su muerte deja su obra inconclusa. He pensado, de todos modos, transmitirte las noticias de los hechos acaecidos hasta este momento, así como los episodios sobresalientes de la expedición india, por si quisieras llevar a su término la obra de tu sobrino del modo que consideres más oportuno.

Quisiera además contarte una historia que tal vez encuentres interesante. Vivía en el campamento desde hacía mucho tiempo un hombre de Hélide de nombre Pirrón. Había comenzado su carrera como pintor pobre y casi desconocido y había seguido la expedición con la esperanzas de hacer un poco de fortuna. Pero durante estos años ha tratado con los magos en Persia y posteriormente con los sabios indios, tras haber frecuentado largo tiempo a Calístenes. Está extrayendo de todas estas experiencias una nueva filosofía, con que quizá, por lo que yo puedo comprender, ganará no pequeña fama.

Espero que a la recepción de mi carta te encuentres bien de salud. Cuídate.

52

Sólo a finales del mes, cuando comenzaron los primeros fríos, Aristóteles se decidió a leer la relación de Tolomeo, una exposición sucinta pero eficaz que podría proporcionarle la base para la prosecución de la obra de Calístenes.

El ejército se puso en camino atravesando el Paropámiso o Cáucaso indio, como alguno prefiere llamarlo, a costa de grandes sacrificios. El frío eran tan intenso en los puertos de montaña que una noche algunos de los centinelas fueron encontrados muertos, apoyados todavía contra los árboles de sus puestos de guardia, con los ojos fijos y con los bigotes y la barba incrustados de hielo. Alejandro se distinguió una vez más por su profunda humanidad. Tras haber visto a un veterano en el límite de sus fuerzas que temblaba por el frío, hizo coger su trono, que estaba hecho de madera, y lo mandó quemar para que pudiera calentarse. Llegamos al cabo de nueve días de marcha a la ciudad de Nisa, adonde sostenían sus habitantes que había llegado Dioniso en sus peregrinaciones hacia la India. La prueba que aducían es la presencia de un tal monte Meros, que en griego significa «muslo», por el hecho de que Dioniso nació de un muslo de Zeus. Además decían que es el único lugar de la India en el que nace la hiedra, planta consagrada al dios.

Todos se coronaron de hiedra y celebraron grandes fiestas y orgías, bebiendo, danzando el *komos* y gritando: ¡*Euoé!*».

Allí el ejército fue dividido en dos contingentes. El confiado a Hefestión y a Pérdicas descendió el valle de un torrente de la meseta hasta su confluencia con el Indo para construir allí un puente. El otro, del que yo mismo formaba parte junto con el rey y los demás compañeros, marchó hacia el alto curso del Indo para someter las ciudades que se encuentran en aquellos valles, Masaga, Bacira y Ora, que cayeron después de repetidos asaltos. La más grande de todas era Aornos, de más de veinte millas de circunferencia, situada a una altura de ocho mil pies, defendida por una quebrada que caía a pico a todo su alrededor.

El rey hizo construir un terraplén y una rampa y yo tomé posición de noche en una avanzadilla desde la que podía amenazar a la ciudad en uno de sus puntos débiles. Los indios se defendieron con gran valentía, pero al final los arietes consiguieron abrir una brecha y el ejército irrumpió en su interior. Unimos nuestras dos tropas y tomamos la ciudad con un asalto simultáneo. Alejandro ofreció a los indios la posiblidad de enrolarse en su ejército como mercenarios, pero éstos prefirieron darse a la fuga para no combatir contra sus hermanos.

Capturamos en esas ciudades un cierto número de elefantes, que Alejandro aprecia muchísimo. Son animales extraordinarios, de mole enorme, con unos grandes colmillos que les salen de la boca. Pueden llevar sobre su lomo torres con guerreros armados y son guiados por un hombre que se sienta sobre su cuello y los acicatea con los talones. Si en la batalla este hombre cae muerto, el elefante de desmanda y no sabe ya adónde ir.

Los indios son altos de estatura, más oscuros de piel que el resto de los humanos a excepción de los etíopes y muy valientes en el combate. Una vez conquistada Aornos, el rey dejó en ella una guarnición y, como gobernador, a un príncipe indio que antes estaba con Beso y que luego se pasó a nuestro bando. Se llama Sashagupta en su lengua, pero los griegos le llaman Sisicoto. En Aornos tomamos un botín de doscientos cincuenta mil bueyes, entre los cuales se eligieron los más fuertes y hermosos para mandarlos a Macedonia para arar los campos y para mejorar la raza de los nuestros. Alejandro mandó construir barcas y también dos naves de veinticinco remos y comenzamos el descenso del río Indo, que es grandísimo y navegable, por lo que yo sé, en gran parte de su curso.

Llegamos así al punto en que Pérdicas y Hefestión habían terminado de construir el puente sobre el río en las inmediaciones de una ciudad llamada Taxila, que nos dispensó una amigable acogida. Su rey, un indio de nombre Taxiles, ofreció a Alejandro veinticinco elefantes y trescientos talentos de plata. Oro he visto poco. En cuanto a las leyendas según las cuales habría en estas tierras hormigas gigantes que extraen de las montañas el oro que posteriormente es guardado por grifos alados, no he encontrado ninguna prueba fehaciente de ello y creo que deben considerarse historias carentes del menor fundamento.

De ahí avanzamos hasta las orillas del río Hidaspes, el primero de los afluentes del Indo, ancho y turbulento por las grandes lluvias que habían caído en las montañas. Del otro lado, había un rey indio de nombre Poro con un ejercito numeroso: treinta mil infantes, cuatro mil jinetes, trescientos carros de guerra y doscientos elefantes. Era imposible para nosotros cruzar porque Poro seguía desplazándose cada vez en nuestra misma dirección para impedirnos vadear. Entonces Alejandro dio orden a las tropas de moverse de continuo, incluso de noche, lanzando gritos y armando un gran alboroto, de modo que nuestros enemigos no comprendieran ya nada, y Poro decidió plantar el campamento en un determinado punto y esperarnos allí.

Nosotros dejamos a Crátero enfrente de él con un cierto número de soldados y seguimos a Alejandro, que remontaba el río con la caballería de los *hetairoi*, los arqueros a caballo, los agrianos y la infantería pesada. Entretanto se había desencadenado un temporal con truenos ensordecedores y rayos, lo cual hizo desistir a los indios de aventurarse a merodear por las orillas del Hidaspes. El vado resultó extremadamente difícil, sólo superable por la presencia de una isleta en medio del río. Los hombres atravesaron con el agua hasta las axilas, mientras que los caballos se hundían hasta la cruz. Alejandro, por más que hubiera prometido de nuevo no llevar ya a *Bucéfalo* a la batalla después de Gaugamela, decidió montarlo en aquella ocasión porque únicamente su poderosa mole podía permitirles arrollar a los jinetes enemigos que poseían caballos veloces pero más pequeños.

Al amanecer, Poro se enteró de que las tropas macedonias habían cruzado el río y mandó contra nosotros a su hijo con un millar de jinetes. Le arrollamos al primer asalto y el propio joven cayó muerto. Poro se dio cuenta entonces de que era Alejandro quien había cruzado el Hidaspes en aquella noche de tempestad y lanzó contra él a todo su ejército. Alineó delante todos los carros de guerra, detrás los elefantes y a continuación la infantería de línea; la caballería fue situada en los flancos. Él mismo, que era de estatura gigantesca, montaba un elefante de enormes proporciones y, tan pronto como se entabló batalla, mandó el asalto con grandes gritos, incitando a su animal.

Los primeros en partir al ataque fueron los carros, pero el terreno empapado de lluvia aminoró la carrera hasta el punto de que fue fácil para nuestros arqueros a caballo alcanzarles y abatir a los aurigas.

Una vez superada la línea de los carros, Alejandro lanzó al asalto la caballería sobre las alas, entablando un furioso cuerpo a cuerpo contra la caballería india, que se batía con gran valor. Entretanto Poro mandó adelante a los elefantes contra nuestro centro y aquellas bestias enormes causaron una matanza al pasar a través de las filas compactas de la falange. Entonces Pérdicas y Hefestión dieron orden de abrir las filas y de dejar pasar a los elefantes, al mismo tiempo que Lisímaco empezaba a dispararles con las catapultas que había conseguido finalmente volver a montar tras el paso del río. Mandamos al ataque de aquellos monstruos también a los arqueros a caballo y a los lanzadores de jabalina, que les golpearon e hirieron de todos los modos posibles. Los arqueros de a pie apuntaban contra sus conductores y les abatían uno tras otro. Locos de dolor y de miedo, los elefantes comenzaron a desmandarse y a correr hacia todos lados, también lanzándose sobre sus propios soldados, sin distinguir ya entre amigos y enemigos.

En aquel punto, puestos fuera de combate los elefantes, Pérdicas volvió a formar en orden compacto a la falange y la mandó al ataque, lanzando grandes gritos de guerra para incitar a sus hombres y batiéndose él mismo en primera línea. En el otro lado, Poro seguía adelante y combatiendo con increíble energía. Su elefante avanzaba como una furia, aplastando a todos aquellos que encontraba a su paso y tenía las patas sucias de sangre y de trozos de vísceras hasta la misma rodilla, mientras Poro, embutido en una armadura impenetrable, lanzaba docenas de jabalinas con la fuerza de una catapulta.

La batalla arreció durante ocho horas seguidas, sin tregua, hasta que por fin Alejandro, que mandaba *La Punta* por el ala derecha, y Koinos, que mandaba el ala izquierda, consiguieron poner en fuga a la caballería enemiga y converger en el centro. Los indios, completamente rodeados, se rindieron y el mismo Poro, herido en el hombro derecho, el único punto de su cuerpo no protegido por la armadura, comenzó a tambalearse.

Fue conmovedor ver cómo el elefante se había dado cuenta de que su amo se hallaba en dificultades. Aminoró su carrera hasta detenerse, se arrodilló para permitir a Poro deslizarse lentamente al suelo y luego, cuando le vio tendido, trató de extraerle la jabalina de la herida. Los conductores se lo llevaron, de modo que el rey indio pudo ser entregado a nuestros cirujanos, que se cuidaron de él.

Alejandro quiso ir a verle tan pronto como supo que estaba en condiciones de mantenerse en pie y se quedó impresionado por su gigantesca estatura: Poro medía más de siete pies de alto y su armadura de acero resplandeciente se adhería a su cuerpo como una segunda piel. Le había mandado primero como intérprete al rey Taxiles, su aliado, pero Poro, considerándole un traidor, trató de darle muerte. Entonces fue él personalmente con otro intérprete y le saludó con gran respeto, elogiándole por su valor y lamentando la pérdida de sus hijos, ambos caídos en combate. Por último le preguntó: «¿Cómo deseas ser tratado?».

Y él respondió: «Como un rey».

Y como un rey fue tratado: Alejandro le dejó el gobierno de todos los territorios que había conquistado hasta aquel momento y le volvió a instalar en su palacio.

Pero la alegría por aquella victoria tan difícil y reñida, librada, puede decirse, contra un enemigo casi sobrehumano y contra monstruos de espantosa fuerza física y de aspecto aterrador contra los cuales los macedonios nunca antes habían entrado en contacto, se vio entristecida por un acontecimiento luctuoso que sumió al rey en la más profunda consternación. Su caballo *Bucéfalo*, herido en el curso del combate y cojo tras el choque contra un elefante, murió al cabo de una agonía de cuatro días.

El rey le lloró como si hubiera muerto un amigo íntimo y se quedó con él hasta que exhaló el último aliento. Yo estaba presente y le vi mientras le acariciaba dulcemente hablándole en voz baja, recordándole todas las aventuras que habían vivido juntos y *Bucéfalo* relinchaba débilmente como si quisiera responderle. Vi correr las lágrimas por el rostro del rey y le vi sacudido por los sollozos cuando el caballo expiró.

Le hizo construir una tumba de piedra y fundó una ciudad en su honor, llamándola Alejandría Bucéfala, honor que nunca había sido dispensado hasta entonces a caballo alguno, ni siquiera a los más famosos vencedores de las carreras en Olimpia. Pero en aquella tumba Alejandro ha dejado enterrada también una parte de su corazón y el período más feliz de su juventud perdida.

En las inmediaciones del campo de batalla en que había derrotado a Poro, fundó otra ciudad con el nombre de Alejandría Nicea, en conmemoración de la victoria; celebró en ella unos juegos y ofreció sacrificios a los dioses. Desde ahí avanzamos hacia oriente animados por Poro, que nos dio cincuenta mil de sus soldados, y llegamos al Acesines, segundo afluente del Indo, un río de rápida y turbulenta corriente, lleno de rocas contra las cuales las aguas rebullen espumeando. Muchas de nuestras barcas se estrellaron contra dichas rocas y se fueron a pique con los hombres que llevaban a bordo, pero luego encontramos un punto en el que el río era más ancho y más tranquilo y conseguimos cruzarlo. Conquistamos setenta ciudades, de las cuales la mitad tenían más de cincuenta mil habitantes y finalmente nos detuvimos bajo las murallas de Sangala, a orillas del Hidraotes.

No sé qué sucederá ahora, si conseguiremos tomar esta ciudad, si atravesaremos también este río. Y después del río un desierto y luego un bosque impenetrable y luego otros reinos fuertes de cientos de miles de guerreros. Nuestro esfuerzo se ha vuelto insostenible. En los bosques se ve reptar serpientes de proporciones espantosas, verdaderos monstruos: una de ellas, muerta por Leonato de un hachazo, medía dieciséis codos.

Aristóteles suspiró. ¡Dieciséis codos! Se puso en pie para medir aquella dimensión con los pasos y hubo de salir por la puerta porque la estancia en la que se encontraba no era lo suficientemente larga. Volvió a sentarse y reanudó la lectura.

Las tierras cultivadas son muy fértiles, pero el bosque parece rodearlas por todas partes y asediarlas, en un cierto sentido. Por todas partes hay un gran número de monos de todos los tamaños y tienen la curiosa costumbre de imitar todo cuanto ven hacer. Algunos de ellos resultan impresionantes por la expresión de su mirada, que se diría casi humana, como puedes ver tú mismo.

Al lado de aquellas palabras, Tolomeo había hecho dibujar al carboncillo uno de aquellos monos, probablemente por un artista, dada la gran pericia de la ejecución, y la mirada del animal impresionó profundamente al filósofo, provocándole casi un sentimiento de desagrado, una sensación inquietante.

Hay, además, árboles que los indios denominan *banyan*, de tamaño increíble. Éstos alcanzan una altura de setenta codos y son tan gruesos que cincuenta hombres juntos no puden abarcarlos. En una ocasión vi a más de ciento cincuenta hombres protegerse del sol a la sombra de uno de esos gigantes.

Hay serpientes de todos los tipos. Algunas tienen el aspecto de una verga de bronce, otras son de un color oscuro, extienden el cuello en una especie de cresta con dos manchas en forma de aros. Si alguien es mordido por ellas, muere casi al instante entre indecibles dolores, cubierto de un sudor sanguinolento. Las primeras veces que nos topabamos con estos animales, nos quedábamos despiertos la noche entera del terror a que nos picaran mientras dormíamos, pero aprendimos a encender fuegos alrededor de los campamentos y los indígenas nos enseñaron el uso de determinadas hierbas como antídoto contra el veneno.

Son, en cualquier caso, más peligrosas que el tigre que frecuenta estos bosques impenetrables, porque de éste, dicen, puede uno defenderse con una buena espada o con una buena jabalina. El tigre es mayor que el león, con un pelaje de colores magníficos, a rayas ocres y negras, y su rugido hace estremecerse los aires de la noche a increíble distancia. Yo no he visto nunca ninguno, pero sí he visto una piel y por esto puedo describirlo.

Ahora debo detenerme, las lluvias torrenciales vuelven imposible escribir: la humedad hace que se aje todo, los hombres se enferman, otros acaban entre las fauces de los cocodrilos que pululan por doquier porque los ríos se desbordan y sus aguas inundan los campos por miles y miles de estadios. Yo mismo no sé cuándo recuperaré la esperanza de vivir como un hombre y no como un bruto.

Sólo él parece no conocer el cansancio ni el desaliento ni temor de ningún género. Avanza siempre delante de todos, se abre paso cortando con la espada las plantas que estorban el camino, socorre a quien cae, exhorta a quien está cansado. Y tiene en la mirada una luz ardiente, como cuando le vi salir, hace ya mucho tiempo, del templo de Amón en el desierto de Libia.

El relato de Tolomeo se interrumpía en aquel punto y Aristóteles cerró el rollo y lo guardó en un estante.

Pensó en Calístenes y sus ojos se humedecieron. Su aventura había tenido un miserable fin en una región de los confines del mundo y acaso el miedo le había matado antes que el veneno. Le compadeció, sabedor de que sus ideas habían sido mucho más fuertes que su ánimo y coraje. Le hubiera gustado ayudarle, en el momento supremo, y leerle las últimas palabras de Sócrates: «Y ahora ya es tiempo de irse, yo hacia la muerte, vosotros hacia la vida...», pero tal vez él no las hubiera siquiera oído, atrapado en los anillos del terror.

Aristóteles apagó la lámpara y, mientras se acostaba suspirando en la habitación vacía, bajo los rayos diáfanos de la luna de otoño, se preguntó si Alejandro había sentido piedad.

53

Hefestión llegó a la tienda del rey corriendo bajo la lluvia que arreciaba, levantado salpicaduras de barro. Los soldados de guardia le hicieron entrar y él se acercó al brasero encendido que difundía más humo que calor. Alejandro fue a su encuentro y Leptina le ofreció un manto seco.

—Sangala se ha rendido —anunció—. Eumenes está terminando de hacer el recuento de los muertos y heridos.

—¿Muchos?

—Por desgracia, sí. Más de mil... entre mil y mil quinientos. Varios oficiales. También Lisímaco está herido, pero parece que no de mucha gravedad.

—¿Y ellos?

—Diecisiete mil muertos.

—Una carnicería. Han presentado una resistencia denodada.

—Y tenemos un enorme cantidad de prisioneros. Nos hemos apoderado además de trescientos carros de guerra y de setenta elefantes.

Entró Eumenes, calado también hasta los huesos.

—Ya tengo el recuento definitivo. Tenemos quinientos muertos, ciento cincuenta de ellos macedonios y griegos, y mil doscientos heridos. Lisímaco tiene una fea herida en el hombro, pero no peligrosa, por el momento. ¿Algo más que ordenar?

—Sí —respondió Alejandro—. Partirás mañana y te dirigirás a las otras dos ciudades que se encuentran entre este lugar y el Hífasis. Llévate a algún prisionero que les cuente qué ha sucedido en Sangala. Si reconocen mi autoridad, no habrá más muertos ni más matanzas. Entretanto nosotros nos mantendremos detrás con el resto del ejército.

Eumenes asintió y salió al aire libre con el manto sobre los hombros, mientras un relámpago cegador iluminaba todo el campamento con una luz azulada y un trueno estallaba casi justo encima de la tienda del rey.

—Yo voy a vigilar el traslado de los prisioneros —dijo Hefestión—. Si puedo, volveré a pasar por aquí antes de que se haga de noche a informar.

Llegó a la empalizada que rodeaba el campamento manteniendo el escudo sobre la cabeza y vio que los prisioneros estaban pasando entre dos filas de *pezetairoi* inmóviles bajo la lluvia torrencial, seguidos por oficiales a caballo que les llevaban hacia un amplio recinto en las cercanías de la puerta del lado de poniente, donde habían sido preparadas tiendas suficientes para acoger a poco más de la mitad. Se aseguró de que las mujeres y los niños encontraran un buen abrigo y luego hizo albergar a los hombres que se apiñaban unos contra otros en un hacinamiento espantoso, con los pies dentro del barro.

Levantó los ojos al cielo atestado de negros nubarrones cargados de lluvia, y luego al horizonte sobre el cual caían rayos cegadores, con machacona frecuencia. Un cielo monstruoso, una lluvia incesante, continua. ¿Qué país era aquél? ¿Y qué encontrarían más allá del río que Alejandro quería alcanzar?

En aquel momento estalló un relámpago entre los galopantes nubarrones, tan cegador que iluminó la entera región y la ciudad, y se le apareció una figura espectral: un hombre solo, semidesnudo, esquelético, que avanzaba a través de las puertas abiertas del campamento. Hefestión se le acercó perplejo y desconcertado y gritó para ser oído en medio de ruido ensordecedor de los truenos:

—¿Quién eres? ¿Qué quieres?

El hombre respondió algo incomprensible, pero no se detuvo: siguió caminando entre las tiendas hasta encontrarse bajo la copa de un enorme *banyan*. Se sentó allí en el suelo sobre sus talones, cruzó las manos sobre el regazo con las palmas vueltas hacia arriba y el índice y el pulgar de la mano derecha unidos y se quedó inmóvil como una estatua bajo el ruido de la lluvia.

A escasa distancia, Aristandro estaba asomado bajo la techumbre del templete de madera que había hecho erigir para proteger al campamento y se encontraba inmolando una oveja a los dioses a fin de que hicieran cesar la lluvia. De golpe sintió una dolorosa punzada en la nuca y oyó una voz que claramente le llamaba.

Se volvió de golpe y descubrió al hombre que avanzaba con paso lento y seguro a través del campamento. No había ningún otro que pudiera haberle llamado y se quedó profundamente impresionado. Salió sosteniendo sobre la cabeza el manto y caminó a su vez hacia el *banyan*.

Hefestión vio que trataba de comunicarse con el indio inmóvil y semi-desnudo y luego le vio buscar protección en una cavidad del árbol y sentarse a su vez en el suelo.

Sacudió la cabeza y, manteniendo en todo momento sobre sí el escudo, alcanzó su tienda, se secó lo mejor que pudo y se puso unas ropas secas.

Llovió durante toda la noche con espantosos truenos y rayos que estallaban en las inmediaciones, incendiando árboles y cabañas. A la mañana siguiente asomó el sol, y cuando el rey salió de la tienda, se encontró frente a Aristandro.

—¿Qué hay, vidente?

—Mira. Es él.

Y le señaló al hombre esquelético y desnudo sentado bajo el *banyan*.

—¿Quién?

—Él, el hombre desnudo de mis pesadillas.

—¿Estás seguro?

—Le he reconocido al instante. Lleva sentado allí inmóvil desde ayer por la noche. Se ha quedado en esa posición, como una estatua, durante toda la noche, mientras arreciaba el temporal, sin un estremecimiento ni pestañear.

—¿Quién es?

—He preguntado a los otros indios. Nadie lo sabe. Nadie le conoce.

—¿Tiene nombre?

—No lo sé. Creo que es un chamán, uno de sus filósofos y sabios.

—Llévame hasta él.

Echaron a andar hundiéndose en el espeso barrizal que cubría todo el campamento hasta que se encontraron frente al misterioso visitante. Alejandro recordó de inmediato a Diógenes, el filósofo desnudo que había visto en una tibia tarde otoñal tendido delante de su tinaja, y notó un nudo de emoción en la garganta.

—¿Quién eres? —le preguntó.

El hombre abrió los ojos y le miró con una intensidad fulgurante, pero no abrió la boca.

—¿Tienes hambre? ¿Quieres venir a mi tienda? —Se volvió hacia Aristandro—. Pronto, haz venir a un intérprete.

—¿Tienes hambre? ¿Quieres venir bajo mi tienda? —repitió cuando hubo llegado el intérprete.

El hombre indicó una minúscula escudilla que tenía delante. Y el intérprete explicó que aquellos santones, ascetas que buscaban la imperturbabilidad eterna, vivían de la limosna y que le bastaría con un puñado de su trigo hervido, nada más.

—Pero ¿por qué no quiere entrar en mi tienda, secarse, calentarse y comer lo suficiente?

—No es posible —dijo el intérprete—. Interrumpiría su camino hacia la perfección, la disolución en el todo, la única paz posible, la única liberación del dolor.

«*Panta rei* —pensó Alejandro—. Las ideas de Demócrito... todo se disuelve y todo se reconstituye en otras formas. También la mente... El naufragio como única esperanza...»

—Dale su comida —mandó—, y dile que me sentiré dichoso de hablar con él cuando lo desee.

El intérprete respondió:

—Ha dicho que hablará contigo tan pronto como haya aprendido tu lengua.

Alejandro hizo una inclinación y volvió a su tienda, mientras las trompas tocaban a reunión para la tropa. Se partía en dirección al Hífasis, el último de los afluentes, el último obstáculo hacia la India profunda e inmensa, hacia el Ganges, hacia la fabulosa Palimbotra, hacia las orillas últimas del Océano.

El ejército se puso en movimiento y se adentró por una rada boscosa que se espesaba cada vez más a medida que se acercaba al río. Al segundo día se puso a llover a cántaros y llovió también al tercero y al cuarto, entre relámpagos, rayos y truenos ensordecedores. Los guías indios explicaron que aquélla era la estación de las lluvias y que duraba de ordinario setenta días. Cuando llegaron a orillas del Hífasis crecido y turbio, el rey celebró un consejo de guerra en su tienda. Estaban presentes el almirante Nearco, el vicealmirante Onesícrito, que se había distinguido mucho en las últimas operaciones de cruce de los ríos y en el descenso del Indo desde Aornos hasta Taxila, Hefestión, Pérdicas, Crátero, Leonato, Seleuco, Tolomeo y Lisímaco. Desaparecida la vieja guardia de Filipo, los muchachos de Mieza eran ahora los comandantes supremos de todas las grandes unidades de combate del ejército.

Estaba presente también un rey indio aliado de nombre Phagaias, que conocía perfectamente las tierras que se extendían allende el Hífasis.

Alejando comenzó:

—Amigos míos, hemos llegado ya adonde ningún griego había llegado hasta ahora, más allá de los lugares alcanzados por el mismo dios Dioniso en su peregrinación. Y esto gracias a vuestro soberbio valor, a vuestro temple excepcional, a vuestro heroísmo y al de nuestros soldados. Queda el último gran paso que dar. Una vez cruzado el último afluente del Indo, no habrá ya obstáculos para nuestro avance hasta el

Ganges y las orillas del Océano. Habremos llevado a término en ese momento la gesta más grandiosa jamás realizada en toda la historia de los hombres y de los dioses. Habremos dado cuerpo al más grande sueño que nunca haya sido concebido. Ahora creo que nuestro almirante Nearco debería hablarnos de su plan para cruzar el río, después de lo cual los comandantes de las unidades de combate expondrán su punto de vista sobre el orden de marcha que conviene adoptar.

Un trueno estalló en aquel momento sobre la tienda, tan fuerte que hizo temblar los objetos que había sobre la mesa. Siguieron unos interminables momentos de silencio y el ruido de la lluvia pareció agigantarse hasta lo inverosímil.

Tolomeo intercambió una rápida mirada con Seleuco y fue el primero en hablar:

—Escucha, Alejandro, nosotros te hemos seguido hasta aquí y estamos dispuestos a seguirte todavía, a marchar por el fango, por las zonas pantanosas, entre serpientes y cocodrilos, estamos dispuestos a atravesar otros desiertos y otras montañas, pero tus soldados no. —Alejandro le miró lleno de asombro, como si no creyese lo que oía—. Tus hombres están extenuados y no pueden más.

—¡No es cierto! —exclamó Alejandro—. Han derrotado a Poro y conquistado docenas de ciudades.

—Y es por esto por lo que están exhaustos, agotados. Pero ¿no les ves? Mírales, Alejandro, detente y mírales mientras avanzan bajo la lluvia incesante con el lodo hasta las rodillas, las barbas sin arreglar, los ojos enrojecidos por el insomnio. ¿Has contado cuántos de ellos han muerto por hacer realidad tu sueño? ¿Los has contado, Alejandro? Muertos por las heridas, por llagas no cicatrizadas, de gangrena, por el veneno de las serpientes, por la mordedura de los cocodrilos, de fiebres de pestes, de disentería. Enflaquecidos y macilentos, se han arrastrado hasta ese remoto confín del mundo, pero tienen miedo: ¡no de los enemigos, de sus carros de guerra y de sus elefantes, no! Tienen miedo de esta naturaleza espantosa y ajena, de este cielo perpetuamente sacudido por los truenos y desgarrado por los rayos, de los monstruos que se arrastran por los bosques y los pantanos, tienen miedo hasta del mismo firmamento nocturno cuando ven las constelaciones que desde niños les han sido sido familiares desaparecer y casi hundirse tras el horizonte. Mírales, Alejandro, no son ya ellos, pues sus ropas están desgarradas y se ven obligados a cubrirse con harapos y con la vestimenta de los bárbaros que han sometido, a sus caballos se les han desgastado las pezuñas por las marchas sin fin y dejan un rastro de sangre en el terreno.

—¡Yo he sufrido lo que han sufrido ellos, he padecido el frío con ellos, el hambre y la sed, la lluvia y las heridas! —gritó el rey abriéndose el vestido a la altura del pecho y mostrando las cicatrices.

—Sí, pero ellos no son tú, no tienen ni tu energía ni tu fuerza vital. No son más que hombres. Y están agotados, exhaustos, postrados. No saben ya nada de sus familias, desde hace años; piensan con nostalgia en sus mujeres y en los hijos que dejaron hace demasiado tiempo.

»Piensa en aquellos a los que has obligado a permanecer en las guarniciones, castigando a veces por deserción a aquellos que no se veían con fuerzas para quedarse. También esto les espanta. Temen que llegue un heraldo para mandarles que se queden para siempre de defensa en alguna perdida avanzadilla, que olviden para siempre a la familia de origen y la patria. Llévales de nuevo a casa, Alejandro, en nombre de todos, llévales a casa.

Tolomeo calló agachando la cabeza y también todos los demás compañeros se quedaron mudos. Un rayo golpeó en el suelo con espantoso fragor y el trueno resonó largamente como el retumbo de un tambor lejano.

Alejandro esperó a que se desvaneciese.

—¡Habla claro, Tolomeo! —exclamó—. ¿Es una insubordinación? ¿Se vuelve mi ejército contra mí? ¿Y mis oficiales, mis más íntimos amigos son sus cómplices?

—¿Cómo puedes decir una cosa semejante? ¿Cómo puedes acusar a los soldados de un crimen así? —prorrumpió Hefestión. Y a las palabras del más querido de sus compañeros Alejandro se estremeció—. Nadie quiere desobedecerte, nadie quiere obligarte contra tu voluntad. Tolomeo tiene razón. Si quieres seguir adelante, sigamos. Nosotros te seguiremos, nosotros tus amigos que juramos no dejarte nunca, por ningún motivo, pero tus soldados tienen derecho a volver a la vida. Ya han pagado bastante, han dado todo cuanto podían. Están vacíos, acabados. Nos han implorado que te convenzamos y eso es lo que estamos haciendo. Nada más. Y ahora piénsalo. Manda a tu heraldo a decirnos qué quieres que hagamos y nosotros lo haremos.

Salieron uno tras otro bajo el temporal que arreciaba.

El rey se encerró en su tienda durante dos días sin ver a nadie, sin probar la comida, maldiciendo la suerte que le impedía alcanzar la meta cuando ya estaba a punto de tocarla con la mano. Ni siquiera Roxana, la esposa adorada que había querido seguirle a toda costa y compartir con él todos los riesgos y fatigas, conseguía consolarle.

—¿Por qué no quieres hacer caso a tus amigos? —le decía con su griego aún inseguro—. ¿Por qué no quieres hacer caso a aquellos que te quieren y que no te han dejado nunca solo en tantos años? ¿Por qué no te compadeces de tus soldados?

Alejandro no respondía: la miraba fijamente con ojos llenos de desesperación.

—Así pues, ¿tan importante es para ti conquistar otras tierras aparte de las que ya posees? ¿Crees que tal vez encuentres la felicidad apoderándote de otras regiones, de otras ciudades, de otras riquezas? Oh, *Aléxandre*, dime lo que deseas allende ese río, te lo ruego. Díselo a Roxana que te ama.

El rey dejó escapar un largo suspiro.

—Tenía cinco años cuando huí por primera vez de casa de mis padres. Quería alcanzar las montañas de los dioses. Desde entonces siempre he tenido el deseo de saber lo que hay tras el alba y tras el ocaso, tras los montes y tras las llanuras, más allá de la luz y de las tinieblas, del bien y del mal, más allá de todo.

Roxana sacudió la cabeza: no conseguía comprender. Aquellas palabras eran demasiado difíciles para ella, pero comprendía su mirada y percibía su angustia.

—Entonces, vayamos —dijo—. Tú y yo. Vayamos a ver el mundo que hay más allá de ese río.

—No —respondió Alejandro—. No es ése mi destino, no es por esto por lo que han hablado los oráculos. No puedo separarme de mi ejército, renunciar a la gloria... Roxana, yo quiero llegar lo más cerca posible de los dioses, quiero ir más allá de los límites del tiempo, superar a todos aquellos que me han precedido. No quiero caer en el olvido cuando haya bajado al Hades.

Su esposa le miró desconcertada: era un discurso demasiado difícil de comprender para ella, pero sintió que había una fuerza dentro de él que nada podía vencer, un deseo que nada podía satisfacer. Era como un muchacho que corre detrás del arcoiris, como un águila que vuela hacia el sol. Le acarició y le besó tiernamente en la frente, en los ojos, en la boca y dijo en su lengua:

—Llévame contigo, *Aléxandre*, no me dejes nunca. No podría vivir sin ti.

Ya no le dejó, ni un instante siquiera. Se sentaba aparte en silencio esperando una mirada o una palabra suyas, espiando cada uno de sus parpadeos, cada suspiro que salía de su boca. Pero el rey parecía pétreo, encerrado en su mundo impenetrable, prisionero de sus sueños y de sus pesadillas.

Luego, la noche del tercer día, antes de la puesta del sol, mientras estaba sentado en la oscuridad de su tienda, advirtió una presencia imprevista y levantó la mirada: delante de él estaba el sabio indio y le miraba, con los ojos oscuros y hondos. Se dio cuenta de que nadie le había visto, que la guardia no le había detenido y que ni siquiera *Peritas* reparaba en su presencia: estaba acostado en un rincón dormitando.

El hombre no dijo nada: se limitó a indicar con una mano el campamento, pero de su gesto emanaba una fuerza formidable, a la que no era posible resistirse. Entonces el rey salió y se quedó mudo: allí estaban sus soldados de pie a miles en la explanada en torno a la tienda y le miraban, con los ojos enrojecidos, los cabellos enmarañados que les llegaban hasta los hombros, las ropas rasgadas, las miradas tristes y angustiadas pero firmes, esperaban una respuesta, y Alejandro les vio finalmente, y comprendió. Sintió sobre sí todo aquel sufrimiento y habló.

—Me han dicho que no queréis seguir adelante. ¿Es cierto?

Nadie respondió. Sólo un sordo murmullo recorrió las filas.

—Sé que no es cierto. ¡Sé que sois los mejores soldados del mundo y que no os volveréis nunca en contra de vuestro rey! Mi decisión era proseguir, conduciros más allá, pero antes he querido conocer la voluntad de los dioses y he ordenado sacrificios. Sin embargo, éstos han sido contrarios. Nadie puede desafiar la voluntad de los dioses. ¡Y por tanto preparaos, soldados! Preparaos, porque ha llegado la hora de que disfrutéis de aquello a lo que os habéis hecho merecedores y habéis conquistado. Volvemos. ¡Volvemos a casa!

No hubo ovaciones ni aclamaciones, sólo una profunda e intensa emoción. Muchos lloraban en silencio y las lágrimas corrían lentamente por sus hirsutas barbas, por aquellos rostros demacrados por ocho años de batallas, de vigilias, de asaltos, de hielo y de calor abrasador, de nieve y de lluvia. Lloraban porque su rey no estaba enojado con ellos; les amaba aún, como a unos hijos, y les volvía a llevar a casa. Un veterano se destacó de las filas y avanzó hasta delante de Alejandro. Le dijo:

Gracias, rey, por haber aceptado dejarte vencer sólo por tus soldados. Gracias... Queremos que sepas que, suceda lo que suceda, cualquier cosa que nos tenga reservado el destino, no te olvidaremos jamás.

Alejandro le abrazó y luego ordenó que volviesen todos a sus tiendas para hacer los preparativos para la partida. Cuando los soldados se hubieron alejado, se acercó, solo, a la orilla del Hífasis. Entretanto, las nubes se abrían y la luz del sol poniente se difundía incendiando el gran río, tiñendo de rojo el lejano perfil del Paropámiso, sus picos altísimos, pilares del cielo. El rey dirigió la mirada a la otra orilla, a la llanura infinita que se extendía más allá, hasta el horizonte, y lloró como no había llorado nunca en toda su vida. No vería nunca la corriente majestuosa del Ganges ni caminaría por la orilla de los lagos dorados, entre los iridiscentes pavos reales de Palimbotra. Lloró por el ojo azul como el cielo, lloró por el ojo negro como la noche.

54

El mal tiempo concedió una tregua de algunos días, como si fuera propósito del cielo aprobar la decisión de Alejandro, y el rey dividió al ejército en doce grupos a los cuales hizo erigir a lo largo de las riberas del Hífasis doce altares de piedra, gigantescos, altos como torres, en honor de los doce dioses del Olimpo. A continuación hizo ofrecer un sacrificio delante de todo el ejército formado y suplicó a los dioses que no concedieran a ningún otro hombre llegar más allá de aquella señal. Luego, al día siguiente, retomó el camino en dirección al Indo. Llegó a Sangala y las ciudades que había fundado recientemente: Alejandría Bucéfala y Alejandría Nicea.

En esta última el comandante Koinos, que había luchado heroicamente en Gaugamela y luego con Crátero en la campaña contra Espitámenes en Bactriana, enfermó y murió y Alejandro le honró con unas fastuosas exequias y le erigió una tumba imponente para perpetuar memoria de su heroísmo y de su valor.

Dejó a Poro la autoridad sobre toda la India por él conquistada: siete naciones y dos mil ciudades, con la obligación de proporcionar un tributo y contingentes de tropas al sátrapa macedonio estabecido en Alejandría Nicea.

De allí volvió emprender viaje hacia el Hidaspes y empezó a descenderlo hasta la confluencia con el Acesines. Los príncipes indios venían espontáneamente a rendirle homenaje y a hacer acto de vasallaje, pero le dijeron que en el sur, a la largo de las riberas del Indo, había aún muchas poblaciones muy fieras e independientes. Fue alcanzado por un contingente de veinte mil soldados enrolados en Grecia y en Macedonia: llevaban una carga de armaduras y ropas nuevas de corte griego y ochenta talentos de medicamentos, aparte de vendas, intrumentos quirúrgicos, tablillas para inmovilizar los miembros fracturados y otras cosas que, en verdad, hubieran hecho falta mucho tiempo antes.

Junto con los refuerzos y las vituallas recibió también una carta de Estatira y, en aquel momento, el recuerdo de ella afloró de repente en su ánimo y se arrepintió de haberla desatendido y poco menos que olvidado.

Estatira a Alejandro, tierno esposo, ¡salve!

Viví días muy tristes tras la pérdida de nuestro hijo y, no mucho tiempo después, recibí la noticia de que has encontrado un nuevo amor, la hija de un jefe montañés de Sogdiana, que me aseguran es de una gran belleza y a la que has proclamado tu reina y madre del futuro rey. Mentiría si te dijera que no he experimentado disgusto y desencanto y que no he sentido la comezón de los celos. No por el poder ni por los honores, sino sólo porque ella disfruta de tu amor, porque ella duerme a tu lado y puede oír tu respiración de noche y sentir el perfume de tu piel. ¡Oh, con sólo que hubiera podido darte un hijo! Ahora le estrecharía entre mis brazos y podría reconocer en su rostro tus rasgos. Pero cada ser humano tiene su destino marcado en el momento que viene al mundo: para mí los dioses decretaron que perdiera en poco tiempo a mi padre y a mi hijo y luego el amor de mi esposo. No quisiera entristecerte con mi melancolía. Sólo espero que seas feliz y que cuando regreses sientas el deseo de volver a verme y de quedarte un poco conmigo, aunque no sea más que por un día o una noche. Desde que te conocí, he aprendido que un instante puede valer lo que una vida entera.

No te expongas inútilmente a los peligros, te lo ruego, y cuídate.

Alejandro le respondió ese mismo día, bajo la mirada llena de curiosidad de Roxana que estaba aprendiendo aún a escribir. Le preguntó:

—¿A quién escribes?

—A la princesa Estatira, que tomé por esposa antes de conocerte.

Roxana puso cara sombría; luego dijo en un tono que Alejandro no le había oído nunca antes:

—No quiero saber lo que escribes, pero manténla alejada de mí, si quieres que siga viva.

Era avanzado el otoño y las lluvias habían cesado; el rey había concebido el plan de descender la corriente del Indo para ver adónde llegaba. Entre sus geógrafos había, en efecto, quien pensaba que aquel río no era otro que la parte inicial del Nilo, pues como en el Nilo había cocodrilos y en sus riberas vivían hombres de piel oscura igual que los etíopes. De haber sido así, la inmensa flota habría podido descenderlo triunfalmente hasta Alejandría de Egipto.

Fascinado por la idea, el rey convocó a Nearco a orillas del curso de agua, en un punto elevado desde el cual podía ver desfilar al ejército entero, nuevamente espléndido como cuando había partido de Macedonia y cuatro veces mayor.

—Muchos de ellos han caminado durante cien mil estadios —dijo—. Ahora quiero que viajen por fin cómodos. Quiero que construyas una flota para transportar tanto a los hombres como a los caballos. Descenderemos el río hasta el Indo y más allá y nos detendremos allí donde veamos una ciudad para reafirmar la autoridad que fue de Darío y que ahora es nuestra.

—¿Y después qué harás? —preguntó Nearco.

—Mandaré retroceder a Crátero con la mitad del ejército a través de Aracosia y Carmania, mientras yo desciendo contigo hasta donde nos conduzca el río, hasta Alejandría, si es cierto que es el alto curso del Nilo, o hasta el Océano.

—¿Tienes idea de cuántas embarcaciones serán necesarias para transportar a todos nuestros hombres?

Alejandro meneó la cabeza.

—No menos de mil.

—¿Mil naves?

—Más o menos.

—Entonces pongámonos manos a la obra —le exhortó Alejandro—. ¡Lo más pronto posible!

—¡Por fin! —exclamó Nearco—. Creo que soy el único almirante en el mundo con callos en los pies.

Mientras hablaban, la atención del rey se sintió atraída por la figura esbelta de Roxana que corría con los cabellos sueltos a lomos de un magnífico corcel blanco, por la pradera que flanqueaba el gran río.

—¿No es maravillosa? —preguntó Alejandro.

—Lo es —repuso el almirante—. La más hermosa que un hombre pueda imaginar. La única mujer en el mundo verdaderamente digna de ti.

La muchacha le vio y tiró de la brida hacia la izquierda lanzando el caballo al galope colina arriba hasta que estuvo delante de Alejandro. Se le acercó e, inclinándose hacia él, le besó en la boca. Los soldados que marchaban y que habían observado aquella maniobra gritaron: «*Alalài!*». Y el rey, sin despegar los labios de los de su esposa, levantó la mano para responder alegremente a aquel saludo.

Nearco envió un heraldo a las unidades para reunir a todos los soldados procedentes de regiones marinas: griegos de la costa y de las islas, fenicios, chipriotas, pónticos. Inició seguidamente la construcción de las embarcaciones. Centenares de árboles fueron talados y reducidos a tablones, y luego los maestros carpinteros comenzaron el doblaje de los tablas y el ensamblaje de los cascos con espigas y muescas.

El cálculo de Nearco se reveló exacto: por fin estuvieron listos para su botadura en las orillas del Hidaspes mil embarcaciones de carga y ochenta naves con treinta remeros cada una y la flota fue botada en medio de un gran alboroto de aplausos y de gritos de ánimo.

Era un día soleado y muchos habitantes de la zona se habían concentrado a lo largo del río para asistir a aquel soberbio espectáculo. Los hombres estaban fuera de sí de la alegría de pensar que tenían ya a sus espaldas el período más duro y dramático de sus vidas. En realidad, bien poco se sabía de lo que les aguardaba y las únicas noticias sobre los territorios que se aprestaban a atravesar procedían de los guías locales, pero ninguno de ellos tenía un conocimiento que fuera más allá de unas tres o cuatro jornadas de camino o de navegación.

Nearco tomó el mando de la nave mayor, que hacía las veces de capitana y en la que se habían embarcado el rey y la reina, y dio la señal de partida. Los remos descendieron al agua y la nave se puso en el filo de la corriente seguida rápidamente por las demás. Cuando toda la flota estuvo en el río, el espactáculo se volvió más impresionante aún si cabe por el rebullir de las olas bajo el empuje de las proas y de los remos, por los miles de gallardetes y estandartes que ondeaban al viento, por el relucir de los escudos y de las armaduras.

En la nave real había sido admitido, entre los demás filósofos, también Pirrón de Hélide, que era tenido ya en gran consideración, y estaban además Aristandro y el sabio indio misteriosamente aparecido en el campamento de Sangala. Éste último se había sentado en la proa con las piernas cruzadas y los brazos apoyados sobre las rodillas y miraba fijamente delante de sí, inmóvil como un mascarón de proa.

—¿Qué has sabido de él? —preguntó el rey a Aristandro.

—Su nombre es Kalan, que suena a Kalanos en griego. Es un gran sabio entre su pueblo y está dotado de facultades extraordinarias resultado del largo ejercicio de la meditación.

—Estas gentes —intervino Pirrón— creen que las almas de aquellos que no han obrado justamente pasan, tras la muerte, de un cuerpo a otro hasta que son purificadas por completo por el dolor y por los sufrimientos como un metal en la forja. Sólo entonces pueden disolverse en una especie de paz eterna que ellos llaman *nirvana*.

—Esto me recuerda el pensamiento de Pitágoras y un poema de Píndaro.

—Es cierto, y es probable que aquellas ideas llegasen a Pitágoras precisamente de la India.

—¿Cómo has sabido todo esto?

—Por él. Ha aprendido el griego en menos de un mes.

—¿En menos de un mes? ¿Cómo es posible?

—Es posible. Ha sucedido. Yo, sin embargo, no sé cómo explicártelo. Pero incluso antes de que él estuviese en condiciones de hablar —prosiguió Aristandro— conseguía, de todos modos, comunicarse conmigo. Yo sentía su pensamiento resonar en mi mente.

Alejandro clavó su mirada en la ola que acariciaba el flanco de la nave y luego la levantó y la dejó vagar por la gran extensión del río, por la vasta corriente salpicada de naves. Pirrón se había alejado: estaba sentado ahora en popa sobre unos cordajes y escribía algo en una tablilla que mantenía apoyada sobre las rodillas. El rey se acercó al vidente y le preguntó:

—¿Les has hablado de tu pesadilla?

—No.

—¿Sigues teniéndola?

—Ya no, desde que él entró en el campamento.

—¿Y sabes por qué ha venido?

—Para conocerte. Y para ayudarte. Desde hace tiempo sabía que vendría un gran hombre del Occidente y había decidido conocerle.

Alejandro asintió, luego abandonó el apoyo en la barandilla y se acercó a Kalanos.

—¿Qué miras, *Kalane*? —le preguntó.

—Tus ojos —repuso el sabio con voz extraña, vibrante como el sonido de un instrumento de bronce—. Son la imagen de la línea oscura que atraviesa tu espíritu, una frontera entre luz y tinieblas por la que corres como sobre la hoja de una navaja. Pero es un ejercicio difícil, a menudo doloroso...

El rey replicó estupefacto:

—¿Cómo puedes mirar mis ojos si no apartas tus ojos de las olas y cómo puedes hablar mi lengua de modo tan perfecto sin que nadie te la haya enseñado?

—Tus ojos los veía ya antes de conocerte. La lengua es una sola, rey. Si un hombre trata de remontarse a los orígenes de su propia alma y de su propia naturaleza, puede comprender y hacerse comprender por toda la humanidad.

—¿Por qué has venido conmigo?

—Para seguir mi búsqueda.

—¿Y adónde conduce tu búsqueda?

—A la paz.

—Pero yo llevo la guerra. Para esto fui preparado desde niño.

—Pero fuiste preparado también para el conocimiento. Yo veo la sombra de una gran sabiduría en el fondo de tus ojos. La paz del mundo es un bien supremo y ningún bien supremo puede ser alcanzado sin pasar a través del fuego y la espada. Pero esto ha sucedido ya. Yo quiero ayudarte a hacer crecer en ti la sabiduría del gran soberano, de aquel que un día será padre de todos los pueblos. Por esto he venido contigo.

—Eres bienvenido, *Kalane*, pero mi camino fue trazado desde el mismo momento en que crucé por primera vez el mar. No sé si conseguirás cambiar su curso.

—Dentro de poco, este río nos llevará a la corriente del gran padre Indo —replicó Kalanos dirigiendo la mirada a las raudas olas—. Si lo remontas hasta su nacimiento, verás un pequeño arroyo de aguas cristalinas; pero luego, bajando hacia el valle, verás cientos de otros torrentes mezclar sus aguas a las suyas, cambiar su color y su curso, verás árboles cuyo follaje roza la superficie, verás peces de toda especie, serpientes y cocodrilos aparecer como de improviso y nadar en su corriente, pájaros construir el nido en sus riberas. El río que ves ahora es todo esto y será otro a medida que descienda hacia el Océano. Y en ese punto se sumergirá en el agua eterna, en el seno universal que envuelve todas las tierras. En ese momento el gran Indo dejará de existir, pero será parte del único líquido vital del que nacen de nuevo las nubes y los pájaros, los ríos y los lagos, los árboles y las flores...

No dijo nada más y retornó a su silencio impenetrable.

Nearco se acercó en aquel momento al rey con mirada preocupada.

—¿Qué sucede? —preguntó Alejandro.

—Rápidos —respondió.

55

Nearco señaló un rebullir amanazante de aguas a proa, a quizá unos diez estadios de distancia.

—Tenemos que abordar inmediatamente —dijo— y a continuación explorar el tramo de orilla antes de aventurarnos con la flota.

Mandó izar al punto la bandera de alarma y ordenó a los timoneles que viraran hacia la orilla. El jefe de la chusma gritó:

—¡Remos a estribor, fuera!

Y los remeros del costado derecho levantaron los remos del agua mientras que los del izquierdo seguían bogando impulsando la nave en un amplio viraje hacia la orilla derecha del río. Al ver las señales y la maniobra de la nave capitana, todas las restantes embarcaciones emprendieron la misma maniobra, abordando y echando las anclas. Pero mientras las tripulaciones estaba ocupadas en el amarre, se oyó un fortísimo grito y desde las colinas que dominaban el río desde el lado de levante aparecieron miles de guerreros que se lanzaron al asalto a todo correr.

Alejandro hizo sonar las trompas y los «portadores de escudo» y los exploradores saltaron al agua armados, corriendo hacia delante para encargarse de los enemigos ya muy próximos.

—¿Quienes son? —preguntó el rey.

—Malios —repuso Nearco—. Estamos cerca de la confluencia con el Indo. Son guerreros feroces, irreductibles.

—¡Mis armas! —ordenó Alejandro.

Los ayudantes acudieron trayendo la coraza, las grebas, el yelmo crestado.

—¡No vayas, *Aléxandre*! —le imploró Roxana echándole los brazos al cuello.

—Soy el rey. Debo ser el primero. —Le dio un beso apresurado y vociferó a sus hombres—: ¡Adelante conmigo!

Un instante después embrazó el escudo y se arrojó al agua apresurándose hacia la orilla.

Entretanto también desde las otras naves desembarcaban los guerreros a miles, entre toques de trompas y órdenes gritadas en todas las lenguas del gran ejército.

Apenas Alejandro estuvo en tierra, acudieron los batallones de la infantería pesada mientras, más arriba, comenzaban a desembarcar los caballos para formar los primeros escuadrones de caballería.

Los enemigos, tras el éxito del impacto inicial, comenzaron a retroceder bajo el empuje de las tropas macedonias que se iban reforzando y atacaban en formación compacta. Los malios, en vista de la imposibilidad de rechazarlos, comenzaron a retirarse ordenadamente presentando en todo momento una fuerte resistencia hasta que, remontando de espaldas la ladera de las colinas, contaron con la ventaja de la posición y contraatacaron con renovada energía. El frente fluctuó largamente según que prevalecieran los malios o los macedonios. Pero ya muy avanzada la mañana fueron desembarcados bastantes caballos de las naves para formar dos escuadrones completos que atacaron por los flancos a los enemigos. También Alejandro en aquel punto montó a caballo y mandó la carga, pero, en ese mismo instante, apareció una larga línea de jinetes enemigos sobre las colinas de enfrente y se precipitaron hacia abajo contra los escuadrones del rey.

La refriega se encendió de nuevo con gran dureza hasta mediodía, cuando finalmente los macedonios se impusieron y repelieron a los malios más allá de la línea de las colinas. De ahí Alejandro pudo dominar con la mirada cinco ciudades, entre ellas una que destacaba por sus macizas fortificaciones de adobe.

Entonces dividió a su ejército en cinco columnas, cada una de las cuales fue lanzada hacia una de las ciudades. La quinta y más numerosa la mandó él mismo, convocando a Pérdicas, Tolomeo y Leonato para atacar la capital. Pero cuando se disponía a ordenar el asalto, Leonato le gritó:

—¡Alejandro, mira! *Peritas* se ha escapado de la nave.

El moloso corría, en efecto, como loco colina arriba para alcanzar a su amo.

—¡Por Zeus! —maldijo el rey—. Haré azotar al sirviente que le ha dejado escapar si le sucede algo. ¡*Peritas*, ven! Vuelve con Roxana. ¡Ven!

El perro pareció obedecer por un momento, pero tan pronto como

Alejandro se hubo alejado al galope a la cabeza de sus hombres volvió a correr, detrás de él.

Mediada la tarde, la columna mandada por el rey estaba ya casi bajo las murallas y los malios, a quienes pisaban ya los talones, buscaban refugio dentro del recinto amurallado penetrando por las tres puertas que permanecían aún abiertas para acogerles.

Alejandro, llevado por el entusiasmo de la persecución, habiendo visto un lienzo de muralla que estaba en parte desmoronado por la erosión de las lluvias o por falta de mantenimiento, había saltado a tierra y corría por aquella especie de rampa para tomar la ciudad al primer asalto. Llegó a lo alto sin advertir que estaba solo. Reparó en ello sin embargo Leonato, que se lanzó tras él gritando:

—¡Alejandro, no! ¡Detente! ¡Espera!

Pero el rey, en medio del fragor de la batalla y de la confusión de los gritos, no le oyó y se arrojó al otro lado.

Leonato le siguió rampa arriba con sus hombres para socorrerle, pero algunos de los enemigos, visto lo sucedido, se precipitaron hacia aquel lado y formaron una barrera para permitir que sus compañeros, intramuros, mataran al rey.

Alejandro, entretanto, dándose cuenta de que estaba solo y rodeado, había retrocedido con la espalda contra una enorme higuera y se defendía desesperadamente, atacado por una nube de adversarios. Leonato se abría paso a hachazos arrojando a los enemigos rampa abajo y gritando:

—¡Alejandro, resiste! ¡Resiste, que llegamos!

Pero la angustia le reconcomía el corazón pensando que el rey podía verse superado en cualquier momento. En aquel instante oyó un ladrido a sus espaldas y se acordó del perro. Gritó a voz en cuello, sin siquiera darse la vuelta:

—¡*Peritas*! ¡Vamos, *Peritas*! ¡Vamos! ¡Corre con Alejandro!

El moloso voló rampa arriba como una furia y llegó a lo alto en el momento que su amo, golpeado de lleno por una jabalina, se desmoronaba defendiéndose con las últimas energías, cubriéndose con el escudo. Fue cuestión de segundos: *Peritas* saltó desde lo alto del muro, se abatió como un rayo en medio de los enemigos y les hizo echarse atrás; mordió de forma fulminante a uno en la mano triturándosela con un seco crujir de huesos, degolló a un segundo arrancándole el esófago, desgarró el vientre de un tercero sacándole las tripas. El magnífico animal se batía como si fuera un verdadero león, gruñendo, mostrando las patas ensangrentas, los ojos llameantes como los de una fiera.

Alejandro aprovechó la oportunidad para arrastrarse hacia atrás mientras Leonato, llegado finalmente a lo alto con los suyos, se arrojaba abajo gritando como un poseso, se precipitaba hacia adelante blandiendo el hacha, abriéndose paso hasta el rey. En ese momento se volvió haciendo frente a los enemigos que seguían atacando: partió en dos al primero que se le acercó, de la cabeza a la ingle, y los demás, aterrorizados por aquella espantosa potencia, retrocedieron. En pocos instantes, cientos de exploradores y de «portadores de escudo» macedonios irrumpieron en el interior e invadieron la ciudad, que se llenó de gritos desesperados, de alaridos feroces, del entrechocar de las armas en la furibunda refriega.

Leonato se arrodilló al lado del rey y le desató la coraza, pero en aquel momento Alejandro desvió la mirada y los ojos se le llenaron de lágrimas y de desesperación:

—¡*Peritas*, no! ¿Qué te han hecho, *Peritas*?

El moloso, cubierto de sangre y sudor, se arrastraba penosamente hacia él gañendo, con una jabalina clavada en el costado.

—Haced venir a Filipo —gritaba Leonato—. ¡El rey está herido, el rey está herido!

Peritas consiguió llegar hasta la mano de su amo y lamerla una última vez; luego se desplomó sin vida.

—¡*Peritas*, no! —gemía Alejandro entre sollozos, estrechando contra sí a su amigo caído por salvarle la vida.

Llegó Pérdicas cubierto de sangre, extenuado.

—Filipo no está. En la confusión del ataque, nadie ha pensado en proporcionarle un caballo.

—¿Qué hacemos? —preguntó jadeante Leonato con la voz quebrada.

—No podemos transportarle así. Hay que extraer el hierro. Aguántale, sufrirá un dolor espantoso.

Leonato le sujetó los brazos a Alejandro tras la espalda y Pérdicas le arrancó el quitón poniendo al desnudo la herida; luego, apoyándose con una mano en el pecho del rey, trató con la otra de arrancar el dardo, pero el hierro estaba incrustado entre la clavícula y la caja torácica y no se dejaba extraer.

—Tengo que hacer palanca con la punta de la espada —dijo—. ¡Grita, Alejandro, grita lo más fuerte que puedas, no tengo nada con que aliviarte el dolor!

Sacó la espada y la ensartó en la herida. Alejandro aullaba, desgarrado por las lancinantes punzadas. Pérdicas buscó con la punta la caja torácica y la empujó hacia atrás con fuerza mientras tiraba con la otra del asta de la jabalina que salió de golpe, liberando un gran chorro de sangre. Con un último grito, el rey se desplomó desvanecido.

—¡Busca un tizón, Leonato, rápido! Tenemos que cauterizarle la herida o morirá desangrado.

Leonato se fue corriendo y volvió poco después con un pedazo de viga que había cogido de una casa en llamas y lo aplicó contra la herida. Se sentía un olor nauseabundo a carne quemada, pero la pérdida de sangre se detuvo. Entretanto, los hombres de Pérdicas habían construido unas parihuelas y, tras colocar en ellas al rey, le llevaron fuera a través de la puerta de la ciudad.

—Lleváoslo también a él —dijo Leonato señalando, con los ojos rojos de llanto y de fatiga, el cuerpo inerte de *Peritas*—. Él es el héroe de esta batalla.

56

Alejandro fue conducido de nuevo, entrada la noche, sin sentido, abrasado por la fiebre, a la orilla del río donde Nearco había montado el campamento y fue depositado sobre su catre. Roxana acudió a su encuentro gritando con desespero, se arrodilló a su lado y le besó la mano entre sollozos. Leptina le miraba con el rabillo del ojo, pálida y aterrada, mientras preparaba unas vendas limpias y ponía agua a hervir, esperando que llegara Filipo.

Se presentó el médico casi inmediatamente y se inclinó sobre el herido. Cortó el burdo apósito con el que Pérdicas y Leonato habían tratado de vendarle la herida y comenzó a limpiarla con el agua que Leptina le alargaba con una jofaina.

Acercó el oído al pecho de Alejandro y le auscultó largamente, mientras los amigos, que habían entrado en silencio uno tras otro, esperaban ansiosos su diagnóstico.

—Por desgracia ésta no es una herida como las demás —afirmó el médico poniéndose en pie—. La punta de la jabalina le ha lesionado un pulmón. Oigo gorgotear la sangre a cada respiración.

—¿Y eso qué significa? —preguntó Hefestión.

Filipo sacudió la cabeza sin conseguir hablar.

—¿Qué significa? —gritó de nuevo Hefestión.

Alejandro emitió en ese momento un estertor y la saliva le salió de la boca mezclada con sangre, produciendo una ancha mancha roja sobre el almohadón.

Tolomeo se acercó al amigo y le apoyó una mano en un hombro.

—Significa que Alejandro podría morir, Hefestión —le dijo con un nudo en la garganta—. Y ahora, vámonos, dejémosle descansar.

Seleuco, que había mandado el ataque contra las otras ciudades, entró en aquel momento junto con Crátero y Lisímaco y se dio cuenta de lo que había sucedido. Se acercó a Filipo y le preguntó en voz baja:

—¿Hay esperanzas?

El médico levantó los ojos y en aquella mirada Seleuco vio tal abatimiento, tal sensación de desesperada impotencia, que no preguntó nada más y salió.

La tienda se quedó vacía y silenciosa. Tan sólo se oía el quedo lamento de Roxana, que lloraba desconsoladamente, cubriendo de besos y de lágrimas la mano inerte de su esposo.

Leptina, que siempre había destestado en su corazón a todas las personas que habían tenido intimidad con Alejandro, se acercó lentamente y le apoyó una mano en el hombro.

—No llores, reina mía —le susurró—. Te lo ruego, no llores. Él te oye, ¿comprendes? Debes darle ánimos. Debes pensar... debes pensar que todos le quieren... todos le quieren y el amor es más fuerte que la muerte.

Filipo se quitó el mandil manchado de sangre y se alejó rogándole:

—No le pierdas de vista un instante. Yo voy a preparar lo necesario para el drenaje de la herida. Si sucediera algo, llámame al instante.

Leptina asintió y el médico tomó un velón encendido y salió. Mientras atravesaba el campamento, vio a Tolomeo y Leonato que depositaban el cuerpo de *Peritas* sobre una pila de leña y ponían a su lado la traílla adornada con tachones de plata como ofrenda ritual sobre la pira de un héroe. Se acercó.

—¡Qué día más horrible! —murmuró en voz baja Tolomeo—. Justo cuando parecía que el dolor y la fatiga quedaban atrás... —Acarició al perro echado sobre una manta de lana roja—. Le echaré de menos —dijo con lágrimas en los ojos—. Me hacía siempre compañía cuando yo estaba de inspección.

Llegó en ese momento Crátero con un piquete de *pezetairoi*, que formaron a ambos lados de la pira.

—Hemos pensado que se merecía los honores —explicó Leonato—. Era la primera guardia del rey.

Luego tomó una antorcha y prendió fuego a la pira. Esperó a que las llamas se alzasen crepitando en la oscuridad y gritó:

—¡*Pezetairoi*, presentad armas!

Los infantes levantaron las *sarisas* haciendo el saludo mientras el alma de *Peritas* volaba gimiendo en el viento, separándose por primera vez, desde el día de su nacimiento, de su amo.

Filipo veló al rey toda la noche al lado de Roxana y de Leptina. Sólo hacia el amanecer la reina, agotada por la larga vela, se adormeció, pero seguía gimiendo en la duermevela, atormentada por pensamientos angustiosos.

Entraron, al hacerse de día, Hefestión y Tolomeo y se veía que tampoco ellos habían pegado ojo.

—¿Cómo está? —preguntaron.

—Ha pasado la noche. No puedo decir nada más —repuso Filipo.

—Si muriera, quemaremos esas ciudades con todos sus habitantes. Será el sacrificio fúnebre en su honor —dijo sombrío Hefestión.

—Espera —replicó Filipo con la voz ronca por el cansancio—. Aún está vivo.

Pasaron otros dos días, pero el estado del rey, más que mejorar, parecía precipitarse hacia un funesto epílogo. El pecho se le había hinchado a pesar del drenaje que Filipo le había aplicado, la fiebre era siempre altísima, la respiración entrecortada y estertorosa, el color terroso, las ojeras negras y hundidas.

Sus compañeros permanecían fuera de la tienda para no molestar su agonía, y velaban por turno concediéndose tan sólo unos momentos de sueño cuando estaban exhaustos. El campamento, normalmente lleno de estruendo, estaba sumido en un silencio irreal, como si el tiempo se hubiera detenido.

Aquella noche, mientras la fiebre subía y el respirar del rey se hacía cada vez más fatigoso y penoso, Filipo se puso en pie de golpe y salió.

—¿Adónde va? —preguntó Leonato.

—No lo sé —respondió Hefestión—. No sé nada. No sé ya nada...

Filipo atravesó el campamento echando una rápida mirada a Aristandro, que seguía inmolando víctima tras víctima en su altar humeante, y llegó a un lugar en el que se alzaba un gigantesco *banyan*. Se detuvo delante de la figura esquelética de Kalanos, enfrascado en la meditación.

—Despiértate —le dijo con brusquedad.

Kalanos abrió los ojos, ligero.

—Nuestros dioses y nuestra ciencia son impotentes. Salva a Alejandro, si puedes. Si no, vete y no vuelvas más.

Kalanos se levantó ligero, como ingrávido.

—¿Dónde está? —preguntó.

—En su tienda. Ven —repuso Filipo y echó a andar.

Kalanos le siguió y entró detrás de él en el pabellón real, iluminado por los velones.

—Apagadlos todos —ordenó con voz firme—. Y dejadnos solos.

Hicieron tal como había dicho. Él se sentó sobre sus talones detrás del catre de Alejandro y fijó en la oscuridad los ojos en su cabeza, endureciéndose como un bloque de piedra.

Así le encontraron al día siguiente y al otro también, y al tercero. Al amanecer del cuarto día, Filipo entró para cambiar el drenaje y abrió un faldón de la cortina que cubría la entrada para que filtrara un poco de luz. Mientras se lavaba las manos en el aguamanil antes de cambiar el vendaje, oyó una voz débil detrás de él que le llamaba: «Filipo...».

—¡Mi rey! —Dijo, volviéndose de golpe.

La fiebre había disminuido, la respiración era regular, el latido del corazón débil pero continuo. Le auscultó: el sordo gorgoteo había cesado. Llamó a Leptina.

—Avisa a la reina. Dile que el rey se ha despertado. Y prepara enseguida una taza de caldo, pues hemos de alimentarle. Está muy débil.

Leptina se marchó y Filipo se asomó al punto fuera de la tienda, donde estaban esperando Lisímaco y Hefestión.

—Avisad a los demás —dijo—. El rey se ha despertado.

—¿Cómo está? —preguntó ansioso Hefestión.

—¿Cómo quieres que esté? —repuso malhumorado el médico—. Como uno que ha recibido un palmo de hoja entre las costillas.

Regresó para cuidarse de Alejandro y sólo en ese momento vio a Kalanos: yacía en el suelo, inerte y frío como un cadáver.

—¡Oh, gran Zeus! —prorrumpió—. ¡Gran Zeus!

Le hizo transportar a su propia tienda por sus ayudantes y les mandó que le hicieran entrar en calor como fuera y que se esforzaran por alimentarle, aunque fuese a la fuerza; luego regresó con Alejandro. Roxana estaba a su lado y le miraba incrédula y Leptina trataba de hacerle ingerir un poco de caldo del único modo posible: empapaba un paño en la escudilla y se lo hacía succionar.

—¿Qué ha sucedido? —preguntó Alejandro apenas le vio.

—De todo, mi rey —repuso Filipo—. Pero aún estás vivo y tengo esperanzas de que lo seguirás estando. No puedes hacerte una idea de lo feliz que me siento —añadió con voz trémula—. No puedes hacerte una idea... Pero ahora guarda silencio, no hagas esfuerzos, pues estás muy débil. Estás vivo de puro milagro, y gracias a Kalanos, creo yo.

—*Peritas*... —consiguió aún murmurar Alejandro.

—*Peritas* ya no está, mi rey. Leonato me ha dicho que murió para salvarte la vida. Y ahora no vuelvas inútil su sacrificio. Trata de tomar algo de alimento y luego reposa, por favor, reposa.

Alejandro bebió de nuevo un poco de manos de Leptina y luego se dejó caer cerrando los ojos. Pero incluso con los párpados cerrados, le caían las lágrimas por las mejillas, hasta mojar el almohadón.

57

El rey yació en su catre entre la vida y la muerte durante muchos días y los esfuerzos por devolverle definitivamente a la vida parecían a menudo inútiles. Aunque su cuerpo hubiera superado el momento de mayor peligro, su estado seguía siendo no obstante tan grave y los progresos en su mejoría tan leves que Filipo no conseguía comprender si podía verdaderamente considerársele salvado o bien si Tánatos, momentáneamente repelido por el heroísmo de Kalanos, no repetiría su ataque para recuperar a aquel que ya había creído en su poder. Únicamente el sabio indio no tenía ninguna duda. Seguía diciendo:

—He hecho un pacto; se curará.

Y si alguno le preguntaba qué clase de pacto había hecho, él no respondía nada.

Hizo falta un mes para que Alejandro consiguiera apoyar la espalda contra la cabecera de su catre y otros veinte días para que pudiera comer una sopa con la ayuda de Leptina, ante la mirada vigilante de Roxana. Hablaba poco y con esfuerzo, pero de vez en cuando se hacía leer versos de Homero por Eumenes, que entretanto había asumido, con la aprobación y la ayuda de los compañeros, la suplencia política del soberano. Otras veces Roxana le cantaba alguna canción de sus montañas, con voz queda, acompañándose con un instrumento de cuerdas de acordes simples y sugestivos.

Después de dos meses, Filipo consintió que se levantara de nuevo y diera algunos pasos dentro de la tienda, sujetado por Crátero y por Leonato, pero saltaba a la vista que hasta aquel mínimo esfuerzo le costaba una inmensa fatiga y después, empapado de sudor, el rey volvía a caer en el sueño.

Una vez Leonato entró junto con Crátero y Hefestión mientras Leptina le hacía ingerir con esfuerzo una decocción; se rascó la cabeza eternamente despeinada y, pareciéndole una buena idea, propuso:

—¿Y si le diéramos su «bocado de Néstor»?

Filipo le miró como compadeciéndole.

—No sabes lo que dices. Miel, harina, vino y queso. ¿Es que quieres matarle?

—Tendrás tus razones —replicó Leonato herido en su amor propio—, pero ¿sabes qué dice la gente ahí fuera? Pues dicen que el rey está muerto y que nosotros ocultamos la cosa para no que no cunda el pánico.

—¿Cómo pueden pensar semejante idiotez? —exclamó Filipo—. Todos saben que el rey está vivo.

—No es así —intervino Hefestión—. Lo sabemos nosotros y nadie más. He dado orden de que ni siquiera la guardia le vea en este estado. El efecto sobre la moral de los soldados sería el mismo que saberle muerto.

—Exactamente —asintió Eumenes—. El hecho es que la gente no le ve desde hace meses, mientras que nos ven a nosotros yendo y viniendo de continuo de su tienda o reuniéndonos, y alguno me ha visto usar el sello del rey en documentos enviados a las satrapías.

—También a mí me consta lo mismo —confirmó Crátero—. Y algunas unidades están discutiendo la eventualidad de reunirse para convocar la asamblea general del ejército macedonio. ¿Sabéis qué significa eso?

Eumenes asintió.

—Significa que pueden obligarnos a recibir una delegación suya en la tienda real y a mostrarles a Alejandro, en este estado.

Filipo se volvió.

—Mientras esté yo, aquí dentro nadie pondrá los pies sin mi permiso. Soy el médico real y tengo la responsabilidad de...

Crátero le apoyó una mano sobre un hombro.

—La asamblea reunida en sesión plenaria es soberana en ausencia del rey, y pueden hacerlo, y casi con toda seguridad lo harán.

Entraron Seleuco y Lisímaco para informarse de la salud de Alejandro y vieron que se había entablado una discusión.

—¿Qué está sucediendo? —preguntó Seleuco.

—El hecho es... —comenzó diciendo Crátero.

Nadie había hecho caso de Alejandro, que parecía profundamente amodorrado, pero su voz sacudió de golpe a los presentes:

—Escuchadme.

Los compañeros se volvieron hacia él con incómoda sorpresa. Eumenes, dándose cuenta de que debía de haberlo oído todo, trató de explicar:

—Alejandro, se trata de un asunto que podemos muy bien resolver nosotros con...

El rey levantó la cabeza y la mano derecha con un gesto inequívoco y todos callaron.

—Seleuco...

—A tus órdenes, rey —repuso instintivamente su amigo, emocionado de recibir al cabo de tanto tiempo una orden de Alejandro.

—Manda formar al ejército al completo. Después de la puesta del sol.

—Así se hará.

—Leonato...

—A tus órdenes, rey —repuso Leonato, más asombrado aún.

—Manda preparar mi caballo. El bayo...

—El bayo sármata, sí, sí. Así se hará.

—¡Un cuerno se hará! —espetó Filipo—. Pero ¿qué pasa aquí dentro, os habéis vuelto locos? El rey no está en condiciones ni siquiera de...

Alejandro levantó de nuevo la mano y Filipo no añadió nada más, pero siguió rezongando en voz baja.

—Hefestión...

—Te escucho, *Aléxandre*.

—Prepara mi armadura. Deberá estar resplandeciente.

—Lo estará, *Aléxandre* —replicó Hefestión con un nudo en la garganta—. Refulgente como la estrella argéada.

Todos pensaban ya que el rey no aceptaba seguir en cama marchitándose y había elegido morir montado en la silla, y también Filipo estaba convencido de ello. Se sentó en un rincón murmurando:

—Haced lo que queráis; si queréis matarle, hacedlo. Yo me desentiendo, yo...

Y no consiguió decir nada más, embargado por la emoción.

—Leonato —dijo de nuevo el rey—. Quiero el caballo aquí, en la tienda.

—Y aquí lo tendrás —repuso el amigo, dándose cuenta de que el rey no quería dejarse ver por sus soldados mientras le ayudaban a montar sobre la silla.

—Y ahora marchaos.

Obedecieron y Alejandro, tan pronto como hubieron salido, se abandonó sobre la almohada y se amodorró. Le volvieron a la realidad las voces de Hefestión y de Leonato. Cuando abrió los ojos, vio que la tienda se hallaba sumida en la incierta luz del ocaso.

—Estamos listos —anunció Hefestión.

Alejandro asintió, se levantó con esfuerzo para sentarse sobre su catre y pidió a los amigos que le condujeran hasta la tina del baño. Leptina le lavó y perfumó el cuerpo y los cabellos, le secó y comenzó a vestirle.

—Ponme un poco de color en las mejillas —le pidió. Y la muchacha obedeció. Mientras le reavivaba las mejillas con afeite y le disimula las ojeras, le acarició el rostro diciendo:

—Te daré como esposa a un grande de mi Imperio y te concederé una dote digna de una reina.

Hablaba con franqueza y con un tono seguro en la voz. Cuando Leptina hubo terminado, Alejandro preguntó a los amigos:

—¿Cómo estoy?

—Nada mal —repuso Leonato con media sonrisa—. Pareces un actor.

—Y ahora la armadura.

Hefestión le ató la coraza y las grebas, le colgó la espada a un costado y le ciñó los cabellos con la diadema.

—Traedme el caballo. ¿Están los soldados formados?

—Están formados —aseguró Hefestión.

Leonato salió e introdujo por la entrada trasera de la tienda, tirándolo de la brida, al bayo sármata completamente enjaezado, mientras Hefestión se arrodillaba y cruzaba las manos sobre el muslo para hacer de escalón para Alejandro. El rey apoyó el pie y los amigos le empujaron para montar sobre la silla.

Leonato se acercó con unas correas.

—Hemos pensado atarte a los arreos del caballo. No se verá nada, y estarás cubierto por el manto.

Alejandro no respondió y su silencio fue interpretado como un asentimiento. Le ataron a la cintura un cinturón del que colgaban cuatro correas, dos delante y dos detrás, que fueron aseguradas a los arreos del bayo, y luego le arroparon con el manto de púrpura de modo que le cubriera completamente aquella especie de eslingaje.

—Y ahora vamos —ordenó.

Hefestión se asomó fuera de la tienda, Leonato le hizo un gesto como queriéndole decir «¡Ahora!» y Hefestión agitó la mano en una señal. A aquel gesto, el silencio plúmbeo de la hora del crepúsculo se vio roto por un retumbo sordo, como de trueno lejano. ¡Un golpe, y luego otro y otro más! Alejandro aguzó el oído como si no creyera en lo que estaba oyendo e instintivamente enderezó la espalda y tocó el vientre del caballo con los talones. El bayo salió, dio la vuelta a la tienda y se dirigió, dócil a las riendas, hacia la larga línea del ejército formado.

El retumbo, lento y solemne, marcaba el ritmo paso a paso del poderoso caballo de batalla y Alejandro contuvo a duras penas las lágrimas sintiendo vibrar el aire con la voz honda y tonante del tambor de Queronea.

Los soldados, inmóviles en las filas, las manos apretadas a las empuñaduras de las *sarisas*, miraron estupefactos a su rey avanzar con porte altivo, con mirada dura y firme, y pasarles revista. A cada unidad que llegaba, el oficial a su mando avanzaba un paso de la línea, desenvainaba la espada y gritaba:

—¡Salve, rey!

Y Alejandro respondía con un leve gesto de cabeza.

Cuando llegó al fondo, el «trueno de Queronea» enmudeció. El oficial de más edad de la primera fila de los *hetairoi* empujó adelante su caballo y exclamó:

—¡A tus órdenes, rey!

—Manda romper las filas —dijo Alejandro y, mientras las trompas daban la orden, tiró de las riendas del bayo y se dirigió caracoleando hasta su tienda.

—Está loco —murmuraba entre dientes Filipo, que le observaba de lejos—. Cada una de esas sacudidas podría hacerle caer y...

—No caerá —rebatió Seleuco dándole una palmada en la espalda—. No caerá.

Tolomeo no conseguía quitarle los ojos de encima.

—Esto es lo que quería hacer. Ahora todos le han visto, saben que está vivo y que de nuevo está sobre la silla.

Alejandro entró con el caballo y los amigos le soltaron las ligaduras y le ayudaron a descender, y a continuación comenzaron a desatarle el manto, la coraza y las grebas y le desciñeron la espada del costado.

—Metedle enseguida en la cama —ordenó Filipo.

Alejandro sacudió la cabeza, se dirigió con paso aún inseguro hacia su asiento de campaña y apoyó las manos sobre la mesa.

—Tengo hambre —dijo—. ¿Alguien quiere comer algo conmigo?

Todos le miraron estupefactos y también Leonato se detuvo en la entrada sujetando el caballo de la brida.

—Leptina —llamó el rey—. ¡Quítame esto de delante y tráeme el «bocado de Néstor»!

—¿El «bocado de Néstor»? —replicó Filipo—. ¿Es que quieres morir? No lo digerirás bien, te sentirás mal y vomitarás y se te abrirán las heridas y...

—El «bocado de Néstor» —repitió Alejandro.

Todos le miraron con la boca abierta: parecía renacido, transfigurado.

—Ha sido el sonido de ese tambor y el ver a sus soldados —susurró Crátero al médico—. Deja que coma. No pasará nada, ya verás.

Leptina le trajo el «bocado» y Alejandro comenzó a comer. El único signo de cansancio era el ligero sudor que le perlaba la frente. Filipo le miraba estupefacto y movía también él las mandíbulas instintivamente, como si quisiera ayudarle a masticar. También los demás, de pie alrededor de la mesa, asistieron incrédulos al acontecimiento.

Por último, Alejandro se limpió la boca y levantó los ojos hacia sus asombrados espectadores.

—Pero ¿qué pasa? —dijo—. ¿Es que no me habéis visto comer nunca?

58

El rey se restableció por completo al cabo de otro mes y en los últimos días volvió a correr a pie y a caballo de nuevo y a entrenarse en la lucha con Leonato. A finales del verano ordenó levantar las tiendas y embarcar.

Descendieron la corriente durante dos días hasta alcanzar el confín con la región llamada Sindh, y le pidió a Nearco que atracara. Los guías decían que en aquel punto comenzaba el camino que conducía al paso de montaña por el que sería posible llegar a Alejandría de Aracosia.

Convocó a los compañeros en su tienda para la cena y les mostró el mapa que los oficiales de marcha habían levantado con la ayuda de los guías indígenas, tanto persas como indios. Luego se dirigió a Crátero:

—Partirás mañana con la mitad del ejército, atravesarás Aracosia y Drangiana y restablecerás el orden allí donde encuentres rebelión o indisciplina. Los marineros indios nos han dicho que el Indo desemboca en el Océano en Pátala. Mi plan es, pues, el siguiente. En Pátala, Nearco y Onesícrito partirán con la flota navegando a lo largo de la costa meridional del Imperio, y yo, con el resto del ejército, avanzaré por tierra garantizando el avituallamiento de las naves en los puntos de desembarco después de cada jornada de navegación. Volveremos a encontrarnos todos en el llano de Harmocia, una ciudad que domina el estrecho entre el Océano y el golfo Pérsico.

—¿Por qué quieres pasar por Gedrosia? —le preguntó Crátero—. Dicen que es un lugar espantoso, un desierto abrasado por el sol en cada estación, sin una brizna de hierba ni un árbol.

—El confín meridional del Imperio es el único que no conocemos. Hemos de ir por ese lado.

Comieron y bebieron con medida porque el rey sufría aún, a veces, de las secuelas de la herida, y se acostaron temprano. A la mañana siguiente, al amanecer, todo el ejército formado saludó al contingente de Crátero que partía. Alejandro le abrazó estrechamente.

—Eres uno de mis amigos más queridos —le dijo—. Te echaré de menos.

—También yo a ti, *Aléxandre*. Cuídate, te lo ruego. Has desafiado demasiado a la suerte hasta este momento. Que los dioses te sean propicios.

—Y también a ti, amigo mío.

Crátero saltó a caballo alzando la mano en señal de partida y la larga columna se puso en marcha entre los toques de trompas y los gritos de saludo de los compañeros que se quedaban con Alejandro. Tan pronto como la última unidad de retaguardia hubo desaparecido en la extensión estepearia que se perdía en el desierto, Alejandro hizo embarcar a sus hombres y partió de nuevo. Siguieron navegando hacia el sur recibiendo, cada vez que se detenían en algún lugar, el vasallaje y el homenaje de los príncipes locales hasta que llegaron a Pátala, la gran ciudad situada en el último tramo del Indo. Era ésta populosa y rica, de un intenso comercio, con naves que llegaban de todas partes, muchas de ellas de una enorme isla situada a levante que se llamaba Taprobane y que se decía era, por sí sola, tan grande como la India.

De allí, la flota partió para hacer el último tramo hacia la desembocadura. El río era en aquel punto inmenso, tan ancho que desde una de sus orillas no se conseguía ver la otra y Onesícrito calculó que mediría unos cincuenta estadios.

La noche del último día de navegación les sorprendió en la desembocadura y Nearco pensó en anclar las naves en el río en un punto en el que la corriente era tan lenta que resultaba casi imperceptible. Se temía, en efecto, que, entrando definitivamente en el Océano abierto, no pudieran encontrar abrigo en caso de tempestades repentinas. En cambio, sucedió un desastre no menos terrible que una tempestad: durante la noche, las aguas descendieron hasta el punto de que las naves quedaron encalladas en el fondo y muchas de ellas volcaron. Nearco ordenó que nadie se moviera y esperaran en el sitio a que las aguas volvieran a refluir. Se presentó, luego, ante Alejandro, consternado.

—Es un fenómeno que no podía prever, aunque he oído decir que un navegante marsellés, un tal Piteas, describió un punto del Océano septentrional en el que hay un remolino que cada seis horas se traga las aguas y luego las regurgita descubriendo y recubriendo vastos trechos de la costa, pero son pocos los que creen a Piteas y aquí no estamos en el Océano septentrional. ¿Como podía imaginar una cosa semejante? ¡Pero qué desastre...! ¡Qué desastre!

—Has hecho cosas extraordinarias —replicó Alejandro—. No debes atormentarte. Sé que conseguiremos salir triunfantes también de esta lucha con el río y con el mar. Mi antepasado Aquiles luchó contra el Escamandro y venció. Venceré yo también. Esperemos que pase la noche. Con la luz del sol cambian mucho las cosas.

Fue aquella una noche oscura de luna nueva y la oscuridad aumentó más aún si cabe la confusión y el pánico. Nearco hizo dar a las trompas el toque de alerta y mandó a los heraldos pasarse la voz de una nave a otra proclamando que no se moviera nadie por ningún motivo, pero muchos marinos, aterrorizados por aquel fenómeno y por habladurías que habían oído en los puertos y en los figones de sus ciudades de origen, trataron de huir al amparo de las tinieblas para ponerse a salvo en la orilla. Murieron todos, tragados por el fango y las arenas movedizas, y murieron asimismo aquellos que de entrada trataron de socorrerles: sus gritos, sus desesperadas invocaciones de ayuda resonaron durante toda la noche llenando de angustia y de terror a los compañeros que se habían quedado en las naves y que no pudieron hacer nada. Luego también los gritos se apagaron, uno tras otro, y se oyeron únicamente los gritos de las aves nocturnas y el rugido lejano del tigre que merodeaba por el boscaje en busca de alguna presa.

En la nave capitana, Roxana se quedó asida a Alejandro temblando de miedo, aterrorizada por aquella naturaleza hostil e inmensa, tan terriblemente distinta de la naturaleza de las montañas de su tierra natal y de su despejado cielo. También Nearco y los marinos de la tripulación permanecieron inmóviles y silenciosos, cuchicheando sólo de vez en cuando acerca de sus experiencias de veteranos de la mar. Poco antes del amanecer, se oyó un ruido lejano y el rey aguzó el oído.

—¿Has oído? —preguntó.

Nearco estaba ya corriendo a proa y se asomó fuera de la borda tratando de ver qué era lo que provocaba aquel ruido que crecía cada vez más a cada instante que pasaba. De repente vio una especie de cinta blacuzca avanzar velozmente hasta volverse visible en la pálida luz del alba: un rebullir amenazante de espuma, el fragor de las olas que galopaban hacia la flota inerme e inmóvil en el cieno.

—¡Trompas! —gritó el almirante—. ¡Tocad alarma! ¡Tocad alarma! ¡Llega la ola de reflujo! ¡Hombres a los remos! ¡A los remos, rápido! ¡Timoneles, al gobernalle!

Y mientras el sonido de las trompas horadaba el cielo gris de la mañana, arrojó una cuerda al rey para que se atase al mástil con Roxana y él mismo se arrojó al timón para echar una mano, preparándose para el impacto.

También las otras tripulaciones, oído el toque, lanzaron a su vez las alarmas y la inmesa extensión cenagosa resonó de gritos y de llamadas excitadas.

El choque de la gigantesca ola de reflujo fue espantoso: algunas naves fueron levantadas y empujadas como pajuelas; otras, muy fuertemente inscrustadas en el fango, fueron desintegradas por el impacto, y otras, que presentaban el costado, fueron volcadas y arrolladas por la fuerza de la enorme masa de agua.

Onesícrito, piloto del quinquerreme real, aferrado al timón, gritaba a los hombres que remaran con toda su energía para mantener el casco en posición y él mismo empujaba desesperadamente el gobernalle para contrarrestar la fuerza de los remolinos que el reflujo provocaba en la superficie revuelta de las aguas.

La oleada oceánica al fin se calmó, contrapesando su empuje con el del flujo del Indo, y Nearco pudo mirar a su alrededor y calibrar la magnitud del desastre. Cientos de embarcaciones habían sido destruidas, muchas dañadas y la superficie del agua estaba repleta de restos del naufragio y de hombres que braceaban convulsivamente buscando escapar sobre maderos o fragmentos de tablas llevados por la corriente.

Se empleó toda la jornada en la recuperación de los náufragos y Alejandro en persona se prodigó para salvar a sus hombres, a veces arrojándose incluso al agua para socorrer a aquellos que, exhaustos, estaban a punto de rendirse.

Por la noche, todas las naves supervivientes tomaron tierra fuera de la desembocadura del río, en la orilla arenosa del Océano, y los comandantes de las tropas tocaron a llamada; más de mil quinientos hombres habían perecido ahogados. Todos los cuerpos que pudieron ser recuperados fueron puestos sobre las piras delante del ejército formado y los soldados gritaron sus nombres al viento y a las olas del mar para que su recuerdo no se perdiera.

Por todos aquellos que no fueron encontrados, el rey mandó oficiar un rito fúnebre y levantó un cenotafio en la orilla a fin de que sus almas tuvieran paz en el Hades, pero dio gracias a los dioses desde lo más profundo de su corazón porque ninguno de sus amigos había perecido y por haberles podido volver a abrazar a todos. También pronunció un encomio de Nearco y de Onesícrito: gracias tan sólo a su valor y pericia el desastre no había acabado en catástrofe.

El ejercito permaneció acampado en la orilla durante veinte días, para dar tiempo a los dispersos que se hubieran salvado de reunirse con sus compañeros y para proceder a la reparación de los cascos dañados.

A escasa distancia fue encontrado un lugar bastante protegido, rodeado de campos fértiles y limítrofe con el territorio desértico habitado por las salvajes tribus de los oritas. Alejandro fundó en él una ciudad estableciendo allí a todos aquellos que por el precario estado de salud no estaban en condiciones de afrontar el largo viaje a través del desierto de Gedrosia. Mandó construir un muelle y un puerto bien abrigado y consagró un recinto destinado a acoger los templos de los dioses. Luego, una vez llevados a cabo estos trabajos, decidió el día de la partida, tanto para la flota como para el ejército.

Nearco le esperaba en el muelle recién acabado y Alejandro le abrazó con gran afecto, igual que había abrazado a Crátero en el momento de separarse.

—Habría sido hermoso que este río, como sostenían algunos, hubiera sido el curso superior del Nilo. Habríamos hecho el viaje juntos, hasta Egipto.

—Lamentablemente no es así —repuso Nearco—. No bastan hombres de piel oscura y cocodrilos para hacer un Nilo.

—En efecto —hubo de admitir el rey—, pero tú manténte siempre a la vista de la costa y del ejército. Y cuando te sea posible, toma tierra donde veas nuestros fuegos, mientras te sea posible. Será más fácil para ti aprovisionarte de comida y de agua.

—Lo haré si puedo, *Aléxandre*, pero he de aprovechar este viento constante que sopla hacia poniente para ahorrar las fuerzas de mis marinos y no sé si vosotros conseguiréis seguirme. En cualquier caso, volveremos a vernos en Harmocia. También mi vicealmirante Onesícrito quisiera tener el honor de saludarte. Es un excelente marino, merecedor de tu estima y de tu felicitación.

Onesícrito se adelantó y el rey le estrechó la mano.

—Que los dioses os acompañen y que Poscidón os sea propicio. He hecho sacrificios al Océano esta mañana, con Aristandro, y hemos invocado su clemencia y el favor de los vientos. Hemos pagado ya un tributo demasiado gravoso.

Nearco y Onesícrito llegaron con sus naves y dieron orden de desamarrar. La flota salió del muelle a fuerza de remos, pero inmediatamente después fueron izadas las velas que el viento hinchó con su viva brisa. En poco rato las naves se volvieron diminutas como las barquichuelas con que jugaban los niños y Alejandro descendió al Océano y plantó en el fondo una lanza para indicar que había tomado posesión también de aquella extrema región. Luego se volvió hacia sus compañeros y gritó:

—¡Ya es hora también de que nosotros partamos! ¡Dad la señal!

Todos montaron a caballo: Hefestión, Leonato, Tolomeo, Seleuco, Lisímaco, Pérdicas, y se pusieron a la cabeza de sus tropas. También el rey montó a caballo, precedido por su enseña, y la larga columna se movió entre toques de trompas y redoblar de tambores, en medio de un ondear de estandartes.

59

La franja de selva que flanqueaba las orillas del Indo se transformó pronto en una pradera semicenagosa en las que pacían grandes búfalos de curvos cuernos, antílopes y, en lontananza, aparecieron también pequeños grupos de leones, muy similares a los que se cazaban en Macedonia. Los árboles era altos y estaban llenos de aves de todas las especies, entre ellas muchos papagayos de vivos colores. Luego, la húmeda pradera se transformó en una estepa salpicada de ralos matojos con pequeñas manadas de bueyes y de rebaños de ovejas, guiados por pastores de aspecto primitivo y casi selvático.

—Oritas —explicó el guía indio—. Éstos son de la tribu costera, pero más adelante encontraremos a los que viven en la estepa y en el desierto, feroces y salvajes. Pueden ser muy peligrosos. Anidan en las arenas como escorpiones y saltan al ataque de improviso.

—Haced correr la voz —ordenó Alejandro, y continuó avanzando, dirigiendo su mirada hacia el sur. En efecto, se habían alejado de la costa para seguir la pista practicable y el Océano no era ya visible.

Al cuarto día de marcha, el ejército llegó a los confines del desierto y los hombres miraron espantados la extensión de arena incandescente que se extendía delante de ellos, un infierno sin una brizna de hierba y sin un abrigo, abrasado en todas las estaciones por los rayos implacables del sol.

Los guías indios volvieron atrás y Alejandro tuvo que valerse sólo de la experiencia de algunos oficiales persas que habían participado en expediciones en Drangiana y Aracosia en tiempos del rey Darío.

La marcha en aquellas condiciones espantosas se reveló pronto como una empresa de gran dureza, casi desesperada. Los oficiales requisaron inmediatamente el agua y la mantuvieron bajo constante custodia de modo que el consumo pudiera ser regulado, pero la medida fue de eficacia limitada: las reservas se agotaron, de todos modos, en breve tiempo y fue necesario buscar los escasos pozos esparcidos a lo largo de la pista polvorienta y expuesta al sol. Los víveres bastaron para un período más largo porque el plan de constituir puntos de aprovisionamiento para la flota de Nearco se reveló de hecho imposible: las naves no pudieron ser avistadas; el viento de levante, muy fuerte y persistente, las había probablemente empujado mucho más adelante.

Los guías escitas vieron en un determinado momento huellas en las cercanías de la pista y dieron aviso a sus oficiales y al rey. Existía el peligro de ser asaltados: en una tierra tan miserable, era el ejército invasor el que se convertía en una presa harto codiciada por las vituallas que transportaba y por el gran número de bestias de carga y de caballos.

—Redoblad los centinelas —ordenó Alejandro— y mantened encendidos fuegos si podéis.

Pero la leña era bastante difícil de encontrar: sólo algún que otro tronco esquelético abandonado por la resaca en la orilla del mar.

Atacaron de improviso, una noche sin luna, y se arrojaron sobre el contingente de Leonato, que avanzaba a una distancia de algunos estadios, con misión de retaguardia. Golpearon en la oscuridad y por sorpresa, con precisión mortífera; aparecieron como fantasmas de entre las breñas saltando como verdaderos demonios sobre los guerreros ya extenuados por la sed y por la larga marcha, y causaron estragos. Leonato se batió con desesperado valor y, después de que su trompetero fuera degollado por un enemigo surgido de repente de la arena, recogió él mismo la trompa y lanzó largos toques para pedir ayuda a Alejandro.

El rey se precipitó al galope con dos escuadrones y consiguió romper el cerco liberando al amigo, extenuado y herido, ahora ya acosado por una nube de adversarios. Al nacer el día, más de quinientos soldados yacían por tierra sin vida, los más de ellos aferrados a sus agresores en el último espasmo de la agonía.

Les dieron sepultura en la arena junto con sus armas, porque no había leña para las piras funerarias, y se fueron con el corazón oprimido por la tristeza, sabedores de que aquellas sepulturas hechas deprisa y corriendo serían violadas por los famélicos salvajes.

Un día, una escuadra de exploradores volvió de un reconocimiento diciendo que había descubierto un grupo de aldeas próximo a la costa, cerca de la desembocadura de un mísero riachuelo que llevaba un hilo de agua hasta el mar. Decidieron atacar y eligieron actuar aquella misma noche. Una noche de luna llena que iluminaba como la luz del día la blancura yesosa del desierto.

Leonato se ató el hacha a la trabilla, embrazó un escudo de bronce de dieciséis minas de peso y saltó a la grupa de su semental, pero Alejandro le detuvo con un brazo.

—Tu herida es reciente. Quédate, deja que vayamos nosotros.

—Ni atado —gruñó el amigo—. Pagarán por todos los soldados que me han matado, degollados a traición en la oscuridad sin que pudieran defenderse siquiera.

El rey, los compañeros y la escuadra con ellos, doscientos hombres en total, habían elegido caballos negros y se habían puesto mantos negros para confundirse con las sombras de la noche. Alejandro dio la señal y todos los caballos se lanzaron a galope desenfrenado, hombro con hombro, cabeza con cabeza en la desierta llanura: parecían furias infernales alumbradas por el Hades.

Cuando los oritas les vieron era demasiado tarde, pero corrieron no obstante al ataque para defender sus aldeas, sus hijos y sus mujeres. Fueron arrollados a la primera acometida, traspasados como peces y, mientras todos se lanzaban al saqueo, Leonato desató su furia con su hacha sobre los enemigos en fuga segándoles cual espigas, matándoles a decenas hasta que sintió que el corazón le estallaba en el pecho, hasta que oyó la voz de Alejandro gritar:

—¡Basta, Leonato!

Entonces se detuvo, chorreante de sudor y completamente cubierto de sangre.

Una segunda escuadra de caballería ligera llegó al poco trayendo las bestias de carga con los odres y los carros para recoger las vituallas, pero no encontró más que rebaños de ovejas y cabras encerradas en recintos de piedra. La espesa capa de excrementos secos mostraba que salían a pastar bastante raramente.

—Me pregunto con qué las alimentan —dijo Eumenes, que acababa de llegar con el convoy de las vituallas.

—Con esto, se diría —repuso Seleuco señalando unos costales hechos con fibras de algas disecadas, llenos de una especie de polvo blancuzco.

—Huele a pescado —comentó Lisímaco.

—Es pescado —confirmó Eumenes cogiendo un puñado y acercándoselo a la nariz—. Pescado secado y reducido a harina.

Volvieron al campamento con el agua que pudieron recoger y con los rebaños robados, pero cuando los sacrificaron, el sabor de las carnes resultó repugnante, como pescado putrefacto. Sin embargo, no tenían elección y tuvieron que alimentarse de lo que habían conseguido.

Avanzaron de nuevo durante días bajo el sol inclemente, atormentados por el ardor abrasador y la sed. A veces el desierto mudaba de color de repente volviéndose de un blanco cegador y el ejército estaba obligado a marchar sobre una costra de sal, depositada por antiguas lagunas marinas, que corroía los cascos de los caballos y el calzado de los infantes, provocando primero profundas grietas y luego llagas dolorosísimas. Muchas bestias de carga y caballos murieron de hambre y de sed y luego comenzaron a morir también los hombres.

No había ni tiempo ni quedaban tampoco fuerzas para sepultarles o rendirles honores. Los soldados ni siquiera se daban cuenta de si un compañero caía exhausto o, si reparaban en ello, no conseguían ayudarle y su cuerpo quedaba abandonado, presa de los chacales y de los buitres que revoloteaban de continuo sobre la columna en marcha. Al dolor por todas aquellas desgracias se sumaba, para el rey, el disgusto de ver a su joven esposa sufrir tantas incomodidades y privaciones, así como la angustia por la suerte de su flota, de la que no había vuelto a tener más noticias desde su partida de Pátala.

En aquella prueba terrible, en aquellas penurias espantosas, sólo Kalanos parecía no sentir ni el dolor ni las penalidades: caminaba con los pies desnudos por las ardientes arenas cubriéndose apenas los hombros con un trozo de tela, y por la noche, cuando las tinieblas traían un poco de frescor, se sentaba cerca del rey y conversaba con él instruyéndole en su filosofía y en el arte de controlar las pasiones y las necesidades del propio cuerpo. También Roxana, a pesar de su joven edad, se comportó de modo ejemplar, con un orgullo y una entereza increíbles: a menudo se la vio cabalgar con la casaca de los jinetes sogdianos junto a su esposo y, a veces, tratar de cazar con arco y flechas aves de paso.

Un día, cuando los hombres estaban ya en las últimas, un soldado de la guardia real encontró, como por milagro, una concavidad al fondo de una hondonada del terreno en la que parecía anidar un poco de humedad. Comenzó por excavar con la punta de la espada hasta que vio aflorar lentamente, gota a gota, agua. Consiguió recoger la suficiente como para llenar el fondo de su yelmo y, tras haberse mojado los labios, se la ofreció a Alejandro, que parecía puesto duramente a prueba por aquellos esfuerzos a causa de las secuelas de su herida, que le hacían sufrir no poco.

El rey le dio las gracias, luego tomó el yelmo para llevárselo a la boca, pero en el mismo instante se dio cuenta de que todos sus hombres le miraban. Tenían los ojos enrojecidos por la humedad salina, la piel seca, los labios agrietados, y no tuvo el valor de beber. Derramó el agua en el suelo diciendo:

—Alejandro no bebe cuando sus soldados se mueren de sed. —Luego, viendo que muchos se caían rendidos, ya sin fuerzas, gritó—: ¡Soldados, ánimo! ¿Acaso creéis que los dioses nos han concedido llevar a cabo empresas tan grandes para luego dejarnos morir en este desierto? ¡No, creedme! ¡Os garantizo que mañana por la noche estaremos fuera de este horno y que tendréis comida y agua en abundancia! ¿Queréis renunciar justo ahora? ¿Queréis dejaros morir a un paso de la salvación?

A aquellas palabras los soldados sacaron fuerzas de flaqueza y reanudaron el camino hasta que sobrevino la oscuridad. Hacía ya tiempo que habían dejado tras sus espaldas el mar y subían hacia una línea de colinas rocosas donde, al caer la noche, se podía encontrar un mínimo de refrigerio. Al día siguiente, al atardecer, llegaron al paso de montaña y pudieron ver, en lontananza, una ciudad amurallada.

—Es Pura —dijo uno de los oficiales persas—. Estamos salvados.

Alejandro gritó:

—¿Habéis oído, soldados? ¿Habéis oído? ¡Estamos salvados! ¿Habéis visto? ¡Vuestro rey mantiene siempre su palabra!

Los soldados, a medida que llegaban a lo alto y descubrían la ciudad, gritaban de alegría, lanzando al aire las armas, abrazándose los unos a los otros y llorando de emoción.

Tolomeo se le acercó con una expresión de asombro en la mirada.

—¿Cómo lo has hecho? —preguntó incrédulo.

—¿Recuerdas ayer cuando nos encontramos delante de aquella bifurcación de la pista? ¿Con un brazo que iba a poniente a lo largo del mar y el otro que subía hacia las colinas?

—Sí, lo recuerdo.

—Pues Kalanos me dijo: «Mejor el camino más difícil».

—¿Es todo?

—Es todo.

—Te has arriesgado.

—Me parece que no es la primera vez.

—No lo es, en efecto.

Llegaron al atardecer, exprimiendo de los miembros exhaustos las últimas energías, y el comandante de la plaza fuerte salió, suspicaz, a su encuentro.

—¿Quiénes sois? —preguntó.

Alejandro se volvió hacia Tolomeo.

—¿Sigue vivo Oxatres?

—Me parece que sí —fue la respuesta—. Creo haberle visto hace un par de días.

—Ve a buscarle.

Tolomeo se alejó para volver poco después con Oxatres, que le explicó al gobernador persa todo lo debía saber acerca del huésped recién llegado.

—¿Alejandro? —exclamó el gobernador estupefacto—. Pero ¿no había muerto?

—Como puedes ver está vivito y coleando. Pero te ruego que nos dejes entrar. Estamos exhaustos.

El gobernador impartió órdenes inmediatamente a todos los hombres de su séquito y enseguida las puertas de Pura se abrieron de par en par para franquear el paso al ejército que todos creían perdido y al rey que creían muerto.

Permanecieron en Pura cuatro días, para descansar y reponer fuerzas después de las penalidades pasadas. Alejandro preguntó al gobernador si a Harmocia habían llegado noticias de su flota; el persa respondió que no sabía nada sobre el particular, pero que mandaría indagar sobre ello y se lo haría saber.

—Yo no me haría muchas ilusiones —dijo Seleuco—. He sabido que esta ruta, en determinados puntos, es peligrosa por los bajíos y es recorrida por piratas que atacan las naves naufragadas. De haber llegado, sabríamos algo.

—Tal vez tengas razón —replicó Alejandro—, pero también nosotros fuimos dados por muertos y en cambio aquí nos tienes. No hay que desesperar jamás.

Retomaron el camino en dirección a Pérside, marchando por un terreno nuevamente árido y yermo, pero el comandante de la guarnición de Pura había puesto a su disposición guías expertos que les condujeron a los pozos de agua potable y a las aldeas de pastores donde era posible encontrar leche y carne, así como también legumbres secas conservadas en grandes tinajas de barro cocido.

Estaban ya a mitad del invierno cuando el ejército llegó a las cercanías de Salmos, en los confines con Pérside. Alejandro mandó a un grupo de exploradores hacia el sur en busca de noticias de su flota: un par de oficiales macedonios y una docena de auxiliares con un guía persa y una media docena de camellos cargados de odres de agua.

Avanzaron durante dos etapas de cinco parasangas por un terreno completamente desértico hasta que, hacia mediodía, cuando más apretaba el sol, columbraron algo en lontananza.

—¿Consigues distinguir qué es? —preguntó uno de los auxiliares, un mercenario palestino de Azoto.

—Parecen hombres —repuso un compañero.

—¿Hombres? —preguntó uno de los oficiales—. ¿Dónde?

—Allí —indicó el otro oficial, que ahora veía claramente—. Mira, hacen señales, gritan... Me parece que nos han visto. ¡Rápido, vamos!

Se lanzaron al galope y, en pocos instantes, se encontraron delante de dos desdichados que casi no tenían aspecto humano: las ropas hechas jirones, los ojos hundidos, la piel llagada y quemada por el sol, los labios agrietados por la sed.

—¿Quiénes sois? —preguntaron ellos en griego.

—¿Quiénes sois vosotros más bien —replicó el oficial—, y qué hacéis aquí?

—Somos marinos de la flota real.

—Estáis diciendo que la flota de Nearco se ha... —El oficial no se atrevía a concluir la frase porque aquellos dos tenían el aspecto inequívoco de los náufragos.

—Salvado —dijo el hombre con el último aliento—. Pero, ¡por los dioses, dame un sorbo de agua si quieres que te cuente el resto de la historia!

60

—¡A caballo! —gritó el rey fuera de sí por la excitación apenas tuvo conocimiento de la noticia—. Nearco está en la costa y tiene todas las naves. ¡No falta ninguna! ¡Eumenes, haz preparar los carros: agua, vituallas, carne, dulces, miel, fruta y vino, por los dioses! Todo el vino que encuentres. ¡Y ven detrás de mí tan pronto como puedas!

—Pero eso nos llevará tiempo —trató de hacerle razonar el secretario.

—Antes de la noche estará muy bien. ¡Quiero que los hombres lo celebren, por Zeus! ¡Haremos un grandioso banquete en la playa! ¡Tenemos que festejarlo, tenemos que festejarlo!

Le relucían los ojos de la emoción y de la impaciencia. Parecía un niño.

—Y cuida de estos dos marinos. Trátales como a príncipes, como a huéspedes de gran respeto. Y la reina, quiero también a la reina conmigo.

Partió al galope con todos los compañeros seguido por dos escuadrones de caballería de los *hetairoi*, y llegó a la vista del campamento naval de Nearco a la puesta del sol del tercer día de viaje, cubierto de polvo y de sudor, pero con los ojos refulgentes. Las aguas resplandecían con un reflejo dorado cegador y las naves de Nearco se recortaban negras sobre el espejo reluciente del Océano, adornadas únicamente con sus gallardetes y estandartes.

Nearco salió a recibirle a la entrada del campamento y Alejandro, tan pronto como le vio, bajó del caballo y los dos hombres recorrieron a pie la distancia que les separaba entre dos alas de marinos y de jinetes en pleno delirio. Corrieron el uno hacia el otro al final, no pudiendo esperar más en volver a abrazarse, y podría decirse que su encuentro fue más una colisión que un abrazo: luego se separaron y no conseguían articular palabra. Por fin Alejandro estalló en una carcajada liberadora y gritó:

—¡Hueles a pescado pasado, Nearco!

—¡Y tú a sudor de caballo, *Aléxandre*! —dijo el almirante.

—Me cuesta aún creer que estéis todos con vida —dijo el rey mirando el rostro demacrado de su navarca.

—No ha sido fácil —replicó Nearco—. Hubo un momento en que creí que no la contaríamos. Hemos afrontado dos tempestades, pero sobre todo hemos sufrido hambre y sed.

Comenzaban a encaminarse hacia el campamento y era tal su curiosidad y las ganas de contarse mutuamente las aventuras vividas que ni el uno ni el otro habían reparado siquiera en que Tolomeo había formado a la caballería para rendirles honores.

Les hizo volver a la realidad el grito del comandante:

—¡Por el rey Alejandro y por el almirante Nearco, *alalalài*!

—*Alalalài*! —vociferaron los jinetes levantando las lanzas y lanzando su grito al infinito, mientras el último resplandor del sol se apagaba entre las olas encendidas del Océano.

—Permíteme recordar también a Onesícrito —añadió el almirante haciendo una señal a su piloto para que se adelantara—. Se ha comportado como un gran marino.

—Salve, Onesícrito —le saludó Alejandro—. Me alegro mucho de verte.

—Salve, rey —replicó el piloto—. También yo estoy muy contento de verte.

—Lo siento —prosiguió luego Nearco—. No tengo mucho que ofrecerte. Hemos pescado durante todo el día, pero el botín ha sido escaso. Sin embargo, un par de atunes bastante grandes sí que los tenemos y se están asando.

—No te preocupes por esto —repuso el rey—. Tengo una sorpresa para todos vosotros, aunque me temo que no llegue hasta mañana.

—¡Si es lo que me supongo, no veo la hora de que llegue! —exclamó Nearco—. Piensa que una vez, desesperados por la penuria de comida, intentamos una incursión en algunas aldeas de la costa. ¿Y sabes cuál fue el botín?

—No, pero creo poder adivinarlo.

—Harina de pescado. Costales y costales de harina de pescado. Esos desgraciados no tenían nada más.

—También nosotros sabemos algo al respecto.

Entraron en la tienda de Nearco y, poco después, llegaron también Tolomeo, Hefestión, Seleuco y los demás.

353

—Mirad —dijo Nearco mostrando un rollo de papiro abierto sobre una mesa improvisada—. Éste es el mapa trazado por Onesícrito de todo el tramo desde Pátala hasta aquí.

—Magnífico —aprobó Alejandro recorriendo con el dedo la interminable costa desierta que el vicealmirante había marcado con la palabra «ictiófagos».

—Que se alimentan de peces —repitió Hefestión—. Bien puedes decirlo. Por esos pagos apestan a pescado hasta las cabras. Cada vez que pienso en ello, se me revuelven las tripas.

—No puedes imaginarte lo preocupados que hemos estado desde que perdimos todo contacto con vosotros los de la flota —dijo Alejandro.

—Y lo mismo podemos decir nosotros —replicó Nearco—. El hecho es que no era fácil aminorar la marcha para esperaros y cuando lo hicimos no os vimos ya. Tal vez estabais más adelante, o más atrás. ¿Quién puede saberlo?

—El pescado está listo —anunció uno de los marinos.

—Y el olor no está nada mal —comentó Seleuco.

—Creo que habrá que sentarse en la playa —dijo el almirante—. Los lechos de convite y las mesas escasean en mis naves.

—Nos adaptaremos —intervino Pérdicas—. El hambre es el hambre.

En aquel momento, mientras todos se disponían entre risas y bromas a sentarse para la cena, se oyó sonar las trompas tocando a alarma.

—¡Por Zeus! —exclamó Alejandro—. ¿Quién puede atreverse a atacarnos? —Desenvainó la espada y gritó—: ¡*Hetairoi*, a mí! ¡A caballo, a caballo!

En breve el campamento resonó de toques de trompa y de relinchos de caballo, la empalizada defensiva fue abierta y los escuadrones se aprestaron a lanzarse fuera para hacer frente a la incursión enemiga. Se veía, en efecto, avanzar una polvareda amenazante como una nube de temporal y se distinguían ahora ya las armas y los escudos de metal.

—¡Pero si son macedonios! —gritó un centinela.

—¿Macedonios? —exclamó Alejandro estupefacto, deteniendo la carga inminente con un gesto de la mano.

Siguieron algunos segundos en los que se oyó tan sólo el ruido del galope que se acercaba. Luego la voz del centinela resonó de nuevo en el silencio cargado de tensión:

—¡Es el vino! —dijo exultante—. ¡Eumenes ha mandado el vino con un escuadrón de exploradores!

La tensión se resolvió en una risotada oceánica e inmediatamente después los exploradores desfilaron por el campamento entre los aplausos de sus compañeros, llevando cada uno dos odres pendientes a modo de alforjas de la grupa de los caballos.

—Entonces, ¿comemos? —preguntó Leonato, y desmontó y se quitó la coraza.

—Comamos, comamos —respondió Nearco.

—¡Y bebamos también, por Zeus! —rió Alejandro—. ¡Gracias a nuestro secretario general!

Se sentaron sobre la arena tibia mientras los marinos comenzaban a servir el pescado.

—¡Rodajas de atún a la manera chipriota! —anunció pomposamente un marino de Pafos—. Nuestra especialidad.

Todos se arrojaron sobre la comida y la conversación se animó de inmediato porque cada uno tenía su historia que contar: historias de penalidades y de peligros, de tempestades y de bonanzas, de acechos nocturnos y de monstruos marinos, historias de amigos que durante mucho tiempo habían temido no volver a verse nunca más.

—¿Dónde estará Crátero? —preguntó en un determinado momento Alejandro.

Y durante un instante los compañeros se miraron en silencio.

61

Crátero llegó a Salmos con su ejército quince días después y la alegría de Alejandro y de sus compañeros alcanzó el súmmum. Se banqueteó largamente, y ni siquiera cuando el ejército volvió a ponerse en marcha quiso el rey que los festejos se interrumpieran. Hizo construir unos carros sobre los cuales ordenó poner lechos de convite y mesas y todos los compañeros estaban tumbados comiendo, bebiendo y riendo. Y también los soldados podían beber a voluntad de los odres de vino que seguían tras la columna.

En uno de los carros estaba Kalanos y, a veces, tanto el rey como sus compañeros montaban con él para escuchar sus enseñanzas.

Todo el territorio de alrededor resonaba de cantos y de coros de alegría. No era ya un ejército aquel que avanzaba hacia el corazón de Pérside: era un *komos* de Dioniso, una procesión en honor del dios que libera el corazón humano de todos los afanes con el júbilo del vino y de la alegría.

Entretanto Nearco había vuelto a partir con su flota después de haber llevado a cabo las necesarias reparaciones y reabastecido las bodegas con todo lo preciso para un largo viaje. Pasaron el estrecho de Harmocia y entraron en el golfo Pérsico, directos hacia la desembocadura del Tigris. La cita era en Susa, que podía alcanzarse a través de un canal navegable. Por fin los tiempos duros quedaban ya atrás y los marinos remaban vigorosamente y maniobraban con ahínco las escotas y las velas, impacientes por concluir su aventura y poder contarla.

Tan sólo hubo un momento de tensión a bordo de la flota cuando desde las olas, a escasa distancia de la nave capitana, se alzaron unos chorros de vapor altísimos y acto seguido aparecieron los dorsos relucientes de unas criaturas gigantescas que de nuevo se sumergían agitando fuera del agua sus enormes colas.

—Pero... ¿qué son? —preguntó aterrorizado el marino chipirota que había preparado la cena para el rey y sus compañeros en la playa.

—Ballenas —repuso el contramaestre fenicio que había navegado más allá de las columnas de Hércules—. No nos harán nada. Sólo hay que estar atentos a no provocarlas porque entonces bastaría con un coletazo y... adiós nave capitana. ¡Se la tragan de un solo bocado!

—Prefiero los atunes —balbuceó el marino, y preguntó preocupado—: Pero ¿estás seguro que no nos atacarán?

—No se puede estar seguro de nada en el mar —replicó Nearco—. Deberías saberlo. Vuelve a tu lugar, marino.

El ejército de Alejandro continuó su marcha por el camino que conducía a Pasagarda, y allí el rey se encontró con que la tumba de Ciro había sido violada: el sarcófago había sido abierto y el cuerpo del Gran Rey arrojado fuera. Entonces hizo interrogar y procesar a los magos que tenían a su cargo la guardia y custodia para saber quién había sido el responsable, pero éstos ni siquiera bajo tortura revelaron cosa alguna. Les dejó, por tanto, irse, dio orden de restaurar la tumba en su estado original y reanudó el camino hacia Persépolis. Entretanto había corrido la voz de que el rey había vuelto y la noticia sumió a muchos sátrapas y también a muchos gobernadores macedonios en la consternación porque creían ya todos que había muerto y se habían entregado a saqueos y robos de todo tipo.

El palacio imperial apareció ante Alejandro tal como había quedado reducido por el espantoso incendio que lo había destruido: sólo las columnas de piedra y los gigantescos portales emergían en la inmensa explanada ennegrecida por el humo y cubierta de cenizas y de seco barro deslizado de las alturas inmediatas. Las piedras duras habían sido arrancadas de los bajorrelieves, y también los cuajarones de metal precioso derretidos en el incendio. El único signo que recordaba la grandeza de los Aqueménidas era la llama que ardía delante del monumento funerario de Darío III.

El rey pensó en Estatira, que no veía ya desde hacía mucho tiempo, y se preguntó si había recibido la carta que le había mandado desde las riberas del Indo. Le escribió de nuevo diciendo que la quería y que se encontraría con ella en Susa.

Una noche, algún tiempo después, mientras reposaba junto a Roxana en la galería del palacio del sátrapa, le fue anunciada una visita y al poco fue introducido un hombre corpulento y calvo que le saludó con una amplia sonrisa.

—Mi rey, muchacho mío, no sabes el placer que siento de volver a verte. Pero... no veo el perro —añadió mirando a su alrededor circunspecto.

—Eumolpo de Solos... Puedes estar tranquilo, *Peritas* no está ya. Murió en la India por salvarme la vida.

—Lo siento —replicó el informador—. Aunque yo no le fuera simpático. Sé que le querías mucho.

Alejandro inclinó la cabeza.

—También *Bucéfalo* murió, y muchísimos otros amigos. Ha sido una empresa durísima. Pero ¿de dónde sales tú? Te daba por muerto. Desapareciste sin decir nada y si te he visto no me acuerdo.

—Si es por esto, también yo te daba por muerto. Y no solamente yo. En cuanto a mi desaparición, considérala un hecho normal. Una vez que me di cuenta de lo que querías de mí partí a la primera oportunidad favorable, sin llamar la atención, pues un buen informador no permite nunca que se descubran sus movimientos, ni siquiera por parte de las personas a las que debe informar.

—Si no me equivoco —dijo Alejandro—, no estás aquí sólo por el placer de volver a verme.

Eumolpo le entregó un rollo.

—En efecto. En tu ausencia, mi rey, y de acuerdo a tus deseos, si mal no recuerdo, he sido tus ojos y tus oídos. Yo no olvido a quien se portó bien conmigo, puso su confianza en mí y me salvó la vida cuando todos querían condenarme a muerte. Aquí hay escritas cosas que no te van a gustar. Es la relación completa y documentada de todas las fechorías, robos, rapiñas y violencias cometidas por los sátrapas y los gobernadores, también por los macedonios, en tu ausencia. Encontrarás también la relación de todos los testigos a los que puede interrogarse si es tu propósito instruir procesos. El responsable del tesoro real, para empezar, el cojo, amigo de Eumenes...

—¿Hárpalo?

—El mismo. Ha retirado cinco mil talentos de las arcas, enrolado a seis mil mercenarios y ahora marcha hacia Cilicia, si mis últimas informaciones son exactas. Creo que está negociando con determinados amigos suyos atenienses que no te aprecian mucho.

—¿Demóstenes?

Eumolpo asintió.

—Según tú, ¿adónde se ha dirigido?

—Probablemente a Atenas.

Entró en aquel momento Eumenes con una expresión de gran embarazo.

—¡*Aléxandre*, una noticia terrible por desgracia! No sé siquiera cómo empezar porque... es culpa mía, en un cierto sentido.

—¿Hárpalo? Lo sé ya. —Y señaló con un gesto a Eumolpo, que estaba sentado en un rincón y no se había hecho notar aún—. Y sé otras muchas cosas. Todas ellas desagradables. Y lo que conviene hacer es lo siguiente. Verificarás inmediatamente el fundamento de las acusaciones mencionadas en este documento contra las personas indicadas, ya sean macedonias, persas o medas. Tras lo cual, harás iniciar todos los procesos. Los macedonios, si se demuestra que son culpables, serán juzgados por la asamblea del ejército y las sentencias ejecutadas de acuerdo al rito tradicional.

—¿Y Hárpalo?

—Encuentra a ese maldito patizambo, Eumenes —mandó Alejandro pálido de indignación—. Dondequiera que se encuentre. Y mátale como a un perro.

Eumolpo de Solos se levantó.

—Me parece que lo que teníamos que decirnos nos lo hemos dicho ya.

—En efecto. Eumenes te pagará generosamente.

Eumenes asintió cada vez más incómodo.

—No es culpa tuya —le dijo Alejandro levantándose—. Tú no has traicionado mi confianza y sé que no la traicionarás jamás.

—Te lo agradezco, pero esto no alivia mi desencanto.

Se encaminó hacia la salida, y mientras se alejaba por el corredor del palacio se topó con Aristandro. El vidente tenía una luz extraña en los ojos, una mirada alucinada, y no le saludó. Tal vez ni siquiera le hubiera visto.

Entró en el despacho de Alejandro y su expresión llena de angustia y de espanto impresionó profundamente al rey.

—¿Qué sucede? —preguntó Alejandro con el tono de quien teme la respuesta.

—Mi pesadilla. Ha vuelto.

—¿Cuándo?

—Esta noche. Y otra cosa.

—Di.

—Kalanos no se encuentra bien.

—¡No es posible! —exclamó Alejandro—. Ha soportado las más duras privaciones, las pruebas más agotadoras, las lluvias y el sol, el hambre y la sed...

—Y sin embargo está muy mal.

—¿Desde cuando?

—Desde que llegamos a Persépolis.

—¿Dónde está ahora?

—En la casa que le asignaste.

—Llévame allí inmediatamente.

—Como quieras. Sígueme.

—¿Adónde vas, *Aléxandre*? —preguntó Roxana inquieta.

—A ver a un amigo que sufre, amor mío.

Atravesaron la ciudad sobre la que descendían las sombras de la noche y se encontraron delante de una bonita casa rodeada de un pórtico, residencia de un noble persa caído en el campo de batalla de Gaugamela. Alejandro se la había asignado a Kalanos para que pudiera vivir cómodamente después de las penalidades de la expedición.

El rey entró con Aristandro; los dos recorrieron los pasillos silenciosos y llegaron a una estancia apenas iluminada por las últimas luces del día. Kalanos yacía sobre una estera en el pavimento. Tenía los ojos cerrados y exhibía una flacura impresionante.

—*Kalane*... —susurró el rey.

El hombre abrió los ojos, dos ojos negros, inmensos, febriles.

—Estoy mal, *Aléxandre*.

—No puedo creer en estas palabras, maestro, te he visto pasar por toda clase de pruebas sin que sintieras dolor.

—Ahora sufro. Y el sufrimiento es insoportable.

Alejandro se volvió para toparse con la mirada ceñuda de su vidente.

—¿Qué sufrimiento? Dímelo a fin de que podamos ayudarte.

—Es el sufrimiento del alma, el más agudo, para el que no existe remedio.

—Pero ¿qué te hace sentirte mal? ¿Acaso no has hecho el camino que conduce a la imperturbabilidad?

Kalanos miró fijamente a los ojos a Aristandro y por sus miradas cruzó un sombrío entendimiento. Prosiguió hablando, con esfuerzo:

—Sí. Hasta que te conocí, hasta que vi en ti la potencia del Océano en tempestad, la fuerza salvaje del tigre, las alturas imponentes de los picos nevados de las montañas que sostienen el cielo. Quise conocerte a ti y tu mundo y quise salvarte cuando tu ciego furor te había llevado a la destrucción. Pero sabía qué harías si fracasabas. Hice un pacto conmigo mismo. Yo te he querido, *Aléxandre*, como todos los que te han conocido, y he querido seguirte para protegerte de tu instinto inconsciente, para enseñarte una sabiduría distinta de la de los sabios que te educaron, de la de los guerreros que hicieron de ti un invencible instrumento de destrucción. Pero tu *tantra* no puede ser doblegado de ningún modo, ahora lo sé: ahora veo lo que está por suceder, lo que amenaza. —Levantó de nuevo los ojos para encontrar la mirada trémula de Aristandro—. Es esto lo que acrecienta sobremanera mi sufrimiento. Si viviese hasta el momento de ver lo que amenaza, el dolor me impediría para siempre alcanzar la extrema imperturbabilidad, disolver mi alma en el infinito. Tú no quieres esto, *Aléxandre*, tú no lo quieres, ¿verdad?

Alejandro le apretó la mano.

—No —respondió con voz estremecida por la emoción—. No lo quiero, *Kalane*. Pero dime, te lo ruego, dime qué cosa tan tremenda amenaza.

—No lo sé. Sólo lo presiento. Y no puedo soportarlo. Permite que muera como juré morir.

El rey besó la mano esquelética del gran sabio; luego miró a Aristandro y dijo:

—Escucha sus últimas voluntades y refiéreselas a Tolomeo para que las cumpla. Yo, yo... no puedo...

Y salió llorando.

El día convenido, Tolomeo ejecutó todo lo que le había sido pedido y dio comienzo el último viaje de Kalanos hacia la imperturbabilidad infinita.

Hizo erigir una pira de diez codos de alto y trece de ancho. A lo largo de la vía de acceso formó a cinco mil *pezetairoi* con las armaduras de gala e hizo esparcir pétalos de rosas por un cortejo de muchachos. Luego llegó Kalanos, tan débil y agotado que era incapaz de caminar, llevado por cuatro hombres en unas parihuelas, con coronas de flores alrededor del cuello, a la usanza india. Fue depositado en la pira, desnudo como viniera al mundo, mientras coros de jóvenes y de muchachas cantaban los himnos dulcísimos de su tierra. Luego le fue puesta en las manos una antorcha encendida.

Alejandro había decidido al principio no asistir y por eso había pedido a Tolomeo que ejecutara las últimas voluntades del sabio indio. En el último momento, sin embargo, se acordó de cuando Kalanos le había velado en su agonía y quiso dirigirle el postrer saludo avanzando a lo largo de la vía ceremonial hasta el pie de la pira. Le miró, tan frágil y desnudo, y pensó en Diógenes que yacía con los ojos entrecerrados delante de su tinaja, al sol de una tarde lejana, y en aquel instante recordó también qué le había dicho al quedarse solos. Lo mismo que le dijera Kalanos, sin abrir la boca, en la oscuridad de su tienda, mientras él luchaba con la muerte:

«No hay conquista que tenga sentido, no hay guerra que valga la pena librar. Al final, la única tierra que nos queda es aquella en la que seremos sepultados.»

Levantó la cabeza y vio el cuerpo de Kalanos envuelto en un torbellino de llamas. Él, increíblemente, sonreía en medio de aquel plasma encendido y le pareció que movía los labios, que murmuraba algo. El rugido de las llamas era demasiado fuerte para que pudiese oírlo, pero resonó dentro de él igualmente la voz del sabio: «Volveremos a vernos en Babilonia».

62

Alejandro dejó enseguida Persépolis con sus tristes recuerdos y marchó hacia Susa, a donde llegó a mediados del invierno.

Apenas llegar, se dirigió a hacerle una visita a la reina madre, que se emocionó al verle y salió a su encuentro saludándole a la manera griega con la expresión más confidencial:

—*Chaire, pai*!

—Tu griego es perfecto, madre —se congratuló Alejandro—. Me alegra encontrarte con buena salud.

—Y mi alegría es inmensa de verte sano y salvo —replicó la reina—. Lloré cuando me llegó la noticia de que habías muerto. Imagino lo que habrá sufrido tu madre, sola en Macedonia.

Le mandé una carta tan pronto como llegué a Salmos y creo que a estas horas la habrá recibido y se habrá consolado de su angustia.

—¿Puedo esperar que te quedes a comer conmigo?

—Por supuesto. Y será para mí un gran placer.

—A mi edad no tengo ya otra satisfacción que recibir visitas, y la tuya es la más deseada. Siéntate, hijo mío, no estés así de pie.

Alejandro se sentó.

—Madre, no he venido sólo para saludarte.

—¿Para qué más? Habla libremente.

—He oído decir que el rey Darío tenía otra hija.

—Es cierto —hubo de admitir Sisigambis.

—Pues bien, deseo tomarla por esposa.

—¿Por qué?

—Es mi intención recoger la herencia de Darío. Su familia debe convertirse en la mía.

—Comprendo.

—¿Puedo confiar en que me la concederás?

—De haber sobrevivido su padre, habría servido como esposa para consolidar alguna alianza o para asegurar la fidelidad de algún sátrapa. No tendrá pretensiones; y sin embargo su nombre te recordará a un gran amor que perdiste... ¿Sabes cómo se llama? Barsine.

Alejandro bajó la mirada abrumado por los recuerdos. Imágenes que parecían haber palidecido con el tiempo acudían de golpe vívidas a su memoria.

—Qué terrible jornada en Gaugamela —continuó la reina madre—. No la olvidaré en la vida... Estatira estará contenta de irse a vivir con su hermana mayor. Pero ¿y Roxana?

—Roxana me ama. Sabe que es la reina, pero sabe también cuáles son los deberes de un rey. Le he hablado ya de ello.

—¿Y qué te ha dicho?

—Ha llorado. Como lloraba mi madre cuando mi padre Filipo traía a palacio una nueva reina. Pero yo la amo por encima de todo y ella lo sabe.

—Te concedo con mucho gusto a Barsine. Ahora reúnes la casa Argéada con la casa de los Aqueménidas. No hay ya ni vencedores ni vencidos. ¿Cómo se lo tomarán tus hombres?

—Les convenceré.

—¿Tú crees?

—Estoy seguro. Y tengo otra petición que hacerte. Te pido también a la hermana más pequeña de Estatira y Barsine.

—¿Quieres también a Dripetis? Es natural.

—No para mí, sino para mi amigo Hefestión. Cuando éramos unos chavales, pensábamos que sería algo hermoso casarnos con dos hermanas. Así nuestros hijos serían primos. Ahora ello es posible, si tú lo concedes.

—Te lo concedo de todo corazón. Únicamente espero que vuestro matrimonio sea aceptado por tus nobles y por tus soldados.

—Seguramente —replicó Alejandro—. Muchos de mis soldados viven ya con muchachas persas o medas y tienen también hijos. Justo es que se casen con ellas, y para otros estoy eligiendo yo esposas persas. Al final he calculado que los matrimonios serán, más o menos, unos diez mil.

La anciana reina puso unos ojos como platos en medio del enredo de arrugas.

—¿Diez mil, *pai*? ¡Oh, gran Ahura Mazda, es algo nunca visto! —Sonrió con una expresión de inocente malicia—. Por otra parte, creo que no te falta razón. El lecho es el mejor lugar para echar las bases de una paz duradera.

Mientras disponía los preparativos para las nuevas nupcias, Alejandro comenzó a planear nuevas expediciones para el descubrimiento de tierras aún desconocidas, y para esto esperaba con impaciencia la llegada de la flota de Nearco, que fue avistada a comienzos de primavera en la desembocadura del Tigris.

La nave capitana que llevaba izado el estandarte argéada con la estrella de oro echó finalmente el ancla en la dársena del canal que casi tocaba las murallas de la ciudad, y detrás atracó el resto de la flota en medio de un gran regocijo de aclamaciones y aplausos, entre toques de trompa y redoblar de tambores.

Nearco, revestido con la armadura, recibió los honores de dos batallones de *pezetairoi* formados y fue recibido por Alejandro sentado en el trono al lado de Roxana, magnífica con sus vestiduras imperiales tejidas de oro y cubiertas de gemas.

Apenas le vio, el rey se levantó para ir a su encuentro y le besó en ambas mejillas; luego recibió al vicealmirante Onesícrito y a todos los comandantes de las naves para congratularse junto con ellos y ofrecer a cada uno un presente.

Aquella misma noche convocó a cenar a todos los amigos, incluido Nearco y Eumenes, para comunicarles sus decisiones. El banquete fue preparado en el mismo salón del trono y los lechos de convite dispuestos en tres de sus lados, de modo que todos los comensales pudieran ver y oír al rey. No había ni mujeres ni músicos, lo que, de no haber sido por la presencia de los lechos de convite, hacía pensar más en un consejo de guerra que en un banquete.

Alejandro comenzo diciendo:

—He decidido que ha llegado la hora de que os caséis. —Se miraron todos estupefactos—. Tenéis ya una cierta edad —continuó— y tenéis que pensar en formar una familia. He elegido para vosotros unas esposas de gran belleza y muy alto rango... todas ellas persas.

Hubo un momento de silencio.

—Y no sólo esto —prosiguió el rey—. He decidido celebrar asimismo todos los matrimonios entre macedonios y muchachas asiáticas que de hecho existen ya. Muchos, como sabéis, tienen incluso hijos. Yo me haré cargo de la dote de las esposas para quien quiera celebrar su boda ahora. Con tal de que, claro está, la esposa sea persa. Éste es el único modo de dar un futuro a nuestra conquista, de borrar los rencores, los odios, los deseos de venganza: una sola patria, un solo rey, un solo pueblo. Éste es mi plan y ésta es también mi voluntad. Si alguno de vosotros es contrario a ello, que lo diga libremente.

Nadie rechistó. Sólo Eumenes levantó una mano.

—Yo no soy macedonio y tampoco un héroe como todos vosotros y no tengo intención de tomar parte en la fundación de ningún imperio. Si pudiera ser dispensado de esta orgía reproductora primaveral, me sentiría muy contento. La sola idea de tener a una mujer en medio me pone la piel de gallina y...

—Tu esposa —le interrumpió Alejandro con una sonrisa— se llama Artonis, es hija del sátrapa Artaozo y es muy graciosa y fiel. Te hará feliz, estoy convencido de ello.

La ceremonia tuvo lugar en primavera en una tienda gigantesca, siguiendo el rito persa: se colocaron unos escaños según el orden preestablecido y luego llegaron los esposos para el brindis común y para las mutuos deseos de felicidad. Acto seguido entraron las esposas ataviadas con los vestidos de boda y se las hizo sentar a cada una de ellas al lado de su esposo. Luego todos, a ejemplo del rey, que presidía la ceremonia, les tomaron la mano y se la besaron. Todos los convidados recibieron como presente una copa de oro y a continuación se sirvió el banquete, una cena suntuosa para veinte mil invitados. El vino fluía de una fuente de la que cada uno podía beber a su antojo y coros de efebos y doncellas cantaban los himnos nupciales acompañados por arpas babilonias e indias, por flautas y tímpanos.

Estatira había llegado de Ecbatana hacía dos días y tomó parte en la ceremonia como dama de compañía de su hermana Barsine, que Darío había engendrado de su primera esposa. Cuando fue la hora de retirarse, la acompañó hasta la puerta del aposento, donde se reuniría con ella el esposo. Alejandro llegó antes de que ella se hubiera ido y la saludó con un beso.

—Me alegra de que hayas venido, Estatira. Ha pasado mucho tiempo desde la última vez que te vi.

—Es cierto, mi señor, ha pasado mucho tiempo.

—Espero que estés bien.

—Lo estoy —contestó Estatira con una sonrisa ambigua—, pero me pregunto si tú lo estás igualmente.

—Tal vez he bebido un poco —repuso Alejandro—, pero el vino no puede hacerme sino bien en una noche como ésta.

—Por supuesto, deberás hacer feliz a una virgen de casi treinta años y a una esposa que no te ve desde hace más de cuatro.

Alejandro pareció meditar unos instantes sobre aquella palabras, murmurando:

—Cómo pasa el tiempo...

Luego se le acercó, la miró directamente a los ojos y le preguntó:

—¿Quieres ofrecerme tu amor o quieres desafiarme?

—¿Desafiarte? ¿Por qué iba a hacerlo? Esperaré en la habitación de al lado a que hayas hecho feliz a mi querida hermana. Es ella la nueva esposa y tiene derecho a disfrutar de la flor de tus fuerzas —repuso Estatira con la más amable de las sonrisas.

Le dio un beso y se retiró a su aposento cerrando la puerta tras de sí.

El rey yació con sus dos esposas persas aquella noche, primero con Barsine y luego con Estatira, pero cuando la vio finalmente adormecida se echó sobre los hombros una clámide y salió al corredor. Miró a su alrededor y, dado que todo estaba tranquilo, bajó las escaleras, atravesó el patio y se reunió con Roxana en el apartamento real. Trató de no hacer ningún ruido, pero cuando se tendió a su lado ella se volvió de golpe y le agredió hecha una furia, pegándole con los puños y arañándole.

—Hueles todavía a esa hembra y tienes el atrevimiento de acercarte a mí —gritaba.

Alejandro la cogió por las muñecas y la inmovilizó sobre el lecho. La sentía debatirse y jadear afanosamente debajo de él, pero no dijo nada. Dejó que gritara y luego que llorara desconsoladamente un largo rato. Por último la dejó libre y se echó nuevamente a su lado, confiando en que hubiera desahogado su ira y su dolor.

—Si quieres me voy —le dijo.

Roxana no respondió.

—Te dije que desposaría a Barsine y que volvería con Estatira. Un rey tiene sus deberes...

—Eso no cambia nada —gritó Roxana—. ¿Crees que por esto yo me siento mejor?

—No, no lo creo —respondió Alejandro—. Por esto te he preguntado si quieres que me vaya.

—¿Verdaderamente te irías? —preguntó la muchacha.

—Sólo si tú me lo pidieras —repuso el rey—, pero espero que no me lo pidas porque eres la única mujer que amaré mientras viva.

Roxana se quedó un buen rato sin decir absolutamente nada, y seguidamente dijo:

—*Aléxandre*...

—Sí.

—Si lo haces de nuevo me mataré, y conmigo morirá tu hijo. Estoy encinta.

Alejandro le estrechó la mano en silencio, en la oscuridad.

Al día siguiente, por concesión personal del rey, les fueron condonadas las deudas a todos los soldados macedonios que las habían contraído. Al principio, muchos no se habían atrevido a solicitarlo porque creían que Alejandro había concebido una estratagema para descubrir a aquellos que no habían sabido administrar bien sus haberes o que no habían sido capaces de vivir con la generosa paga que recibían.

Pero Alejandro, viendo que las peticiones de condonación eran tan pocas, hizo saber que no quería conocer la identidad del deudor, sino tan sólo el monto de la deuda, y así todos se armaron de valor y presentaron a Eumenes las solicitudes y los documentos probatorios del préstamo, recibiendo la suma que lo cancelaba.

El gasto total fue calculado por el secretario general en diez mil talentos.

Hacia finales de primavera, el rey realizó unas maniobras en Opis, a lo largo del Tigris, donde le había alcanzado un nuevo contingente de treinta mil jóvenes persas adiestrados a la manera macedonia. Hubo una parada militar en la que los jóvenes guerreros asiáticos, denominados Sucesores, dieron prueba de un excepcional valor y de gran destreza. Esto irritó una vez más a los soldados macedonios, que temían que fueran puestos al mismo nivel que aquellos a los que habían vencido y sometido. Su desencanto aumentó más aún si cabe cuando supieron que Alejandro quería licenciar a todos los heridos, los inválidos y los mutilados y hacerles volver junto con Crátero, que sustituiría al viejo Antípatro en la regencia de Macedonia.

—Están furiosos —le refirió Crátero—. Piden que tú les recibas en delegación.

Las maniobras habían terminado y los jóvenes Sucesores habían vuelto a sus tiendas. Alejandro hizo sacar fuera su trono y dijo al amigo:

—Hazles venir.

Pero se veía que estaba muy contrariado y de pésimo humor.

Crátero se alejó hacia el campamento macedonio, que estaba rigurosamente separado del de los persas, y al cabo de no mucho tiempo apareció un grupo de soldados en representación de las diversas armas del ejército: caballería, infantería pesada, exploradores, «portadores de escudo», arqueros a caballo.

—¿Qué queréis? —preguntó Alejandro, frío.

—¿Es cierto que mandas a casa a los veteranos, inválidos y mutilados? —preguntó un capitán de los *pezetairoi*, el mayor del grupo.

—Sí —repuso el rey.

—¿Y te parece una acción correcta?

—Es una acción necesaria. Habrá otras expediciones y ellos no están ya en condiciones de combatir.

—Pero ¿qué clase de hombre eres? —gritó otro—. Ahora que tienes a esos pequeños bárbaros vestidos como doncellas que hacen sus piruetas no tienes ya necesidad de tus soldados, de los que han conquistado para ti medio mundo con su sangre y sudor.

—¡Es cierto! —exclamó un tercero—. Ahora les mandas volver, pero ¿cómo? ¿Les mandas acaso como les recibiste de sus familias hace diez años? ¡No! ¡Entonces eran jóvenes, fuertes, perfectos! Ahora les devuelves exhaustos, heridos, mutilados, inválidos. ¿Qué será de su vida? ¿Y has pensado en aquellos que no volverán más? ¿En aquellos que han caído en las emboscadas, ateridos por el hielo, reventados en los picos de montaña, ahogados en las aguas llenas de limo del Indo, devorados por los cocodrilos, mordidos por las serpientes, muertos de hambre y de sed en el desierto? ¿Piensas en ellos? ¿Piensas en sus viudas y en sus huérfanos? No, rey, tú no piensas en ellos porque de lo contrario no habrías concebido una acción de este tipo. ¡Siempre te hemos escuchado, siempre te hemos obedecido, pero ahora escúchanos tú a nosotros! Nosotros tus soldados nos hemos reunido en asamblea y tomado una decisión. ¡Todos o nadie!

—¿Qué quieres decir? —preguntó Alejandro con una expresión cada vez más sombría.

—Quiero decir —respondió el capitán— que si haces volver a los veteranos inválidos deberás hacernos volver a todos. Sí, nos volvemos a casa. Quédate con tus bárbaros de hermosas corazas chapadas de oro y veamos si ellos son capaces de hacer lo mismo, si saben sudar sangre por ti como hemos hecho nosotros. Adiós, rey.

La pequeña comitiva hizo una inclinación con la cabeza, luego dio media vuelta y regresó a paso cadencioso al campamento.

Alejandro se puso en pie pálido de ira y de humillación y se dirigió a los jinetes de su guardia personal:

—¿Pensáis lo mismo vosotros?

El comandante permaneció en silencio.

—¿Pensáis lo mismo vosotros? —gritó de nuevo.

—Pensamos como nuestros compañeros, rey —fue la respuesta.

—Entonces marchaos, os dispenso de vuestro servicio. No tengo ya más necesidad de vosotros.

El comandante indicó con la cabeza que había comprendido, luego reunió a sus hombres y se los llevó de nuevo al campamento al galope.

Poco después su puesto había sido ocupado por un grupo de Sucesores persas que desde aquel momento se exhibieron delante de la tienda real, resplandecientes con sus nuevas armaduras, con sus ropas adamascadas, con los estandartes de púrpura y de oro.

Durante dos días Alejandro se negó a ver a sus soldados y tampoco comunicó lo que se proponía hacer, pero en el campamento su gesto había sumido a todo el mundo en la costernación. Se sentían como una grey sin pastor, como hijos sin un padre, solos en el corazón de un inmenso país que ellos habían conquistado y que ahora les miraba con compasión y burla. Y sobre todos estos sentimientos prevalecía uno: el dolor por haber sido excluidos de la presencia del rey, el pensar que él idearía otras empresas, soñaría otros sueños, concebiría otras extraordinarias aventuras sin ellos. El dolor de no verle ya, de no tener ninguna intimidad con él, ninguna relación.

Pasaron dos días sin que el rey se dejase ver. Al tercer día algunos soldados dijeron:

—Hemos hecho mal. En el fondo él siempre ha sentido afecto por nosotros, ha sufrido como nosotros, ha comido nuestra comida, ha sido herido más que ningún otro, nos ha colmado de regalos y de favores. Vayamos a su tienda y pidámosle perdón.

Otros se echaron a reír.

—¡Sí, sí, id, id a que la emprenda con vosotros a patadas en el culo!

—Es posible —repuso el hombre que había sido el primero en hablar—. Pero iré igualmente, tú haz lo que te parezca.

Se despojó de las armas y con sólo el quitón puesto, descalzo, se encaminó fuera del campamento. Otros imitaron su ejemplo, cada vez en mayor número, hasta que más de la mitad del ejército se presentó alrededor del pabellón real ante la mirada estupefacta de la guardia persa.

Pasó en aquel momento Crátero y les vio. Llegó Tolomeo de una misión a orillas del Trigis y preguntó:

—¿Qué ha sucedido aquí?

Entraron en la tienda y Crátero dijo:

—Hay hombres fuera, *Aléxandre*.

En aquel momento oyó que uno le gritaba:

—¡Perdónanos, rey!

—Ya les oigo —repuso Alejandro aparentemente impasible.

—¡Alejandro, escúchanos! —gritó otra voz.

Tolomeo no consiguió disimular su emoción.

—¿Por qué no vas con ellos? Son tus soldados.

—Ya no. Y no he sido yo quien les ha rechazado, sino ellos quienes me han rechazado a mí. No han querido comprenderme.

Tolomeo no añadió nada más: demasiado bien conocía a su amigo para insistir en aquellos momentos.

Pasó un día y una noche y otro día y los lamentos de los soldados se hacían cada vez más altos, sus voces más insistentes.

—¡Ya basta! —gritó Tolomeo—. ¡Basta! Llevan dos días y dos noches sin dormir ni probar bocado. ¡Si eres hombre ve a su encuentro!

Pero ¿de veras eres incapaz de comprenderles? Eres rey y conoces las razones de gobierno y de la política, pero ellos sólo saben una cosa: que te han seguido hasta el fin del mundo, que han dado su sangre por ti y tú ahora les mandas a paseo para rodearte de aquellos que hasta ayer mismo les pediste combatir. ¿De veras no puedes comprender cómo se sienten? ¿Y crees que el dinero que les has dado vale para recompensarles?

Alejandro pareció volver a la realidad y miró a Tolomeo como si oyera aquellas palabras por primera vez. Luego se levantó y salió, mientras se apagaba lentamente la luz del día.

El ejército entero estaba allí: miles de soldados desarmados, sentados por tierra en el polvo, muchos bañados en lágrimas.

—¡Ya os he oído, soldados! —exclamó—. ¿O es que creéis que estoy sordo? ¿Sabíais que no duermo desde hace dos noches por vuestra culpa?

—¡Tampoco nosotros dormimos desde hace dos noches, rey! —repuso una voz anónima en el grupo.

—Porque sois unos ingratos, porque no queréis comprenderme, porque... —comenzó gritando Alejandro.

Se adelantó un veterano con la barba gris y los largos cabellos desgreñados, manco de una mano, y le miró directamente a los ojos.

—Porque te queremos, muchacho —dijo.

Alejandro se mordió los labios dándose cuenta de que inmediatamente se iba a poner a llorar como un niño, él, el rey de Macedonia, el Rey de Reyes, el faraón de Egipto, el soberano de Babilonia iba a llorar como un estúpido chiquillo delante de su maldita soldadesca. Y lloró. Cálidas lágrimas, sin rebozo, sin siquiera taparse la cara. Y cuando finalmente se hubo calmado, respondió:

—¡También yo os quiero, bastardos!

63

Alejandro, sentado en su escaño sobre el podio, miró a los soldados que la trompa había convocado a su presencia. Luego hizo un indicación a Eumenes, que comenzó a leer:

Alejandro, rey de los macedonios y hegemón panhelénico, decreta:
Los veteranos que en la visita médica resulten no idóneos para el combate volverán a la patria con el general Crátero.
Recibirán del rey un regalo personal para que le recuerden durante todo el tiempo que los dioses quieran concederles de vida. Recibirán además una corona de oro cada uno, que podrán llevar por derecho propio en toda manifestación pública, cuando asistan a competiciones atléticas y a representaciones teatrales. En tales ocasiones, deberán sentarse en los primeros puestos reservados y en las tribunas de honor.
Decreta además que percibirán su soldada vitaliciamente y que los huérfanos recibirán la soldada de los padres caídos gloriosamente en la batalla hasta que alcancen la edad de veinte años.
La guardia macedonia del rey es restablecida en sus funciones. Todos aquellos que están ligeramente heridos o enfermos serán curados y reintegrados a filas. El rey dejará a su médico personal Filipo ocuparse de ellos. Desea dar a todos testimonio de su afecto más profundo y de su gratitud. ¡Para siempre!

Estalló un retumbo, un fragor de espadas golpeadas contra los escudos, exclamaciones, cantos y gritos de exultación.
Cuatro días después, la columna al mando de Crátero se puso en marcha en dirección al Éufrates y al mar. Alejandro se quedó mirándoles hasta que el último hombre hubo desaparecido en el horizonte.

—Con ellos se va una parte de mí —dijo.

—Tienes razón —replicó Eumenes—, pero has dado un excelente decreto. Puedes estar seguro de que irán todos al teatro, incluso los que no han puesto nunca los pies en él, para no perderse la ocasión de sentarse en los puestos reservados de primera fila y de llevar en público la corona de oro que les has regalado.

—¿Cómo crees que se lo tomará Antípatro?

—¿Su sustitución por Crátero? No lo sé. Siempre ha sido leal, siempre te ha servido fielmente. Sentirá amargura, de esto no cabe duda, pero nada más. Por otra parte, él es el último que ha quedado de la vieja guardia de tu padre. ¿Qué piensas hacer ahora?

—¿Recuerdas a los uxios?

—¿Y quién puede olvidar a esos salvajes?

—Pues al norte hay una tribu más salvaje aún que ha apoyado los intentos de restauración. Son los coseos. Tengo que arreglar este asunto y luego iremos a Ecbatana, la última capital, a reafirmar nuestra autoridad, controlar el tesoro real y procesar a los gobernantes corruptos. Marcharemos, por tanto, hacia Babilonia, la futura capital del imperio.

—¿Cuánto tiempo nos llevará, según tú?

—Dos, tres meses tal vez.

Alejandro se equivocaba: se requirió toda la primavera para someter a los coseos y gran parte del verano se fue en Ecbatana. Tres altos oficiales macedonios, Heracles, Meleagro y Aristónico, fueron condenados por corrupción, hurto y sacrilegio en los santuarios persas y pasados al punto por las armas. De este modo el rey demostró que no establecía diferencias entre macedonios y persas. En efecto, también no pocos persas que se habían revelado administradores corruptos fueron condenados al suplicio. En todos estos casos, las informaciones de Eumolpo de Solos se revelaron ciertas.

Unas vez concluidas estas operaciones, el rey decidió hacer pública una celebración con juegos y espectáculos, en parte también porque habían llegado tres mil atletas, actores y promotores teatrales de Grecia. Se instaló luego en el palacio real con Roxana. Estatira, entretanto, se había establecido con su hermana, que se había desposado con Alejandro, en el palacio de Susa. Obrando así, evitaba los celos de Roxana, que se hacían cada vez más fuertes, porque la reina se daba cuenta del poder que tenía sobre el corazón de su esposo, que no era capaz de negarle nada. Una noche, después de haber hecho el amor, mientras yacía a su lado como solía, apoyando la cabeza sobre su pecho, le dijo:

—Ahora soy verdaderamente feliz, *Aléxandre*.

El rey la abrazó con fuerza.

—También para mí es un momento feliz —dijo—. Mi flota ha vuelto sana y salva, he concluido todas las operaciones militares, he hecho las paces con mis soldados, he unido a dos estirpes en matrimonio y pronto tendré también un hijo.

—Espera —rió Roxana—. Podría ser una hija.

—¡Oh, no! —replicó Alejandro—. ¡Estoy convencido de que será un varón: Alejandro IV! Tú serás la madre de mi heredero al trono, Roxana. Y para celebrar ese momento proclamaré grandes festejos: competiciones, espectáculos teatrales a la manera griega. Son cosas que no conoces, pero estoy seguro de que aprenderás enseguida a apreciarlas. Imagina cientos de carros tirados por cuatro caballos que corren por una pista en una loca carrera, imagina historias representadas en escenas artificiales con hombres verdaderos que fingen ser los personajes de las historias, imagina atletas que compiten en la carrera, en la lucha, en el salto, en el lanzamiento de jabalina. Y luego danzas, música, cantos...

La muchacha le miraba arrobada. Desde que había dejado sus montañas pobladas únicamente de pastores, había visto toda clase de maravillas y su vida con Alejandro, que a sus ojos era de hecho omnipotente, parecía ser un sueño sin fin.

Comenzaron así los festejos y los banquetes, pero durante estas celebraciones Hefestión cayó enfermo. El rey acudió inmediatamente a su cabecera tan pronto como Eumenes le hubo avisado.

—¿Qué tiene? —se informó enseguida.

—Fiebre alta y náuseas —repuso Eumenes.

—Llama a Filipo.

—¿Has olvidado que le dejaste en Susa? He hecho venir a Glauco. Es un médico excelente.

Hefestión, aunque afiebrado, tenía ganas de bromear.

—No quiero médicos. Mándame un ánfora de vino de Chipre que me curaré yo solo.

—No hagas el payaso —replicó Alejandro—. Harás lo que te diga el médico.

Glauco llegó a toda prisa, desnudó el pecho del enfermo y le auscultó.

—¡Quién sabe por qué los médicos tienen siempre las orejas heladas! —exclamó Hefestión.

—Si quieres un médico con las orejas calientes no tienes más que pedirlo —bromeó Eumenes—. Tu amigo es dueño del mundo y puede conseguir cuanto desee.

Glauco comenzó a palpar el abdomen del paciente y lo encontró hinchado y tenso.

—En mi opinión, ha comido algo que le ha sentado mal. Le prescribiré una purga y luego deberá permanecer en ayunas bebiendo sólo agua por lo menos tres días.

—¿Estás seguro de que es un buen remedio? —preguntó Alejandro.

—Creo que Filipo haría lo mismo. Si no estuviéramos tan lejos, le mandaría un correo para consultárselo, pero creo que no vale la pena. Una enfermedad de este tipo debería curarse en un tiempo más breve del que emplearía un correo en llegar a Susa.

—Es mejor así, pero no le pierdas de vista. Hefestión es mi más querido amigo. Somos amigos de la infancia.

Y mientras hablaba, su mirada se posó en el collar de oro que Hefestión llevaba en el cuello con un pequeño incisivo de leche engastado en él: el suyo. Y él llevaba al cuello el de Hefestión: la primera prenda de eterna amistad que se habían intercambiado.

—No temas, señor —replicó el médico—. Curaremos al general Hefestión lo más pronto posible.

Alejandro salió y el médico hizo ingerir enseguida la purga a su paciente y le prescribió la dieta.

—Dentro de tres días, si la cosa mejora, podrás tomar un poco de caldo de gallina.

Tres días después, en efecto, Hefestión estaba mejor: la fiebre había disminuido, aunque era aún más bien alta, y la hinchazón del abdomen se había atenuado. Aquel día, el programa de las competiciones preveía la carrera de cuadrigas: Glauco, apasionado de los caballos, pasó a visitar a su paciente y, encontrándole mejorado, le pidió poder ausentarse por espacio de unas horas.

—General, hoy hay una carrera a la que me gustaría mucho asistir. Iría con mucho gusto, si no tienes nada en contra.

—Claro que no —repuso Hefestión—. Ve, pues, y diviértete.

—¿Y puedo estar tranquilo? ¿Vigilarás tu salud?

—Tranquilísimo, *iatré*. Con las que he pasado en diez años de campaña, no le tengo ciertamente miedo a una simple fiebrecilla.

—En cualquier caso, estaré de vuelta antes de la cena.

Glauco salió y Hefestión, no pudiendo ya más con el ayuno y las purgas, llamó a un siervo y le ordenó que le cocinara enseguida un par de pollos asados y que se los sirviera con vino helado.

—Pero, señor... —trató de objetar el hombre.

—¿Quieres obedecer o quieres que te haga azotar? —le reprendió Hefestión.

Ante aquella disyuntiva, el siervo hizo lo que le había sido mandado: cocinó los pollos y fue a buscar el vino conservado en nieve tupida en el sótano. Hefestión devoró la carne y se bebió una media ánfora de vino helado.

Glauco regresó hacia la noche y entró de excelente humor en el aposento de su paciente.

—¿Cómo está nuestro valeroso guerrero? —preguntó.

Pero la mirada cayó sobre los huesos mondos y lirondos de los pollos y luego sobre el ánfora vacía que había rodado hasta un rincón y palideció. Volvió lentamente la cabeza hacia el lecho: Hefestión no había conseguido llegar siquiera a él. Yacía boca arriba en el suelo. Muerto.

Alejandro recibió la noticia inmediatamente y el rey se precipitó a casa de su amigo confiando aún que se tratase de un malentendido. Cuando llegó, estaba ya Eumenes, Tolomeo, Seleuco y Pérdicas y por sus rostros y miradas se dio cuenta de que no había ninguna esperanza.

Su amigo había sido ya arreglado sobre el lecho, peinado, afeitado y revestido con unas ropas limpias. Alejandro se arrojó sobre su cuerpo gritando y llorando con desespero. Luego, una vez desahogado el dolor más agudo, se sentó en un rincón con la cabeza entre las manos, derramando lágrimas en silencio y se quedó en aquella posición toda la noche y todo el día siguiente. Los amigos que velaban puertas afuera le oían gemir de vez en cuando, emitir un sordo jadeo o, a veces, estallar de nuevo en sollozos, inconsolable.

A la puesta del sol del día siguiente, decidieron entrar.

—Ven —dijo Tolomeo—. Ven, vamos. No podemos hacer ya nada por él como no sea prepararle para las exequias.

—¡No, déjame, no puedo abandonarle, pobre amigo mío! —gritaba el rey presa de la desesperación.

Pero los compañeros le obligaron a hacerlo, le levantaron casi en peso y se lo llevaron afuera para permitir a los sepultureros egipcios acudir rápidamente a preparar el cuerpo.

—Es culpa mía, es culpa mía —gemía Alejandro—. Si no hubiera dejado a Filipo en Susa, le habría salvado y ahora estaría vivo.

—Por desgracia se ha tratado de una negligencia —dijo Seleuco—. El médico lo dejó sólo para ir a las carreras y...

—¿Qué has dicho? —preguntó Alejandro con una expresión trastornada.

—Así es, lamentablemente. Tal vez pensaba que no había peligro, y en cambio... Hefestión, una vez solo, comió y bebió sin medida: demasiada carne, vino helado y...

—¡Encontrádmelo! —gritó Alejandro—. ¡Encontradme a ese gusarapo y traédmelo inmediatamente!

El pobre médico fue descubierto por los soldados de la guardia escondido en el sótano y llevado a presencia del rey, pálido como un hoja de papel, sacudido por un temblor convulso. Trató de balbucear alguna excusa, pero Alejandro gritó:

—¡Cállate, maldito!

Y le dio un puñetazo en pleno rostro, tan fuerte que le hizo rodar por los suelos con el labio roto.

—Pasadle por la armas, ahora mismo —ordenó, y los guardias se lo llevaron en peso mientras él lloraba e imploraba piedad. Le condujeron abajo al patio y le apoyaron contra el muro cuando aún lloraba y suplicaba. El oficial gritó:

—¡Tirad! —Y los arqueros dispararon sus saetas al mismo tiempo.

Golpeado en pleno pecho, Glauco se desplomó sin un gemido en medio de un charco de sangre y de orina.

Alejandro permaneció varios días presa de la desesperación. Luego, casi de repente, se sintió dominado por un extraño frenesí, por la voluntad de honrar al más querido de sus amigos con el más imponente funeral que se hubiera celebrado nunca en todo el mundo. Envió una delegación al oráculo de Amón en Siwa para preguntar al dios si era lícito ofrecer sacrificios a Hefestión igual que a un héroe, luego dio orden al ejército de partir hacia Babilonia y de transportar a aquella ciudad el cuerpo embalsamado del amigo para celebrar allí los funerales.

No todos sus compañeros comprendieron una manifestación de dolor tan hiperbólica, por más que todos apreciaban a Hefestión. Leonato no comprendía por qué Alejandro tenía que hacer aquella pregunta al oráculo de Siwa.

—Alejandro está creando la religión de su nuevo mundo —le explicó Tolomeo—, con sus dioses y sus héroes. Aunque Hefestión ha muerto, él quiere que sea el primero de esos héroes, que viva en el mito. Ha comenzado a llevarnos a la leyenda. ¿Comprendes?

Leonato sacudió la cabeza.

—Ha muerto de una indigestión, y yo no veo nada heroico en todo ello.

—Por eso está preparando para él una ceremonia fúnebre tan fastuosa. Al final será ella la que quede en la memoria de todos. El dolor de

Alejandro por la muerte de Hefestión es el de Aquiles por la muerte de Patroclo. Poco importa cómo haya muerto Hefestión, lo que importa es cómo ha vivido. Un gran guerrero, un gran amigo, un joven cuya vida ha truncado el hado antes de hora.

Leonato asintió, a pesar de no estar seguro de haber comprendido exactamente lo que Tolomeo trataba de decir, pero instintivamente pensó que Tánatos había abierto una brecha en la cuadrilla de Alejandro llevándose al primero de los siete, y se preguntó a quién le tocaría la próxima vez.

Durante la marcha de traslado, fueron a ver al rey unos adivinos caldeos para ponerle en guardia de que no entrara en Babilonia: si lo hacía, no saldría de ella. Él entonces consultó a Aristandro y le preguntó:

—¿Qué piensas tú de ello?

—¿Hay algo que podría impedirte hacer lo que has decidido?

—No —repuso el rey.

—Entonces vamos. Nuestro destino está, de todos modos, en manos de los dioses.

Entraron en la ciudad a comienzos de primavera. Alejandro se estableció en el palacio real y comenzó a impartir órdenes para preparar la pira: una torre de ciento cuarenta codos de alto, que descansaba sobre una plataforma artificial de medio estadio de lado.

El plan fue ejecutado por su ingeniero jefe, Diadés de Larisa, y por un ejército de carpinteros, decoradores y escultores. La admirable obra se erguía sobre cinco pisos y estaba adornada de estatuas que representaban elefantes, leones y toda suerte de animales mitológicos, de grandes paneles esculpidos con escenas de gigantomaquia y centauromaquia. Unas antorchas colosales chapadas en oro puro sobresalían de los ángulos y en lo alto el catafalco estaba sostenido por estatuas de sirenas de tamaño natural.

Cuando la enorme pira fue terminada, el cuerpo embalsamado de Hefestión fue transportado a hombros por los *hetairoi* de su batallón, seguido por Alejandro y por los compañeros hasta la base de la torre. De ahí fue izado con máquinas construidas al efecto y depositado sobre el catafalco. Luego, tan pronto como el sol desapareció tras el horizonte, los sacerdotes le prendieron fuego. La estructura fue inmediatamente envuelta por las llamas que subían rugiendo a devorar las estatuas, los paneles esculpidos, los ornamentos, las ricas ofrendas votivas.

Alejandro contempló sin derramar una lágrima aquel espectáculo tremendo y bárbaro, consciente del asombro que producía en todos los presentes, en la población que asistía atónita a aquella desatinada manifestación de poderío, a aquel acontecimiento hiperbólico. Pero de pronto, mientras levantaba los ojos para contemplar lo alto de la torre que comenzaba a hundirse con un siniestro crepitar, devorada por el fuego, se volvió a ver de niño en el patio de la residencia real de Pella intercambiando una prenda de amistad eterna con un pequeño amigo que conocía desde hacía poco. «¿Hasta la muerte?», había preguntado Hefestión. «Hasta la muerte», había respondido él.

La mano se le fue instintivamente al cuello en busca de aquella prenda engarzada en oro: un dientecillo de leche. Arrancó la cadenilla y la arrojó entre las llamas para que se disolviera en el huracán de fuego, y en aquel momento se sintió invadido por una melancolía infinita, por una intensa zozobra. El primero de ellos, el primero y el más querido de los siete amigos ligados por la misma promesa y unidos por el mismo sueño, se iba para siempre. La muerte se lo había llevado y sus cenizas eran dispersadas por el viento.

Terminaba la primavera y Alejandro retomó la prosecución de sus planes y sus sueños de dominio universal, mientras el vientre de Roxana se hinchaba en la espera de un hijo. Hizo excavar en las orillas del Éufrates una gigantesca dársena con capacidad para más de quinientos navíos y proyectó con Nearco la construcción de una nueva gran flota, que debería explorar Arabia y las costas del golfo Pérsico. Los fenicios transportaron desmontadas cuarenta naves hasta el vado de Tápsaco en la alta Siria y luego las reensamblaron botándolas en el río. Navegaron descendiendo la corriente hasta la capital, repletas de tripulaciones de Sidón, Arados y Biblos dispuestas a lanzarse a la aventura hasta las extremas regiones de la misteriosa Arabia. Una flota entera de dos quinquerremes, dos cuatrirremes, veinte trirremes y treinta pentecóntoras fue trasladada en dos meses del Mediterráneo al Océano meridional: nada le parecía imposible al joven e invicto soberano.

Llegaron delegaciones de todas partes del mundo, de Libia y de Italia, de Iberia y del Ponto, de Armenia y de la India, para rendirle homenaje, para traerle presentes y para pedir una alianza con él; y él les recibió a todas en su grandioso palacio, entre las maravillas de Babilonia, que se preparaba para convertirse en la capital de la ecúmene.

Un día, hacia comienzos del verano, durante la crecida del Éufrates, Alejandro decidió descender el río y luego tomar por el Palácopas, un canal que servía para reducir el nivel de las aguas a fin de que no se anegaran los cultivos.

Él mismo estaba al gobernalle al lado de Nearco y contemplaba maravillado las vastas lagunas que se abrían aquí y allá a lo largo del canal, del que emergían las tumbas de los antiguos reyes caldeos. De repente, una ráfaga de viento le hizo volar el sombrero de ala ancha con el que se protegía del sol, en torno al cual se había atado una cinta de oro, símbolo de su realeza.

El sombrero se hundió, pero la cinta quedó enredada en una mimbrera.

Un marino se zambulló al punto y consiguió cogerla, pero, temiendo estropearla si la mantenía apretada en el puño mientras nadaba hacia la nave, se la puso en torno de la cabeza. Cuando fue izado a bordo, todos se quedaron impresionados por aquel acontecimiento infausto, por aquel presagio de infortunio, y los magos caldeos que seguían al rey sugirieron que premiara al marino por haber salvado la diadema real e inmediatamente después le diera muerte para conjurar la mala fortuna.

El rey respondió que bastaría con unos azotes por aquel gesto sacrílego y se ciñó nuevamente la diadema alrededor de la cabeza.

Nearco trató de distraerle hablando de la gran expedición hacia Arabia, pero vio que había una sombra en la mirada de Alejandro, como cuando había asistido a la incineración de Kalanos.

Pocos días después el rey asistió, sentado en el trono, a las evoluciones de su caballería fuera de la ciudad. Se levantó en un determinado momento para ir a hablar con los comandantes y de golpe, mientras todos estaban distraídos por las maniobras de los escuadrones, un desconocido pasó por en medio de los chambelanes y fue a sentarse en su puesto riendo a mandíbula batiente. La guardia persa le dio muerte en el acto, pero los sacerdotes caldeos se dieron golpes en el pecho y se arañaron el rostro en señal de desesperación, al ser aquél el peor de los presagios.

Y sin embargo, a pesar de todos aquellos signos infaustos, el amor de Roxana y el deseo de ver a su hijo le permitían ahuyentar los pensamientos más melancólicos.

—Me pregunto si se parecerá más a ti o a mí —decía—. Mi maestro Aristóteles considera que la mujer es nada más que un recipiente para el semen masculino, pero, a mi parecer, ni siquiera él se lo cree, pues es evidente que ciertos individuos se asemejan más a la madre que al padre. Yo mismo, por ejemplo.

—¿Cómo es tu madre?

—Ya la conocerás. La haré venir cuando nazca mi hijo. Era de una gran belleza, pero han pasado diez años... diez años duros para ella.

La voz de aquellos inquietantes presagios se había extendido también entre los amigos y todos rivalizaban en invitarle a comidas y cenas para mantenerle alegre. Y él aceptaba todas las invitaciones: no decía que no a nadie y pasaba los días y las noches comiendo y bebiendo sin moderación. Una noche, al volver de una de aquellas invitaciones, se sintió extraño: la cabeza pesada, los oídos que le zumbaban, pero no le dio importancia. Se dio un baño y se metió en la cama al lado de Roxana, que se había dormido con el velón encendido.

Al día siguiente tenía fiebre, pero se levantó igualmente a pesar de la insistencia de la reina, que quería que se quedara en la cama. Fue a cenar a casa de un amigo griego que hacía algún tiempo se había reunido con él en Babilonia, un tal Medio. Al anochecer, mientras estaba aún en la mesa, sintió un agudo y repentino dolor en el costado derecho, tan fuerte que le hizo dar un alarido. Los siervos le alzaron, le depositaron en el lecho; pasado un rato, el dolor pareció atenuarse.

Acudió un médico rápidamente y le visitó, pero no se atrevió a tocarle del lado en que el rey había sentido aquel dolor desgarrador. Tenía fiebre alta y se sentía mortalmente cansado.

—Haré que te lleven a palacio, señor.

—No —respondió Alejandro—. Me quedaré aquí esta noche. Estoy seguro de que mañana me sentiré mejor.

Se quedó durmiendo en casa de Medio, pero al día siguiente la fiebre había aumentado.

Al tercer día su estado siguió empeorando, pero él parecía no hacer caso. Convocó a su estado mayor y, aunque Nearco y los compañeros se dieron cuenta de que estaba mal, siguió discutiendo con ellos los detalles de la expedición y la fecha de la partida.

—¿Por qué no lo posponemos todo? —propuso Tolomeo—. Deberías permanecer tranquilo, esperar a curarte, tratar de restablecerte. Tal vez deberías cambiar de aires. Aquí el calor es insoportable, se duerme poco y mal. ¿Te has preguntado por qué el rey Darío pasaba el verano en Ecbatana, en la montaña?

—No tengo tiempo de ir a la montaña —repuso Alejandro— y no lo tengo tampoco para esperar a que se me pase la fiebre. Se pasará cuando se pase. Yo quiero seguir adelante. Nearco, ¿qué has sabido sobre la extensión de Arabia?

—Según algunos, sería tan grande como la India, pero me parece difícil de creer.

—Pronto lo sabremos, en cualquier caso —repuso Alejandro—. Pensad en ello, amigos, la tierra de los aromas: del incienso, del áloe y de la mirra.

Los compañeros fingieron entusiasmarse, pero para sus adentros también aquellas palabras sonaban como un sombrío presagio: el rey mencionaba perfumes que eran usados para embalsamar los cuerpos.

Roxana, angustiada, mandó llamar a Filipo, que se encontraba en aquel momento con un batallón del ejército al norte de la ciudad para curar una epidemia de disentería, pero cuando el mensajero de la reina llegó al campamento, el médico había ya partido hacia otro destino más al norte, sin dejar ninguna indicación precisa sobre cómo dar con su paradero.

Durante tres días Alejandro continuó desempeñando sus deberes y obligaciones, ofreciendo sacrificios a los dioses y reuniendo a sus compañeros para organizar la expedición hacia Arabia, pero ahora su estado empeoraba a ojos vista.

Cuando finalmente se dio con Filipo, pareció que hubiera una cierta mejoría: la fiebre había bajado y Alejandro conversó un rato con su médico.

—Sabía que llegarías, *iatré* —le dijo—. Ahora sé que me curaré.

—Claro que te curarás —respondió Filipo—. ¿Recuerdas aquella vez que estabas medio muerto después de aquel baño de agua helada?

—Como si fuese ayer mismo.

—¿Y el billete que te mandó Parmenión?

—Sí. Decía que tú me estabas envenenando.

—Era la pura verdad —bromeó riendo el médico—. ¡Te daba un veneno capaz de matar a un elefante y tú, nada! Estabas mejor que antes, y por tanto ¿qué quieres que te haga un poco de fiebre?

Alejandro sonrió.

—No te creo, pero me agrada que lo digas.

Al día siguiente su estado se precipitó.

—Sálvale, *iatré* —le imploraba Roxana—. Sálvale, te lo suplico.

Pero Filipo sacudía la cabeza impotente, mientras Leptina bañada en lágrimas mojaba la frente del rey para aportarle un poco de frescor.

Al día siguiente, Alejandro no consiguió ya levantarse y la fiebre le subió desmesuradamente. Fue llevado en unas parihuelas hasta el palacio de verano, donde al caer la noche había un poco de fresco. Filipo le hacía dar baños fríos para bajarle la temperatura, pero todo se revelaba ya inútil. Roxana, desesperada, no le dejaba un instante y le cubría de besos y caricias; los compañeros le velaban noche y día, sin descansar ni probar bocado.

Seleuco corrió al santuario del dios Marduk, protector de la ciudad, dios curativo, y pidió a los sacerdotes que trasladaran a Alejandro al templo, a fin de que el dios le curase, pero los sacerdotes respondieron:

—El dios no quiere que sea trasladado a su casa.

Volvió desconsolado a palacio y se reunió con los compañeros e informó a Filipo del resultado de su misión.

—Deberías matar a esos sacerdotes. Si no saben curar al rey, ¿para qué demonios están en el mundo? —exclamó Lisímaco.

—Yo digo que también esta vez saldrá de ésta —dijo Pérdicas—. No os preocupéis, ha superado otras muchas.

Filipo le miró fijamente con mirada melancólica y luego entró en el aposento del rey. Alejandro pedía agua con una voz apenas perceptible.

Al día siguiente ya no conseguía hablar.

Entretanto había corrido entre los soldados la noticia de que el rey estaba muy mal; alguno llegaba incluso a decir que había ya muerto. Se presentaron entonces ante la entrada del palacio y amenazaron con echar abajo las puertas si no les dejaban pasar.

—Iré a ver —dijo Tolomeo.

Y bajó al cuerpo de guardia.

—¡Queremos saber cómo está el rey! —gritó un veterano.

Tolomeo inclinó la cabeza.

—El rey se está muriendo —respondió—. Si queréis verle, subid ahora, pero en silencio. No perturbéis su agonía.

Y los soldados subieron. En larga fila, uno tras otro, escaleras arriba, a lo largo de los corredores, hasta la cabecera del rey: desfilaron delante de su lecho llorando, saludándole con un gesto de la mano. Para todos tenía Alejandro una mirada, un gesto de cabeza, un movimiento apenas perceptible de los labios.

Vio a sus soldados, los compañeros de mil aventuras, a los hombres de hierro que habían domado el Nilo, el Tigris, el Éufrates y el Indo, vio sus rostros demacrados por el hielo y quemados por el sol abrasador, vio sus mejillas hirsutas bañadas de lágrimas; luego, de golpe, ya nada. Oyó el llanto desesperado de Roxana y los sollozos de Leptina y luego la voz de Tolomeo que decía:

—Se acabó... Alejandro ha muerto.

Pensó en su madre en aquel momento, pensó en su espera inútil y amarga. Le pareció estar viéndola, en una torre del palacio mientras gritaba llorando y le llamaba desesperadamente: «¡*Aléxandre*, no vayas, vuelve conmigo, te lo ruego!». Y aquel grito pareció retrotraerle durante un momento al pasado, pero un sólo un instante. Ahora aquellas palabras, aquellos gritos y aquel rostro se desvanecían a lo lejos, se perdían en el viento...

Veía delante de sí una llanura inmensa, un campo florido, y oía ladrar a un perro, pero no era el sordo ladrido de Cerbero: ¡era *Peritas*! Que corría a su encuentro loco de alegría como el día en que había vuelto del destierro, y de repente, en la inmensa pradera, retumbaba un galope, resonaba de súbito un relincho. Sí, era *Bucéfalo* que venía a su encuentro con las crines al viento y se lo llevaba en la grupa como aquel día en Mieza. Y él gritaba: «¡Vamos, *Bucéfalo*!». Y el caballo se lanzaba, cual ardiente Pegaso, a una carrera desenfrenada hacia el último horizonte, hacia la luz infinita.

EPÍLOGO

«Estaba aún tu cuerpo caliente cuando nosotros nos disputábamos ya tu herencia y continuamos luchando entre nosotros durante años. Tú no estabas ya y contigo había desaparecido el sueño que nos mantuviera unidos. Leptina quiso seguirte y la encontramos agonizante a los pies de tu lecho, con las muñecas abiertas. La reina madre Sisigambis se tocó con una velo negro y se dejó morir de inanición. Roxana decidió vivir para que pudiera vivir tu hijo.

»Pérdicas vio coronado su sueño y se casó con Cleopatra, pero fue el primero en caer en la tentación de mantener unido tu imperio. Cayó en la batalla contra mis ejércitos. ¡Pobre Pérdicas!

»Lo extraño es que, aunque combatíamos ásperamente unos con otros haciendo y deshaciendo de continuo nuestras alianzas, no nos odiábamos, mejor dicho, en un cierto sentido seguíamos siendo amigos. En una ocasión, años después de tu desaparición, nos encontramos todos en Babilonia para llegar a un acuerdo y, por el contrario, al cabo de un poco, la reunión degeneró en una disputa. Pero, de repente, apareció Eumenes de detrás de una puerta y arrojó sobre tu trono vacío tu manto y tu cetro y como por ensalmo la discusión cesó, las voces se atenuaron, las miradas y los rostros se volvieron meditabundos. Aunque sólo por un instante, tú habías vuelto y nosotros estábamos allí, delante de aquel manto y de aquel trono vacío como si hubieras reaparecido de improviso, como por ensalmo.

»No hemos sido dignos de ti, y sin embargo tratábamos de imitarte en todo: nos hacíamos reproducir en la misma actitud, con la cabeza ligeramente ladeada sobre el hombro derecho, con los cabellos altos sobre la frente, aunque nos quedaran pocos, pero era sólo para explotar tu imagen. No tuvimos siquiera el valor de salvar a tu familia, destruida, aniquilada sin piedad por un párrafo al pie de la página en un tratado de partición: "En el caso de que le sucediera algo al niño, Macedonia ira a parar a...". Como condenarlo a muerte. La sed de poder había secado nuestra alma, nos había transformado en monstruos.

»Y casi todos repudiamos muy pronto a nuestras esposas persas que nos habías dado, aparte de Seleuco, que amaba a su Apamea y le dedicó una bellísima ciudad.

»Seleuco... Por algún tiempo él fue el nuevo Alejandro y consiguió casi resucitar tu imperio. Ahora está viejo como yo, cargado de achaques. Nos hemos hecho la guerra muchas veces, o mejor dicho, nuestros ejércitos se han enfrentado en los confines de Celesiria, que habían quedado demasiado inciertos en otro tratado, uno de tantos, demasiado vago, pero hemos seguido estando siempre en buenas relaciones, como viejos amigos.

»No sé cómo está ahora, pero creo que también él se encuentra próximo al fin. En cuanto a mí, hace dos años he dejado el cetro y el reino a mi hijo, Tolomeo II, para escribir esta historia. Mi único orgullo, aparte del de haber sabido renunciar espontáneamente al poder antes de que la muerte me obligara, ha sido el de haberte traído de nuevo aquí, a tu Alejandría, el único lugar digno de ti. ¡Oh, cómo quisiera que la vieses ahora! Es hermosa, ¿sabes? Es una ciudad maravillosa y floreciente, precisamente tal como la soñaste, ¿recuerdas?

»Éramos unos simples muchachos entonces, y nuestro ánimo ardía de sueños que tú representabas delante de nosotros: éramos como dioses cuando cabalgábamos a tu lado, resplandecientes en nuestras armaduras.

»Ahora he escrito el último capítulo de esta historia y, mientras la escribía, extrañamente, resonaba distinta en mi mente: parecía casi que todo pudiera revivir. Oía nuestras conversaciones, las discusiones, las bromas, las barbaridades de Leonato, ¿recuerdas? Será transcrita como es debido: será un buen texto, redactado según las reglas que nos enseñaron nuestros maestros en Pella y en Mieza. Pero yo prefiero recordarla así, nuestra historia, tal como la he revivido, día a día, momento a momento, mientras la escribía.

»He hecho todo cuanto debía hacer y hoy, al sentir el aliento gélido de Tánatos en mi cuello, he querido descender aquí para olvidar todo cuanto sucedió después de que tú desaparecieras y para adormecernos en paz a tu lado, amigo mío.

»Ya es hora de que la cuadrilla de Alejandro se reconstituya, como aquel día en que fuimos a tu encuentro en Iliria en aquel lago helado, bajo la nieve que caía en grandes copos.

»Es hora de cerrar los ojos también para nosotros, que hemos vivido un tiempo demasiado largo, y cuando nos despertemos estaremos de nuevo todos juntos, todos jóvenes y apuestos como otrora, para volver a partir contigo, para cabalgar a tu lado hacia la última aventura. Y esta vez, para siempre.

NOTA DEL AUTOR

Esta última parte de la peripecia vital de Alejandro es quizá la más compleja y comprometida de interpretar porque contiene muchos pasajes que incluso en las fuentes históricas resultan poco claros, tales como el incendio de Persépolis, la muerte de Clito *El Negro* y las dos conjuras: aquella en que se vio implicado Filotas y la llamada «de los pajes». Aunque no es función de una novela resolver problemas ya ampliamente debatidos por la crítica historiográfica, la narración puede presentar no obstante motivos interpretativos no desdeñables, precisamente porque debe tener en cuenta un marco general que a menudo escapa a la visión sectorial o, en cualquier caso, muy especializada de la investigación. Tal es el caso de la escena en que Parmenión pide explicaciones a Alejandro por la destrucción de Persépolis.

El conquistador macedonio es representado, en cualquier caso, de modo fiel también en los momentos más escabrosos y menos honorables de su peripecia vital. Sólo algunos episodios, claramente presentados con tintas negras por fuentes partidistas, han sido de algún modo retocados respecto a la que habría podido ser la situación original y más auténtica.

Los lectores, pero sobre todo las lectoras, tendrán la impresión de que algunos personajes femeninos hubieran debido tener más peso en el espíritu del protagonista, pero, también en esto, he preferido restituir una situación lo más próxima posible a la de la sociedad de la época, así como al carácter de Alejandro. En las fuentes antiguas, dichos personajes, incluso los más importantes, a duras penas son mencionados: he tratado de darles un peso específico y reconstruir, en base a consideraciones lógicas, su presencia y su influencia en las peripecias narradas.

Las reconstrucciones topográficas deben ser consideradas en general únicamente como indicativas: por desgracia la pérdida de las *Efemérides,* probablemente redactadas por Eumenes de Cardia, y de las relaciones de los bematistas («oficiales de marcha» en la novela), que daban una descripción minuciosísima del itinerario, hace que tan sólo podamos hacernos una idea aproximada del paisaje y de sus características.

Esta obra, publicada por
GRIJALBO MONDADORI,
se terminó de imprimir en los talleres
de Cayfosa-Quebecor, de Barcelona,
el día 30 de marzo
de 2000